rororo

rororo

Zu diesem Buch

«Eine deutsche Autorin, die dem Abgründigen ihrer anglo-amerikanischen Thriller-Kolleginnen ebenbürtig ist.»

(Welt am Sonntag)

Petra Hammesfahr, geboren 1951, lebt als Schriftstellerin und Drehbuchautorin in Kerpen bei Köln. Mit ihren Romanen «Der Puppengräber» (rororo Nr. 22528) und «Die Mutter» (Wunderlich Verlag 2000) eroberte sie auf Anhieb die Bestsellerlisten.

Ferner liegen vor: «Der gläserne Himmel» (rororo Nr. 22878), «Der stille Herr Genardy» (Wunderlich Taschenbuch Nr. 26223), «Lukkas Erbe» (rororo Nr. 22724) und «Das Geheimnis der Puppe» (rororo Nr. 22884).

PETRA HAMMESFAHR

Die Sünderin

Roman

Rowohlt Taschenbuch Verlag

6. Auflage Januar 2001

Veröffentlicht im Rowohlt Taschenbuch Verlag
GmbH, Reinbek bei Hamburg, September 2000

Umschlaggestaltung any.way, Cathrin Günther
(Foto: G + J Photonica / David Bravo)
Foto auf der Umschlaginnenseite
© David Klammer / plus 49 photo
Satz aus der Aldus PostScript (PageOne)
Gesamtherstellung Clausen & Bosse, Leck
Printed in Germany
ISBN 3 499 22755 x

Die Schreibweise entspricht den Regeln
der neuen Rechtschreibung.

Die Sünderin

1. Kapitel

Es war ein heißer Tag Anfang Juli, als Cora Bender sich entschloss zu sterben. In der Nacht hatte Gereon mit ihr geschlafen. Er schlief regelmäßig am Freitag- und am Samstagabend mit ihr. Sie schaffte es nicht, ihn abzuweisen, wusste zu gut, wie sehr er das brauchte. Und sie liebte Gereon. Es war mehr als Liebe. Es war Dankbarkeit, bedingungslose Ergebenheit, es war etwas Absolutes.

Gereon hatte ihr ermöglicht zu sein, was alle waren – eine normale junge Frau. Deshalb wollte sie, dass er glücklich und zufrieden war. Früher hatte sie es genossen, wenn er zärtlich wurde, seit einem halben Jahr war das vorbei.

Ausgerechnet am Heiligabend war Gereon auf die Idee verfallen, ein Radio ins Schlafzimmer zu stellen. Es sollte eine besonders schöne Nacht werden. Sie waren an dem Heiligabend seit zweieinhalb Jahren verheiratet und seit achtzehn Monaten Eltern eines Sohnes.

Gereon war siebenundzwanzig, Cora Bender vierundzwanzig Jahre alt. Gereon war knapp eins achtzig groß und schlank, er wirkte sportlich und durchtrainiert, obwohl er keinen Sport betrieb, dazu fehlte ihm die Zeit. Sein Haar war von Geburt an weißblond und nur leicht nachgedunkelt. Sein Gesicht war nicht hübsch und nicht hässlich, es war ein Durchschnittsgesicht, wie Gereon Bender insgesamt ein Durchschnittsmensch war.

Auch an Cora Bender gab es rein äußerlich keine Auffälligkeiten, wenn man von einer Narbe an der Stirn und vernarbten Armbeugen absah. Die Kerbe im Kopf sei die Folge eines Unfalls, die knotig vernarbten Armbeugen entstammten einer bösen Entzündung, hervorgerufen durch Injektionsnadeln bei der Behandlung im Krankenhaus, so hatte sie es Gereon erklärt. Sie hatte auch gesagt, dass sie sich an Einzelheiten nicht erinnere. Letzteres war die Wahrheit. Der Arzt hatte damals gesagt, es komme bei schweren Kopfverletzungen häufig zu Gedächtnisausfällen.

Es gab ein Loch in ihrem Leben. Darin verbarg sich ein schmutziges, dunkles Kapitel, das wusste sie, obwohl die eigene Erinnerung daran fehlte. Vor einigen Jahren war sie in unzähligen Nächten immer wieder hineingefallen. Das letzte Mal lag vier Jahre zurück. Zu der Zeit hatte sie Gereon noch nicht gekannt. Und irgendwie hatte sie es damals geschafft, das Loch zu schließen. Dass sie erneut hineinstürzen könnte, damit hatte sie nicht mehr gerechnet, seit sie mit Gereon verheiratet war. Und dann geschah es – ausgerechnet am Heiligabend.

Zuerst war alles in Ordnung, leise Weihnachtsmusik und Gereons Zärtlichkeit, die allmählich drängender und intensiver wurde. Dann rutschte er langsam an ihr hinunter, da wurde es unangenehm. Und als er mit dem Gesicht zwischen ihre Beine tauchte und sie seine Zunge spüren ließ, wurde die Musik laut. Sie hörte den raschen Wirbel eines Schlagzeugs, eine Bassgitarre und die hohen, schrillen Töne einer Orgel – nur für den Bruchteil einer Sekunde, im nächsten Moment war es schon wieder vorbei. Doch dieser kurze Augenblick reichte.

Etwas in ihr brach zusammen – oder auf, wie ein gut verschlossener Tresor, den jemand mit einem Schweißbrenner bearbeitet. Es war ein irreales Gefühl. Als ob sie nicht mehr im eigenen Bett läge. Sie spürte einen harten Untergrund im Rücken und etwas im Mund, als drücke ein besonders dicker Daumen ihr die Zunge nach unten und verursache einen fürchterlichen Würgreiz.

Das Aufbäumen war nur ein Reflex. Sie schlang die Knie um Gereons Nacken und presste die Oberschenkel zu beiden

Seiten an seinen Hals. Es fehlte nicht viel, und sie hätte ihm das Genick gebrochen oder ihn erwürgt. Sie bemerkte es nicht einmal, so weit weg war sie in diesem Moment. Erst als Gereon sie keuchend und röchelnd in die Seite kniff und seine Fingernägel tief in das weiche Fleisch ihrer Taille grub, holte der Schmerz sie zurück.

Gereon japste nach Luft. «Bist du bescheuert? Was fällt dir ein?» Er rieb sich das Genick, hustete, betastete seine Kehle und starrte sie kopfschüttelnd an.

Er verstand ihre Reaktion nicht. Auch sie wusste nicht, was da plötzlich so widerlich und abstoßend gewesen war. So grauenhaft, dass sie für eine Sekunde geglaubt hatte, die Zunge des Todes zu fühlen.

«Ich mag das eben nicht», sagte sie und fragte sich, was sie gehört hatte. Die Musik lief noch, sie war leise und weich. Ein Kinderchor sang: «Stille Nacht, heilige Nacht. Gottes Sohn, oh, wie lacht Lieb' aus deinem göttlichen Mund.» Was sonst an so einem Abend?

Der unverhoffte Angriff hatte Gereon die Lust genommen. Er schaltete das Radio aus, löschte das Licht und zog sich die Decke über die Schulter. Gute Nacht wünschte er ihr nicht, brummte nur: «Dann eben nicht!»

Er schlief rasch ein. Sie hätte später nicht sagen können, ob sie ebenfalls eingeschlafen war. Irgendwann saß sie aufrecht im Bett, schlug mit den Fäusten um sich und schrie: «Aufhören! Loslassen! Lasst mich los! Hört auf, ihr Schweine!» Und dabei zuckten ihr die wüsten Wirbel des Schlagzeugs, die Bassgitarre und schrillen Orgelklänge durch den Kopf.

Gereon erwachte, griff nach ihren Händen, schüttelte sie und schrie ebenfalls. «Cora! Hör auf! Was soll denn der Scheiß?» Sie konnte nicht aufhören und nicht aufwachen. Sie saß in der Dunkelheit und kämpfte verzweifelt gegen etwas, das langsam auf sie zukam, etwas, von dem sie nur wusste, dass es sie um den Verstand brachte.

Erst als Gereon ihr mehrere leichte Schläge gegen die Wangen versetzte, fand sie zu sich. Er wollte wissen, was los sei mit ihr. Ob er ihr irgendwas getan habe. Ihr Kopf war noch nicht klar genug, um ihm auf der Stelle zu antworten. Sie starrte ihn nur an. Nach ein paar Sekunden legte er sich zurück. Sie folgte seinem Beispiel, drehte sich auf die Seite und versuchte sich einzureden, es sei nur ein gewöhnlicher Albtraum gewesen.

Aber in der darauf folgenden Nacht, als Gereon das Versäumte nachholen wollte, geschah es wieder, obwohl diesmal kein Radio im Schlafzimmer stand und er auch keine Anstalten machte, das mit ihr zu tun, was er als höchsten Ausdruck von Liebe empfand. Zuerst kam die Musik, etwas lauter und etwas länger, lange genug, um zu erkennen, dass sie dieses Lied noch nie gehört hatte. Dann fiel sie in das schwarze Loch, aus dem sie schreiend und um sich schlagend hochfuhr. Nicht erwachte – das gelang ihr erst, als Gereon sie schüttelte, gegen ihre Wangen schlug und ihren Namen rief.

In der ersten Januarwoche passierte es zweimal, in der zweiten einmal, da war Gereon am Freitag zu müde. Jedenfalls behauptete er, müde zu sein. Aber am Samstag sagte er: «Allmählich habe ich das Theater satt.» Vielleicht war das auch am Freitag schon der Grund gewesen.

Im März bestand Gereon darauf, dass sie zu einem Arzt ging. «Das ist nicht normal, das musst du zugeben. Da muss man doch endlich was unternehmen. Oder soll das jetzt immer so weitergehen? Dann schlaf ich aber auf der Couch.»

Sie ging nicht zu einem Arzt. Ein Arzt hätte garantiert gefragt, ob sie eine Erklärung für diesen merkwürdigen Albtraum wisse oder zumindest dafür, warum es immer nur dann geschah, wenn Gereon mit ihr geschlafen hatte. Ein Arzt hätte wahrscheinlich begonnen, in dem Loch zu stochern, hätte ihr eingeredet, man müsse sich die Dinge bewusst machen. Ein Arzt hätte nicht verstanden, dass es Dinge gab, die zu grausam waren, um sie sich bewusst zu machen. Sie versuchte es mit einer Apotheke. Man empfahl ihr ein leichtes Schlafmittel. Damit erreichte sie immerhin, dass das Schreien und Um-sich-Schlagen ausblieb und Gereon annahm, es sei nun alles wieder in Ordnung. Das war es nicht.

Es wurde mit jedem Wochenende schlimmer. Schon im Mai war die Angst vor dem Freitagabend wie ein Tier, das sie langsam von innen zerfleischte. Der Freitagnachmittag Anfang Juli war die Hölle.

Sie saß im Büro, das nicht mehr war als ein vom übrigen Lagerraum abgeteilter Winkel. Über dem Schreibtisch brannte eine Lampe, und am äußeren Rand des Lichtkegels stand ein Faxgerät, das Datum und Uhrzeit anzeigte.

4. Jul. 16:50! Noch zehn Minuten bis zum Feierabend. Noch etwa fünf Stunden, bis Gereon die Hand nach ihr ausstreckte. Am liebsten wäre sie sitzen geblieben bis Montag früh. Solange sie hinter dem Schreibtisch saß, war sie tüchtig und clever, Seele und Motor in der Firma des Schwiegervaters.

Ein Familienbetrieb, nur sie, ihr Schwiegervater, Gereon und ein Angestellter, Manni Weber. Ein Installationsunternehmen, Heizung und Wasser, und ohne sie lief nichts mehr. Sie war stolz auf ihre Position, hatte sich ihren Platz in der Hierarchie hart erkämpfen müssen.

Am Tag nach der Hochzeit hatte ihr Schwiegervater verlangt, dass sie die Büroarbeit übernahm. Und er ließ nichts gelten. «Was heißt hier, ich kann das nicht? Du hast doch Augen im Kopf! Schau in die Bücher, dann lernst du's. Oder hast du gedacht, du kannst hier auf dem faulen Hintern sitzen?»

Es war nie ihre Art gewesen, auf dem faulen Hintern zu sitzen. Das sagte sie auch. Und der Alte nickte. «Dann haben wir das ja geklärt.»

Bis dahin hatte er sich nach Feierabend selbst um den Papierkram kümmern müssen. Ihre Schwiegermutter konnte gerade das Telefon bedienen. Viel mehr konnte sie anfangs auch nicht.

Es gab nie einen Rat von dem Alten, nie einen Hinweis, wie er es bis dahin gehandhabt hatte. Und sich an den Büchern orientieren – dazu hätten sie ordentlich geführt sein müssen. Manchmal schien es, als weide sich der Alte an ihrer Hilflosigkeit. Nur war sie nicht lange hilflos gewesen.

Sie begriff rasch, worauf es ankam, und biss sich durch. Nichts fiel ihr in den Schoß, sogar um die Bretterwände, die den Bürowinkel vom übrigen Lager abtrennten, musste sie kämpfen.

Im ersten Jahr saß sie da in der Ecke, den großen Raum vor Augen, der nicht geheizt wurde und immer schmutzig war; an einem ausrangierten Küchentisch, an dem sie sich wie bei Mutter fühlte. Sie wagte nicht aufzumucken, obwohl der Alte ihr nicht einmal Lohn zahlte. Auch Gereon bekam nur ein Taschengeld. Wohnung und Essen hatten sie frei, Gereons Wagen war als Firmenfahrzeug deklariert. Wenn sie sonst etwas brauchten, musste Gereon fragen.

Nicht einmal die Schwangerschaft brachte eine Vergünstigung oder ein bisschen Bequemlichkeit. Bis zur allerletzten Minute saß sie in dem Lagerwinkel. Als die Wehen einsetzten, arbeitete sie gerade einen Kostenvoranschlag für den Einbau einer Gaszentralheizung aus; im Stehen vor dem Tisch, weil sie nicht mehr sitzen konnte mit diesem Ziehen im Rücken. Ihre Schwiegermutter wurde hysterisch, weil es so schnell ging. Ein paar heftige Krämpfe, dann platzte die Fruchtblase, und sie fühlte einen ungeheuren Druck im Unterleib.

Sie hatte nicht ins Krankenhaus gehen wollen. Aber dann rief sie doch: «Ich brauche einen Krankenwagen! Ruf mir einen Krankenwagen!»

Ihre Schwiegermutter stand nur da und zeigte auf den

Tisch. «Du bist doch noch nicht fertig. Mach das lieber erst fertig. So schlimm kann's nicht sein. Man kriegt ein Kind nicht in zehn Minuten. Mit Gereon hab ich einen ganzen Tag gelegen. Der Vater wird wütend, wenn das heute Abend nicht fertig ist. Du weißt doch, wie er ist.»

Das wusste sie nur zu gut. Sie lebten ja seit der Hochzeit unter einem Dach. Der Alte war ein Tyrann, ein Ausbeuter. Die Schwiegermutter war ein unterwürfiges Weibsbild, das nach oben buckelte und nach unten trat. Gereon war nur ein Befehlsempfänger und sie eine Sklavin; billig eingekauft auf dem großen Markt, nur für die Illusion eines ordentlichen Lebens, praktisch umsonst.

Und wie sie da vorgekrümmt neben dem alten Küchentisch stand, mitten im Dreck, die Pfütze betrachtend, die sich um ihre Füße ausgebreitet hatte, eine Hand zwischen die Beine pressend und fühlend, wie es sich dort vorwölbte, da reichte es plötzlich. Mach das lieber erst fertig? Nein!

In der Klinik fand sie Zeit, in Ruhe über ihr Leben nachzudenken und zu begreifen, dass auch die so genannten ordentlichen Verhältnisse ihre Tücken hatten, dass jede Hoffnung, die Träume könnten sich in dieser Umgebung von allein erfüllen, vergebens war. Es stellte sich nur noch die Frage, wie viel sie riskieren durfte. Aber mit einem Kind im Arm war es leichter; das waren sieben Pfund Gewicht, um jede Forderung zu unterstützen.

Als sie ein paar Tage später zurückkam, begann sie ihre Vorstellungen zu verwirklichen. Damals fing sie sich den Ruf ein, ein freches und rücksichtsloses Geschöpf zu sein. Ein Weib mit Haaren auf den Zähnen, sagte der Alte häufig. Das war sie mit Sicherheit nicht, aber sie konnte zur Not so tun. Und es hätte ja nichts genützt, um Erlaubnis zu fragen.

Sie richtete sich das Büro ein; komplett mit Schreibtisch, Aktenschrank und Heizung. Sie nahm sich noch andere Freiheiten heraus, zahlte Gereon und sich selbst einen Lohn. Der

Alte bekam einen Tobsuchtsanfall, sprach von Unverschämtheit und Raffgier. «Wo hast du gelernt, in anderer Leute Kassen zu greifen?»

Ihr schlug das Herz zum Hals heraus, aber sie gab ihm Kontra. «Entweder wir werden bezahlt wie andere, oder wir arbeiten woanders. Das kannst du dir aussuchen. Du kannst dich auch umhören, was in anderen Betrieben bezahlt wird. Dann siehst du, dass du noch gut wegkommst. Und sag nie wieder, dass ich in deine Kasse greife! Ich arbeite für mein Geld!»

Es war mühsam gewesen, sich gegen den Alten durchzusetzen. Das hatte sie geschafft, hatte ihm vor gut einem Jahr sogar ein eigenes Haus abgerungen. Mehr als einmal hatte sie trotz des Kindes befürchtet, dass er auf die Tür zeigte. «Geh wieder dahin, wo du hergekommen bist.» Und Gereon hätte nur dabeigestanden mit betretener Miene. Er hatte ihr nicht einmal den Rücken gestärkt, nie den Mund aufgemacht zu ihrer Verteidigung.

Kurz nach der Geburt des Kindes war es bitter gewesen zu erkennen, dass sie an ihm keine Hilfe hatte. Inzwischen spielte es keine Rolle mehr. Er war eben so, tat seine Arbeit, wollte ansonsten seine Ruhe – und freitags und samstags ein bisschen Liebe! Dagegen konnte sie nicht kämpfen, weil Liebe etwas Gutes, etwas Schönes, etwas völlig Natürliches und Normales war.

4. Jul. 16:52! Es war noch eine Rechnung zu schreiben. Sie hatte es vor sich hergeschoben, um sich in den allerletzten Minuten damit abzulenken. Ein neuer Heizkessel. Gereon hatte ihn am Mittwoch eingebaut, zusammen mit Manni Weber. Für die kommende Woche standen zwei weitere auf dem Arbeitsplan. Die neue Schadstoffverordnung zwang die Leute, ihre alten Anlagen zu verschrotten. Zwar war die Verordnung schon vor einigen Jahren in Kraft getreten. Aber viele hatten die Kosten gescheut und erst einmal abgewartet,

bis der Bezirksschornsteinfeger drohte, die alten Kessel stillzulegen.

Irgendwie war sie komisch, diese Einstellung. Man wusste genau, was auf einen zukam. Und tat nichts! Wartete ab. Als ob so ein alter Heizkessel von heute auf morgen und völlig aus eigenem Antrieb seinen Schadstoffausstoß der strengeren Norm anpassen, als ob ein Loch im Innern sich von einer Minute zur nächsten wieder schließen könnte.

Vor vier Jahren hatte es das getan. Nicht von einer Minute zur nächsten, es hatte ein paar Monate gedauert. Und da war Gereon noch nicht gewesen, der das Flickwerk von ein paar Tagen mit einem Handstreich wieder zerriss.

4. Jul. 16:57! Außer der Rechnung lag nichts mehr an. Am vergangenen Freitag hatte sie sich noch eine Weile mit den Lohnabrechnungen beschäftigen können. Es war nur eine Illusion gewesen, aber immerhin etwas, das die Panik in Schach gehalten hatte. Es war nicht nur Furcht, kein simples Gefühl von Unbehagen. Es war ein grauroter Nebel, der das Gehirn ausfüllte, in jeden Winkel drang und jeden Nerv blockierte.

Feierabend! Mit steifen Fingern zog sie das Blatt aus der Maschine und überprüfte sorgfältig die einzelnen Posten. Es gab nichts zu korrigieren, nur der Schreibtisch musste noch ein wenig aufgeräumt werden. Zuletzt klappte sie das Kalenderblatt auf die nächste Woche um. Montag! Bis dahin waren es zwei Ewigkeiten – wie zweimal sterben. Dabei war sie bereits halb tot.

Die Beine gehorchten ihr nicht. Sie ging wie auf Stelzen durch das winzige Büro und das Lager hinaus auf den Hof. Es war sehr warm draußen. Die Sonne lachte wie ein Babygesicht vom wolkenlosen Himmel. Das Licht war so grell, dass ihre Augen zu tränen begannen. Aber das hatte wohl mit dem Licht nicht viel zu tun.

Vorne an der Straße lag das Haus der Schwiegereltern. Ihr eigenes stand auf dem ehemaligen Garten. Es war ein großes Haus mit moderner Einrichtung, die Küche war ein Traum aus weiß gebleichter Eiche. Normalerweise war sie sehr stolz auf alles. Augenblicklich gab es keine Gefühle wie Stolz oder Selbstbewusstsein. Nur die Angst, diese wahnsinnige Angst, verrückt zu werden. Verrückt sein war für sie schlimmer als tot.

Bis kurz vor sieben war sie mit ihrem Haushalt beschäftigt. Gereon war noch nicht da. Freitags ging er regelmäßig mit Manni Weber in eine Kneipe und trank ein oder zwei Bier, niemals mehr als zwei, wenn doch, dann nur alkoholfreies. Sie trafen sich pünktlich um sieben im Haus der Schwiegereltern zum Abendessen.

Um acht gingen sie hinüber ins eigene Haus. Ihren Sohn nahm sie mit und brachte ihn gleich ins Bett. Sie musste das Kind nur hinlegen. Eine Windel für die Nacht und den Schlafanzug hatte die Schwiegermutter ihm bereits angezogen.

Gereon setzte sich vor den Fernseher, schaute sich zuerst die Nachrichten an, dann einen Film. Um zehn bekam er seinen nervösen Blick. Er rauchte noch eine Zigarette. Bevor er sie anzündete, sagte er: «Eine rauche ich noch.»

Er war angespannt und unsicher. Seit Wochen wusste er nicht mehr, wie er sich verhalten sollte. Nach ein paar Minuten drückte er die Zigarette aus und sagte: «Ich geh schon mal rauf.» Ebenso gut hätte er eine Peitsche schwingen oder sonst etwas Ungeheuerliches tun können.

Sie kam kaum aus dem Sessel hoch, als er wenig später nach ihr rief. «Cora, kommst du? Ich bin fertig.»

Er hatte geduscht und sich die Zähne geputzt. Er war noch einmal mit dem Rasierapparat über Wangen und Hals gefahren, hatte etwas After-Shave auf die Haut getupft. Sauber, duftend und gut aussehend stand er an der Tür zum Bad. Er trug nur einen Slip. Unter dem dünnen Stoff zeichnete sich seine Erektion überdeutlich ab. Er grinste verlegen und strich mit der Hand durch den Nacken, weil ihm das Haar dort beim Duschen feucht geworden war. Dann fragte er zögernd: «Oder hast du keine Lust?»

Es wäre leicht gewesen, nein zu sagen. Sie dachte auch kurz daran. Nur war das Problem damit nicht aus der Welt. Aufgeschoben war nicht aufgehoben.

Im Bad war sie rasch fertig. Auf der Ablage über dem Waschbecken lag die Packung mit dem Schlafmittel. Es war ein stärkeres als zu Anfang, und die Packung war noch fast voll. Sie nahm zwei Tabletten mit einem halben Becher Wasser. Dann, nach einem Moment des Zögerns, schluckte sie auch die restlichen sechzehn in der Hoffnung, es möge reichen, ein Ende zu machen. Sie ging ins Schlafzimmer, legte sich neben Gereon und rang sich ein Lächeln ab.

Er machte nicht viel Aufhebens, war bemüht, es schnell hinter sich zu bringen, brachte die Hand ans Ziel, schob einen Finger vor und prüfte die Möglichkeiten. Es gab keine. Seit er versucht hatte, sie dort zu küssen, gab es keine mehr. Inzwischen war er daran gewöhnt, hatte eine Gleitcreme besorgt, die er sanft einmassierte, bevor er sich über sie schob und in sie eindrang.

Und in dem Augenblick begann der Wahnsinn. Es war völlig still im Raum, von Gereons Atem abgesehen, der erst verhalten war, dann heftiger und lauter wurde. Außer dem Atem war nichts da. Und trotzdem hörte sie es, wie aus einem unsichtbaren Radio eingespielt. Nach einem halben Jahr war der Rhythmus so vertraut wie der eigene Herzschlag; die rasend schnellen Schlagzeugwirbel, begleitet von den Akkorden der Bassgitarre und dem hohen Pfeifen der Orgel. Als Gereon schneller wurde, steigerte es sich, bis sie glaubte, ihr Herz müsse zerplatzen. Dann war es vorbei, wie abgeschnitten genau in der Sekunde, in der Gereon sich neben sie rollte.

Er drehte sich auf die Seite und schlief rasch ein. Sie starrte in die Dunkelheit und wartete darauf, dass die Wirkung der sechzehn Tabletten einsetzte.

Ihr Magen schien mit flüssigem Blei gefüllt, brannte und rumorte wie in Feuer getaucht. Dann stieg es heiß und ätzend in die Kehle. Mit knapper Not schaffte sie es ins Bad und übergab sich. Anschließend weinte sie sich in den Schlaf, weinte sich durch den Traum, der ihr die Nacht in tausend Stücke riss, weinte noch, als Gereon sie an der Schulter rüttelte und verständnislos anstarrte. «Was hast du denn?»

«Ich kann nicht mehr», sagte sie. «Ich kann einfach nicht mehr.» Beim Frühstück war ihr immer noch übel, und sie hatte rasende Kopfschmerzen. Die hatte sie häufig am Wochenende. Gereon erwähnte den Vorfall in der Nacht mit keinem Wort, betrachtete sie nur mit misstrauischen und zweifelnden Blicken.

Er hatte Kaffee aufgebrüht. Er war ihm zu stark geraten und ließ den geschundenen Magen noch einmal heftig rebellieren. Gereon hatte auch das Kind aus dem Bettchen genommen, hielt seinen Sohn auf dem Schoß und fütterte ihn mit einer Scheibe Weißbrot, die er dick mit Butter und Konfitüre bestrichen hatte. Er war ein guter Vater, kümmerte sich um das Kind, sooft er die Zeit fand.

Die Woche über wurde der Kleine von der Schwiegermutter betreut und schlief auch bei den Schwiegereltern, in dem Raum, der früher Gereons Zimmer gewesen war. Für das Wochenende nahm sie ihn dann mit ins eigene Haus. Und wie er da auf Gereons Schoß saß, schien er ihr das Beste, was sie im Leben erreicht hatte.

Gereon wischte ihm die Konfitüre vom Kinn und aus den Mundwinkeln. «Ich zieh ihn mal an», sagte er. «Du willst ihn doch sicher mit zum Einkaufen nehmen.»

«Ich fahre heute später», sagte sie. «Und bei der Hitze nehme ich ihn lieber nicht mit.»

Es war erst neun Uhr, und das Thermometer stand schon bei fünfundzwanzig Grad. Der Schmerz im Kopf drückte ihr fast die Augen aus den Höhlen. Sie konnte kaum denken, und sie musste das sorgfältiger planen und durchführen. Ein spontaner Entschluss wie in der Nacht war nicht gut, da blieb zu viel unberücksichtigt. Während Gereon sich um den Rasen kümmerte, holte sie sich bei der Schwiegermutter eine von den starken Schmerztabletten, die es nur auf Rezept gab. Anschließend wischte sie ihre Küche, das Bad, die Treppe und die Diele so gründlich wie nie zuvor. Es musste alles pieksauber sein.

Um elf brachte sie ihren Sohn zur Schwiegermutter und ging mit zwei leeren Einkaufstaschen in der Hand zum Wagen. Das Auto schien ihr die einfachste Lösung. Doch als sie losfuhr, verwarf sie den Gedanken wieder. Gereon war auf den Wagen angewiesen. Wie sollte er sonst am Montag zu den Kunden kommen? Es war auch nicht ihre Art, etwas zu zerstören, das so viel Geld gekostet hatte wie ein neues Auto.

Sie fuhr aus Gewohnheit zum Supermarkt. Während sie den Einkaufskorb füllte, wägte sie andere Möglichkeiten ab. Auf Anhieb fiel ihr nichts ein. Vor der Wursttheke wartete ein Dutzend Frauen. Und sie fragte sich, wie viele von ihnen den Abend herbeisehnten und wie viele ebenso empfinden mochten wie sie. Keine! Davon war sie überzeugt.

Sie war die Ausnahme. Sie war immer eine Ausnahme gewesen, die Außenseiterin mit dem Stempel auf der Stirn. Cora Bender, fünfundzwanzig Jahre alt, zierlich und schlank, seit drei Jahren verheiratet, Mutter eines knapp zweijährigen Sohnes, den sie praktisch im Stehen bekommen hatte, gleich nach dem Einsteigen in den Krankenwagen.

Eine Sturzgeburt, hatten die Ärzte gesagt. Ihre Schwiegermutter sah das anders. «Da muss eine nur lange genug herumgehurt haben, dann ist sie da unten weit genug, um ein Kind auf die Weise zu verlieren. Wer weiß denn, was sie vorher getrieben hat! Was Gutes kann es nicht gewesen sein, wenn ihre Eltern nichts mehr von ihr wissen wollen. Nicht mal zur Hochzeit sind sie gekommen. Da fragt man sich doch: Warum nicht?»

Cora Bender, rötlich braunes schulterlanges Haar, das so über die Stirn fiel, dass es die Kerbe im Knochen und die gezackte Narbe verdeckte. Ein hübsches schmales Gesicht mit einem suchenden, ratlosen Ausdruck, als hätte sie nur vergessen, eine bestimmte Ware in den Korb zu legen. Kleine Hände, mit denen sie die Griffstange des Warenkorbs so fest umklammerte, dass die Knöchel weiß und spitz hervortraten. Braune Augen, die unruhig über die Waren im Drahtkorb glitten, die Joghurtbecher abzählten, an der Pappschale mit den Äpfeln hängen blieben. Sechs Äpfel, dick und saftig, mit gelblicher Schale. Golden Delicious. Sie liebte diese Sorte. Sie liebte auch ihr Leben. Aber es war keins mehr. Genaugenommen war es nie eins gewesen. Und dann fiel ihr ein, wie sie es zu Ende bringen konnte.

Am Nachmittag, als die ärgste Mittagshitze überstanden war, fuhren sie zum Otto-Maigler-See. Gereon saß am Steuer. Er war nicht begeistert gewesen von ihrem Vorschlag, aber widersprochen hatte er nicht. Er zeigte seinen Unmut auf andere Weise, nicht ahnend, dass er damit ihren Entschluss bekräftigte. Eine Viertelstunde kurvte er über den staubigen Parkplatz, der dem Eingang am nächsten lag.

Weiter hinten gab es freie Plätze. Sie machte ihn mehrfach darauf aufmerksam. «Ich hab keine Lust, den ganzen Kram so weit zu schleppen», sagte er.

Es war heiß im Wagen. Während der Fahrt hatten sie die Scheiben nicht herunterdrehen dürfen. Das Kind hätte sich in der Zugluft leicht erkälten können. Als sie losfuhren, war sie ruhig gewesen. Die Kurverei machte sie nervös. «Jetzt mach schon», verlangte sie. «Sonst lohnt es sich nicht mehr.»

«Was hast du es denn so eilig? Es kommt ja wohl auf ein paar Minuten nicht an. Vielleicht fährt einer weg.»

«Blödsinn. Um die Zeit fährt noch keiner heim. Jetzt mach endlich, oder lass mich aussteigen, dann gehe ich vor. Dann kannst du von mir aus bis heute Abend hier herumkurven.»

Es war vier Uhr. Gereon verzog das Gesicht, aber er schwieg, fuhr ein Stück im Rückwärtsgang, obwohl er wusste, dass sie das nicht vertrug. Dann parkte er endlich ein, so dicht neben einem anderen Wagen, dass sich die Tür an ihrer Seite nicht ganz öffnen ließ.

Sie zwängte sich ins Freie, erleichtert über den schwachen Lufthauch, der ihr über die Stirn strich. Dann beugte sie sich zurück in den stickigen Wagen, griff nach der Umhängetasche, hängte sie sich über die Schulter und befreite das Kind aus dem Spezialsitz im Wagenfond. Sie stellte ihren Sohn neben den Wagen auf seine Füße und ging nach hinten, um Gereon beim Ausladen zu helfen.

Sie hatten alles dabei, was man für einen Nachmittag am See brauchte. Es sollte später niemand eine Absicht vermuten. Die Decke und den Sonnenschirm klemmte sie sich unter den Arm, über dem sie bereits die Umhängetasche trug. Die beiden Klappsessel packte sie mit einem Griff in der anderen Hand, für Gereon blieben nur die Handtücher, die Kühltasche und das Kind.

Sie blinzelte ins Licht. Schatten gab es auf dem großen Platz nirgendwo. Es standen nur ein paar Büsche am Rand, mehr staubig als grün. Ihre Sonnenbrille lag unten in der Umhängetasche. Im Wagen hatte sie sie nicht aufgesetzt, nur die Blende heruntergeklappt. Beim Gehen schlugen ihr die Sessel gegen das Bein. Ein vorstehendes Stück Metall kratzte unangenehm über die nackte Haut und hinterließ eine rote Spur.

Gereon hatte die Sperre am Eingang erreicht, wo er auf sie wartete. Mit dem Arm zeigte er auf das Drahtgitter und erklärte dem Kind etwas. Er trug nur Shorts und Sandalen. Sein Oberkörper war nackt, die Haut braun und glatt. Er hatte eine gute Figur, breite Schultern, muskulöse Arme und eine schmale Taille. Wie er da stand, war sie sicher, dass er rasch eine andere finden würde. Als sie kam, rührte er sich nicht von der Stelle, machte auch keine Anstalten, ihr etwas abzunehmen.

Den Eintritt musste man mit der Gebühr für den Parkplatz lösen. Die Karten hatte sie eingesteckt. Sie stellte den Klappsessel ab und begann, in der Umhängetasche nach ihrer Brieftasche zu wühlen. Sie wühlte sich durch Windeln und frische Unterwäsche, vorbei an zwei Äpfeln, einer Banane und der Keksschachtel, fühlte einen der Plastiklöffel für das Joghurt, dann die Schneide des kleinen Schälmessers zwischen den Fingern. Beinahe hätte sie sich geschnitten. Endlich ertastete sie das Leder, klappte es auseinander, bekam die Eintrittskarten zu fassen und hielt sie der Frau an der Sperre hin. Dann nahm sie die Klappsessel wieder auf und schob sich hinter Gereon durch das Gitter.

Sie mussten weit über den platt getretenen Rasen laufen, sich an unzähligen Decken, Sitzgruppen und spielenden Kindern vorbeischlängeln. Der Schulterriemen der Tasche schnitt ins Fleisch. Der Arm, unten den sie Decke und Schirm geklemmt hatte, wurde allmählich lahm. Und das Bein schmerzte dort, wo die Metallteile des Sessels die Haut zerkratzten. Es waren rein äußerliche Empfindungen, sie störten nicht mehr. Sie hatte mit ihrem Leben abgeschlossen, war nur noch darauf bedacht, sich normal zu verhalten und nichts zu tun, was Gereon hätte stutzig machen können. Obwohl es unwahrscheinlich war, dass er eine verräterische Geste oder einen Satz richtig interpretiert hätte.

Er machte schließlich Halt an einem Platz, an dem es wenigstens die Illusion von Schatten gab: ein mickriges Bäumchen mit durchsichtiger Krone, die Blätter hingen herunter wie eingeschlafen. Das Stämmchen war nicht einmal armdick.

Sie legte Decke, Tasche und Sessel auf dem Gras ab, spannte den Schirm auf und steckte ihn mit der Spitze in den Boden, breitete die Decke darunter aus, zog die Klappsessel auseinander und stellte sie daneben. Gereon setzte das Kind auf die Decke und schob die Kühltasche nach hinten unter den Schirm. Dann hockte er sich hin und zog dem Kind Schuhe und Strümpfe aus, dann das dünne Hemdchen über den Kopf und das bunte Höschen nach unten.

Der Kleine saß da in einem weißen Schlüpfer über dem Windelpaket. Mit dem runden Haarschnitt sah er fast aus wie ein Mädchen. Sie betrachtete ihn und fragte sich, ob er sie vermissen würde, wenn sie nicht mehr da war. Wohl kaum, wo er doch jetzt schon die meiste Zeit bei der Schwiegermutter war.

Es war ein sonderbares Gefühl, inmitten all der Menschen zu stehen. Hinter ihnen lag eine Großfamilie auf mehreren Decken verteilt. Vater, Mutter, Großvater, Großmutter, zwei kleine Mädchen von etwa vier und fünf Jahren in rüschenbesetzten Bikinis. Ein Baby strampelte in einer Wippe unter einem Sonnenschirm.

Wie im Supermarkt fragte sie sich, was in den Köpfen der anderen vorgehen mochte. Die Großmutter hinter dem Bäumchen spielte mit dem Baby. Die beiden Männer dösten in der Sonne. Der Großvater hatte eine Zeitschrift über sein Gesicht gelegt, der Vater eine Kappe aufgesetzt, deren Schirm seine Augen verdeckte. Die Mutter wirkte abgehetzt. Sie rief einem der kleinen Mädchen zu, es solle sich die Nase putzen, und kramte dabei in einem Korb nach den Papiertüchern. Rechts von ihnen saß ein älteres Paar in Liegestühlen. Links war ein Stück Rasen frei. Dort spielte eine Gruppe von Kindern mit einem Ball.

Sie zog das T-Shirt über den Kopf und ließ den Rock auf die

Füße fallen, darunter trug sie den Badeanzug. Dann suchte sie in der Umhängetasche nach ihrer Sonnenbrille, setzte sie auf und nahm in einem der Sessel Platz.

Gereon saß bereits. «Soll ich dich eincremen?» fragte er.

«Das habe ich daheim schon gemacht.»

«Im Rücken kommst du doch gar nicht überall hin.»

«Ich sitze ja auch nicht mit dem Rücken in der Sonne.»

Gereon zuckte mit den Achseln, lehnte sich zurück und schloss die Augen. Sie schaute aufs Wasser. Es zog sie an wie ein straff gespanntes Gummiseil. Es dürfte nicht leicht sein für eine geübte Schwimmerin. Aber wenn sie vorab eine Runde drehte und sich dabei völlig verausgabte ... Sie erhob sich wieder, nahm die Sonnenbrille ab und sagte: «Ich geh ins Wasser.» Es war überflüssig, ihm das zu sagen. Er öffnete nicht einmal die Augen.

Sie ging über das Gras und den schmalen Sandstreifen und watete durch das flache Uferstück. Das Wasser war kühl und frisch. Als sie eintauchte und es ihr über dem Kopf zusammenschlug, überlief sie ein angenehmer Schauer.

Sie schwamm bis zur Absperrung, die den bewachten Strand vom offenen See trennte, und ein Stück daran entlang. Unvermittelt geriet sie in Versuchung, es sofort zu tun – die Absperrung überwinden und hinausschwimmen. Verboten war das nicht. Es gab auch am anderen Ufer ein paar Decken und Sitzgruppen, solche, die den Eintritt scheuten, denen es nichts ausmachte, sich zwischen Steine und Gestrüpp zu legen. Aber der Rettungsschwimmer auf dem Holztürmchen am befestigten Strand behielt auch die Seite im Auge. Nur konnte er nicht alles sehen und nicht schnell genug an Ort und Stelle sein, wenn weiter hinten etwas passierte. Und Voraussetzung war auch, dass jemand um Hilfe schrie oder wenigstens mit den Armen ruderte. Wenn in dem Gewimmel ein Kopf einfach wegtauchte ...

Es hieß, im See sei einmal ein Mann ertrunken, die Leiche

habe man nie gefunden. Ob das stimmte, wusste sie nicht, wenn ja, musste der Mann noch da unten sein. Dann könnte sie dort mit ihm leben, zwischen den Fischen und den Algen. Es musste schön sein in einer Wassertropfenwelt, in der es keine Lieder und keine schwarzen Träume gab, in der es nur rauschte und geheimnisvoll grün oder braun aussah. Der Mann im See hatte zuletzt garantiert kein Schlagzeug gehört. Nur den Schlag des eigenen Herzens. Keine Bassgitarre und nicht das Pfeifen einer Orgel. Nur das Summen des eigenen Blutes in den Ohren.

Nach fast einer Stunde schwamm sie zurück, obwohl es schwer fiel. Aber einen Großteil Kraft hatte sie bereits im Wasser gelassen. Und da war das Bedürfnis, noch ein Weilchen mit dem Kind zu spielen, ihm vielleicht zu erklären, warum sie gehen musste. Der Kleine verstand es ja nicht. Sie wollte sich auch unauffällig von Gereon verabschieden.

Als sie ihren Platz erreichte, war das ältere Paar rechts von ihnen verschwunden. Nur die beiden Liegestühle standen noch da. Und der Platz links neben ihnen war nicht mehr frei. Von den spielenden Kindern und ihrem Ball war weit und breit nichts mehr zu sehen. Da lag jetzt eine hellgrüne Decke so nahe bei ihrem Klappsessel, dass das Rohrgestell an den Stoff anschloss. Mitten auf der Decke stand ein großes Kofferradio mit Kassettenteil, aus dem Musik in den Nachmittag dudelte.

Um das Radio verteilten sich vier Leute, alle waren im selben Alter wie sie und Gereon. Zwei Männer, zwei Frauen. Zwei Paare! Eins saß aufrecht mit angezogenen Beinen und unterhielt sich nur. Beide Gesichter waren im Profil zu erkennen. Das zweite Paar hatte vorerst keine Gesichter. Es lag ausgestreckt, die Frau unten, der Mann über ihr.

Vom Kopf der Frau war nur das Haar zu sehen, ein sehr helles Blond, fast weiß – und sehr lang, es reichte ihr bis an die Hüften. Der Mann hatte kräftiges dunkles Haar, das sich im Nacken ringelte. Seine muskulösen Beine lagen zwischen den gespreizten Beinen der Frau. Seine Hände umschlossen ihren Kopf. Er küsste sie.

Der Anblick krampfte ihr unvermittelt das Herz zusammen. Sie hatte Mühe zu atmen, fühlte das Blut in den Beinen versacken. Ihr Kopf wurde leer. Nur um ihn wieder zu füllen, bückte sie sich unter den Schirm und griff nach einem Handtuch. Und nur um das Poltern zu übertönen, mit dem der Herzschlag wieder einsetzte, strich sie dem Kind über den Kopf, sprach ein paar Worte mit ihm, kramte den roten Plastikfisch aus der Umhängetasche und drückte ihn dem Kind in die Finger.

Dann drehte sie ihren Sessel so, dass sie der Gruppe mit dem Radio den Rücken zukehrte. Trotzdem schwebte ihr der Anblick weiter vor den Augen. Nur allmählich verblasste das Bild, und sie beruhigte sich. Was das Paar hinter ihr tat, ging sie nichts an. Es war normal und harmlos, und die Musik war nicht einmal lästig. Irgendeiner sang etwas in englischer Sprache.

Außer der Musik hörte sie die helle Stimme einer Frau und die bedächtige Stimme eines Mannes. Es musste der sein, der aufrecht saß. Und so wie er sprach, schien er die Frau noch nicht lange zu kennen. Er nannte sie Alice. Der Name erinnerte sie an ein Buch, das sie als Kind besessen hatte. Für einen Tag! Alice im Wunderland. Gelesen hatte sie es nicht. Dazu war sie nicht gekommen in den paar Stunden. Vater hatte ihr erzählt, wovon es handelte. Aber was Vater erzählt hatte – es hatte nicht mehr Wert gehabt als sein Versprechen: «Eines Tages wird es besser.»

Der Mann hinter ihrem Sessel erzählte, dass er sich selbständig machen wolle. Er habe ein gutes Angebot, in eine Gemeinschaftspraxis einzusteigen, erklärte er Alice. Von den beiden, die lagen, war nichts zu hören.

Gereon spähte an ihrem Arm vorbei und grinste. Automatisch warf sie einen Blick über die Schulter. Der dunkelhaarige Mann hatte sich aufgerichtet. Er kniete, immer noch mit dem Rücken zu ihr, neben der weißblonden Frau, hatte ihr das Oberteil des Bikinis ausgezogen und Sonnenöl zwischen ihre Brüste gegossen. Die Pfütze war deutlich zu erkennen. Er war dabei, sie zu verteilen. Die Frau rekelte sich unter seinen Händen. Es sah aus, als genieße sie es. Dann setzte die Frau sich ebenfalls. «Jetzt du», sagte sie. «Aber zuerst machen wir richtige Musik. Bei dem Gedudel schläft man ja ein.»

Neben den Beinen der weißblonden Frau lag ein bunter Stoffbeutel. Sie fasste hinein und zog eine Musikkassette heraus. Der dunkelhaarige Mann protestierte: «Nein, Ute, die nicht. Das ist nicht fair. Wo hast du die her? Gib sie mir!» Er griff nach dem Arm der Frau. Die Frau ließ sich nach hinten fallen, und der Mann fiel über sie. Sie balgten herum, rollten fast von der Decke.

Gereon grinste immer noch.

Dann lag der Mann unten, die Frau saß rittlings auf ihm, streckte den Arm mit der Musikkassette in die Luft, lachte und keuchte: «Gewonnen, gewonnen. Verdirb uns nicht den Spaß, Schätzchen. Die Musik ist phantastisch.» Sie beugte sich zu dem Radiorecorder hinüber. Ihr langes weißblondes Haar streifte die Beine des Mannes, während sie die Kassette in den Recorder schob und auf eine Taste drückte. Dann drehte sie die Lautstärke höher.

Der Satz ‹Verdirb uns nicht den Spaß› und der Ausdruck ‹Schätzchen› hatten ihr einen Stich versetzt und etwas im Innern zum Schwingen gebracht. Als die ersten Takte der Musik aufklangen, ließ die weißblonde Frau sich nach vorne fallen und umschloss das Gesicht des Mannes mit beiden Händen. Sie küsste ihn und bewegte die Hüften über seinem Schoß.

Und Gereon bekam seinen nervösen Blick. «Soll ich dich jetzt eincremen?» fragte er.

«Nein!» So heftig hatte sie nicht werden wollen. Aber was die Frau da trieb und wie Gereon darauf reagierte, machte sie wütend. Abrupt stand sie auf. Es wurde Zeit, sich von dem Kind zu verabschieden. Das wollte sie in Ruhe tun, nicht mit einem Weib in unmittelbarer Nähe, das ihr überdeutlich vor Augen führte, woran sie gescheitert war.

«Sie könnten wenigstens die Musik leiser stellen», sagte sie. «Hier ist laute Musik verboten.»

Gereon verzog abfällig das Gesicht. «Demnächst wird hier noch das Atmen verboten. Reg dich bloß nicht künstlich auf. Mir gefällt die Musik, und der Rest gefällt mir auch. Die hat jedenfalls Feuer im Hintern.»

Sie kümmerte sich nicht um das, was er sagte, nahm das Kind auf den Arm und griff mit der freien Hand nach dem roten Fisch. Es tat gut und beruhigte, den warmen, festen Körper zu fühlen, das Windelpaket unter dem weißen Höschen, den runden Arm im Nacken und das Babygesicht so dicht vor Augen.

Auf dem seichten Uferstreifen stellte sie ihren Sohn auf die Füße. Er zuckte zusammen. Das Wasser war kühl, nachdem er so lange in der Hitze gesessen hatte. Nach ein paar Sekunden hockte er sich hin und blinzelte zu ihr hoch. Sie reichte ihm den roten Fisch, er tauchte ihn ein.

Er war ein hübsches Kind, ein stilles Kind. Er sprach nicht viel, obwohl er über einen verhältnismäßig großen Wortschatz verfügte und deutlich in kurzen Sätzen artikulieren konnte. «Ich mag essen.» – «Papa muss arbeiten.» – «Oma kocht Pudding.» – «Das ist Mamas Bett.»

Einmal, kurz nach dem Umzug ins eigene Haus, er war gerade ein Jahr alt gewesen, hatte sie ihn zu sich ins Bett genommen, an einem Sonntagmorgen. Er war noch einmal eingeschlafen in ihrem Arm. Und es war ein tiefes und warmes Gefühl gewesen, ihn zu halten.

Und wie sie da aufrecht neben ihm stand, auf den schmalen weißen Rücken hinunterschaute, auf die kleine Faust, die den roten Fisch im Wasser schwenkte, auf den gebeugten Kopf mit den fast weißen Haaren, auf den zierlichen Nacken, da kam das Gefühl wieder. Wenn es nicht schon genug Gründe gegeben hätte, hätte sie es nur für ihn getan. Damit er frei und unbelastet aufwachsen konnte. Sie hockte sich neben ihn und küsste ihn auf die Schulter. Er roch sauber und frisch nach der Sonnenschutzmilch. Gereon hatte ihn eingecremt, während sie im Wasser gewesen war.

Sie blieb eine halbe Stunde mit dem Kind im seichten Wasser, vergaß die beiden Paare auf der grünen Decke, vergaß alles, was den Abschied stören konnte. Dann leerte der Rasen sich allmählich, es ging auf sechs Uhr zu, und sie begriff, dass es allerhöchste Zeit wurde. Wenn sie das Kind nicht bei sich gehabt hätte, wäre sie hinausgeschwommen, ohne noch einen Gedanken an Gereon zu verschwenden. Den hilflosen kleinen Kerl allein auf dem Uferstreifen zurückzulassen, brachte sie nicht über sich. Er hätte ihr folgen können.

Sie nahm ihn wieder auf den Arm, fühlte die jetzt kühlen Beinchen und das nasse Höschen durch den Badeanzug am Bauch und den festen, runden Arm wieder im Nacken. Den roten Fisch hielt er an der Schwanzflosse umklammert.

Beim Näherkommen erkannte sie, dass sich auf der grünen Decke nichts verändert hatte. Die Musik lief so laut wie zuvor. Das eine Paar saß aufrecht und unterhielt sich, ohne sich zu berühren. Das andere lag wieder.

Sie kümmerte sich nicht darum, zog dem Kind eine frische Windel und ein trockenes Unterhöschen an. Dann wollte sie gehen, wurde jedoch noch einmal aufgehalten.

«Ich mag essen», sagte das Kind.

Auf ein paar Minuten kam es nicht an. Sie war voll und ganz konzentriert auf die letzten Augenblicke mit ihrem

Sohn. «Was magst du denn essen? Ein Joghurt, eine Banane, einen Keks oder einen Apfel?»

Er hielt das Köpfchen zur Seite geneigt, als denke er ernsthaft über ihre Frage nach. «Ein Apfel», sagte er. Und sie setzte sich noch einmal in ihren Sessel, nahm einen Apfel und das kleine Schälmesser aus der Umhängetasche.

Gereon hatte ihren Sessel während ihrer Abwesenheit verschoben, sodass sie nicht mehr mit dem Rücken, sondern seitlich zur Decke saß und er besser an ihr vorbeischauen konnte. Er saß mit ausgestreckten Beinen und über dem Bauch zusammengelegten Händen da, tat so, als blicke er zum Wasser, schielte in Wahrheit zu den Brüsten der weißblonden Schlampe. Unter Garantie würde er sich so eine suchen, wenn sie nicht mehr da war.

Es hätte sie wütend machen müssen, so zu denken, das tat es nicht. Es machte nicht einmal traurig. Der Teil von ihr, der fühlen konnte, war wohl schon tot, gestorben irgendwann in den letzten sechs Monaten, ohne dass es einer bemerkt hätte. Sie dachte nur darüber nach, wie sie es sich leichter machen konnte.

Nicht gegen das Wasser kämpfen. Dort wo die Absperrung begann, ragte eine winzige Landspitze in den See hinein, mit Buschwerk bestanden. An der Stelle wäre sie gleich aus dem Blickfeld der anderen verschwunden. Und dann zur Mitte des Sees schwimmen. Von Anfang an tauchen. Das zehrte an den Kräften.

Aus dem Radiorecorder hämmerte ein Schlagzeugsolo. Obwohl sie es nicht beachtete, drosch es auf ihre Stirn ein. Sie hielt den Apfel fest in der Hand, fühlte das Zittern im Nacken, die Schultermuskeln spannten sich an. Es wurde hart in ihrem Rücken und kalt, als säße sie nicht in der warmen Luft, sondern läge auf einem kalten Untergrund. Und etwas wie ein besonders dicker Daumen schob sich in ihren Mund. So wie Weihnachten, als Gereon es besonders schön machen wollte.

Sie schluckte heftig, setzte das Schälmesser an und teilte den Apfel in vier Stücke, drei legte sie sich auf die geschlossenen Beine.

Hinter ihr sagte die bereits vertraute Stimme von Alice: «Da steckt ja richtig Feuer drin.»

Der sitzende Mann antwortete: «Das traut ihm heute keiner mehr zu. Es ist auch fünf Jahre her. Das waren Frankies wilde Wochen. Mehr als ein paar Wochen waren es nämlich nicht. Er wird nicht gerne daran erinnert. Aber ich finde, Ute hat Recht. Die Musik ist phantastisch, er muss sich nicht schämen dafür. Drei Freunde waren sie, leider sind sie nicht über den Keller hinausgekommen. Frankie saß am Schlagzeug.»

Frankie, das hallte kurz in ihrem Kopf nach. Freunde, Keller, Schlagzeug, das prägte sich ein.

«Warst du auch dabei?» fragte Alice.

«Nein», bekam sie zur Antwort, «ich kannte ihn damals noch nicht.»

Gereon reckte sich im Sessel und warf einen Blick auf das Apfelstück in ihren Händen. «Er isst ja bestimmt nicht alles. Den Rest kannst du mir geben.»

«Den Rest esse ich selbst», sagte sie. «Und danach schwimme ich noch eine Runde. Du kannst dir einen nehmen. Es ist noch einer da.» Als letztes ein Stück Apfel! Golden Delicious, die Sorte hatte sie schon als Kind geliebt. Allein bei dem Gedanken wurde ihr der Mund wässrig.

Auf der Decke richtete sich die weißblonde Frau auf. Sie sah es aus den Augenwinkeln. «Wartet mal», sagte die Frau und drückte eine Taste am Radiorecorder. «Ich spule ein Stück vor. Was bisher gelaufen ist, ist nichts im Vergleich mit dem ‹Song of Tiger›! Das ist das Beste, was ihr je gehört habt.»

Der dunkelhaarige Mann rollte sich herum und griff wieder nach dem Arm der Frau. Zum ersten Mal sah sie sein Gesicht, es sagte ihr nichts. Auch seine Stimme ging wie zuvor in ein Ohr hinein und zum anderen wieder hinaus, als er erneut und diesmal heftiger protestierte: «Nein, Ute, es reicht jetzt. Das nicht. Tu mir das nicht an.» Es schien ihm sehr ernst mit seinen Worten. Aber Ute lachte und wehrte seine Hände ab.

Cora dachte an ihr Haus. Dass die Schwiegermutter garantiert jeden Winkel durchstöbern und nichts finden würde, worüber sie meckern könnte. Es war alles blitzblank. Die Bücher waren auch in Ordnung. Niemand konnte ihr nachsagen, sie sei eine Schlampe gewesen.

Von einem Apfelviertel hatte sie das Kerngehäuse entfernt und die Schale so dünn wie möglich. Sie hielt dem Kind das Stück hin, griff nach dem zweiten Viertel, um auch für sich das Kerngehäuse herauszuschneiden. In dem Augenblick setzte die Musik wieder ein, noch lauter als vorhin. Sie wollte nicht hinschauen, schielte trotzdem aus den Augenwinkeln zur Seite und sah, wie die weißblonde Frau sich zurückfallen ließ. Beide Hände hielt sie an den Schultern des Mannes und riss ihn mit. Sie sah, wie er eine Hand in das weißblonde Haar wickelte. Wie er daran zog und den Kopf der Frau in eine Position brachte, die ihm angenehm war. Dann küsste er sie. Und das Schlagzeug …

Die Apfelstücke fielen ins Gras, als sie aufsprang. Gereon zuckte zusammen, als sie zu schreien begann. «Hört auf, ihr Schweine! Aufhören! Lass sie los! Du sollst sie loslassen!»

Beim ersten Satz hatte sie sich zur Seite und auf die Knie geworfen, beim letzten hatte sie das kleine Messer bereits einmal in den Mann gestoßen.

Mit dem ersten Stich traf sie ihn in den Nacken. Er schrie auf, rollte den Oberkörper herum und griff nach ihrem Handgelenk. Er bekam es auch zu fassen und hielt es für ein oder zwei Sekunden fest umklammert. Dabei schaute er sie an. Und dann ließ er sie los und schaute sie nur noch an. Er murmelte etwas. Sie verstand ihn nicht. Die Musik war zu laut.

Und das war es! Das war das Lied aus ihrem Kopf, das Lied, mit dem der Wahnsinn begann. Es schallte über den platt getretenen Rasen, streifte entsetzte Gesichter und steife Körper.

Mit dem zweiten Stich traf sie ihn seitlich in den Hals. Er riss die Augen weit auf, gab aber keinen Ton mehr von sich, griff nur mit einer Hand zum Hals und schaute ihr dabei in die Augen. Das Blut spritzte zwischen seinen Fingern durch, so rot wie der kleine Plastikfisch. Die weißblonde Frau kreischte und versuchte, unter seinen Beinen wegzukriechen.

Sie stieß noch einmal hinunter und noch einmal. Ein Stich in die Kehle. Ein Stich in die Schulter, ein Stich durch die Wange. Das Messer war klein, aber sehr spitz und sehr scharf. Und die Musik war so laut. Das Lied füllte den ganzen Kopf aus.

Der Mann, der bis dahin nur gesessen und sich mit Alice unterhalten hatte, schrie etwas. Es klang wie: «Aufhören!»

Natürlich! Darum ging es doch. Aufhören! Hört auf, ihr Schweine! Der sitzende Mann bewegte eine Hand nach vorne, als wolle er ihr in den Arm fallen. Aber das tat er nicht. Niemand tat etwas. Es war, als seien sie alle in der Zeit eingefroren. Alice presste beide Hände vor den Mund. Die weißblonde Frau wimmerte und kreischte abwechselnd. Die kleinen Mädchen in den rüschenbesetzten Bikinis drückten sich eng an ihre Mutter. Der Großvater nahm die Zeitung vom Gesicht und richtete sich auf. Die Großmutter riss das Baby hoch und presste es sich gegen die Brust. Der Vater machte Anstalten, sich zu erheben.

Dann war Gereon endlich aus dem Sessel und in der nächsten Sekunde über ihr. Er schlug mit der Faust in ihren Rücken, wollte die Hand mit dem Messer packen, als sie den Arm erneut anhob. Er brüllte: «Cora! Lass den Scheiß! Bist du wahnsinnig?»

Nein, nein, sie war völlig klar im Kopf. Es war alles gut. Es war alles richtig. Es musste so sein. Das wusste sie mit Sicherheit. Und der Mann wusste es auch, es war in seinen Augen zu lesen. «Dies ist mein Blut, das für deine Sünden vergossen wird.»

Als Gereon sich auf sie warf, kamen ihm der sitzende Mann und der Vater der kleinen Mädchen zu Hilfe. Beide hielten ihr je einen Arm fest, während Gereon ihr das Messer aus den Fingern zerrte, mit einer Hand in ihr Haar griff, ihren Kopf nach hinten zog und ihr mehrfach mit der Faust ins Gesicht schlug.

Gereon blutete aus zwei oder drei Wunden am Arm. Sie hatte auch nach ihm gestoßen, obwohl sie das nicht hatte tun wollen. Der sitzende Mann schrie nun Gereon an, er solle aufhören. Das tat er schließlich auch. Aber er hielt sie mit eisernem Griff im Nacken und presste ihr Gesicht auf die blutige Brust des Mannes.

Es war still in der Brust. Es war auch sonst fast still. Noch ein paar Rhythmen, ein letztes Schlagzeugsolo kurz vor dem Bandende. Dann machte es Klack. Eine Taste am Radiorecorder sprang hoch, es war vorbei.

Sie spürte Gereons Griff, die tauben Stellen im Gesicht, wo seine Faust sie getroffen hatte, das Blut unter der Wange und den Geschmack davon auf den Lippen. Sie hörte das Gemurmel ringsum. Die Frau mit dem weißblonden Haar wimmerte.

Sie streckte eine Hand aus, um sie der Frau aufs Bein zu legen. «Keine Angst», sagte sie. «Er wird dich nicht schlagen. Komm. Komm weg hier. Verschwinden wir. Wir hätten nicht herkommen dürfen. Kannst du alleine aufstehen, oder soll ich dir helfen?» Auf ihrer Decke begann das Kind zu weinen.

2. Kapitel

Ich habe als Kind nicht viel geweint,nur einmal. Und da habe ich nicht geweint, sondern vor Angst geschrien. In den letzten Jahren habe ich nicht mehr daran gedacht. Aber ich erinnere mich genau. Ich bin in einem halbdunklen Schlafzimmer. Vor dem Fenster hängen Gardinen aus schwerem braunem Stoff. Sie bewegen sich. Das Fenster muss offen sein. Es ist kalt im Zimmer. Ich friere.

Ich stehe neben einem Doppelbett. Die eine Hälfte ist ordentlich gemacht, die zweite, beim Fenster, ist zerwühlt. Von ihr geht ein muffiger, säuerlicher Geruch aus, als ob die Wäsche lange nicht gewechselt wurde.

Es gefällt mir nicht in dem Zimmer. Die Kälte, der Gestank von monatealtem Schweiß, ein schäbiger Läufer auf nackten Holzbrettern. Da, wo ich gerade hergekommen bin, liegt ein dicker Teppich auf dem Fußboden, und es ist schön warm. Ich zerre an der Hand, die meine hält. Ich will gehen.

Auf der ordentlich gemachten Seite des Bettes sitzt eine Frau. Sie trägt einen Mantel und hält ein Baby im Arm. Es ist in eine Decke gewickelt, ich soll es mir ansehen. Es ist meine Schwester Magdalena. Man hat mir gesagt, dass ich jetzt eine Schwester habe und dass wir gehen, um sie anzuschauen. Aber ich sehe nur die Frau im Mantel.

Sie ist mir völlig fremd. Sie ist meine Mutter, die ich lange nicht gesehen habe. Ein halbes Jahr. Das ist viel Zeit für ein kleines Kind. So weit reicht das Gedächtnis nicht. Und jetzt soll ich bei dieser Frau bleiben, die nur Augen für das Deckenbündel hat.

Ihr Gesicht macht mir Angst. Hart ist es, grau und bitter. Endlich schaut sie mich an. Ihre Stimme klingt, wie sie aussieht. Sie sagt: «Der Herr hat uns die Schuld nicht verziehen.»

Dann schlägt sie die Decke zurück, und ich sehe ein winziges blaues Gesicht. Die Frau spricht weiter: «Er hat uns eine Prüfung geschickt. Wir müssen sie bestehen. Wir werden tun, was er von uns erwartet.»

Dass ich mir die Worte damals merken konnte, glaube ich nicht. Man hat sie mir später oft gesagt, deshalb kenne ich sie wohl noch so genau.

Ich will weg da. Die komische Stimme der Frau, das winzige blaue Gesicht in der Decke, damit will ich nichts zu tun haben. Ich zerre wieder an der Hand, die meine hält, und beginne zu schreien. Jemand hebt mich hoch und spricht beruhigend auf mich ein. Meine Mutter! Ich bin fest überzeugt, dass die Frau, die mich auf den Arm nimmt, meine richtige Mutter ist. Ich klammere mich fest an sie und bin erleichtert, als sie mich zurück ins Warme bringt. Ich war noch sehr klein, achtzehn Monate alt. Es lässt sich leicht nachrechnen.

Als Magdalena geboren wurde, wie ich im Krankenhaus in Buchholz, war ich ein Jahr alt. Wir hatten im selben Monat Geburtstag. Ich am 9. und Magdalena am 16. Mai. Meine Schwester kam als blaues Baby auf die Welt. Sofort nach ihrer Geburt wurde sie in die große Klinik nach Eppendorf gebracht und am Herzen operiert. Dabei stellten die Ärzte fest, dass Magdalena noch andere Krankheiten hatte. Natürlich versuchten sie, ihr zu helfen, nur ließ sich nicht alles in Ordnung bringen.

Anfangs hieß es, dass Magdalena ein paar Tage, höchstens ein paar Wochen leben könne. Die Ärzte wollten nicht, dass Mutter sie mit heimnahm. Und Mutter wollte Magdalena nicht allein lassen, sie blieb ebenfalls in Eppendorf. Aber nach einem halben Jahr lebte meine Schwester immer noch, und die Ärzte konnten sie nicht ewig festhalten. Sie schickten sie heim zum Sterben.

Ich war während dieser sechs Monate bei einer Nachbarsfamilie, den Adigars, untergebracht. Als kleines Kind glaubte ich fest, dass sie meine Familie seien. Dass mich meine richtige Mutter Grit Adigar nur nebenan abgeliefert hatte, weil sie nicht viel mit mir zu tun haben wollte. Nicht gleich, zuerst nahm sie mich ja noch einmal mit zurück. Leider nicht mehr für lange.

An Einzelheiten aus dieser Zeit erinnere ich mich nicht. Ich habe mir oft gewünscht, dass mir wenigstens ein bisschen aus den Wochen und Monaten bei Grit und ihren Töchtern Kerstin und Melanie einfiele.

Grit war noch sehr jung, sie muss damals Anfang zwanzig gewesen sein, hatte mit siebzehn das erste Kind bekommen und mit neunzehn das zweite. Ihr Mann war nur selten daheim. Er war etliche Jahre älter als sie, fuhr zur See und verdiente sehr gut. Grit hatte immer genug Geld und immer genug Zeit für ihre Töchter. Sie war ein lustiger und unkomplizierter Mensch, selbst fast noch ein Kind.

Ich habe oft erlebt, wie sie sich plötzlich eine ihrer Töchter schnappte, sich mit ihr auf den Boden fallen ließ, sie kitzelte, dass sie sich unter ihren Händen wand, jauchzte und quietschte und mit dem Lachen kaum nachkam. Und ich denke heute noch, dass sie das auch mit mir einmal gemacht hat in der Zeit, in der sie mich betreute. Dass ich mit Kerstin und Melanie spielte. Dass Grit mich abends auf den Schoß nahm und mit mir schmuste, wie sie es mit ihren Kindern tat. Dass sie mich am Nachmittag mit Kuchen fütterte oder mir eine lustige Geschichte erzählte. Und dass sie zu mir sagte: «Du bist ein gutes Kind, Cora.»

Aber die sechs Monate sind weg. Auch die paar Wochen, die ich noch bei Grit verbrachte, nachdem Mutter mit Magdalena aus der Klinik heimgekommen war, sind ausgelöscht. Nur das Gefühl hat sich eingeprägt, das Abgeschobenwerden, das Ausgestoßensein, hinausgeworfen aus dem Paradies.

Weil im Paradies nur die reinen Engel sein dürfen, die Gottes Wort bis auf den letzten Buchstaben befolgen, keines seiner Gebote in Frage stellen, sich nicht gegen ihn auflehnen und die Äpfel am Baum der Erkenntnis hängen sehen können, ohne einen Bissen zu begehren.

Ich konnte das nicht. Ich war leicht zu verführen, ein schwaches, sündiges Menschlein, das die Wünsche, die in ihm geweckt wurden, nicht kontrollieren konnte, das alles haben wollte, was ihm vor Augen geriet. Und mit so einem Menschen wollte Grit Adigar nicht unter einem Dach leben, glaubte ich.

Deshalb musste ich zu einer Frau Mutter sagen, die ich nicht leiden mochte, und Vater zu dem Mann, der mit im Haus lebte. Aber ihn mochte ich sehr gerne. Er war auch ein Sünder. Mutter nannte ihn oft so.

Ich trug meine Sünden innen, bei Vater waren sie außen. Ich habe sie oft gesehen, wenn ich in der Badewanne saß und er aufs Klo musste. Ich weiß nicht, wie ich drauf gekommen bin, dass dieses Ding seine Sünde war. Vielleicht, weil ich so etwas nicht hatte und Kerstin und Melanie Adigar auch nicht. Und weil ich mich für völlig normal hielt, musste bei Vater etwas zu viel sein. Er tat mir Leid deswegen. Ich hatte oft den Eindruck, er wolle seinen Makel loswerden.

Wir schliefen in einem Zimmer. Und einmal wachte ich nachts auf, weil er so unruhig war. Ich glaube, da war ich drei Jahre alt, genau weiß ich es nicht mehr. Ich hing sehr an Vater. Er kaufte mir neue Schuhe, wenn die alten drückten. Er brachte mich abends ins Bett, blieb bei mir, bis ich eingeschlafen war, und erzählte von früher. Von ganz früher, als Buchholz noch ein winzig kleines und sehr armes Heidedorf gewesen war. Nur ein paar Bauernhöfe und der Boden so schlecht und die Tiere so mager, dass sie nach dem Winter nicht zur Weide gehen konnten. Sie mussten hingeschleppt werden. Und wie dann die Eisenbahn kam. Wie alles besser wurde.

Ich mochte solche Geschichten. Sie hatten etwas von Hoffnung, waren fast ein Versprechen. Wenn aus einem winzigen, armen Heidedorf eine schöne kleine Stadt werden konnte, dann konnte auch alles andere besser werden.

An dem Abend damals hatte Vater mir von der Pest erzählt. Und als ich dann aufwachte – Vater stöhnte, ich dachte an die Pest und hatte Angst, er sei krank geworden. Aber dann sah ich, dass er seine Sünde in der Hand hielt. Für mich sah es aus, als wolle er sie abreißen. Das gelang ihm nicht.

Ich dachte, wenn wir zu zweit reißen, schaffen wir es bestimmt. Das sagte ich ihm auch und fragte, ob ich ihm helfen solle. Er meinte, das wäre nicht nötig, stieg aus dem Bett und ging im Dunkeln zum Badezimmer. Und ich dachte, er wolle sie abschneiden. Im Bad lag eine große Schere.

Aber am nächsten Samstag sah ich, dass er sie noch an sich trug. Und – na ja, ich hätte auch Angst gehabt, mir etwas abzuschneiden, was fest angewachsen war. Ich wünschte ihm von ganzem Herzen, sie möge von alleine abfallen, verfaulen oder wegeitern, wie mir der Holzsplitter aus dem Handballen geeitert war.

Als ich das sagte, lächelte Vater, packte alles zurück in die Hose, kam zur Wanne und wusch mich. «Ja», sagte er, «hoffen wir, dass sie abfällt. Wir können ja darum beten.»

Ob wir das taten, weiß ich nicht mehr. Aber ich nehme es an. Bei uns wurde ständig gebetet um Dinge, die uns fehlten oder die wir nicht haben wollten – wie der Durst auf Himbeerlimonade. Der quälte mich oft.

Ich weiß noch, einmal – da muss ich vier gewesen sein – war ich bei Mutter in der Küche. Dass sie tatsächlich meine Mutter war, glaubte ich noch nicht. Alle sagten es, aber ich wusste schon, wie man lügt. Und ich dachte immer, alle lügen.

Ich war durstig, Mutter gab mir ein Glas Wasser. Es war nur Wasser aus der Leitung. Das mochte ich nicht. Es schmeckte fade. Mutter nahm das Glas wieder fort und sagte: «Dann bist du auch nicht durstig.»

Das war ich wohl, und ich sagte, dass ich lieber Himbeerlimonade trinken wolle. Himbeerlimonade gab es bei Grit. Mutter sah es nicht gerne, wenn ich nebenan war. Aber sie hatte nicht die Zeit, sich um das zu kümmern, was ich trieb. Und ich nutzte jede Gelegenheit, ihr zu entwischen und bei meiner richtigen Familie zu sein.

Ich hatte auch an dem Tag nebenan gespielt. Dann wollte Grit einen Besuch machen. Sie hatte einen sehr großen Freundes- und Bekanntenkreis. Viele luden sie ein, weil ihr Mann oft lange unterwegs war. Grit rief ihre Kinder ins Haus, um sie zu waschen und umzuziehen. Ich hatte gefragt, ob ich mitfahren dürfe, und zur Antwort bekommen: «Meine Mutter» erlaube das nicht. Ich musste heimgehen.

Ich weiß das noch genau. Es war früher Nachmittag, Ende Juli oder Anfang August. Draußen war es sehr heiß. Das Küchenfenster stand offen, die Sonne tauchte alles in helles Licht, die ganze Schäbigkeit, die Armseligkeit, die keineswegs finanzielle Ursachen hatte.

Vater arbeitete in Hamburg in einem Büro am Freihafen. Manchmal erzählte er mir auch davon. Ich wusste schon mit vier Jahren, dass er gut verdiente. Wir hätten ein besseres Leben führen können. Früher hatten meine Eltern das auch getan und sich etwas gegönnt. Sie waren oft in Hamburg gewesen, tanzen, essen und solche Sachen.

Aber seit Magdalena auf der Welt war, brauchte Vater viel Geld für sich. Und die Klinik kostete auch eine Menge. Die Ärzte in Eppendorf wunderten sich, dass Magdalena noch lebte. Sie war oft in der Klinik, manchmal lange für eine neue Operation, manchmal nur ein paar Tage für Untersuchungen. Mutter war immer bei ihr. Und für Mutters Bett und ihr Essen musste Vater bezahlen. Wenn sie zurückkamen, hieß es dann wieder: Ein paar Wochen noch, höchstens ein paar Monate.

Wir lebten mit dem Tod unter einem Dach. Und Mutter kämpfte um jeden Tag. Sie ließ Magdalena nie aus den Augen, auch nachts nicht. Deshalb schlief Vater in meinem Zimmer. Wir hatten oben im Haus nur zwei Zimmer und ein großes Bad. Als sie das Haus kauften, hatten sie gedacht, dass sie nie Kinder bekämen und mit dem zweiten Zimmer sogar eins für Gäste hätten.

Mutter stand vor dem Herd, als ich sie nach der Limonade fragte. Es war ein Elektroherd. Einen Kühlschrank hatten wir auch. Aber die restliche Einrichtung unserer Küche bestand noch aus den alten, klobigen Holzmöbeln, die sie nach ihrer Hochzeit angeschafft hatten. Alles im Haus war alt, Mutter auch.

An dem Tag damals war sie schon vierundvierzig, eine große Frau mit einem mageren Gesicht. Sie sah viel älter aus, als sie war. Für sich selbst hatte sie keine Zeit. Das Haar hing ihr grau und strähnig bis auf die Schultern. Wenn es zu lang wurde, schnitt sie ein Stück ab.

Sie trug einen bunten Kittel und rührte in einem Topf. Das Wasserglas hatte sie in den Spülstein gestellt. Sie drehte sich zu mir um und fragte: «Himbeerlimonade?»

Sie hatte eine sanfte Stimme und sprach immer sehr leise, sodass man gezwungen war, genau hinzuhören. Sie schüttelte den Kopf, als sei ihr völlig unverständlich, was mich auf einen so absurden Gedanken gebracht haben könnte. Dann sprach sie weiter in ihrer ruhigen, bedächtigen Art: «Weißt du, was man unserem Erlöser reichte, als er sterbend sagte: Mich dürstet? Einen mit Essig getränkten Schwamm hielt man ihm an die Lippen. Ein Becher mit Wasser hätte ihn glücklich gemacht und seine Leiden gelindert. Aber er hat sich nicht beklagt und gewiss nicht nach Himbeerlimonade gefragt. Was lernst du daraus?»

Es kann nicht das erste Gespräch dieser Art gewesen sein, das ich mit Mutter führte oder sie mit mir. Weil ich die Antwort auswendig wusste. «Dass unser Erlöser immer zufrieden war.»

Und ich war nie zufrieden. Ich war ein schwieriges Kind, trotzig, aufbrausend, egoistisch. Ich wollte alles – und alles für mich allein. Und wenn man mich nicht hinderte, nahm ich es mir einfach. Mutter hatte mir erklärt, dass Magdalena nur deshalb so krank war. Magdalena war ja aus Mutters Bauch gekommen. Und kurz vor ihr war ich in Mutters Bauch gewesen. Und ich hatte all die Kraft, die Mutter in sich getragen hatte, die für mindestens drei Kinder gereicht hätte, wie sie mir oft sagte, für mich allein genommen. Für Magdalena war nichts übrig geblieben.

Es war mir egal, wenn Mutter mir so etwas erzählte. Ich wollte zwar nicht unbedingt ein schlechter Mensch sein, aber solange es um meine Schwester ging, war mir das Gutsein nicht so wichtig. Ich mochte Magdalena nicht. Für mich war sie ein Ding wie ein Stück Holz. Sie konnte nicht laufen und nicht sprechen. Sie konnte nicht mal richtig weinen. Wenn ihr etwas wehtat, quietschte sie. Die meiste Zeit lag sie im Bett und manchmal für eine Stunde in einem Sessel in der Küche. Aber das war dann schon ein sehr guter Tag.

Natürlich durfte ich nicht aussprechen, was ich dachte. Ich musste genau das Gegenteil sagen. Aber das konnte ich sehr gut. Ich sagte immer nur das, was die Leute hören wollten. Mutter war mit meiner Antwort zufrieden. «Meinst du nicht auch, dass du dir an unserem Erlöser ein Beispiel nehmen solltest?», fragte sie. Ich nickte eifrig. Und Mutter sagte: «Dann geh und bitte ihn um Kraft und Gnade.»

Ich war immer noch durstig. Aber ich wusste, dass ich nicht einmal mehr das Glas mit dem Leitungswasser von ihr bekäme, solange ich nicht gebetet hatte, und ging in unser Wohnzimmer.

Es war genauso schäbig und altmodisch eingerichtet wie die Küche. Eine verschlissene Couch, ein niedriger Tisch auf dünnen, schräg stehenden Beinen und zwei Sessel. Aber niemand, der den Raum betrat, hatte Augen für die abgewetzten Möbel.

Der Blick fiel immer zuerst auf den Altar in der Ecke beim Fenster. Eigentlich war es nur ein Schrank, von dem Vater das Oberteil hatte absägen müssen. Davor stand eine harte Holzbank, auf der man nur knien durfte. Auf dem Schrank lag eine mit Kerzen bestickte weiße Decke, auf der immer eine Vase mit Blumen stand. Meist waren es Rosen.

Sie waren sehr teuer. Aber Mutter kaufte sie gerne, auch wenn sie mit dem Haushaltsgeld nicht hinkam. Dem Erlöser ein Opfer zu bringen müsse einem das Herz mit Freude füllen, sagte sie. Mein Herz füllte sich nie mit Freude. Es war voll mit der Vermutung, dass ich weggegeben worden war. Meine richtige Mutter Grit Adigar musste schon vor langer Zeit erkannt haben, dass ich ein schlechter Mensch war. Sie wollte nicht, dass Kerstin und Melanie darunter leiden mussten und am Ende ebenso krank wurden wie Magdalena. Deshalb hatte Grit mich zu dieser Frau gebracht, die genau wusste, wie man einen schlechten Menschen gut macht.

Aber wenn ich allen zeigte, dass ich ein gutes Kind war, wenn ich fleißig betete und nicht sündigte, jedenfalls nicht so, dass es einer merkte, dann durfte ich sicher bald wieder für immer bei meiner richtigen Familie sein, dachte ich.

Dass alle Leute wirklich überzeugt waren, ich könnte dem kranken Kind Magdalena den nächsten Tag beschaffen, mochte ich mir nicht vorstellen. Ich wusste beim besten Willen nicht, wie ich das anstellen sollte. Und es hätte bedeutet, dass ich nie mehr heim durfte, dass ich auf ewige Zeiten bei der komischen Frau und unserem Erlöser bleiben musste.

Er stand auf dem Schrank, zwischen der Blumenvase und vier Kerzenleuchtern mit hohen weißen Kerzen. Aber er stand nicht richtig. Er war mit winzigen Nägeln an einem dreißig Zentimeter hohen Holzkreuz befestigt. Außerdem war er im Rücken geklebt. Ich hatte ihn mal vom Schrank genommen und untersucht, als Mutter nicht in der Nähe war.

Ich wollte nur feststellen, ob er die Augen aufmachte. Mutter behauptete, er könne seinen Blick tief in die Herzen der Menschen versenken und alle Sünden und Begierden sehen. Aber er machte die Augen nicht auf, obwohl ich ihn schüttelte, an der Dornenkrone auf seinem schmerzgebeugten Haupt wackelte und gegen seinen Bauch klopfte. Es hörte sich an, als hätte ich gegen den Tisch geklopft.

Dass er mir auf die Schliche käme, glaubte ich nicht. Ich hatte keinen Respekt vor ihm. Nur vor Mutter, die mich zwang, vor ihm zu knien, dreimal am Tag oder öfter um Gnade, Kraft und Erbarmen zu bitten. Mein Herz sollte er rein machen. Ich wollte kein reines Herz. Ich hatte ein gesundes, das reichte mir. Mir die Kraft zum Verzicht geben sollte er. So eine Kraft wollte ich auch nicht.

Immer nur verzichten – auf Bonbons, Himbeerlimonade und andere Köstlichkeiten. Den Kuchen zum Beispiel, den uns Grit Adigar regelmäßig anbot. Sie backte ihn selbst, jeden Samstag einen – mit dicken Zuckerstreuseln. Und montags kam sie mit einem Teller, auf dem drei oder vier Stücke lagen. Die waren dann schon ein bisschen ausgetrocknet, das machte aber nichts. Mutter lehnte immer ab. Und mir lief das Wasser im Mund zusammen, wenn ich den Teller nur sah.

Wenn ich zu lange hinschaute, sagte Mutter: «Du hast wieder deinen begehrlichen Blick.» Dann schickte sie mich ins Wohnzimmer. Und dann kniete ich vor dem Kreuz auf dem Schrank in der Ecke, an dem der Erlöser sein Blut für unsere Sünden vergossen hatte.

Es war ein irritierender Moment, neben dem Toten zu knien, sein Blut zu sehen und das Entsetzen der anderen. Die Frau mit den weißblonden Haaren wollte sich von ihr nicht anfassen, nicht aufhelfen und nicht fortbringen lassen. Sie schlug mit beiden Händen nach ihr, als sie ihrem Bein zu nahe kam. Der sitzende Mann sagte, sie solle Ute in Ruhe lassen. Das tat sie dann. Ute ging sie nichts an.

Sie entschuldigte sich bei Gereon für die Stiche in den Arm. Er schlug ihr wieder mit der Faust ins Gesicht. Und der sitzende Mann – er saß längst nicht mehr, er kniete ihr gegenüber und untersuchte den Toten. Aber da es ein zeitloser Moment war, etwas für die Ewigkeit, musste er der sitzende Mann bleiben – schrie er Gereon an: «Lassen Sie das, verdammt! Jetzt hören Sie endlich auf!» Und Gereon schrie: «Bist du wahnsinnig geworden? Warum hast du das getan?» Das wusste sie nicht, und irgendwie war es peinlich.

Sie wäre gerne allein gewesen mit dem Toten, nur für ein paar Minuten, um ihn in Ruhe anzuschauen, um die Gefühle zu genießen, die sein Anblick auslöste; diese Zufriedenheit, die grenzenlose Erleichterung und den Stolz. Als sei eine unangenehme Arbeit, die sie lange vor sich hergeschoben hatte, nun endlich erledigt. Fast hätte sie gesagt: «Es ist vollbracht!» Das sprach sie nicht aus, sie saß nur da und fühlte sich prächtig.

Daran änderte sich auch nichts, als die ersten Polizisten kamen. Sie waren zu viert, uniformierte Beamte. Einer wollte von ihr wissen, ob das kleine Schälmesser ihr gehöre. Als sie das bestätigte, fragte er, ob sie den Mann damit getötet hätte.

«Ja, natürlich», sagte sie. «Das war ich.»

Und der Polizist erklärte, sie müssten sie festnehmen, sie brauche keine Aussage zu machen, habe das Recht auf einen Anwalt und so weiter.

Sie erhob sich. «Vielen Dank», sagte sie. «Ich brauche keinen Anwalt. Es ist alles in Ordnung.» Das war es auch. Es war alles bestens. Diese wundervollen Gefühle, der Jubel, der innere Frieden, etwas Ähnliches hatte sie noch nie empfunden.

Ein Polizist forderte Gereon auf, frische Unterwäsche für sie aus der Umhängetasche zu nehmen und ihm ihre Ausweispapiere auszuhändigen. Dass sie selbst in die Tasche griff, gestattete er nicht. Sie durfte nur ihren Rock und das T-Shirt nehmen. An ein Handtuch dachte sie nicht.

Gereon begann in der Tasche zu kramen und schrie erneut: «Du bist ja völlig daneben. Du hast mich auch gestochen.» Sie antwortete ihm ruhig und beherrscht. Daraufhin reichte Gereon dem Polizisten ihre Unterwäsche. Dem blieb nichts anderes übrig, als sie zu nehmen und mit neutraler Miene an sie weiterzureichen.

Sie erlaubten ihr, sich zu waschen. Zwei Uniformierte begleiteten sie zur Personaltoilette, die in dem Flachbau beim Eingang lag. Das Waschbecken war schmutzig, der Spiegel darüber fast blind und mit unzähligen Wassertropfen bespritzt. Trotzdem erkannte sie ihr Gesicht klar und deutlich. Sie tastete über die rechte Schläfe. Dort war die Haut aufgeplatzt. Das Augenlid war dick geschwollen. Sie konnte auf dieser Seite nur durch einen schmalen Spalt blinzeln. Es störte nicht.

Sie strich mit der Zungenspitze über die Oberlippe, schmeckte Blut und dachte an die Holzfigur in der Wohnzimmerecke, an die rote Farbe an Händen und Füßen, die Wunde an der Seite, von der mehrere dünne Streifen nach unten führten. Schon mit vier Jahren hatte sie gewusst, dass es nur Farbe war. Aber das Blut des Mannes, das Blut auf ihrem Gesicht, auf ihrem Körper, das war echt. Und das war die Erlösung.

Alles war rot. Der Badeanzug, die Arme, die Hände, sogar ihr Haar war verschmiert. Sie hätte es gerne so gelassen. Aber sie wollte die Polizisten nicht verärgern, drehte den Wasserhahn auf, säuberte Hände und Arme, hielt den Kopf unter den dünnen Strahl und schaute zu, wie das Blut ins Becken lief. Mit Wasser vermischt wirkte es hell, fast wie die Himbeerlimonade damals. Dabei war es gar keine Limonade gewesen, nur zähflüssiger Sirup mit Wasser verdünnt.

Irgendwann hatte Mutter kapituliert und ein Zugeständnis gemacht an die Begierden. Ein Glas süßes Wasser pro Tag. Genau genommen zwei, eins für sie und eins für Magdalena. Sie sah sich wieder stehen vor dem alten Küchentisch, dessen Platte so viele Kratzer und Kerben hatte. Sah sich mit aufmerksamem Blick verfolgen, wie Mutter Sirup in zwei Gläser goss, sorgsam darauf achtend, dass in beide gleich viel rann. Und sie sah sich rasch nach dem Glas greifen, in dem es vielleicht ein Zehntelmillimeter mehr war. Damit zum Wasserhahn laufen, bevor Mutter den feinen Unterschied bemerkte und sie in die Wohnzimmerecke scheuchte.

Seit Jahren hatte sie nicht mehr daran gedacht, und jetzt war es, als sei es gestern gewesen. Vater mit seinem Bemühen, sich die Sünde vom Leib zu reißen, und den alten Buchholzer Geschichten, immer nur früher, als ob es kein Heute und kein Morgen gegeben hätte. Mutter mit den bunten Kittelschürzen, den strähnigen Haaren und dem Kreuz. Und Magdalena, das blauschimmernde Porzellangesicht, vom immer gegenwärtigen Tod mit Intensität und Makellosigkeit gezeichnet. Die büßende Magdalena, ein Bündel Kraftlosigkeit, das für die Sünden anderer litt.

Es war vorbei. Der Erlöser hatte sein Blut gegeben, die Schuld der Menschen auf sich genommen und ihnen mit seinem Tod den Weg in den Himmel geebnet. Sie sah sein Gesicht vor sich, seinen Blick, das Begreifen in seinen Augen, das Verstehen, das Verzeihen. Und die Bitte: «Vater, vergib ihr, denn sie weiß nicht, was sie tut.» Kein Mensch konnte alles wissen!

Sie wusch auch den Badeanzug aus, benutzte ihn wie einen Schwamm, um Brust und Bauch damit zu reinigen. Das Wasser streifte sie mit den Händen ab. Es gab zwar ein Handtuch, es hing neben dem Waschbecken an einem Haken. Aber es war so schmutzig, als hinge es seit Wochen da. Dann zog sie sich an. Die Unterwäsche und das T-Shirt klebten auf der Haut, wurden feucht und durchscheinend. Einen Augenblick zögerte sie, schaute an sich hinunter. Die Brüste zeichneten sich unter dem dünnen Stoff ab. So konnte sie nicht hinausgehen. Vor der Tür warteten die Polizisten, Männer! Es musste provozierend wirken, wenn sie ihnen so gegenübertrat. Mutter bekäme einen Anfall, Mutter sähe sich gezwungen, die Kerzen vor dem Hausaltar anzuzünden, sie auf die Knie zu zwingen …

Sie verstand nicht, warum das plötzlich so gegenwärtig war. Und so wichtig! Sie musste es gewaltsam abschütteln und wurde es doch nicht los. Die Kerzenflammen tanzten weiter vor ihren Augen. Sie blinzelte heftig, um das Bild zu vertreiben. Als das nicht half, riss sie die Tür auf und sprach einen der Polizisten an. «Haben Sie eine Jacke für mich?»

Sie trugen beide nur die Hemden ihrer Uniform und wechselten einen raschen Blick. Der Jüngere senkte vor Verlegenheit den Kopf. Der andere, er mochte Anfang vierzig sein, schaffte es, ihr in die Augen zu sehen – und nicht auf die durch den feuchten Stoff schimmernden Brüste. Er schien zu wissen, worum es ging. «Sie brauchen keine Jacke», sagte er in väterlich sanftem Ton. «Da hinten sitzen welche, die haben weniger an als Sie. Sind Sie so weit? Können wir gehen?»

Sie nickte nur.

Er hielt den Blick auf ihr Gesicht gerichtet und fragte: «Wer hat Sie verletzt?»

«Mein Mann», erklärte sie. «Aber er hat das nicht böse gemeint. Er war sehr aufgeregt und hat die Kontrolle über sich verloren.» Der Polizist runzelte die Stirn, als verwundere ihn diese Auskunft. Er fasste mit der Hand an ihren Ellbogen, aber er zog die Hand sofort zurück, als sie zusammenzuckte. «Gehen wir», sagte er.

Und die Kerzenflammen erloschen endlich.

In der Zeit, die sie in der Toilette verbracht hatte, war das Gelände weitgehend geräumt worden. All die Menschen, die nicht unmittelbar Zeuge geworden waren, waren verschwunden. Nur weit hinten, wo die grüne Decke sein musste mit dem toten Mann darauf, war noch eine Gruppe von Leuten.

Es war kurz nach sieben Uhr. Auf der Terrasse, die sich dem Flachbau anschloss, hielten sich rund zwanzig Personen auf. Und alle starrten sie an, als sie näher kam. Die ängstlich fragenden Mienen waren ihr unangenehm.

Die übrig gebliebenen drei von der Decke saßen ein wenig abseits. Der sitzende Mann versuchte, die beiden Frauen zu trösten. Ute stieß seine Hand weg. Sie wimmerte ohne Unterbrechung. Bei ihnen stand ein jüngerer Mann in einem Sportanzug. Er stellte Fragen und notierte sich die Antworten auf einem Block. Zwei Sanitäter kamen auf die Terrasse. Ute wurde fortgebracht. Alice folgte ihr.

Es war wie ein Film. Überall rührte und regte sich etwas, und sie schaute nur zu. Der ältere Polizist führte sie zu einem Stuhl und sorgte dafür, dass ein Sanitäter sich ihr Gesicht, vor allem das zuschwellende Auge anschaute. Er war sehr freundlich und blieb neben ihr stehen, während sein junger Kollege zu dem Mann im Sportanzug ging und ein paar Worte mit ihm wechselte.

Gereon war auch noch da, hielt das Kind auf dem Schoß und betrachtete den Verband an seinem Arm. Der Mann im Sportanzug ging zu ihm und sagte etwas. Gereon schüttelte heftig den Kopf. Dann stand er auf und ging zu dem sitzenden Mann hinüber. Für sie hatte er keinen Blick. Er schaute ihr auch nicht nach, als sie wenig später von den beiden Polizisten flankiert auf das Drahtgitter zuging.

Dicht beim Eingang standen zwei Streifenwagen und ein weiteres Fahrzeug im Schatten einiger Bäume. Ihr fiel ein, dass Gereons Wagen weit hinten in der prallen Sonne stand. Sie blieb stehen und wandte sich an den älteren Polizisten. Er wirkte reifer und lebenserfahrener als sein Kollege. «Würden Sie mir bitte Ihren Namen nennen?»

«Berrenrath», sagte er automatisch.

Sie bedankte sich mit einem Nicken und verlangte: «Hören Sie, Herr Berrenrath: Sie müssen noch einmal zurückgehen und mit meinem Mann reden. Sagen Sie ihm, er soll den Wagen gut durchlüften und die Scheiben wieder hochdrehen, bevor er losfährt. Er wird nicht daran denken, ich kenne ihn. An so etwas denkt er nie. Und der Kleine hat empfindliche Ohren, er war schon oft krank. Wenn er hohes Fieber hat, bekommt er so leicht Krämpfe.»

Berrenrath nickte nur, öffnete die hintere Tür an einem der Streifenwagen und deutete mit der Hand hinein, sie möge einsteigen. Der Jüngere ging um den Wagen herum, setzte sich hinter das Steuer, drehte sich zu ihr um und ließ sie nicht aus den Augen. Es sah fast aus, als habe er Angst vor ihr.

Sie hätte ihn gerne beruhigt, nur wusste sie nicht, wie sie ihm das erklären sollte. Es war vorbei! Das hätte er nicht verstanden. Sie verstand es auch nicht. Sie fühlte es nur – als hätte sie es sich mit dem Blut des Mannes auf die Stirn geschrieben: VORBEI!

Berrenrath ging tatsächlich noch einmal zurück. Er blieb nicht lange. Als er sich dann neben sie setzte, sagte er: «Ihr Mann wird darauf achten.»

Sie fühlte sich losgelöst von allem, abgehoben, ein wenig isoliert und betäubt von dem Triumph – wie hinausgeschwommen und untergetaucht. Es war ein sehr gutes Gefühl. Leider war es auf den Bauch und die Herzgegend beschränkt. Im Hirn breitete sich ganz allmählich und schleichend etwas aus, was das Geschehen aus einer anderen Perspektive betrachten wollte; mit den Augen der Menschen, die an den See gefahren waren, um einen entspannten Nachmittag zu erleben.

Das Kind fiel ihr ein, wie es auf der Decke gesessen und geweint hatte. Der arme kleine Kerl hatte sich das auch ansehen müssen. Sie tröstete sich mit dem Gedanken, dass er zu klein war, um sich alles zu merken. Er würde vergessen, was er gesehen hatte. Er würde sie vergessen. Er würde bei Gereon und den Schwiegereltern aufwachsen. Die Schwiegermutter war sehr gut zu ihm. Auch der Alte, dieser grobe Klotz, hütete den Enkel wie ein rohes Ei.

Die Fahrt dauerte nicht lange. Und sie war so in Gedanken versunken, dass sie keinen Meter registrierte. Als der Wagen anhielt, als Berrenrath ausstieg und sie zum Aussteigen aufforderte, tauchte sie für einen Moment auf und versank gleich wieder in der Vorstellung von Zukunft, um sich nicht mit der Vergangenheit beschäftigen zu müssen.

Lebenslänglich! Das war ihr klar. Immerhin hatte sie einen Mord begangen. Das war ihr auch klar. Strafe musste sein. Doch wer das Kreuz erlebt hatte, den konnten Gitter nicht erschrecken. Die Vorstellung einer Zelle hatte nichts Bedrohliches. Geregelte Mahlzeiten und Arbeit in der Küche oder der Wäscherei, vielleicht in einem Büro, wenn sie sich gut führte und allen zeigte, was sie leisten konnte.

Es konnte nicht viel anders sein als die drei Jahre mit Gereon. Ob ihr nun die Schwiegereltern oder ein paar Wärterinnen auf die Finger schauten, das machte keinen Unterschied. Nur die Wochenenden fielen weg. Nie mehr eine Zigarette, die mit den letzten erlöschenden Glutpünktchen im Aschenbecher den Startschuss für den Wahnsinn gab.

Als sie das nächste Mal auftauchte, saß sie auf einem Stuhl in einem hellgestrichenen Raum. Ein paar weitere Stühle standen wahllos herum, in der Mitte zwei Schreibtische, auf denen sich ein Durcheinander von Papieren zwischen einer Schreibmaschine und einem Telefon verteilte. Es störte sie. Sie hätte gern aufgeräumt und überlegte, ob sie die Polizisten um Erlaubnis fragen müsste.

Der Jüngere stand neben der Tür, Berrenrath bei einem großen Fenster, an dem zwei Topfpflanzen dahinkümmerten. Es fiel noch genügend Sonne ein, um die Augen zu reizen.

Und sie hatte ihre Brille vergessen. Rechts neben den Topfpflanzen lagen ein paar Akten. Die Akte Cora Bender, dachte sie flüchtig. Es musste eine dünne Akte werden. Es war ja alles klar. Natürlich musste man ihr ein paar Fragen stellen, und …

Es hätte sich dringend jemand um die Pflanzen kümmern müssen. Das war mitleiderregend. Sie mussten den Nachmittag in der prallen Sonne gestanden haben, hatten braune Flecken auf den Blättern. Unter aller Garantie war die Erde pulvertrocken.

«Hören Sie, Herr Berrenrath», sagte sie, «Sie müssen die Pflanzen vom Fenster wegnehmen. Sie vertragen die Sonne nicht. Das ist, als ob sie unter einem Brennglas stehen. Wahrscheinlich brauchen sie auch Wasser. Darf ich mal sehen?»

Berrenrath schien verblüfft, nach ein paar Sekunden nickte er zögernd.

An der Wand neben der Tür befand sich ein Schrank mit einem Spülbecken. Auf der Abtropffläche stand eine alte Kaffeemaschine, in deren Kanne sich ein hässlicher brauner Film gebildet hatte. Sie wurde wohl nie richtig ausgespült. Neben der Maschine stand ein benutzter Kaffeebecher. Sie wusch ihn sorgfältig aus, dann griff sie nach der Kanne und wollte auch die reinigen.

«Lassen Sie das», sagte Berrenrath. «Setzen Sie sich bitte wieder hin.»

«Na, hören Sie mal», protestierte sie. «Sie haben mir erlaubt, die Blumen zu gießen. Und der Becher war schmutzig. Was ist denn dabei, wenn ich ein bisschen sauber mache?»

Berrenrath seufzte und zuckte mit den Achseln. «Schauen Sie von mir aus nach den Blumen. Aber sauber machen ist nicht Ihre Aufgabe.»

«Dann eben nicht», sagte sie, «ich hab's nur gut gemeint.»

Sie füllte den Becher mit Wasser und ging zum Fenster. Tatsächlich war die Erde knochentrocken. Den Becher stellte sie erst einmal auf dem Fensterbrett ab, trug die beiden Pflanzen zum Schreibtisch, schob unauffällig zwei von den Stühlen zurecht und einige von den Papieren zu einem akkuraten Stapel zusammen, sodass ein wenig Platz frei wurde und es etwas aufgeräumter aussah. Dann holte sie den Becher und tränkte die Erde.

Die Polizisten schauten ihr ungläubig zu, als sie den Becher ein zweites Mal mit Wasser füllte. «Die hatten es bitter nötig», sagte sie, als sie sich zurück auf den Stuhl setzte.

Eine volle Minute lang war es still. Sie bemühte sich, die Gedanken beisammenzuhalten und sich auf das einzustellen, was als Nächstes kam. Das Verhör! Wie so etwas ablief, wusste sie aus Filmen. Im Grunde ging es nur um ein Geständnis. Das war für die Polizei das Wichtigste. Demnach war ein Verhör in ihrem Fall überflüssig, ein Geständnis hatte sie bereits abgelegt, es musste nur noch zu Papier gebracht und unterschrieben werden. Komisch, dass sich niemand darum kümmerte. Sie wandte sich erneut an Berrenrath. «Worauf warten wir eigentlich?»

«Auf die zuständigen Beamten», sagte er.

«Sind Sie nicht zuständig?»

«Nein.»

Sie lächelte ihn an. Es sollte ein bezauberndes Lächeln werden, doch mit dem zerschlagenen Gesicht wurde es nur schief. «Hören Sie: Das ist doch Blödsinn. Polizist ist Polizist. Es wäre mir lieb, wenn wir das erledigen könnten. Schreiben Sie mal auf, was ich gesagt habe. Ich unterschreibe es, dann können Sie Feierabend machen.»

«Warten wir lieber auf die zuständigen Beamten», sagte Berrenrath. «Sie müssen jeden Augenblick kommen.»

Natürlich kamen sie nicht. Sie hatte es oft in Filmen gesehen, dass sie einen Verdächtigen schmoren ließen, damit er ihnen keinen Widerstand entgegensetzte. Nur verstand sie nicht, warum diese Maßnahme bei ihr angewandt wurde.

Zum einen war sie nicht nur verdächtig, sie war eindeutig schuldig. Zum anderen hatte sie nicht vor, Schwierigkeiten zu machen.

Die Warterei machte sie nur nervös. Sie musste wieder an Gereon denken. Dass er sich auf der Seeterrasse benommen hatte, als sei sie eine Wildfremde, die ihn nicht das Geringste anging. Aber das verstand sie. Für Gereon musste es ein ungeheurer Schock gewesen sein. Man musste sich nur einmal in seine Lage versetzen. Er hatte ja gar nicht an den See fahren wollen. Es sei viel zu heiß, hatte er beim Mittagessen gesagt, als sie den Vorschlag machte. Er ging auch nicht gerne ins Wasser. Und dann hatte sie ihm da in ein paar Sekunden seine Welt in Streifen geschnitten. Kein Wunder, dass er anschließend auf sie eindrosch wie ein Wilder. Ob er schon daheim war? Was mochte er seinen Eltern erzählt haben. Sie mussten erstaunt gewesen sein, dass er nur mit dem Kind zurückkam.

Sie sah das vor sich. Die fragenden Mienen. «Wo ist denn Cora?» Die Stimme der Schwiegermutter. Der Alte sprach nicht viel, wenn es um familiäre Belange ging. Und Gereon, blass, mit dem weißen Verband und dem Kind auf dem unverletzten Arm, bat zuerst, dass ihm jemand half, den Kofferraum auszuräumen. Seine Mutter ging mit ihm hinaus. Draußen, wo der Alte ihn nicht hörte, sagte Gereon: «Sie hat einen Mann erstochen.»

Und später würden sie zusammen im Wohnzimmer sitzen. Gereon berichtete der Reihe nach, obwohl es nicht viel zu berichten gab. Seine Mutter jammerte, was die Nachbarn sagen mochten, wenn sie es erfuhren. Sein Vater fragte nur, wie sich das aufs Geschäft auswirkte und wer denn jetzt den Papierkram erledigte.

Es ging auf neun zu, als endlich die Tür geöffnet wurde. Die Vorstellung von Gereon und seinen Eltern riss ab. Der Mann im Sportanzug, der ihr auf der Seeterrasse aufgefallen war, betrat den Raum. Er nannte ihr seinen Namen. Sie vergaß ihn gleich wieder und versuchte, den Mann einzuschätzen. Hoffentlich hielt er sich nicht mit unnötigen Fragen auf.

Genau das tat er! Er setzte sich an die Schreibmaschine und forderte sie auf, ihren Namen zu nennen, auch den Geburtsnamen. Als ob es Zweifel an ihrer Identität gegeben hätte. Er wollte wissen, wie alt sie sei, seit wann verheiratet, berufstätig ja oder nein. Alles Dinge, die mit der Sache überhaupt nichts zu tun hatten. Dann verlangte er auch noch Auskünfte über ihre Schwiegereltern, Eltern und Geschwister.

Bis zu den Schwiegereltern antwortete sie ihm widerstrebend, aber wahrheitsgemäß. Dann sagte sie: «Meine Eltern sind tot, Geschwister hatte ich nie!»

Und er betrachtete die Pflanzen auf dem Schreibtisch, erkundigte sich, ob sie Pflanzen mochte, fragte übergangslos, ob sie Schmerzen habe, einen Arzt brauche oder einen Kaffee trinken wolle. Sie warf der alten Maschine einen raschen Blick zu und verneinte.

Es fiel ihr schwer, sich zu konzentrieren und ruhig zu bleiben. Wider Erwarten schien es doch eine längere Angelegenheit zu werden. Der Mann im Sportanzug erklärte, welches Verbrechen ihr zur Last gelegt wurde, als ob sie das nicht gewusst hätte. Er nannte ein paar Paragraphen, sprach anschließend von ihren Rechten, wiederholte, was Berrenrath am See bereits gesagt hatte. Dass sie keine Aussage machen müsse und so weiter.

An der Stelle unterbrach sie ihn. «Vielen Dank, ich habe es Herrn Berrenrath schon erklärt, das ist nicht nötig. Ich brauche keinen Anwalt. Sie schreiben am besten mal mit. Wir können gleich anfangen.»

Das konnten sie nicht. Der Mann im Sportanzug sagte, sie müssten auf den Chef warten. Aber er sei bereits im Haus.

Noch einmal verging mehr als eine Viertelstunde. Es machte sie ganz elend, nichts weiter tun zu können, als auf dem Stuhl zu sitzen und die hellgestrichenen Wände zu betrachten. Sie war es nicht gewohnt, untätig zu sein, dabei geriet man nur ins Grübeln. Wie mittags im Supermarkt, als sie gedacht hatte, sie hätte die Lösung gefunden.

Irgendwie war es doch Wahnsinn. Den eigenen Tod so fest beschlossen, dass es daran nichts mehr zu rütteln gab. Und sich dann plötzlich auf einen Mann gestürzt. Nur weil die weißblonde Frau – der Name fiel ihr im Augenblick nicht ein – das Lied spielte. Sie hätte besser gefragt, wo die Frau es herhatte. Und ob ihr jemand erklären könne, wie es in ihren Kopf gekommen sei.

Niemand sprach. Das einzige Geräusch war das Tropfen des Wasserhahns. Sie hatte ihn nicht fest genug zugedreht, als sie den Becher zum zweiten Mal füllte. Die Männer kümmerten sich nicht darum. Berrenrath behielt die Tür im Auge. Sein junger Kollege stand da mit auf den Rücken gelegten Händen. Der Mann im Sportanzug blätterte in den Notizen, die er sich auf der Seeterrasse gemacht hatte.

Was mochten ihm die Zeugen erzählt haben? Sie sei über den Mann hergefallen wie eine Verrückte! So musste es ausgesehen haben für die Leute. Plötzlich begriff sie, warum sie sich so viel Zeit mit ihr ließen. Weil sie es nicht verstanden, weil sie wie Gereon wissen wollten, warum.

Mit dieser Erkenntnis verwandelte sich ihr Herz in einen bleigefüllten Klumpen. Das Hirn füllte sich mit grauroten Schwaden. Sie spürte, dass ihr die Hände feucht wurden und zu zittern begannen. Keine Spur mehr von der anfänglichen Erleichterung, dem Jubel und dem Triumph. Sie brauchte eine vernünftige Erklärung.

Als die Tür endlich aufging, begann sie im Geist zu zählen – achtzehn, neunzehn, zwanzig – und hoffte, davon etwas ruhiger zu werden. Der Mann, der hereinkam, mochte Anfang fünfzig sein. Er machte einen behäbigen und gutmütigen Eindruck, grüßte kurz und allgemein, nickte den beiden Polizisten zu. Berrenrath nickte zurück und dabei irgendwie komisch in ihre Richtung. Der Mann im Sportanzug erhob sich, und zusammen mit Berrenrath gingen sie beide wieder hinaus.

Noch einmal warten, sich fragen, was die drei vor der Tür zu bereden, was das komische Nicken zu bedeuten hatte. Wenn wenigstens der jüngere Polizist gesprochen hätte. Die Stille war unerträglich, denn sie war nur außen. Es war fast wie sonst an einem Samstagabend. In ihrem Kopf war es nicht still. Da dröhnte das Lied. Der tropfende Wasserhahn klang fast wie das Schlagzeug. Nach dem Lied kam immer der Traum. Und jetzt schlief sie nicht! Wenn die Männer nicht bald zurückkamen …

Es dauerte nur zehn Minuten. Doch das waren sechshundert Sekunden; und jede Sekunde war ein neuer Gedanke. Und jeder neue Gedanke nagte an ihrem Verstand. Was sie am meisten beunruhigte, waren die Empfindungen, die das Töten in ihr ausgelöst hatte. Jeder normale Mensch musste entsetzt sein, verzweifelt und von Schuldgefühlen geplagt, wenn er so etwas getan hatte. Und sie hatte sich gut gefühlt. Normal war das nicht.

Endlich kamen sie zurück. Der Mann im Sportanzug setzte sich wieder hinter die Schreibmaschine. Berrenrath stellte sich erneut neben das Fenster. Der Chef setzte sich ihr gegenüber. Er lächelte sie freundlich an und nannte seinen Namen. Den verstand sie ebenso wenig wie das, was er sonst noch sagte. Alles im Innern spannte sich an. Knappe, präzise Antworten. Und eine nachvollziehbare Begründung, damit erst gar nicht der Verdacht aufkam, sie sei verrückt.

Berrenrath hielt etwas in der Hand, ihre Brieftasche. Wo er sie so plötzlich hergenommen hatte, wusste sie nicht. Sie hatte nicht darauf geachtet. Die gesamte Prozedur wurde noch einmal wiederholt. Name, Geburtsname, Geburtsdatum, Geburtsort, Familienstand, Beruf, Eltern, Geschwister.

«Machen wir hier ein Quiz?» fuhr sie auf. «Da sind Sie aber spät dran, für die Antworten habe ich meine Punkte schon bekommen. Oder wollen Sie nur feststellen, ob ich meine Sinne noch beisammen habe? Keine Sorge, ich hab sie noch alle. Mir fällt auf, dass man mir dieselben Fragen zum dritten Mal stellt. Ich mache Ihnen einen Vorschlag. Fragen Sie zur Abwechslung mal Ihren Kollegen. Das hat der alles schon aufgeschrieben. Außerdem hat der da meine Papiere.»

Es tat ihr Leid, dass sie Berrenrath so abwertend mit «der da» bezeichnet hatte. Das hatte er nicht verdient. Er war wirklich sehr nett gewesen bisher. Und es wäre sicher auch ratsamer gewesen, sich höflich und bereitwillig zu zeigen. Aber bereitwillig war sie ja, nur mussten sie sich ein bisschen beeilen. Wenn es in dem Tempo weiterging – das stand sie nicht mehr lange durch.

Niemand reagierte auf ihre Frechheit. Nur der junge Polizist runzelte kurz die Stirn. Berrenrath kam mit ihrer Brieftasche zum Schreibtisch. Der Mann im Sportanzug griff danach. Ihr wurde bewusst, dass sie sich seinen Namen nicht hatte merken können, auch den des Chefs nicht. Sie versuchte, sich zu erinnern, aber jeder Gedanke verfing sich im Gesicht des Toten. Und sie mochte nicht sagen: «Entschuldigen Sie, ich war eben nicht ganz bei der Sache und habe Ihre Namen nicht verstanden.» Sie hätten sie doch auf der Stelle für verwirrt gehalten.

Die beiden uniformierten Polizisten verließen den Raum. Es wäre ihr lieb gewesen, Berrenrath wäre geblieben, er war ein so verständnisvoller Mensch. Darum bitten mochte sie nicht. Es sollte nicht so aussehen, als ob sie Beistand brauchte. Der Mann im Sportanzug klappte die Brieftasche auf, nahm den Personalausweis heraus und reichte ihn dem

Chef. Dann betrachtete er ihren Führerschein, stutzte und hob den Blick.

Er war über das Gesicht gestolpert, da war sie sicher. Das kranke, graue Gesicht im Führerschein, das aussah, als gehöre es einer alten Frau. Für einen Moment befürchtete sie, dass er sie darauf ansprechen würde. Er schwieg. Und sie zupfte rasch die Haare über der Stirn zurecht, damit er nicht auf die Narbe aufmerksam wurde. Der Chef hatte währenddessen die Daten auf ihrem Personalausweis studiert, hob ebenfalls den Kopf und schaute sie an. «Cora Bender», sagte er. «Cora, das klingt wie eine Kurzform. Oder ist Cora Ihr voller Name?»

Er hatte eine angenehm warme und dunkle Stimme, die gewiss auf manch einen beruhigend wirkte. Bei ihr stellte sich diese Wirkung jedoch nicht ein. Sie bekam die Hände nicht unter Kontrolle. Das Zittern hatte sich verstärkt. Sie schloss die rechte Hand um die linke im Schoß und hielt sie dort ganz fest.

«Hören Sie», sagte sie. «Ich möchte nicht unhöflich erscheinen, aber ich finde, es ist schon spät. Deshalb sollten wir uns das Geplänkel sparen.»

Der Chef lächelte. «Wir haben viel Zeit. Und ich finde ein bisschen Geplänkel entspannend. Wie fühlen Sie sich, Frau Bender?»

«Sehr gut, vielen Dank.»

«Sie sind verletzt.» Er zeigte auf ihr Gesicht. «Wir sollten zuerst einen Arzt für Sie rufen.»

«Bleiben Sie mir bloß mit den Weißkitteln vom Leib!» fauchte sie. «Das hat sich ein Sanitäter angeschaut, es ist nicht so schlimm, wie es aussieht. Ich habe schon Schlimmeres erlebt.»

«Was denn?», fragte der Chef.

«Ich wüsste nicht, was Sie das angeht», erwiderte sie.

«Na schön, Frau Bender», sagte er ruhig, aber sehr bestimmt, «wenn Sie es unbedingt so haben wollen, ich kann auch anders. Sagen Sie mir Bescheid, wenn Sie Schmerzen haben oder sich sonst irgendwie beeinträchtigt fühlen. Sie dürfen sich auch melden, wenn Sie einen Kaffee trinken oder etwas essen möchten. Aber sagen Sie vorher bitte. Es klingt dann besser.»

Sie hatte ihn verärgert, bewegte unbehaglich die Schultern, verdrehte die Augen, zumindest das linke, das nicht zugeschwollen war. «Hören Sie: Es tut mir Leid, wenn ich ein bisschen laut geworden bin. Ich will Ihnen keinen Ärger machen. Ich bin nur etwas nervös und möchte es gerne hinter mich bringen. Warum muss ich denn dreimal sagen, wie mein Mann heißt? Das tut doch überhaupt nichts zur Sache. Nehmen Sie mein Geständnis auf, lassen Sie mich unterschreiben, danach können wir dann gerne einen Kaffee trinken.»

Als der Chef kurz nickte, stellte der Mann im Sportanzug einen kleinen schwarzen Kasten auf den Schreibtisch. Sie zuckte zusammen, als sie erkannte, dass es sich um ein Kassettengerät handelte. Der Mann drückte auf eine Taste. Bevor sie es verhindern konnte, hatte sie sich beide Hände auf die Ohren gepresst.

Es war in dem Moment wie Feuer im Kopf. Sie wussten Bescheid! Irgendeiner hatte ihnen von dem Lied erzählt. Und jetzt wollten sie, dass sie es sich noch einmal anhörte. Was das für Folgen hätte, wusste nur der Himmel. Vielleicht sprang sie erneut auf und schlug einem von ihnen den nächsten Pflanzentopf über den Schädel.

Aber es kam keine Musik, es kam gar nichts. Und die beiden Männer starrten sie misstrauisch an. «Ist etwas nicht in Ordnung, Frau Bender?», erkundigte sich der Chef.

Sie lächelte krampfhaft, nahm die Hände herunter und versicherte eilig: «Doch, es ist alles in Ordnung. Ich hatte nur gerade so einen unangenehmen Druck auf den Ohren. Vom

Wasser, nehme ich an. Ich bin getaucht, und ... Aber es ist schon wieder weg. Wirklich, ich höre Sie sehr gut.»

Da begann er endlich. Er hielt sich nicht mehr lange mit Paragraphen auf, formulierte es so knapp wie möglich. «Frau Bender, Sie haben kurz nach achtzehn Uhr am Otto-Maigler-See einen Mann getötet. Es waren mehrere Personen in unmittelbarer Nähe, die das Geschehen beobachtet haben und eine Aussage machen konnten. Einige der Aussagen sind bereits zu Protokoll genommen und unterschrieben. Die Tatwaffe ist sichergestellt. Soweit ist die Sachlage klar. Wir möchten Ihnen trotzdem gerne noch ein paar Fragen stellen. Sie haben das Recht, die Aussage zu verweigern. Sie haben das Recht, einen Anwalt ...»

Bevor er weitersprechen konnte, hob sie die Hand und unterbrach ihn. Diesmal bemühte sie sich um einen sanften Ton. Der schwarze Kasten war ein Aufnahmegerät, das hatte sie inzwischen begriffen. Damit wurde jedes Wort aufgezeichnet, um es später allen möglichen Leuten vorzuspielen. Jeder konnte sich anhören, was sie gesagt hatte. Jeder konnte hören, wie sie es gesagt hatte. Und jeder konnte seine Schlüsse daraus ziehen.

«Das weiß ich alles», sagte sie. «Und ich habe es schon zweimal gesagt. Ich brauche keinen Anwalt. Ich lege ein Geständnis ab. Ich unterschreibe auch, dass Sie mich weder unter Druck gesetzt noch sonst etwas mit mir gemacht haben, dass ich mehrfach über meine Rechte belehrt wurde und so weiter. In Ordnung?»

«In Ordnung», wiederholte der Chef. «Wenn Sie es so möchten.» Er saß vorgebeugt und ließ sie nicht aus den Augen.

Sie atmete tief durch und überlegte, wie sie es ausdrücken könnte, um schon mit dem ersten Satz klarzustellen, dass sie hundertprozentig in Ordnung war; körperlich und vor allem natürlich geistig. Das Händezittern hatte sie recht gut unter

Kontrolle. Sie musste nur die eine Hand fest genug um die andere legen, dann fiel es kaum auf. Außerdem schauten sie nicht auf ihre Hände, nur in ihr Gesicht. Nach zwei Sekunden sagte sie mit fester Stimme: «Ich habe kurz nach achtzehn Uhr am Otto-Maigler-See einen Mann erstochen. Ich habe dazu das kleine Messer benutzt, mit dem ich einen Apfel für meinen Sohn schälte.»

Der Chef zauberte einen Klarsichtbeutel auf den Tisch, in dem das blutverschmierte Messer lag. «Ist es dieses Messer?»

Zuerst nickte sie nur, dann fiel ihr ein, dass ein Nicken nicht auf Band aufgezeichnet wurde, und sagte knapp: «Ja.»

«Hatten Sie das Messer zu diesem Zweck mit an den See genommen, um einen Apfel damit zu schälen?» wollte er wissen.

«Ja, natürlich. Außer den Äpfeln hatten wir nichts dabei, wofür wir es gebraucht hätten.»

«Aber stattdessen haben Sie einen Mann damit erstochen», sagte der Chef. «Wussten Sie, was geschieht, wenn Sie mit diesem Messer auf einen Menschen einstechen?»

Sie starrte ihn verständnislos an. Dann begriff sie den Sinn seiner Frage und begann zu lächeln. «Hören Sie: Auch wenn ich ein bisschen nervös bin, Sie müssen nicht mit mir reden wie mit einer Geistesgestörten. Natürlich wusste ich, was passiert, wenn ich mit diesem Messer auf einen Menschen einsteche. Ich verletze ihn, ich töte ihn. Ich habe so zugestochen, dass die Stiche zum Tod führen mussten. Und das wusste ich, als ich es tat. Ist Ihre Frage damit umfassend genug beantwortet?»

Der Chef ließ nicht erkennen, wie diese Worte auf ihn wirkten. Er wollte nur wissen: «Wenn Sie die Stiche bewusst ausgeführt haben, Frau Bender, erinnern Sie sich, wo der erste Stich den Mann traf?»

Sie lächelte immer noch. Erinnern Sie sich? Nie im Leben würde sie es vergessen – alles andere vielleicht, aber das nicht! «In den Nacken», sagte sie. «Dann drehte er sich um. Da habe ich auf den Hals gezielt. Es ist ein kleines Messer. Ich dachte, wenn ich auf die Brust ziele, das Herz treffe ich vielleicht nicht damit. Aber am Hals, da ist die Schlagader, und da ist der Kehlkopf. Darauf habe ich gezielt. Und ich habe auch getroffen. So wie er geblutet hat, muss ich die Schlagader getroffen haben. Aber ich habe ihn auch an anderen Stellen getroffen. Im Gesicht. Und einmal ist mir das Messer abgerutscht, da ging es in die Schulter.»

Der Chef nickte. «Was hat Sie veranlasst, den Mann zu töten? Ich habe das doch richtig verstanden, Sie wollten ihn töten.»

«Ja, das wollte ich», sagte sie mit fester Stimme. Und in dem Moment wusste sie auch, dass sie es schon seit langer Zeit hatte tun wollen. Diesen Mann töten, nicht irgendeinen, ausschließlich diesen.

3. Kapitel

Es spielte keine Rolle mehr, aus welchen Gründen sie an den See gefahren war. Es war anders gekommen, und es war gut so. Während der Fahrt hatte sie es so nicht gewollt, und hätte die Frau an der Sperre gesagt, sie sei gekommen, um einen Mann zu töten, sie hätte die Frau für verrückt gehalten. Aber als es geschah, hatte es so sein müssen. Ihre Erkenntnis machte sie ein wenig ruhiger.

Die beiden Männer dagegen schienen von der knappen Äußerung schockiert. Sie sah es an ihren Mienen, kam jedoch nicht dazu, nachzudenken, ob sie es vielleicht etwas weniger krass hätte formulieren sollen. Jetzt ging es Schlag auf Schlag. Der Chef stellte die Fragen, der Mann im Sportanzug saß nur da und ließ sie nicht aus den Augen.

«Kannten Sie den Mann?»

«Nein.»

«Sie hatten ihn nie zuvor gesehen?»

«Nein.»

«Sie wissen wirklich nicht, wer er war?»

«Nein.»

Das war die Wahrheit, und die Wahrheit war immer gut und immer richtig. Den Chef schien sie jedoch zu verwirren. Er warf dem Mann im Sportanzug einen irritierten Blick zu. Der zuckte mit den Achseln, der Chef deutete ein Kopfschütteln an und wandte sich wieder an sie. «Und warum wollten Sie ihn töten?»

«Ich habe mich über die Musik geärgert.» Es war nicht ganz korrekt, kam aber der Wahrheit am nächsten.

«Die Musik?» wiederholte der Chef mit einem fassungslosen Unterton, den sie durchaus registrierte.

Sie beeilte sich, es genauer zu erklären, ohne das Lied erwähnen zu müssen. «Ja, sie hatten ein großes Radio dabei. Es lief sehr laut. Dann hat die Frau es noch lauter gestellt. Das hat mich wütend gemacht.»

Der Chef räusperte sich. «Warum haben Sie die Frau nicht gebeten, die Musik leiser zu stellen? Und warum haben Sie den Mann angegriffen, wenn die Frau die Musik lauter gestellt hatte?» Das war die alles entscheidende Frage. Nur hatte sie darauf keine Antwort. «Ich habe sie gebeten», erklärte sie. Und weil es so nicht den Tatsachen entsprach, korrigierte sie sich auf der Stelle. «Also, nicht direkt gebeten, aber ich habe mich beschwert. Sie hat sich nicht darum gekümmert. Kann sein, dass ich nicht laut genug gesprochen habe. Ich wollte nicht brüllen. Ich ... nun, ich wollte ja eigentlich ins Wasser gehen. Ich wollte ... ich ...»

Das ging ihn nun wirklich nichts an, und es hatte auch mit der Sache überhaupt nichts zu tun. Sie brach ihr Stammeln ab und sagte energisch: «Hören Sie: Er lag auf der Frau! An sie wäre ich nicht rangekommen. Aber ihr wollte ich ja auch gar nichts tun, wirklich nicht. Ich wollte ihn umbringen. Das habe ich getan. Darüber müssen wir nicht diskutieren. Ich leugne es nicht. Das reicht doch für Ihre Akten.»

«Nein», sagte der Chef und schüttelte den Kopf. «Das reicht nicht, Frau Bender.»

«Wenn Sie dabei gewesen wären», widersprach sie, «dann wüssten Sie, dass es dreimal reicht. Sie hätten sehen müssen, wie der Kerl über die Frau herfiel. Da kann man ja nicht einfach zuschauen. Da muss man doch etwas unternehmen.»

Der Chef starrte sie an. Seine Stimme hatte eine gewisse Schärfe, als er sagte: «Wir reden hier nicht von einem Kerl, Frau Bender, der über eine Frau herfiel! Wir reden von einem Mann, über den Sie hergefallen sind. Und ich wüsste – verdammt nochmal – gerne, warum. Sein Name war Georg Frankenberg. Und jetzt erzählen Sie mir nicht wieder ...»

Was er sonst noch sagte, verstand sie nicht. Etwas wie ein Schleier legte sich über ihre Ohren. Unvermittelt tauchte vor dem geistigen Auge das Bild einer Gefängniszelle auf. Eine Wärterin schloss die Tür hinter ihr. Seltsamerweise hatte die Wärterin Mutters Gesicht, und statt eines Schlüssels hielt sie in der einen Hand eine brennende Kerze und in der anderen ein Holzkreuz. Und die Figur am Kreuz war nur angeklebt.

Der Erlöser!

Sein Name war Georg Frankenberg? Sein Name war nicht wichtig. Trotzdem ließ sie ihn wie ein Echo vor Mutters Gesicht, der Kerze und dem Kreuz vorbeiziehen und wartete, ob irgendwo eine Verbindung hergestellt wurde. Es war so ein Gefühl, dass der Chef sich zufrieden geben und sie in Ruhe lassen würde, wenn sie sagte: «Ach, da fällt mir gerade ein, ich kannte ihn doch.»

Aber das Echo verhallte, hinterließ nirgendwo einen Hauch. Es musste von ihrem Blick abzulesen sein. Da war pure Ungläubigkeit in der Stimme des Chefs. «Sagt Ihnen der Name wirklich nichts?»

«Nein.»

Er seufzte, kratzte sich am Hals und warf dem Mann im Sportanzug einen raschen und unsicheren Blick zu. Der verhielt sich still und betrachtete die Pflanzen auf dem Schreibtisch.

Sie schienen bereits ein wenig praller. Vielleicht war es Einbildung, aber sie meinte zu sehen, wie die schlaffen Blätter neue Kraft aus der feuchten Erde saugten. Wasser war das Lebenselixier schlechthin. Vater hatte früher oft erzählt von der harten Schicht im Heideboden, die erst durchbrochen werden musste, damit das Wasser nicht davonlief, wenn es regnete.

Aber hier ging es nicht um den Heideboden, und die Stimme des Chefs verhinderte, dass sie sich an Vaters Geschichten festhielt. «Sie wollen uns also erzählen, dass da ein Fremder war. Ein Mann, den Sie noch nie zuvor gesehen hatten. Und nur weil er mit seinen Freunden laute Musik hörte, haben Sie auf ihn eingestochen wie eine Irre.»

«Sagen Sie nicht so was», fuhr sie ihn an. «Ich bin nicht verrückt. Ich bin völlig normal.»

Der Mann im Sportanzug räusperte sich verhalten und schob seinen Notizblock über die Schreibtische. Er beugte sich vor und flüsterte dem Chef etwas zu. Dabei tippte er auf eine Stelle.

Der Chef nickte und hob den Kopf wieder. «Sie haben sich nicht über die Musik geärgert, nur über das, was die beiden miteinander trieben, nicht wahr? Sie sagten ja eben, er sei über die Frau hergefallen. So war es aber nicht. Georg Frankenberg hat nichts weiter getan, als Zärtlichkeiten mit seiner Frau auszutauschen. Und die Initiative ging eindeutig von seiner Frau aus. Sie haben auf ihn eingestochen mit den Worten: ‹Hört auf, ihr Schweine.› Damit waren doch beide gemeint, oder?»

Von all den Worten blieben nur zwei haften, steckten ihr wie ein Kloß in der Kehle. Nur mit Mühe schaffte sie es, sie herauszuwürgen. «Seine Frau?»

Der Chef nickte. «Georg Frankenberg war erst seit drei Wochen verheiratet. Vorgestern sind sie von ihrer Hochzeitsreise zurückgekommen. Sie waren sozusagen noch in den Flitterwochen und sehr verliebt ineinander. Da ist es normal, dass man Zärtlichkeiten austauscht. Und auch wenn man es in der Öffentlichkeit tut, daran nimmt heutzutage niemand mehr Anstoß. Nur Sie haben sich darüber aufgeregt. Warum, Frau Bender? Was hat Sie auf die Idee gebracht, Georg Frankenberg könne seine Frau schlagen?»

Georg Frankenberg? Irgendetwas stimmte nicht. Irgendetwas war nicht so, wie sie es instinktiv erwartet hatte. Es war dasselbe irritierende Gefühl wie gleich nach der Tat, als die weißblonde Frau ihre Hand wegstieß. Seine Frau! Es verwirrte sie vollends.

«Hören Sie», sagte sie. «Es bringt nichts, wenn Sie mir so etwas erzählen und blöde Fragen stellen. Ich sage jetzt nichts mehr. Wir können eine Menge Zeit sparen, wenn Sie mein Geständnis aufnehmen. Ich habe den Mann getötet. Mehr kann ich nicht sagen.»

«Mehr wollen Sie nicht sagen», sagte der Chef. «Aber wir haben ja bereits ein paar Aussagen. Und einer der Zeugen erklärte, Sie hätten Frau Frankenberg nach der Tat in die Arme nehmen wollen. Sie haben auch zu ihr gesprochen. Erinnern Sie sich an das, was Sie gesagt haben?»

Jetzt war er wütend. Es kümmerte sie nicht. Georg Frankenberg! Und seine Frau! Wenn der Chef es sagte, musste es wohl so sein. Warum sollte ein Polizist lügen? Davon hatte er nichts. Und Gereon hatte nicht einmal mehr einen Blick für sie gehabt.

Wahrscheinlich saß er jetzt gemütlich vor dem Fernseher und schaute sich einen Film an. Das war sein Leben, Arbeit und Filme. Aber es war eher anzunehmen, dass er noch mit seinen Eltern im Wohnzimmer saß. Und alle waren wütend auf sie. Der Alte sagte: «Sie war ein Luder. Das habe ich schon gesehen, als sie zum ersten Mal hier durch die Tür kam. Wir hätten sie dahin zurückschicken sollen, wo sie hergekommen ist.»

Und Gereons Mutter sagte: «Du solltest dich von ihr scheiden lassen. Das musst du tun, schon wegen der Leute. Dass sie nicht denken, wir wollten mit so einer was zu tun haben.»

Und Gereon nickte. Er nickte zu allem, was seine Eltern vorschlugen. Und wenn ihm nicht anschließend jemand erklärte, es sei Unsinn, tat er es auch.

Es war niemand mehr da, der ihm etwas erklärte. Aber er fand bestimmt rasch eine andere. Er war ein gut aussehender, junger, gesunder Mann. Er hatte ein Haus. Er verdiente nicht schlecht, dafür hatte sie noch gesorgt. Und eines Tages sollte er den Betrieb übernehmen, Chef sein in der eigenen Firma. Er konnte einer Frau etwas bieten, nicht nur finanziell.

Er trank nicht. Er prügelte nicht, er ging jeder Auseinandersetzung aus dem Weg. Er hatte Zärtlichkeit, doch, die hatte er. Sie hätte noch jahre- und jahrzehntelang mit ihm schlafen können, wenn er am Heiligabend nicht versucht hätte, sie auf diese Weise zu küssen. Wahrscheinlich konnte er jede andere Frau damit glücklich machen.

Ihm war eine zu gönnen, die ihn lieben konnte, wie er es verdient hatte. Die es genoss, mit ihm im Bett zu liegen. Die dem Moment entgegenfieberte, wo er an ihr herunterrutschte, die das auch für ihn tat. Es tat weh, sich das vorzustellen, aber sie wünschte ihm von ganzem Herzen, dass er recht bald so eine Frau fand. Er war ein Spießer auf seine Art. Aber er war ein ganz normaler Mann. Und sie … war auch normal. Völlig normal! Das war sie von Kind an gewesen. Grit Adigar hatte es damals gesagt.

Das war das Schlimmste, was ich als Kind begreifen musste: Bei uns war keiner normal. Ich weiß nicht mehr genau, ab wann ich wusste, dass ich dazugehörte und dass sich für mich nie etwas ändern würde. Ich weiß auch nicht mehr, ob es einen besonderen Anlass gab oder ob das Begreifen ein allmählicher Prozess war. Irgendwann wusste ich eben, dass dieses scheußliche Weib meine leibliche Mutter war. Wenn ich mich mit ihr in der Stadt hätte zeigen müssen, ich hätte sie verleugnet wie Petrus den Erlöser. Aber das änderte nichts an den Tatsachen, überhaupt nichts an diesem elenden Leben.

Vater bemühte sich, es für mich ein bisschen erträglicher zu machen. Aber was konnte er schon tun? Da war der Tag, an dem ich eingeschult wurde. Vater hatte mir in Hamburg einen Ranzen gekauft und ein blaues Kleid. Es war ein hübsches Kleid mit kleinen weißen Knöpfen auf der Brust, einem weißen Kragen und einem Gürtel zum Binden.

Ich musste es – weil Eitelkeit auch eine Sünde ist – am nächsten Tag vor dem Altar im Wohnzimmer verbrennen. In einem Blecheimer. Mutter stand mit einer gefüllten Wasserkanne daneben, damit uns nicht das Haus in Flammen aufging.

Vater schüttelte den Kopf, als ich es ihm abends erzählte. Er erklärte mir, dass Mutter katholisch sei und dass es da ein bisschen strenger wäre. Und später, als wir im Bett lagen, erzählte er mir von der ersten Schule in Buchholz.

Sie war 1654 erbaut worden, erzählte er. Und sie hatte nur zwei Stuben gehabt. Die Schulstube war auch die Wohnstube der Lehrersfamilie gewesen. Und die Leute schickten ihre Kinder nicht hin, weil sie sie für die Arbeit auf dem Hof brauchten. Weil sie selbst nicht lesen und schreiben konnten und es deshalb nicht für so wichtig hielten. Dass aber heute jeder wüsste, wie wichtig es sei, lesen und schreiben zu können, erklärte Vater. Und dass in der Schule jeder in seinen eigenen Händen hielte, was aus ihm wurde.

Das war seine Art, mir zu sagen: «Tu für dich, was du kannst, Cora. Ich kann dir leider nicht helfen.»

Er sagte, es sei nicht wichtig, was man anziehe, es zähle nur, was man im Kopf habe. Die Kinder früher seien in Lumpen gegangen und hätten keine Schuhe gehabt. Na ja, Schuhe hatte ich. Und Lumpen musste ich auch nicht anziehen an meinem ersten Schultag. Ich kam mir trotzdem vor wie aus einem Mülleimer gestiegen unter all den herausgeputzten Mädchen.

Den neuen Ranzen auf dem Rücken wie die anderen auch. Aber in einem alten sackartigen Kleid, das Mutter eigens zur Buße aus dem Schrank gekramt hatte, obwohl es mir zu eng war. Ich roch nach Mottenkugeln und kam mit leeren Händen. Alle anderen hielten mit Süßigkeiten gefüllte Tüten im Arm.

Zum Glück hatte Mutter keine Zeit, mich auf meinem ersten Schulweg zu begleiten. Sie wussten es trotzdem alle. Man glaubt nicht, wie schnell sich so etwas herumspricht.

Ich war vom ersten Schultag an die Außenseiterin, weil ich eine kranke Schwester hatte. Ja, sie lebte noch. Die Ärzte wunderten sich alle paar Monate aufs Neue, aber das kümmerte Magdalena nicht. Ich dachte oft, das sei ihre Rache an mir. Ich hatte ihr in Mutters Bauch die Kraft weggefressen, dafür lebte sie jetzt eisern weiter, und die halbe Zeit gab es nichts zu essen.

Es gab auch keine Freundinnen. Nicht einmal Kerstin und Melanie Adigar wollten auf dem Schulhof etwas mit mir zu tun haben. Sie hatten Angst, ebenfalls ausgelacht zu werden. In der großen Pause stand ich abseits, jeden Tag, jede Woche, jeden Monat. Die anderen spielten und tobten. Ich musste innere Einkehr halten, den Erlöser um Verzeihung und Kraft für mich und um Gnade und den nächsten Tag für Magdalena bitten.

Seit ich zur Schule ging, war es schlimmer geworden mit ihr. Ich brachte häufig etwas mit, Husten, Schnupfen oder Halsweh. Sie steckte sich regelmäßig an, obwohl ich nicht in ihre Nähe kam. Und wenn ich nur einmal geniest hatte, Magdalena traf es wie ein Hammerschlag.

Mutter schob die sich häufenden Krankheiten der Tatsache zu, dass ich nicht mehr so viel Zeit zum Beten hatte. Der Vormittag fiel ja weg. Da musste ich wenigstens in der großen Pause meine Pflicht tun. Das tat ich auch. Die Erkenntnis, dass Magdalena wirklich und wahrhaftig meine Schwester war, hatte mich irgendwie gelähmt. Es hieß doch, dass ich, so lange sie lebte, ebenso gezeichnet und abgestempelt war wie sie.

Ich wünschte ihr nicht den Tod – wirklich nicht. Aber ich wollte auch Freundinnen haben, die auf dem Schulhof mit mir spielten und am Nachmittag zu mir kamen. Ich wollte sonntags spazieren gehen und mit meinen Eltern in der Eisdiele sitzen. Mit einer Mutter, die Zeit genug gehabt hatte, sich vorher zu waschen, zu frisieren und ein hübsches Kleid anzuziehen. Dass sie sich mal die Nägel lackierte oder die Lippen nachzog wie Grit Adigar, hätte ich ja gar nicht von ihr verlangt.

Ich wollte einen Vater haben, der lachen konnte. Der mir nicht immer nur von früher erzählte, von Dingen, die längst tot und vermodert waren. Der nicht nachts ins Bad schleichen musste, um mit seiner Sünde zu kämpfen. Der einmal von morgen sprach oder vom nächsten Wochenende. Der einmal, nur ein einziges Mal sagte: «Wir könnten den Hamburger Dom besuchen! Zuckerwatte essen und Riesenrad fahren.»

Ich wollte Einkäufe machen mit Mutter. Ich wollte, dass sie mich im Laden fragte, ob ich eine Tafel Schokolade oder lieber einen Beutel Kartoffelchips haben möchte. Ich wollte nicht immer nur hören, dass ich ein schlechter und gieriger Mensch sei.

Das Kind, das die ganze Kraft aus ihrem Bauch für sich allein genommen hatte. Verdammt nochmal! Ich hatte es nicht mit Absicht getan. Ich hatte doch nicht ahnen können, dass nach mir noch eine käme, die auch Kraft brauchte.

Manchmal versuchte ich, Mutter das Geständnis abzulocken, dass sie es ein bisschen übertrieben darstellte. Ich fing solche Gespräche sehr geschickt an. Es war trotzdem eine sinnlose Sache. Wenn ich Mutter erklärte, dass ich meine Schlechtigkeit eingesehen hätte und dagegen ankämpfte, schaute sie mich nur an, als wolle sie sagen: «Es wurde aber auch höchste Zeit.»

Wenn ich ihr sagte, dass die Kinder in der Schule über mich lachten, sagte sie: «Der Erlöser ist auch verspottet worden. Sogar noch, als er sterbend am Kreuz hing. Und er richtete seine Augen zum Himmel und sagte: Vater, vergib ihnen, denn sie wissen nicht, was sie tun. Was lernst du daraus?»

Wie ich diesen Satz hasste!

Es war nicht ratsam, Mutter auch nur den kleinsten Einblick in das zu geben, was ich tatsächlich lernte. Lesen, schreiben, rechnen und lügen. Mich bei der Lehrerin einschmeicheln, damit sie einschritt, wenn die anderen zu laut über mich lachten und dabei noch mit den Fingern auf mich zeigten. Meine Schwester zu hassen, das vor allem lernte ich.

Ich hasste Magdalena damals wirklich und so inbrünstig, wie man es nur als Kind kann. Wenn ich sie in der Küche liegen sah, ihr Quietschen und Stöhnen hörte, hoffte ich immer, dass ihr alles wehtat, was überhaupt wehtun kann.

Das änderte sich erst nach diesem Tag im Mai. Es war im Jahr nach meiner Einschulung. Für mich war es ein normaler Tag. Niemand sagte morgens etwas Besonderes. Mit Ausnahme der Lehrerin, die mir in der Pause die Hand drückte und mich anlächelte. «Nun bist du auch schon sieben Jahre alt, Cora.»

Ich kam mittags um die übliche Zeit heim. Mutter öffnete mir und schickte mich gleich ins Wohnzimmer. Eine Mahlzeit gab es nicht, kein Topf auf dem Herd, auch kein Brot auf dem Tisch. Das Brot lag oben im Küchenschrank hinter einer verschlossenen Tür. Den Schlüssel trug Mutter immer bei sich nach dem Motto: «Und führe uns nicht in Versuchung!»

Mutter ging wieder hinauf sich um Magdalena kümmern. Anfang April hatte ich ihr einen Schnupfen aus der Schule mitgebracht, von dem sie sich nicht erholte. Ihre Nase blutete häufig, ohne dass sie sie geputzt oder sich gestoßen hätte. Auch wenn Mutter ihr die Zähne putzte, spuckte sie Blut. Sie musste sich oft übergeben, dabei aß sie kaum etwas. Überall an ihrem Körper waren blaue und rote Flecken. Die Haare fielen ihr aus. Sie hatte ständig Durchfall. Mutter wagte es nicht, mit ihr nach Eppendorf zu fahren, aus Furcht, Magdalena müsse noch einmal operiert werden. Jeden Abend, wenn wir am Tisch saßen, hieß es: «Beten wir für morgen.»

Am späten Nachmittag kam Vater heim. Da hockte ich immer noch mit knurrendem Magen unter einem Strauß frischer Rosen. Sie waren so lang, dass sie das Kreuz um etliches überragten. Wegen der Rosen hatten wir sonntags nur eine Suppe mit grünen Bohnen gegessen, kein noch so winziges Stückchen Wurst darin. Vater kam durch die Küche herein und rief leise nach mir. Ich ging zu ihm und sah, dass er etwas in der Hand hielt.

Eine Tafel Schokolade! Schon als ich sie sah, bäumte sich mein Magen auf. Vater küsste mich und flüsterte: «Die schenke ich dir zu deinem Geburtstag.»

Ich wusste von anderen Kindern aus der Klasse, was ein Geburtstag ist. Und wenn Grits Töchter Geburtstag hatten, gab es nebenan ein Riesenfest mit Negerküssen, Kartoffelchips und Eis. Dass ich auch einen Geburtstag haben könnte, darüber war bis dahin nie gesprochen worden.

Vater erklärte, jeder Mensch hätte so einen Tag und fast alle feierten ihn. Dass sie sich Freunde einluden, Kuchen aßen und Geschenke bekamen. Während er sprach, ließ er die Tür zum Flur nicht aus den Augen. Über uns hörten wir Mutter rumoren. Sie hatte kurz zuvor versucht, Magdalena ein paar Löffel Hühnerbrühe einzuflößen. Nach dem dritten Löffel hatte Magdalena sich erbrochen. Mutter musste das Bett frisch beziehen. Danach hatte sie Magdalena ins Bad getragen, um sie zu waschen.

Dann kam Mutter in die Küche. Wir hatten sie nicht gehört auf der Treppe. Ich hatte mir gerade den ersten Riegel Schokolade in den Mund geschoben. Sie kam zur Tür herein. Nach zwei Schritten erstarrte sie. Ihr Blick ging zwischen meiner Hand und meinem Mund hin und her, ehe sie sich Vater zuwandte.

«Wie kannst du so etwas tun?», fragte sie. «Während die eine nicht den kleinsten Bissen im Leib behält, fütterst du die andere mit Süßigkeiten.»

Vater senkte den Kopf und murmelte: «Sie hat doch Geburtstag, Elsbeth. Andere Kinder werden mit Geschenken überhäuft, da kommt die Verwandtschaft, jeder bringt etwas mit. Sieh nur, wie es nebenan ist. Grit holt die ganze Straße zusammen. Und hier ...»

Weiter kam er nicht. Mutter wurde nicht laut, das wurde sie nie. «Hier», unterbrach sie ihn sanft, «zählt nur ein Geburtstag, der unseres Erlösers. Und an ihn werden wir uns jetzt wenden, ihn bitten, dass er uns Kraft gibt, den vielen Versuchungen zu widerstehen. Wenn wir nicht alle reinen Herzens sind, wie soll er denn Erbarmen haben?»

Dann streckte sie die Hand aus und verlangte von mir: «Gib das her und zünde die Kerzen an.»

Und dann hockten wir zu dritt auf dem Bänkchen, fast eine Stunde lang. Anschließend schickte Mutter mich ins Bett. Sie fragte, ob ich bereit sei, auf das Abendessen zu verzichten. Ich dürfe nicht einfach nur ja sagen. Ich müsse wirklich bereit sein, ein Opfer zu bringen.

Ich hatte entsetzlichen Hunger, aber ich nickte, ging hinauf und legte mich ins Bett, ohne die Zähne zu putzen. Mir war übel, ich hatte Bauchweh und wünschte mir, auch einmal richtig krank zu werden. Oder zu sterben, vielleicht zu verhungern.

Einschlafen konnte ich nicht. Ich lag noch wach, als Vater ins Zimmer kam. Das muss so gegen neun gewesen sein. Er ging immer um neun ins Bett, wenn er früh von der Arbeit gekommen war, auch im Sommer, wenn es draußen noch hell war. Was hätte er sonst tun sollen? Andere Leute schauten sich abends einen Film im Fernsehen an. Oder sie hörten eine Sendung im Radio, lasen in einer Zeitung oder einem Buch.

So etwas gab es bei uns nicht. Außer den Büchern, Mutters Bibeln. Sie hatte mehrere. Ein Altes Testament und ein Neues Testament und ein Testament für Kinder. Da waren auch Bilder drin und nur die schönen Geschichten von den Wundern, die der Erlöser getan hatte.

Aus dem Buch las Mutter Magdalena oft vor. Dann zeigte sie ihr die Bilder und erzählte ihr, dass sie eines Tages als reiner Engel auf einem kleinen Bänkchen vor dem Thron Seines Vaters sitzen und mit den anderen Engeln jubilieren dürfe. In den Wochen damals nicht. Magdalena war zu schwach, um ihr zuzuhören. Mutter versuchte es zwar, doch wenn sie zu erzählen oder zu lesen anfing, drehte Magdalena den Kopf zur Seite.

Als Vater die Tür hinter sich schloss, hörte ich ihn murmeln: «Das haben wir bald überstanden. Und dann hört der Zirkus auf, oder ich geb ihr einen Tritt in den Hintern.» Er schlug sich mit einer Faust in die Hand, hatte noch nicht bemerkt, dass ich nicht schlief.

Sein Name war Rudolf Grovian. Manche sprachen ihn absichtlich falsch aus, dann klang es nach Brutalität. Aber er war kein gewalttätiger Mann, im Gegenteil; im privaten Bereich hätte er von Zeit zu Zeit härter durchgreifen müssen, das wusste er. Er war zweiundfünfzig Jahre alt, seit siebenundzwanzig Jahren verheiratet, seit fünfundzwanzig Jahren Vater.

Seine Tochter war immer ein aufsässiges Geschöpf gewesen, das unverschämte Forderungen stellte und den Eltern auf der Nase herumtanzte. Es war seine Schuld. Er hätte die Erziehung nicht allein seiner Frau überlassen dürfen. Mechthild war zu nachgiebig und zu gutgläubig. Sie schaffte es nicht, Grenzen zu ziehen, nahm jeden Unsinn, der ihr aufgetischt wurde, für bare Münze. Wenn er früher etwas gesagt hatte, hieß es nur: «Rudi, lass sie doch, sie ist noch so klein.»

Später war sie größer und ließ sich nichts mehr sagen, von ihm bestimmt nicht. Und Mechthild legte sich den Standardsatz zu: «Reg dich nicht auf, Rudi, denk an deine Galle. So sind sie in dem Alter.»

Seit drei Jahren war seine Tochter nun verheiratet und tanzte einem tüchtigen, netten jungen Mann auf der Nase herum. Vor zwei Jahren hatte sie einen Sohn bekommen. Und Rudolf Grovian hatte gehofft, dass sie zur Vernunft käme, ihre Verantwortung begriff und ihre Ansprüche zurückschraubte.

Ausgerechnet an dem Samstag hatte er schmerzlich einsehen müssen, dass manche Hoffnungen die Zeit nicht lohnten, die man darauf verwendete. Er hatte den Nachmittag bei der Geburtstagsfeier seiner Schwägerin verbracht. Tochter, Schwiegersohn und Enkel waren selbstverständlich auch eingeladen gewesen. Tochter und Enkel tauchten auf, sein Schwiegersohn ließ sich nicht blicken.

Rudolf Grovian schnappte ein paar Fetzen aus der Unterhaltung zwischen Frau und Tochter auf, die Anlass zu schlimmsten Befürchtungen gaben. «Anwalt», das Wort hörte er mehrfach. Und sich einzureden, es ginge eventuell um eine Verkehrssache oder eine Mietstreitigkeit, so naiv war er nicht.

Er nahm sich vor, im Laufe des Abends ein ernstes Wort mit seiner Tochter zu reden, obwohl er wusste, dass es zwecklos war und ihm danach nur die Galle überlief. Und bevor es dazu kam, wurde er weggeholt. Das brachte der Beruf hin und wieder mit sich.

Rudolf Grovian war Hauptkommissar bei der Polizeibehörde im Erftkreis, Leiter des Ersten Kommissariats. Er hätte – dem Alter und den Parallelen nach – Cora Benders Vater sein können. Stattdessen war er der Chef, der sie mit seinen Fragen nicht vorwärts, sondern zurückschob. Langsam, aber stetig immer weiter zurück, mitten hinein in den Wahnsinn, den sie mehr fürchtete als den Tod.

Es war ein unheilvolles Aufeinandertreffen für beide Seiten: Der Polizist, der im Privatleben ein oft gereizter und manchmal schuldbewusster Vater war, und die Frau, die mit dem Wissen lebte, dass Väter nicht helfen konnten, dass alles nur schlimmer wurde, wenn sie es versuchten.

Möglich, dass Rudolf Grovian an diesem Samstag ein wenig gereizter war als sonst. Trotzdem tat er seine Arbeit, wie er es gewohnt war – neutral und distanziert.

Als er über das Geschehen am Otto-Maigler-See benachrichtigt wurde, fuhr er zur Dienststelle, trommelte alle erreichbaren Kollegen für die Vernehmungen zusammen, auch die, die sich sonst nicht mit Kapitaldelikten befassten.

Es ging trotz des Wochenendes zügig voran. Das ganze Völkchen wurde auf die umliegenden Räume verteilt. Er sprach mit jedem, um sich einen ersten Eindruck zu verschaffen. Die Leute gaben sich alle erdenkliche Mühe, auch die kleinste Kleinigkeit zu erwähnen.

Doch alles bezog sich auf das unmittelbare Tatgeschehen. Es gab keinen Hinweis, was die Katastrophe ausgelöst hatte. In solchen Fällen, das wusste er aus Erfahrung, lag der Auslöser entweder in der Vergangenheit oder in der Natur des Täters. Dass eine Täterin blindwütig auf einen ihr völlig Fremden losging, mit solch einem Fall hatte Rudolf Grovian noch nie zu tun gehabt und auch noch nie von einem gehört.

Frauen ertränkten ihre Kinder, schlugen ihren Männern im Schlaf die Köpfe ein, vergifteten oder erstickten ihre pflegebedürftigen Mütter, wenn sie nicht mehr ein noch aus wussten; Frauen waren Beziehungstäterinnen. Und alles, was Rudolf Grovian zwischen sieben und neun Uhr am Samstagabend hörte, passte in das gängige Muster.

Die wichtigste Aussage bekam er von Georg Frankenbergs Freund und Arbeitskollegen Winfried Meilhofer. Wie das Opfer war Meilhofer Arzt an der Uniklinik in Köln, ein nüchterner Mann, der sich trotz seines Schocks nur einen Satz erlaubte, der keine Fakten enthielt. Wie das göttliche Strafgericht sei die Frau über sie gekommen.

Er sei wie gelähmt gewesen, hatte Meilhofer gesagt, habe

einfach nicht reagieren können. Es habe auch so ausgesehen, als werde Frankie allein mit der Frau fertig. Nach dem ersten Stich, der keinesfalls tödlich gewesen sein konnte, habe er ihr Handgelenk umfasst.

Bestätigt wurde das von einem Familienvater. «Ich verstehe das nicht. So ein großer, kräftiger Kerl. Er hatte sie doch gepackt! Und dann ließ er sie wieder los. Ich hab's genau gesehen. Sie hat sich nicht etwa losgerissen. Er hätte sie ohne Mühe festhalten können. Aber er ließ sich widerstandslos von ihr abschlachten. Und wie er sie angeschaut hat dabei! Es kam mir so vor, als ob er sie kennt und genau weiß, warum sie es tut.»

Zur Vermutung des Mannes, Georg Frankenberg habe Cora Bender gekannt oder erkannt, zuckte Winfried Meilhofer die Achseln. «Kann sein, ich weiß es nicht. Als wir kamen, waren da nur der Mann und das Kind. Die Frau kam später – aus dem Wasser glaube ich. Mir fiel sie auf, weil sie Frankie und Ute so merkwürdig betrachtete. Ich hatte das Gefühl, sie erschrak. Nur glaube ich nicht, dass Frankie sie bemerkt hat. Ich wollte ihn noch auf sie aufmerksam machen. Aber dann setzte sie sich und beachtete uns nicht weiter. Und ich habe mich auch nicht mehr um sie gekümmert. Als es passierte … Frankie starrte sie an und sagte etwas. Ich habe es nicht verstanden. Es tut mir Leid, Herr Grovian, dass ich Ihnen nicht mehr sagen kann. Ich kenne Frankie erst seit zwei Jahren. Und ich kenne ihn als einen ruhigen, besonnenen Mann. Ich kann mir kaum vorstellen, dass er einer Frau Grund für solch einen Wahnsinn gegeben hat. ‹Er wird dich nicht schlagen›, hat sie zu Ute gesagt. Frankie war nicht der Typ, der eine Frau schlägt. Im Gegenteil, Frauen waren ihm irgendwie heilig.»

Winfried Meilhofer sprach von einer Andeutung, die Frankie einmal gemacht hatte. Dass er zu Beginn seines Studiums ein Mädchen kennen gelernt habe, bis über beide Ohren verliebt gewesen sei. Dann sei das Mädchen bei einem Unfall gestorben.

Winfried Meilhofer sagte: «Er hat es nicht ausdrücklich betont, aber so wie er sprach, hatte ich den Eindruck, er war dabei, als dieses Mädchen starb. Und er kam nicht darüber hinweg. Ich glaube nicht, dass er danach noch eine Affäre hatte. Bis vor sechs Monaten, als er Ute kennen lernte, gab es für ihn nur den Beruf. Er hat es nie verkraftet, dass er einmal nicht helfen konnte.»

Winfried Meilhofer erinnerte sich an eine Begebenheit, die bezeichnend war für Frankies Einstellung zu Frauen und Beruf. Sie hatten eine Patientin verloren, eine junge Frau – Lungenembolie nach einem Routineeingriff. Es lag ein knappes Jahr zurück. So etwas konnte geschehen. Man musste sich damit abfinden. Frankie schaffte das nicht. Er war wie von Sinnen, brach der Toten zwei Rippen bei dem Versuch, sie zu reanimieren. Anschließend betrank er sich und wollte nicht heimgehen.

Winfried Meilhofer mochte ihn nicht allein lassen. Sie gingen zusammen in eine Kneipe. Im Hintergrund lief Musik. Frankie sprach über die tote Patientin, dass er nicht begreife, wie eine junge Frau einem so plötzlich unter den Händen wegsterben könne. Dann begann er unvermittelt von seiner Musik zu erzählen. Von den wilden Wochen in seinem Leben; dem Schlagzeug. Dass ein Freund ihn dazu überredet habe. Dass es ein großer Fehler gewesen sei, dass er sich besser aufs Studium konzentriert hätte.

Erst nach Stunden ließ er sich von Winfried Meilhofer in seine Wohnung bringen. Er machte die Andeutung über das Mädchen, das er geliebt und an den Tod verloren hatte. Dann zeigte er Meilhofer das Band, das Ute am See eingelegt hatte. Frankie spielte es auch ab, saß auf dem Boden und trommelte den Takt mit den Fäusten in die Luft. «Ich muss es jeden Abend hören», sagte er. «Wenn ich es höre, ist sie bei mir. Ich kann sie fühlen. Und wenn ich sie fühle, kann ich einschlafen.»

Ein sonderbarer Mann, dieser Georg Frankenberg, sehr ernst, sehr verantwortungsbewusst, manchmal depressiv, mit einer fatalen Neigung zu schnellen Autos. Es konnte einem schon der Verdacht kommen, dass er nicht allzu sehr an seinem Leben hing. Winfried Meilhofer hatte mehr als einmal befürchtet, ihn nach einem Wochenende nicht lebend wieder zu sehen. Erst Ute hatte ihn aus seiner Melancholie gerissen.

Nach den Informationen über das Opfer hoffte Rudolf Grovian, von Gereon Bender ein wenig zur Vorgeschichte der Täterin zu erfahren. Man hatte Cora Benders Ehemann mit Rücksicht auf das kleine Kind angeboten heimzufahren. Man wollte ihm folgen und daheim mit ihm reden.

Dagegen hatte Gereon Bender heftig protestiert. Er wollte im Kreis der Zeugen nicht die große Ausnahme sein. In Polizeibegleitung nach Hause fahren, unmöglich! Wenn alle zur Dienststelle beordert wurden, wollte er auch dahin. Das Kind stelle kein Problem dar. Der Kleine war auch sehr brav, saß auf dem Schoß seines Vaters, knabberte an einem Keks und verlangte nur einmal nach seiner Mutter. «Mama gehen.»

Die dünne Kinderstimme saß Rudolf Grovian noch Tage später wie ein Stachel im Fleisch. Und Gereon Bender erklärte nachdrücklich: «Ich weiß nicht, warum sie plötzlich durchgedreht ist. Ich weiß überhaupt nichts. Sie hat nie was erzählt, nur mal was von einem Unfall früher. Aber wir hatten keine Probleme. Mit meinem Vater hatte sie manchmal ein bisschen Ärger, weil sie sich nichts von ihm gefallen ließ. Was sie wollte, setzte sie auch durch. Und sie hat immer gesagt, dass sie mit mir sehr glücklich ist.» Letzteres entsprach wohl nicht ganz den Tatsachen.

Berrenrath, der Kollege von der Schutzpolizei, der als einer der Ersten am Tatort eingetroffen war, hatte etwas Interessantes aufgeschnappt. Als man Cora Bender von Georg Frankenbergs Leiche fortführte, hatte ihr Mann heftig auf sie eingeschrien und sie beschimpft. Sie war ruhig geblieben, hatte sich noch einmal zu ihm umgedreht und gesagt: «Es tut mir Leid, Gereon, ich hätte dich nicht heiraten dürfen. Ich wusste ja, was ich mit mir herumschleppe. Jetzt bist du frei. Du wärst es ab heute so oder so gewesen. Ich wollte schwimmen gehen.»

Eine aufschlussreiche Bemerkung, fand Rudolf Grovian. Er hatte seine Schlüsse daraus gezogen und einige Punkte gesammelt, die seine Ansicht zu bestätigen schienen: zwei voneinander unabhängige Hinweise auf einen ‹Unfall› in früheren Jahren und zwei Aussagen, die – auch wenn sie nur auf persönlichen Eindrücken beruhten – den Verdacht untermauerten; Opfer und Täterin waren sich am Otto-Maigler-See nicht zum ersten Mal begegnet.

Dass Georg Frankenbergs Reaktion auf den Angriff sich allein in Schreck und Schock begründen könnte, zog Rudolf Grovian anfangs nicht in Betracht. Er ging vom Naheliegenden aus.

Er hatte, als er Cora Bender kurz nach neun gegenübertrat, ein zitterndes Bündel mit blutig geschlagenem Gesicht gesehen, ein Häufchen Elend mit einem zugeschwollenen Auge und einem, in dem nackte Panik flackerte. Und Berrenrath hatte ihn darauf hingewiesen: «Die pfeift aus dem letzten Loch, Herr Grovian. Sie will's unbedingt loswerden. Aufgeräumt hat sie. Ich glaube, wenn ich sie gelassen hätte, hätte sie Ihnen das Büro auf Hochglanz gebracht.» Auf Berrenraths Menschenkenntnis konnte man sich im Allgemeinen verlassen.

Rudolf Grovian hatte damit gerechnet, dass sie ihm innerhalb kürzester Zeit heulend und um Verständnis bettelnd die rührend tragische Geschichte einer früheren Liebe und eines großen Irrtums oder sonst etwas erzählte, was eine nachvollziehbare Motivation für ihre Tat lieferte.

Doch schon nach wenigen Minuten hatte er Mühe, am bewährten Konzept Ruhe und Freundlichkeit festzuhalten. Momentan war er nahe daran, mit der Faust auf den Tisch zu schlagen und diesem Herzchen klarzumachen, dass auf jeden Blitz ein Donner folgte. «Ist Ihre Frage damit umfassend genug beantwortet?» Soviel Kaltschnäuzigkeit hatte er noch nie erlebt.

Wie ein Granitblock saß sie ihm gegenüber. Das Herzklopfen sah er nicht. Und die grauroten Schwaden im Hirn trieben ihr auch nicht zu den Ohren hinaus. Seine letzte Frage hatte sie noch nicht beantwortet. Es sah aus, als wolle sie ihre Drohung wahr machen. «Ich sage nichts mehr.» Er wartete darauf, dass ihre Miene sich den Worten anpasste und sich verschloss. Aber es kam anders.

Das zerschlagene Gesicht entspannte sich plötzlich. Der Blick richtete sich nach innen, die Hände im Schoß lockerten den eisernen Griff und lagen wie vergessen auf den Oberschenkeln. Ein paar Minuten lang war sie nur nett und adrett in ihrem Jeansrock, dem weißen T-Shirt und den Sandalen an den nackten Füßen. Die junge Frau von nebenan, der man ohne Bedenken die eigenen Kinder für ein paar Stunden anvertraut. Die Seele im Familienbetrieb des Schwiegervaters, müde und erschöpft nach einem anstrengenden Tag.

Er betrachtete sie unschlüssig und rief sie zweimal beim Namen. Sie reagierte nicht. Für einen Moment spürte er Unbehagen wie einen Kälteschauer über den Rücken ziehen. Die Schlagspuren in ihrem Gesicht waren ihm nicht geheuer. Dass sie – entgegen ihren wiederholten Behauptungen – nicht völlig in Ordnung war, stand außer Frage. Nur bezog er das mehr auf ihre körperliche als auf ihre seelische Verfassung. Dass sie ihren Verstand nur noch auf einem schmalen Grat balancierte, war für ihn nicht zu erkennen. Aber mehrere heftige Fausthiebe gegen den Kopf ...

Winfried Meilhofer hatte gesagt: «Ich dachte, er schlägt sie tot.» Es war nicht auszuschließen, dass sie eine innere Verletzung erlitten hatte, die sich erst nach Stunden bemerkbar machte. Man hörte so etwas gelegentlich nach Schlägereien. Wenn sie ihm hier zusammenbrach …

Er hätte sich nicht auf das verlassen dürfen, was sie sagte. Sie brauchte doch einen Arzt. Wahrscheinlich brauchte sie auch einen, der ihr bezüglich der von ihm vermuteten Selbstmordabsicht auf den Zahn fühlte.

Es war normalerweise nicht seine Art, Verantwortung abzuschieben, aber plötzlich wünschte er, der Staatsanwalt wäre gekommen und hätte entschieden. Weitermachen? Oder zum Haftrichter? Oder besser ins nächste Krankenhaus, den Kopf röntgen lassen, damit einem später keine Versäumnisse angekreidet werden konnten?

Der Staatsanwalt war gerade mit einer anderen Sache beschäftigt. In einer Kölner Kneipe hatten sie einen geschnappt, der im Verdacht stand, vor ein paar Wochen seiner Freundin den Schädel gespalten zu haben. Rudolf Grovian war am Telefon leicht unwillig abgefertigt worden. «Ich bin mitten in einer Vernehmung. Ich komme morgen früh und hole mir die Unterlagen. Wenn Sie mit der Frau fertig sind, schaffen Sie sie zum Haftrichter nach Brühl. Es ist doch alles so weit klar, oder?»

Klar war überhaupt nichts, solange sie behauptete, ihr Opfer nicht gekannt zu haben. Aber für den Haftrichter genügten die Zeugenaussagen. Um den Rest konnte sich der psychologische Sachverständige kümmern. Es wurde garantiert einer eingeschaltet. Sollte der sich die Zähne an ihr ausbeißen.

Etwas in Rudolf Grovian war der Meinung, er solle zusehen, sie sich so rasch wie möglich vom Hals zu schaffen. Sie hatte etwas an sich, was ihn wütend machte und – auch wenn er sich das niemals eingestanden hätte – verunsicherte. Je länger er schwieg, umso deutlicher fühlte er ihn, den ersten leisen Zweifel. Was nun, wenn sie die Wahrheit sagte?

Blödsinn! Das gab es nicht, dass eine unbescholtene Ehefrau und Mutter aus nichtigem Anlass auf einen ihr völlig Fremden einstach.

Sie spielte mit ihrem Ehering. Unter ihren Fingernägeln waren noch Reste von Blut zu erkennen. Sie begann daran zu zupfen. Ihre Hände fingen erneut zu zittern an. Sie hob den Kopf und schaute ihm ins Gesicht. Ein Blick wie ein Kind, ratlos und verloren. «Hatten Sie mich etwas gefragt?»

«Ja, hatte ich», sagte er. «Aber anscheinend können Sie sich nicht mehr konzentrieren. Ich denke, wir machen Schluss für heute, Frau Bender. Wir reden morgen weiter.»

Das war die beste Lösung. Vielleicht war sie nach einer Nacht in der Zelle zugänglicher. Vielleicht nutzte sie die Zeit auch, um ihre ursprüngliche Absicht erneut in Angriff zu nehmen. Schwimmen gehen! Da gab es ja auch noch andere Methoden. Er musste die Kollegen instruieren, dass sie nicht eine Sekunde ohne Aufsicht war. Und beim geringsten Anzeichen war die Sache für ihn ohnehin erledigt. So wie damals, als seine Tochter verkündete, dass sie heiraten wolle. Aufgeatmet hatte er und gedacht, nun hätte er endlich seine Ruhe.

«Nein, nein», erklärte sie rasch. «Es geht mir gut. Es geht einem nur manchmal so viel auf einmal durch den Kopf.» Das Zittern der Hände verstärkte sich und griff auf Arme und Schultern über. «Entschuldigen Sie, wenn ich nicht bei der Sache war. Ich musste an meinen Mann denken. Das hat ihn sehr aufgeregt. Ich habe ihn noch nie so wütend erlebt.»

Es klang, als habe sie eine Beule in den Wagen ihres Mannes gefahren. Ihre Energie hatte merklich nachgelassen. Sie betrachtete ihre Hände, schien voll und ganz darauf konzentriert, nicht die Beherrschung zu verlieren. Und er fragte sich, was passieren mochte, wenn sie sie verlor. Ein Tränenausbruch? Endlich die Wahrheit? Oder eine Wiederholung der Szene vom See?

Der Zweifel meldete sich erneut und diesmal etwas lauter. Was, verdammt nochmal, war sie? Eine junge Frau, die sich plötzlich mit einem unangenehmen Bestandteil ihrer Vergangenheit konfrontiert gesehen hatte, oder eine von diesen wandelnden Zeitbomben, die ihrer Umgebung jahrelang Harmlosigkeit und Normalität suggerierten, um dann ohne erkennbaren Grund zu explodieren? Ob sie auf ihn losgehen würde?

Er war näher als Werner Hoß, der Mann im Sportanzug, der hinter dem Schreibtisch saß wie eine Gipsfigur. Es war sein Bereitschaftsdienst, und normalerweise war Hoß nicht so zurückhaltend. Aber normalerweise war er auch einer Meinung mit ihm. Diesmal nicht.

Als sie zu dritt vor der Tür gestanden hatten, als Berrenrath seine Ansicht über das Pfeifen auf dem letzten Loch verkündete und Rudolf Grovian kurz umriss, was nach Einschätzung der Zeugenaussagen seiner Meinung nach passiert war, hatte Hoß den Kopf geschüttelt. «Ich weiß nicht, das müsste aber ein verdammt großer Zufall gewesen sein. Da ist eine Frau mit ihrem Mann kreuzunglücklich, will sich umbringen, und ausgerechnet in der Situation stolpert sie über einen, mit dem sie früher mal was hatte. Da könnte ich mir eher vorstellen, dass bei ihr etwas ausgesetzt hat, als sie sich ansehen musste, wie die Frankenbergs miteinander umgingen.»

Ihre Stimme riss Rudolf Grovian aus seinen Überlegungen, klein und ängstlich war sie geworden. «Könnte ich jetzt vielleicht doch einen Kaffee haben, bitte?»

Er war versucht abzulehnen. Hier gibt's erst Kaffee, wenn wir alle zufrieden sind. Na komm schon, Mädchen! Erzähl uns, was in deinem Kopf vorgeht. Du kannst doch nicht so tun, als hättest du nach einer Wespe geschlagen, die von deinem Eis naschen wollte. Du wolltest dich da draußen ersäufen, habe ich Recht? Aber dann musste ein Mann dran glauben. Der Mann war jung, hatte es sich zur Aufgabe gemacht, Leben zu retten. Und du stichst ihn ab wie einen tollwütigen Hund. Warum?

«Möchten Sie auch etwas essen?», fragte er stattdessen.

«Nein, vielen Dank», sagte sie rasch. «Nur einen Kaffee, bitte. Ich habe Kopfschmerzen. Es ist nicht schlimm. Ich meine, ich bin im Vollbesitz meiner Kräfte. Ich werde nicht morgen behaupten, es sei mir so schlecht gegangen, dass ich nicht mehr wusste, was ich tat und sagte.»

Ihre Behauptung entsprach nicht den Tatsachen. Es ging hinauf und hinunter wie in einem Lift. Von Gereon zu Vater, von Vater zu Mutter, von Mutter zu Magdalena, von Magdalena zur Schuld. Sie wollte keinen Kaffee, nur eine Verschnaufpause, um abzuschätzen, wie groß der Berg war, der sich so unvermittelt vor ihr aufgetürmt hatte.

Es kam zu viel auf einmal. Erinnerungen und neue Erkenntnisse. Von der Ruhe, der Zufriedenheit, dem Gefühl grenzenloser Erleichterung in den ersten Minuten war nichts übrig. Es war nicht vorbei, das Loch nicht gestopft. Sie steckte mitten drin, fühlte sich wie von schwarzen Wänden umgeben, die unaufhaltsam näher rückten.

«Seit wann haben Sie denn Kopfschmerzen?» Rudolf Grovian erhob sich mit einem Gemisch aus Resignation und neu erwachendem beruflichen Ehrgeiz. Es war eine Sache der Intuition und der Erfahrung. Weitermachen! Ihre Stimme, ihre Haltung, die plötzliche Nachgiebigkeit, er kannte das, hatte es schon hundertmal erlebt. Zuerst wurden sie frech, dann sahen sie die Ausweglosigkeit ihrer Situation und versuchten, mit einer harmlosen Bitte abzuschätzen, wie viele Sympathiepunkte sie sich bereits verscherzt hatten.

Er ging zur Kaffeemaschine, nahm die Kanne und hielt sie unter den Wasserhahn. Hinter sich hörte er sie zitternd durchatmen. «Seit ein paar Minuten. Es ist aber wirklich nicht schlimm.»

«Am See hatten Sie also noch keine Schmerzen?»

«Nein.»

«Wir sollten doch einen Arzt rufen, der sich Ihre Verletzungen einmal anschaut», schlug er vor.

«Nein!», erklärte sie trotzig wie ein Kind, das den warmen Schal nicht umbinden will. «Ich will keinen Arzt. Und wenn ich keinen will, dürfen Sie keinen rufen. Mich darf kein Arzt untersuchen, wenn ich es nicht will. Das wäre Körperverletzung.»

Sieh an, dachte er, Körperverletzung. Laut fragte er: «Haben Sie etwas gegen Ärzte?»

Aus den Augenwinkeln sah er, dass sie die Schultern anhob und wieder sinken ließ. Nach ein paar Sekunden meinte sie: «Etwas dagegen haben ist zu viel gesagt. Ich halte nichts von ihnen. Sie erzählen einem irgendeinen Quatsch. Und man muss ihnen glauben, weil man das Gegenteil nicht beweisen kann.»

«Wissen Sie, welchen Beruf Georg Frankenberg ausübte?»

Ihre Stimme schwamm auf einer Pfütze Verzweiflung, es entging ihm nicht. «Woher soll ich das wissen, wenn ich den Mann nicht kannte?»

Das war die Wahrheit, die reine Wahrheit. Ein fremder Mann. Aber seine Frau hatte das Lied gehabt! «Ich spule ein Stück vor ...» Und in ihrem Kopf spulte etwas zurück. Der Chef ließ ihr keine Zeit nachzudenken, wie, wann und unter welchen Umständen das Lied von der Kassette in ihren Kopf gekommen sein könnte. Dabei wäre es wichtig gewesen, das zu wissen.

«Haben Sie häufig Kopfschmerzen?», fragte er.

«Nein. Nur wenn ich schlecht geschlafen habe.»

«Möchten Sie ein Aspirin? Ich glaube, wir haben welches hier.» Er durfte ihr nichts geben, auch nicht so etwas Harmloses wie Aspirin. Sie hätte später behaupten können, er habe ihr etwas eingeflößt, das ihren freien Willen beeinträchtigte.

Er fragte nur, um zur Abwechslung wieder mal ein Ja von ihr zu bekommen.

Und sie sagte: «Nein. Das ist lieb gemeint, aber Aspirin hilft mir nicht. Meine Schwiegermutter hat Tabletten, manchmal nehme ich eine davon. Man bekommt sie aber nur auf Rezept. Es ist ein sehr starkes Mittel.»

«Dann müssen es doch auch sehr starke Schmerzen sein», meinte er, während er Kaffeepulver in eine Filtertüte häufte. Er setzte den Filter ein, drückte auf den Schalter an der Maschine und drehte sich zu ihr um.

«Ja, manchmal, aber jetzt nicht. Wirklich», sie schüttelte den Kopf, «ich kann es aushalten. Hören Sie: Würden Sie bitte die Maschine noch einmal ausschalten und zuerst die Kanne spülen? Sie ist schmutzig, sehen Sie diesen Film da am Boden? Den müssen Sie wegreiben, wenn Sie nur mit Wasser spülen, das hilft nicht.»

Der Ausdruck von Ekel auf ihrem Gesicht war nicht zu übersehen. Ordentliches Mädchen, dachte Rudolf Grovian mit einem Anflug von Sarkasmus, nach dem ihm nicht zumute war. «Ich wette», sagte er leise, «Sie spülen die Kanne jedes Mal richtig aus.»

«Natürlich.»

«Und auch sonst ist in Ihrem Haushalt alles blitzblank.»

«Ich habe nicht viel Zeit für den Haushalt. Aber ich gebe mir Mühe, alles sauber zu halten.»

«Ihr Leben auch?», fragte er.

Obwohl sie sich so elend fühlte, dass sie kaum noch klar denken konnte, glaubte sie zu begreifen, worauf er abzielte. Ihre Hände umfassten automatisch die vernarbten Armbeugen. Ihre Stimme klang heiser vor Abwehr. «Wie meinen Sie das?»

«Wie ich es sage. Sie mögen nicht über früher sprechen. Ihr Mann war doch bestimmt nicht der erste Mann in Ihrem Leben. Waren Sie glücklich mit ihm, Frau Bender?»

Sie nickte nur.

«Und warum haben Sie dann vor ein paar Stunden zu ihm gesagt, Sie hätten ihn nie heiraten dürfen?»

Sie zuckte mit den Achseln, führte eine Hand zum Mund und begann am Daumennagel zu knabbern.

«Er hat Sie übel zugerichtet», sagte Rudolf Grovian und deutete auf ihr Gesicht. «Hat er Sie öfter geschlagen?»

«Nein!» Die Heiserkeit war verschwunden, ohne dass sie sich hatte räuspern müssen. Sie wurde energisch: «Gereon hat mich nie geschlagen. Heute, das war das erste Mal. Und es ist verständlich. Versetzen Sie sich doch mal in seine Lage! Was würden Sie tun, wenn Ihre Frau plötzlich aufspringt und mit einem Messer auf einen fremden Mann einsticht? Sie würden auch versuchen, Ihrer Frau das Messer wegzunehmen. Und wenn sie es sich nicht wegnehmen lässt, würden Sie sie schlagen. Das ist ganz normal.»

Rudolf Grovian rubbelte den Kannenboden mit den Fingerspitzen blank, schob die Kanne zurück unter den Filter und drückte noch einmal auf den Knopf, während er erklärte: «Ich kann mich nicht in die Lage Ihres Mannes versetzen, Frau Bender. Weil meine Frau etwas so Verrücktes nicht täte.»

Ihre Reaktion war heftiger als erwartet. Sie stampfte mit einem Fuß auf und schrie: «Ich bin nicht verrückt!»

Ihre ersten derartigen Ausbrüche waren ihm keineswegs entgangen. Die erneute Wiederholung forderte ihn geradezu heraus, einmal in diese Richtung vorzustoßen. «Die Leute werden es aber so sehen, Frau Bender, wenn Sie keine Erklärung für Ihr Handeln liefern. Kein normaler Mensch bringt einen Fremden um, nur weil er sich über Musik ärgert. Ich habe mich eben lange mit Ihrem Mann unterhalten, und ...»

Sie stammelte etwas, das er nicht verstand, und unterbrach ihn damit. Heftig verlangte sie: «Lassen Sie meinen Mann in Ruhe! Er hat damit überhaupt nichts zu tun.» Ein wenig gemäßigter fuhr sie fort: «Gereon ist ein netter Kerl. Er ist fleißig und ehrlich. Er trinkt nicht. Er ist nicht brutal.»

Sie senkte den Kopf. Ihre Stimme verlor an Festigkeit. «Er würde eine Frau niemals zwingen, etwas zu tun, was sie nicht will. Er hat mich auch nie gezwungen. Gestern hat er sogar gefragt, ob ich Lust habe. Ich hätte nein sagen können. Aber ich ...»

Rudolf Grovian kam sich ein wenig schäbig vor und verstand es nicht so recht. Cora Bender war wie ein wild gewordenes Tier über einen wehrlosen Mann hergefallen. Cora Bender hatte mit ihrem kleinen Schälmesser gewütet wie eine Furie. Cora Bender zeigte nicht die Spur von Reue oder Mitleid für ihr Opfer. Aber wie sie da auf dem Stuhl saß, mit zitternden Lippen die Qualitäten ihres Mannes beschrieb, war sie das Opfer.

Doch dann lächelte sie wieder, selbstbewusst und überheblich, begann mit ihrem üblichen: «Hören Sie» und machte ihn damit erneut wütend. «Ich will mit Ihnen nicht über meinen Mann reden. Es reicht, wenn er seine Aussage gemacht hat. Das hat er doch. Und er muss das vor Gericht auch noch einmal wiederholen. Aber damit muss es gut sein. Den Rest können wir hier unter uns abmachen. Ich sehe nicht ein, dass Außenstehende in diese Sache hineingezogen werden.»

Härter als beabsichtigt sagte er: «Es werden eine Menge Außenstehende in diese Sache hineingezogen, Frau Bender. Ich sage Ihnen jetzt mal, wie die Dinge stehen. Sie können oder wollen uns nicht erklären, warum Sie plötzlich die Kontrolle über sich verloren haben.»

Sie öffnete den Mund, er sprach rasch weiter: «Jetzt unterbrechen Sie mich nicht wieder. Ich habe nur gesagt, die Kontrolle verloren. Ich habe nicht behauptet, dass Sie verrückt sind. Niemand hat das bisher behauptet. Aber Sie haben etwas getan, was nicht zu begreifen ist. Und es ist unsere Aufgabe herauszufinden, warum Sie es getan haben. Dazu verpflichtet uns das Gesetz, ob Ihnen das nun angenehm ist oder nicht. Wir werden mit vielen Leuten reden müssen. Mit allen, die Ihnen nahe stehen. Ihre Schwiegereltern und Ihre Eltern. Wir werden jeden fragen …»

Weiter kam er nicht. Sie machte Anstalten, vom Stuhl aufzuspringen, umklammerte die Sitzfläche mit beiden Händen, als könne sie sich nur auf diese Weise an ihrem Platz halten. Ihre Eltern! Das zitterte in ihrem Kopf nach.

Sie fauchte ihn an wie eine Katze. «Ich warne Sie! Lassen Sie meinen Vater in Ruhe. Reden Sie von mir aus mit meinen Schwiegereltern. Die werden Ihnen erzählen, was Sie hören wollen. Dass ich nur die Hand aufhalten kann, dass ich unverschämt bin. Ein Flittchen, meine Schwiegermutter hat von Anfang an gesagt, ich sei ein Flittchen. Sie kann so gemein werden. Immer hackte sie auf mir herum.»

Rudolf Grovian wusste nicht, dass sie ihre Eltern für tot erklärt hatte. Es war so viel zu besprechen gewesen, da waren Nebensächlichkeiten untergegangen. Er sah, dass Werner Hoß ein Zeichen gab. Auf ihn wirkte es, als wolle Hoß die Sache abbrechen. Und das war nicht in seinem Sinne. Wer hört denn auf, wenn es gerade losgeht? Und das ging es. Der Gletscher schmolz, wie ein Sturzbach gurgelten ihm die Fluten um die Ohren. Er begriff schnell, dass er einen wunden Punkt getroffen hatte; Eltern, Vater. Als sie weitersprach, erkannte er, dass es mehr war als nur ein Punkt.

Hoß kritzelte etwas auf einen Zettel. «Eltern tot», las Rudolf Grovian und dachte, sieh einer an. Zu längeren Gedanken blieb keine Zeit. Ihre Stimme hatte schon nach zwei Sätzen den Elan eingebüßt, wippte auf und ab wie ein Papierschiffchen in der Gosse.

«Ich habe das Kind nicht verloren. Es war eine Sturzgeburt. Die Ärzte haben gesagt, das kann jeder Frau passieren. Es hat überhaupt nichts damit zu tun, ob man mit einem oder mit hundert Männern geschlafen hat. Ich habe nicht mit hundert Männern geschlafen. Ich habe mir als kleines Kind schon vorgestellt, dass die Dinger eines Tages abfaulen müssen.»

Sie hielt die Finger der linken Hand mit der rechten umklammert und knetete sie, als wolle sie sie zerbrechen. Rudolf Grovian beobachtete sie mit einer Mischung aus Faszination und Triumph. Den Blick auf den Boden gerichtet, fuhr sie leise fort: «Aber mit Gereon war es schön. Er hat mich nie gezwungen. Er war immer gut zu mir. Ich hätte ihn nicht heiraten dürfen, weil ich ... weil ich ... Ich hatte doch diesen Traum. Aber der war länger nicht mehr gekommen. Und ich ... Ich wollte doch nur ...»

Sie brach ab, hob den Kopf und schaute ihm ins Gesicht, die Stimme von Panik zersplittert: «Ich wollte doch nur ein normales Leben mit einem netten jungen Mann. Ich wollte es genauso, wie andere es haben. Verstehen Sie das?»

Er nickte. Wer hätte es nicht verstanden? Und welcher Vater hätte sich nicht gewünscht, die eigene Tochter möge dasselbe Ziel verfolgen, glücklich und zufrieden sein mit einem netten, ordentlichen Mann?

Das war der Moment, in dem sich für Rudolf Grovian die Perspektiven verschoben. Er bemerkte es nicht, hielt sich noch Tage später für distanziert, für einen engagierten Polizisten, der auch mit dem Elend der Täter konfrontiert wurde und Mitleid haben durfte. Mitleid war nicht verboten, solange man darüber nicht das Ziel aus den Augen verlor. Das tat er keine Sekunde lang. Das Ziel seiner Arbeit war schließlich Aufklärung und Aufdeckung, in finsteren Winkeln stöbern und nach Beweisen suchen. Und es spielte keine Rolle, ob dieser Winkel in einem Gebäude, einem Waldstück oder in einer Seele lag.

Rudolf Grovian hatte nicht den Ehrgeiz, einen Part zu übernehmen, der kompetenten Fachleuten zugestanden hätte. Es war auch nicht seine Absicht, auf Biegen und Brechen zu beweisen, dass er richtig lag mit seiner ersten Vermutung. Er war nur ein Mensch, der herausgefordert wurde, der die ersten Alarmsignale übersah, die ein kippender Verstand ausschickte, der in Versuchung geriet und ihr erlag. Am Ende ging es für ihn nur noch darum zu beweisen, dass er ohne Schuld war.

Cora Bender kniff die Augen zu und stammelte: «So war es auch am Anfang. Es war alles ganz normal. Ich mochte es, wenn Gereon zärtlich war. Ich habe gern mit ihm geschlafen. Aber dann ... hat es wieder angefangen. Es war nicht seine Schuld. Er hat es nur gut gemeint. Andere mögen das, die sind ganz wild darauf. Er konnte doch nicht ahnen, was er anrichtet, wenn er das mit mir macht. Das wusste ich doch selbst nicht, bis es passierte. Ich hätte mit ihm darüber reden müssen. Aber was hätte ich ihm denn sagen sollen? Dass ich nicht lesbisch bin? Das war es doch nicht – glaube ich. Ich weiß es nicht – aber ... Ich meine, ich weiß ja, dass nicht nur Frauen es sich mit der Zunge machen. Männer tun das auch, und alle finden es schön. Nur ich nicht. Und es hörte nicht wieder auf. Ich dachte, es sei das Beste, wenn ich schwimmen gehe. Es hätte ausgesehen wie ein Unfall. Gereon hätte sich keine Vorwürfe machen müssen. Das ist ja das Schlimme, wenn jemand stirbt, dass man sich diese Vorwürfe macht. Dass man den Gedanken nicht los wird, man hätte es verhindern können. Das wollte ich ihm ersparen. Wenn das Kind mich nicht aufgehalten hätte, wäre nichts passiert. Da wäre ich längst weg gewesen, als sie ein Stück vorspulte.»

Sie begann mit einer Faust gegen ihre Brust zu schlagen, die Augen· hielt sie geschlossen, ihre Stimme bekam einen hysterischen Beiton. «Es war mein Lied! Es war mein Lied! Und ich halte es nicht aus, wenn ich es höre. Der Mann wollte es auch nicht hören. Das nicht, hat er gesagt, tu mir das nicht an. Er wusste, dass ich in ein Loch falle, wenn ich es höre. Er muss es gewusst haben. Er hat mich angeschaut, und er hat mir vergeben. Ich konnte es in seinen Augen lesen. Vater, vergib ihr! Sie weiß nicht, was sie tut.»

Sie schluchzte auf. «Oh, mein Gott! Vater, vergib mir! Ich habe euch doch alle geliebt. Dich und Mutter und … Ja, sie auch. Ich wollte nicht töten. Ich wollte nur leben, ganz normal leben.»

Sie riss die Augen wieder auf, funkelte ihn an und fuchtelte mit einem Zeigefinger vor ihm herum. «Merken Sie sich das: Es war allein meine Schuld. Gereon hat nichts damit zu tun. Und mein Vater auch nicht. Lassen Sie meinen Vater in Ruhe. Er ist ein alter Mann. Er hat genug mitgemacht. Sie bringen ihn um, wenn Sie ihm das sagen.»

4. Kapitel

Vater hat sich in all den Jahren auf seine Art viel Mühe gegeben. Und wenn ich ihn hundertmal enttäuscht habe, wenn ich ihm tausendmal Grund gab, mich zu verachten, er hat nie aufgehört mich zu lieben. Und er hat etwas für mich getan, was kein anderer Vater getan hätte.

Ich meine nicht das, was er damals an meinem Geburtstag tat, als ich hungrig im Bett lag und er schimpfend zur Tür hereinkam. Obwohl er da auch schon etwas für mich tat. Als er bemerkte, dass ich noch nicht schlief, setzte er sich auf mein Bett und strich mir über das Haar. «Es tut mir Leid», sagte er.

Ich war wütend auf ihn. Wenn er mir die blöde Schokolade nicht gegeben hätte, hätte ich auch einen Teller Suppe bekommen. «Lass mich», sagte ich und drehte mich auf die Seite.

Aber er ließ mich nicht. Er nahm mich in die Arme und wiegte mich hin und her. «Mein armes Mädchen», flüsterte er.

Ich wollte kein armes Mädchen sein. Ich wollte auch keinen Geburtstag, nur meine Ruhe haben. «Lass mich», sagte ich noch einmal.

«Das kann ich nicht», flüsterte er. «Es reicht doch, wenn eine leidet. Für die kann ich nichts tun, das ist Sache der Ärzte. Aber du bist meine Sache. Wenn du es noch eine halbe Stunde aushältst, dann schläft Mutter bestimmt, dann hole ich dir etwas zu essen. Du musst doch Hunger haben wie ein Wolf.»

Er saß länger als eine Stunde auf meinem Bett, hielt mich im Arm, und diesmal erzählte er mir nichts von früher. Mutter war noch unten und betete das letzte Mal für den Tag. Es kam mir vor wie eine Ewigkeit, bis wir endlich ihre Schritte auf der Treppe hörten. Sie ging aufs Klo, kurz darauf wurde nebenan die Tür geschlossen. Vater wartete noch ein paar Minuten, ehe er hinunterging.

Er kam mit einem Teller Suppe zurück. Sie war nur lauwarm, aber das machte nichts. Nachdem der Teller leer war, stellte er ihn auf den Fußboden, griff in seine Hosentasche und zog etwas heraus. Den Rest von der Schokolade.

Ich wollte sie nicht nehmen, wirklich nicht. Aber Vater brach einen Riegel ab, schob ihn mir einfach zwischen die Lippen und sagte: «Jetzt nimm schon. Mach dir keine Gedanken, du darfst sie essen. Wenn ich es dir sage, dann darfst du. Es ist keine Sünde. Ich könnte dich doch niemals zu einer Sünde verführen. Du brauchst auch keine Angst zu haben, dass Mutter etwas merkt. Sie meint, die Schokolade liegt draußen im Müll.» Da konnte ich nicht anders.

Am nächsten Tag ging es Magdalena schlechter. Und am Tag darauf verschlimmerte sich ihr Zustand noch mehr. Vater bestand darauf, sie in die Klinik zu bringen. Mutter wollte nicht, aber diesmal setzte Vater sich durch. Sehr früh morgens fuhren sie los.

Ich werde das nie vergessen. Mutter kam am Nachmittag zurück – allein, mit einem Taxi. Vater war bei Magdalena in Eppendorf geblieben, um in Ruhe mit den Ärzten zu reden. Ich war nebenan bei Grit Adigar. Vater hatte mir morgens gesagt, ich solle zu Grit gehen, wenn mir daheim niemand öffne. Ich hatte ein gutes Mittagessen bekommen und später noch ein paar Bonbons für die ordentlichen Schularbeiten.

Ich wollte sie eigentlich erst essen, wenn Magdalena wieder daheim war. Aber dann dachte ich, dass es nach der Schokolade nicht darauf ankäme. Ich lutschte noch, als Mutter erschien, um mich abzuholen. Natürlich sah sie, dass ich etwas im Mund hatte. Aber sie verlangte nicht, dass ich es ausspuckte.

Sie war anders als sonst. Wie aus Stein war sie, und ihre Stimme klang nach dem weißen Sand, auf dem nichts wachsen kann. Magdalena müsse sterben, hatten die Ärzte gesagt. Jetzt müsse sie. Sie hätte dem Tod oft genug ins Gesicht gelacht, nun sei ihre Zeit endgültig abgelaufen. Man dürfe sie nicht behandeln, das sei nur Quälerei.

Zu all den Krankheiten war noch eine gekommen. Sie hatte nichts mit dem Schnupfen zu tun, den ich ins Haus geschleppt hatte. Sie hieß Leukämie. Krebs, sagte Mutter. Und ich stellte mir vor, dass Magdalena ein Tier mit Scheren im Bauch hatte, das sie von innen zerfleischte.

Mutter holte einen Koffer für sich und einen für Magdalena aus dem Keller. Ich musste hinaufgehen mit ihr. Ich musste neben dem Bett in ihrem Schlafzimmer stehen, während sie Wäsche in Magdalenas Koffer legte und sagte: «Schau dir das Bett gut an. So wie es jetzt ist, wird es bleiben. Und du wirst dein Leben lang deine Schwester darin sehen. Bis an das Ende deiner Tage wirst du dich fragen müssen: War es das wert? Wie konnte ich meine Schwester sterben lassen für einen flüchtigen Genuss? Und dann einen so furchtbaren Tod.»

Ich habe das geglaubt. Ich habe es tatsächlich geglaubt. Und ich hatte so wahnsinnige Angst. Bis dahin hatte ich nie nachgedacht, wie es bei uns weiterginge, wenn Magdalena nicht mehr da wäre. Jetzt tat ich das. Ich schaute mir das Bett an, wie Mutter es verlangt hatte. Und ich dachte, dass sie mich in ihrem Schlafzimmer einsperren wollte, damit ich das leere Bett mein Leben lang sehen könnte.

Mutter fuhr mit einem Taxi zurück nach Eppendorf. Ich blieb allein im Haus. Im Schlafzimmer eingesperrt hatte sie mich nicht. Als Vater am Abend heimkam, war ich im Wohnzimmer. Ich hatte mir die Kerzen angezündet, den ganzen Nachmittag auf der Holzbank gekniet und dem Erlöser versprochen, dass ich nie wieder irgendetwas haben wollte. Angefleht hatte ich ihn, er solle mich tot umfallen und meine Schwester in Ruhe lassen. Und als ich nicht tot umfiel, hatte ich gedacht, ich müsste Mutter zeigen, welch große Opfer ich bringen könnte. Ich wollte meine Hände verbrennen wie das blaue Kleid mit dem weißen Kragen, damit ich nie wieder etwas Süßes anfassen konnte. Aber als ich sie über die Flammen hielt und der Schmerz stärker wurde, hatte ich die Hände wieder fortgezogen. Es hatte nur ein paar Blasen gegeben.

Vater war entsetzt, als er sie sah. Er wollte wissen, was Mutter gesagt hatte. Ich erzählte es ihm. Zuerst wurde er wütend und schimpfte fürchterlich. Die blöde Kuh! Die ist doch krank! Und solche Sachen. Dann ging er zu Grit Adigar, um mit der Klinik zu telefonieren und den Ärzten zu sagen, dass er es sich anders überlegt hätte. Dass sie Magdalena behandeln mussten. Und wenn sie dazu nicht bereit wären, werde er sie anzeigen und Magdalena in eine andere Klinik bringen.

Als er zurückkam, war er sehr still. Er kochte für uns. Eine Suppe mit grünen Bohnen aus einem Einweckglas, etwas anderes war nicht im Haus. Dann setzte er noch einen kleineren Topf auf den Herd und goss Milch hinein. Milch war immer da. Für Magdalena. Ich mochte keine. Auf Milch zu verzichten fiel mir leicht. Aber ich tat jedes Mal so, als ob es ein großes Opfer wäre. Ich war als Kind so falsch, so verlogen, so verdorben.

Vater zog eine kleine Tüte aus seiner Hosentasche und lächelte mich an. «Mal sehen, ob ich das kann», sagte er. Es war Puddingpulver. Er hatte Grit darum gebeten. Er hatte gesagt: «Ich muss ihr begreiflich machen, dass sie essen kann, was sie will. Gerade jetzt muss ich. Aber was mache ich mit Magdalena? Es wäre das Beste, wir ließen sie in Frieden sterben. Diese Behandlung ist eine Folter. Die Ärzte haben es mir ausführlich erklärt. Sie kann das nicht überstehen. Und dann werde ich mit dem Gedanken leben müssen, dass sie auf meine Veranlassung zu Tode gequält wurde. Aber ich muss es tun – für Cora.»

Später hat Grit mir das erzählt, erst viel später. Aber ich wusste immer, dass Vater mich liebt. Und ich liebte ihn auch. Ich liebte ihn so sehr.

Wir blieben damals lange allein, ein halbes Jahr. Es war eine schöne Zeit, die schönste, die ich hatte. Bevor Vater morgens zur Arbeit fuhr, machte er mir Frühstück mit Kakao, gekochten Eiern und Wurstbroten. Er gab mir auch immer einen dicken Apfel oder eine Banane mit für die Pause.

Wenn ich mittags heimkam, ging ich zu Grit, spielte nachmittags mit Kerstin und Melanie. Wenn wir bei ihnen zu Hause waren, waren sie immer nett zu mir. Da sagten sie sogar manchmal, dass es ihnen Leid täte wegen der Pause.

Am schönsten war es, wenn Vater am späten Nachmittag heimkam. Er putzte die Fenster und wusch die Gardinen, ich wischte Staub und fegte die Küche. Und alles sah blitzblank aus. Wenn wir sauber gemacht hatten, kochte er für uns. Es gab jeden Tag Fleisch oder Wurst und jeden Tag einen süßen Nachtisch. Nach dem Essen blieben wir in der Küche. Vater erklärte mir, dass Magdalenas Krankheiten nicht besser und nicht schlimmer wurden, wenn wir Pudding aßen. Er versprach auch, mit Mutter zu reden, damit sie mich ein normales Kind sein ließe.

«Es reicht», sagte er einmal, «wenn in diesem Haus der verzichtet, der für das Übel verantwortlich ist. Ich habe mir fest vorgenommen, das zu tun. Gebe Gott, dass ich es schaffe.»

Ins Wohnzimmer gingen wir immer erst, bevor wir uns schlafen legten. Vater zündete nie Kerzen an. Wir knieten im Dunkeln vor dem Altar und beteten für Magdalena. Mutter hatte verlangt, dass wir es tun. Aber wir hätten es auch freiwillig getan, glaube ich.

Ein paar Mal fuhr Vater sonntags in die Klinik. Mich nahm

er nicht mit. Ich durfte nicht in Magdalenas Nähe kommen, weil ich wieder eine an sich harmlose Krankheit hätte zu ihr tragen können. Die Behandlung, auf der er wegen mir bestanden hatte, war ja erfolgreich. Aber Magdalena war so schwach geworden, an einem Schnupfen hätte sie sterben können.

Wenn Vater sie besuchte, war ich nebenan. Ich bekam Kakao und frischen Kuchen mit Zuckerstreuseln. Ich war glücklich, unendlich glücklich. Vor allem, wenn Vater aus der Klinik zurückkam, wenn er sagte: «Es sieht so aus, als ob sie es schafft. Sie besteht nur noch aus Augen. Die Ärzte sagen, sie hat einen unbändigen Lebenswillen. Man könnte fast meinen, sie pumpt das Blut nur noch mit ihrem Willen durch die Adern. So ein kleines, schwaches Menschlein, hat nicht genug Kraft im Leib, um den Kopf zu heben. Man begreift es nicht. Aber am Leben hängen sie alle.»

Im Dezember kamen sie wieder heim. Magdalena hatte keine Haare mehr. Sie war so schwach, dass sie nicht abwarten durfte, bis sie von allein musste. Mutter machte ihr jeden Tag einen Einlauf, damit sie nicht drücken musste. Magdalena mochte die Einläufe nicht. Sie weinte schon, wenn sie Mutter nur mit der Kanne und dem Schlauch kommen sah. Und jetzt weinte sie richtig, aber das durfte sie auch nicht. Es war zu anstrengend für sie.

Wenn sie zu weinen anfing, drehte Mutter durch und scheuchte mich ins Wohnzimmer. Und dann durfte ich nicht mal mehr rauskommen, um meine Schularbeiten zu machen. Am nächsten Tag hatte ich regelmäßig Ärger mit der Lehrerin. Früher hatte sie mich gut leiden mögen, und jetzt meinte sie, ich sei faul und nachlässig geworden. Ich könnte nicht immer meine kranke Schwester als Entschuldigung für meine Schlampigkeit anführen. Ein paar Mal bekam ich sogar Eintragungen ins Klassenbuch.

Grit Adigar riet mir, die Schularbeiten abends zu machen,

wenn Mutter mich ins Bett schickte. Da lag ich dann mit meinen Heften und Büchern auf dem Boden, weil wir keinen Tisch im Zimmer hatten. Und dann meckerte die Lehrerin über meine krakelige Schrift.

Natürlich war ich dem Erlöser dankbar, dass er meine Schwester verschont hatte. Aber so hatte ich mir Magdalenas Überleben nicht vorgestellt. Manchmal dachte ich, es wäre besser gewesen, wenn Mutter mich bis an mein Lebensende im Schlafzimmer eingesperrt hätte. Da hätte ich nicht so viel Ärger gehabt.

Alle vier Wochen musste Magdalena zur Nachbehandlung in die Klinik. Mutter fuhr mit. Jedes Mal blieben sie zwei oder drei Tage. Jedes Mal wünschte ich mir, sie kämen nicht mehr heim. Dass die Ärzte sagten, Magdalena müsse für immer in Eppendorf bleiben. Nur dort könne sie überleben. Und Mutter bliebe bei ihr. Sie ließ sie doch nie allein. Und dann bliebe ich mit Vater zurück. Und Vater wäre wieder so, wie er in dem halben Jahr gewesen war. Mehr wollte ich nicht, nur dass er nicht so traurig war.

Es war wie der Albtraum, aus dem sie nicht aufwachen konnte, nur war es ganz anders diesmal. Nichts blieb verborgen. Alles glitt ihr aus den Händen, rutschte aus dem Kopf und breitete sich aus. Sie hörte sich reden, von dem Geburtstag, der Schokolade. Von den Tagträumen. Nur Vater und ich! Sie sah ihren Finger tanzen, sah das aufmerksame und betroffene Gesicht des Chefs wie durch einen Nebel.

Manchmal nickte er.

Und sie konnte nicht aufhören zu reden. Sie durfte auch nicht aufhören. Sie musste ihn überzeugen, dass er Vater in Ruhe ließ. Gereon auch. Gereon hatte es nicht verdient, belästigt zu werden mit einer Sache, die er nicht zu verantworten hatte. Und für Vater wäre es der Untergang gewesen, davon zu erfahren.

Sie erzählte dem Chef von Vater. Nicht zu viel, nur was für ein warmherziger und fürsorglicher Mann er früher gewesen war; vielseitig interessiert, ein wandelndes Geschichtsbuch, Heimatkunde. Sie sprach auch über Mutter, über das Kreuz und die Rosen auf dem Hausaltar, über den Erlöser aus Holz und die Gebete. Nur den Grund erwähnte sie nicht. Magdalena.

Der Körper zitterte wie in einem Krampf, das Hirn zitterte mit, ließ den Kopf wie von einer Maschine gesteuert auf und ab rucken. Aber so viel Kontrolle war noch da. An Magdalena durfte man nichts und niemanden heranlassen, gewiss keine Männer. Jede Aufregung, jede Anstrengung konnte für Magdalena den Tod bedeuten.

Sie sprach von den zwiespältigen Gefühlen, von der Notwendigkeit, ein guter Mensch zu sein, und dem Verlangen nach einem sündigen Leben. Süßigkeiten in Kinderjahren, und später die jungen Männer und ihre magische Anziehungskraft. Da war besonders einer gewesen. Einer von denen, die nur mit dem Finger schnipsen mussten, alle nannten ihn Johnny Guitar.

Und Grit Adigar hatte einmal gesagt: «Wenn du alt genug bist, machst du es wie ich. Such dir einen netten Mann, lass dir ein Kind von ihm machen, geh mit ihm weg, und vergiss den Zirkus hier.» Mit Johnny wäre sie gerne weggegangen. Sie hatte mehr als einmal überlegt, wie es wäre, sich ein Kind von ihm machen zu lassen.

Über den Gedanken an Johnny kam sie auf Gereon zurück. Erzählte von dem Tag, an dem sie ihm zum ersten Mal begegnete. Es ging nur über Gereon zurück in die Normalität. Und da wollte sie hin. Da musste sie hin, unbedingt. Normal sein, eine erwachsene Frau, die ihre Kindheit längst hinter sich gelassen hatte. Auch das schmutzige Kapitel, das sich anschloss, das im Mai vor fünf Jahren begonnen und ein halbes Jahr später – im November – geendet, das so deutliche Spuren in ihren Armbeugen und auf ihrer Stirn hinterlassen hatte. An das man nicht rühren durfte, weil dann zu viel Schmutz aufgewirbelt wurde.

Ihre Schwiegermutter hatte es oft versucht. Flittchen! «Wer weiß denn, was sie vorher getrieben hat!» Und der Alte mit seinen dämlichen Sprüchen: «Du hast es faustdick hinter den Ohren. Mich kannst du nicht für dumm verkaufen.»

Und wie sie konnte! Das hatte sie von der Pike auf gelernt. Wenn sie wollte, konnte sie jeden für dumm verkaufen. Auch den Chef. Es half ihr, sich an die erste Begegnung mit Gereon zu erinnern. Vier Jahre war das her. Im Dezember wurden es fünf. Kurz vor Weihnachten war es gewesen.

Gereon hatte Einkäufe gemacht in der Stadt, Geschenke für seine Eltern besorgt. Mit Tüten beladen kam er in das Café an der Herzogstraße, in dem sie sich ihren Lebensunterhalt verdiente – auf ehrliche Weise! Beim ersten Mal war er nur durch Zufall hineingeraten. Er setzte sich an einen Tisch und wartete, dass er bedient wurde. Er wusste nicht, dass er im Verkaufsraum hätte bestellen müssen, und wurde verlegen, als sie es ihm sagte.

«Muss ich jetzt nochmal zurück?» Offenbar war ihm das peinlich. Er fühlte sich als Dorftrampel erkannt und errötete. «Können Sie mir nicht was bringen?»

«Ich weiß doch nicht, was Sie mögen.»

«Alles», sagte er und grinste. «Irgendwas mit Sahne und einen Kaffee.»

«Kännchen oder Tasse?», fragte sie.

«Tasse reicht mir», sagte er. Es war bezeichnend für ihn, große Ansprüche hatte er nie gestellt.

Sie ging in den Verkaufsraum und holte ein Stück Schwarzwälder Kirschtorte für ihn. Er bedankte sich: «Nett von Ihnen. Möchten Sie vielleicht auch was? Ich lade Sie ein.»

«Vielen Dank», sagte sie. «Aber ich bin hier, um zu arbeiten.»

«Ja, natürlich.» Er wurde erneut verlegen, stach ein großes Stück von der Torte ab, schob es sich in den Mund, begann zu kauen und verfolgte sie mit seinen Blicken durch den Raum. Wenn sie zu ihm hinschaute, lächelte er jedes Mal.

Zwei Tage später war er wieder da. Diesmal hatte er im Verkaufsraum bestellt und lachte sie an wie eine gute Bekannte. Und bevor er ging, fragte er: «Was machen Sie, wenn Sie hier fertig sind? Wann haben Sie eigentlich Feierabend?»

«Um halb sieben.»

«Können wir dann noch irgendwohin gehen? Vielleicht ein Bier trinken?»

«Ich trinke kein Bier.»

«Dann eben etwas anders, ist ja egal. Es muss auch nicht lange sein. Nur eine halbe Stunde. Ich möchte Sie gerne richtig kennen lernen.»

Er war unbeholfen und trotzdem sehr direkt, machte keinen Hehl daraus, dass sie ihm gefiel. Aber er war in keiner Weise aufdringlich. Als sie seine Einladung ablehnte, meinte er mit einem Achselzucken: «Dann vielleicht ein andermal.»

Dreimal bat er sie um ein Rendezvous, dreimal lehnte sie ab. Nach dem dritten Mal sprach sie mit Margret. Über sein gutes Aussehen und seine Naivität. Dass er ein Mann war, den man mit drei Sätzen überzeugen konnte, die Erde sei doch eine Scheibe und die Schiffe, die zu weit hinausfuhren, fielen am Ende der Scheibe ins Nichts.

Über das Bedürfnis sprach sie, einen dicken Strich unter die Vergangenheit zu ziehen und irgendwo, wo niemand sie kannte, neu anzufangen. Ein Leben führen wie tausend andere auch. Und das ging nur mit einem Mann, der keine eigene Meinung hatte. Dem man erzählen konnte, die Narben in den Armbeugen seien Spuren einer bösen Entzündung, was im Prinzip auch stimmte. Und die Narbe an der Stirn, da sei man vor ein Auto gelaufen. Margret verstand das alles sehr gut.

Nur musste sie das dem Chef nicht erzählen. Er hätte doch augenblicklich wissen wollen, wer Margret war, und hätte sie auch auf die Liste der Leute gesetzt, mit denen er unbedingt reden musste. Und dass auch noch Margret in diese Sache hineingezogen wurde, ging entschieden zu weit.

Margret war Vaters jüngere Schwester. Im Vergleich mit Mutter war Margret immer eine junge Frau gewesen. Jung und hübsch und modern, mit revolutionären Ansichten über das Leben und Verständnis für alle Schwächen und Fehler, die ein Mensch haben und begehen konnte.

Als Gereon in ihrem Leben auftauchte, lebte sie seit einem Jahr bei Margret in Köln, in einer kleinen Altbauwohnung. Zwei Zimmer, eine winzige Küche, das Duschbad so schmal wie ein Handtuch. Wenn man sich auf die Toilette setzte, stieß man sich an der Tür die Knie. Sie schlief auf der Couch, mehr hatte Margret ihr nicht bieten können. Das Schlafzimmer war zu klein für ein zweites Bett.

Sie wollte auch kein Bett. Ein zweites Bett in unmittelbarer Nähe hätte sie nicht ertragen. Manchmal fragte sie sich, was aus ihr geworden wäre, wenn Margret sie nicht aufgenommen hätte, als sie es daheim nicht mehr ertrug. Darauf gab es nur eine Antwort: Dann wäre sie tot. Und eigentlich lebte sie doch gerne.

Und bei Margret lernte sie es endlich. Margret beschaffte ihr die Arbeit in dem Café an der Herzogstraße. Und als Gereon auftauchte, nicht lockerließ, sie wieder und wieder um ein Rendezvous bat, sagte Margret: «Du kannst doch mal mit ihm ausgehen, Cora. Du bist eine junge Frau. Es ist normal, wenn du dich in einen jungen Mann verliebst.»

«Ich weiß nicht, ob ich verliebt in ihn bin. Er erinnert mich nur an jemanden, in den ich einmal sehr verliebt war. Alle nannten ihn Johnny. Wie er mit richtigem Namen hieß, habe ich nie erfahren. Er sah aus wie der Erzengel aus Mutters Bibel, der die Menschen aus dem Paradies vertreibt. Kennst du die Stelle? ‹Und ihnen gingen die Augen auf, und sie erkannten, dass sie nackt waren!› So sah Johnny aus. Gereon sieht ihm ein bisschen ähnlich. Aber es ist nur äußerlich, die Haarfarbe und so. Gereon ist ein lieber Kerl, er kommt aus ordentlichen Verhältnissen. Von seinen Eltern hat er mir schon erzählt. Und eines Tages wird er mich fragen …»

«Quatsch», sagte Margret. «Lass ihn fragen, wir erzählen ihm schon etwas. Du sagst doch, er hat nicht viel Grips. Und du bist nicht verpflichtet, ihm deine Lebensgeschichte aufzutischen. Er wird dich auch bestimmt nicht gleich nach deiner Familie fragen. Junge Männer haben meistens etwas anderes im Sinn. Wenn er fragt, sagst du, du hast es zu Hause nicht mehr ausgehalten. Sag ihm, deine Mutter sei nicht richtig im Kopf, aber es sei nicht erblich. Das entspricht den Tatsachen.»

«Und wenn er mit mir schlafen will?» Es war nur ein Murmeln, gar nicht an Margret gerichtet.

Verstanden hatte es Margret trotzdem, schaute sie an, aufmerksam, so voller Verständnis und Mitgefühl. «Meinst du, du kannst nicht?»

Natürlich konnte sie. Darum ging es nicht. Sie fragte sich oft, wie es wohl wäre mit einem netten jungen Mann. Aber es wäre Betrug gewesen. Da sie nicht antwortete, erklärte Margret in dem für sie typischen bestimmten Ton: «Cora, das ist überhaupt kein Problem. Wenn dir nicht danach ist, sagst du einfach nein.»

So einfach, wie Margret sich das dachte, war es nicht. Man durfte nicht immer nein sagen, wenn man einen Mann halten wollte. Und das wollte sie. Er gefiel ihr. Da war einmal die Ähnlichkeit mit Johnny. Das Äußerliche. Dann war er auch sehr zärtlich und sanft. Die ersten Abende in seinem Wagen waren wundervoll.

Zweimal in der Woche holte er sie abends vom Café ab, fuhr an ein einsames Plätzchen und nahm sie in die Arme. Meist war es zu kalt, um die Jacke, geschweige denn etwas anderes auszuziehen. Aber Gereon bedrängte sie nicht, begnügte sich bis weit ins Frühjahr mit Küssen und Streicheln. Dann erst wollte er mehr.

Sie hätte es gerne noch ein wenig hinausgezögert. Aber die Furcht, ihn zu verlieren, wenn sie ihn abwies, war stärker als die Angst, er könne anschließend enttäuscht sein. Das war er auch nicht. Er fühlte sich nicht betrogen oder hereingelegt, sagte nur: «Jungfrau warst du aber nicht mehr.»

Natürlich nicht! Mit einundzwanzig war man nicht mehr Jungfrau. Da hatte man wohl schon mit dem einen oder anderen Mann geschlafen. Aber auch das musste sie dem Chef nicht auf die Nase binden.

Sie hatte alles wieder im Griff, hatte so erzählen können, dass Margret unerwähnt blieb, ohne dass eine Lücke entstanden wäre. Nur der letzte Satz, Gereons Feststellung, rutschte heraus, bevor sie es verhindern konnte.

Und der Chef schaute sie an. Er wollte mehr hören, seine Miene ließ keinen Zweifel daran. Er wollte eine Erklärung für den Tod des Mannes. Bevor er die nicht bekam, konnte er keine Ruhe geben, wollte mit Gereon reden, wahrscheinlich sogar mit Vater.

Minutenlang war es still im Raum. Der Mann im Sportanzug betrachtete mit zweifelnder Miene das Aufnahmegerät. Der Chef schaute ihr fordernd ins Gesicht. Sie musste ihm etwas erzählen, irgendetwas. Und wenn er die Wahrheit nicht glauben wollte! Jetzt, wo sie den Kopf halbwegs frei hatte und wieder einigermaßen vernünftig denken konnte …

Und sie dachte, dass sie Gereons Bemerkung über die Jungfräulichkeit und das, was Grit Adigar über die Möglichkeit, von daheim wegzukommen, gesagt hatte, sehr gut als Grundlage für eine Geschichte nehmen könnte. Und einen Namen für die Hauptfigur … Wie hatte der Chef es ausgedrückt? «Sein Name war Georg Frankenberg.» Das mochte sein, nur war ihr der Name fremd, und sie befürchtete, sich zu versprechen, wenn sie ihn benutzte. Johnny war vertrauter. Und wenn sie das, was sie sich damals gewünscht hatte, mit dem mischte, was über Johnny erzählt worden war. Da waren ein paar üble Gerüchte im Umlauf gewesen. Es war eine hervorragende Basis für eine gute Geschichte.

«Wenn ich ...», begann sie zögernd, «Ihnen erkläre, warum ich ihn umgebracht habe. Versprechen Sie mir, dass Sie meine Familie nicht belästigen?»

Er versprach ihr nichts, fragte nur: «Könnten Sie es denn erklären, Frau Bender?»

Sie nickte. Ihre Hände zitterten wieder unkontrolliert. Sie legte die eine fest um die andere und drückte beide in den Schoß. «Natürlich kann ich das. Ich hatte nur gehofft, es nicht tun zu müssen. Und ich will nicht, dass mein Mann es erfährt. Er könnte das nicht verstehen. Und seine Eltern erst recht nicht. Sie würden ihm das Leben zur Hölle machen, wenn sie davon wüssten. Weil er sich mit einer wie mir eingelassen hat.»

Bis dahin hatte sie mit gesenktem Kopf gesprochen. Nun hob sie ihn, schaute ihm fest in die Augen und atmete einige Male tief durch.

«Ich habe Sie angelogen, als ich sagte, dass ich den Mann nicht kannte. Ich kannte seinen richtigen Namen nicht. Aber ihn ...

Es ist fünf Jahre her. Im März tauchte er das erste Mal in Buchholz auf. Wie er wirklich hieß, wusste niemand. Er nannte sich Johnny Guitar.

Mit Männern hatte ich kaum Erfahrung. Ich durfte nur selten ausgehen und musste lügen, um ein paar Stunden für mich zu haben. Meist sagte ich meiner Mutter, dass ich unter freiem Himmel, ohne schützendes Dach, direkt unter dem Auge Gottes meine Begierden klar erkannte und mich besser darauf konzentrieren konnte, sie niederzukämpfen. Solche Sprüche imponierten ihr. Da erlaubte sie mir auch an einem

Samstagabend, das Haus zu verlassen. Es gab für junge Leute nicht viele Möglichkeiten in Buchholz. Viel Natur ringsum, Radwanderwege, Cafés und Hotels für Menschen, die Erholung suchten, aber keine Diskothek. Manche fuhren nach Hamburg. Das habe ich nie getan. Obwohl Vater mir bestimmt seinen Wagen gegeben hätte. Er hatte mir auch erlaubt, den Führerschein zu machen. Wir waren Verbündete, Vater und ich. Nur wollte ich das nicht über Gebühr strapazieren.

Ich ging immer in die Stadt. Es gab ein paar Eisdielen und auch ein Lokal, in dem man samstags tanzen konnte. Freundinnen oder Freunde hatte ich nicht. Die Mädchen in meinem Alter hatten meist einen Freund, mit dem sie lieber allein waren. Und die Männer, natürlich lernte ich ein paar Mal junge Männer kennen, aber das war nichts Ernstes. Ich tanzte mit ihnen, ließ mich auch mal zu einer Cola einladen. Aber mehr passierte nicht. Ich hatte Hemmungen. Und wenn sie merkten, dass sie nicht gleich bei mir landen konnten, verloren sie das Interesse.

Es hat mir nie etwas ausgemacht. Bis Johnny kam. An dem Abend im März. Ich glaube, ich habe mich schon in den ersten Minuten in ihn verliebt. Er war nicht allein. Es war noch ein Mann bei ihm, ein kleiner Dicker. Sie stammten beide nicht aus unserer Gegend, das merkte ich, als ich sie sprechen hörte. Sie schauten sich um. Mich nahmen sie nicht zur Kenntnis. Sie setzten sich an einen Tisch. Nach ein paar Minuten stand Johnny auf und ging zu einem Mädchen. Er tanzte ein paar Mal mit ihr. Später verließen sie das Lokal zusammen mit dem kleinen Dicken.

Am nächsten Samstag waren sie wieder da, auch das Mädchen. Sie saß mit zwei Freundinnen in einer Ecke. Als sie Johnny und seinen Freund bemerkten, steckten sie die Köpfe zusammen und tuschelten. Aber das Mädchen ging nicht zu ihnen. Ich hatte den Eindruck, sie wollte mit Johnny und dem

Dicken nichts mehr zu tun haben. Johnny kümmerte sich auch nicht um sie. Es dauerte nicht lange, da tanzte er mit einer anderen. Wenig später verschwand er mit ihr. Der kleine Dicke lief hinterher. Und am nächsten Samstag kannten sie sich nicht mehr.

Ein paar Wochen ging es so. Vielleicht hätte mich ihr Verhalten und mehr noch das der Mädchen stutzig machen müssen. Aber ich dachte mir nichts dabei. Ich war wirklich sehr naiv damals. Und sehr verliebt! Was hätte ich dafür gegeben, wenigstens einmal mit ihm zu reden.

Ich konnte es kaum noch erwarten, samstags aus dem Haus zu kommen. Nie vorher habe ich meine Mutter so dreist belogen wie in der Zeit. Es drehte sich alles nur noch um Johnny. Ich wusste, dass ich bei ihm keine Chance hatte. Ich wollte auch nur in seiner Nähe sein und fragte ein bisschen herum, wer er war. Aber keiner wusste etwas Genaues. Ein paar von den Mädchen erzählten, dass er Musik mache. Und die, die mit ihm und seinem Freund zusammen gewesen waren, grinsten, wenn ich sie fragte. Ein paar Mal hieß es: ‹Es war ein netter Abend. Aber für dich wäre es kaum das Richtige.›

Und dann, es war am 16. Mai, eine Woche nach meinem Geburtstag, sprach der kleine Dicke mich an. Es war nicht viel los an dem Abend. Sie hatten schon eine Weile am Tisch gesessen, ehe der Dicke zu mir kam. Ich tanzte mit ihm, weil ich dachte, danach nimmt er mich vielleicht mit an ihren Tisch. Irrtum! Er wurde zudringlich. Ich hatte Mühe, ihn mir vom Leib zu halten. Er wurde ausfallend und beschimpfte mich.

Ich war ziemlich deprimiert und ging. Und draußen auf dem Parkplatz hörte ich Johnny nach mir rufen. Er entschuldigte sich für seinen Freund. Ich solle die Schimpferei nicht übel nehmen. Sein Freund sei ein Hitzkopf und habe leider nicht viel Glück bei Mädchen. Wir blieben eine Weile draußen und unterhielten uns. Ich konnte es kaum glauben. Er fragte, ob ich wieder mit hineingehen wolle. Es sei doch zu früh, um heimzugehen. Und er werde dafür sorgen, dass sein Freund mich nicht noch einmal belästige.

So hat es angefangen mit Johnny und mir. Es kam mir vor wie ein Wunder. Mir war schon der Verdacht gekommen, dass er nur nach Buchholz kam, um ein Mädchen für einen Abend abzuschleppen. Aber so benahm er sich bei mir nicht. Der Dicke ging, als wir zurück ins Lokal kamen. Fast eine halbe Stunde saßen wir allein am Tisch und unterhielten uns. Dann fragte Johnny, ob ich Lust hätte, mit ihm zu tanzen.

Mehr passierte nicht an dem Abend. Der Dicke tauchte nicht wieder auf. Als ich gehen musste, brachte Johnny mich hinaus. Er wollte mich auch heimbringen. Das ging leider nicht. Wenn meine Mutter uns gesehen hätte, wäre ich nie wieder vor die Tür gekommen. Wir verabschiedeten uns auf dem Parkplatz. Er gab mir nur die Hand und fragte: ‹Sehe ich dich wieder?›

Ich sagte: ‹Wahrscheinlich bin ich nächsten Samstag wieder hier.›

Er lächelte. ‹Ich auch. Und es ist wohl am besten, wenn ich allein komme. Also dann bis nächsten Samstag.›

Er kam tatsächlich allein. Und er war sehr zurückhaltend. Es dauerte drei Wochen, ehe er mich zum ersten Mal küsste. Er war lieb und zärtlich, und egal, was ich sagte, er verstand es. Auch als ich ihm von meiner Mutter erzählte, lachte er nicht. ‹Jeder so, wie er glaubt, dass es richtig wäre›, meinte er.

Natürlich fragte ich ihn nach seinem Namen. Er sagte, er hieße Horsti. Das war mir zu blöd, also blieb ich bei Johnny. Er sagte, er kann Mädchen nicht ausstehen, bei denen man auf Anhieb landen kann, die seien nur gut, um sich zu amüsieren. Er sagte, er hätte noch nie ein Mädchen wie mich getroffen und dass er mich liebe. Es war alles perfekt. Er war sogar ein bisschen eifersüchtig. Ein paar Mal konnte er am Wochenende nicht nach Buchholz kommen. Dann bat er mich, daheim zu bleiben, damit ihm kein anderer in die Quere kam.

Ich wusste nicht viel von ihm. Er erzählte nicht gerne, nur ab und zu ein bisschen. Dass er mit zwei Freunden eine Band gegründet hatte, dass sie in einem Keller probten. Der Dicke gehörte dazu. Johnny sagte, sein Freund sei ein Ass am Keyboard. Er selbst spielte Schlagzeug und der dritte die Bassgitarre.

Im August fragte er mich, ob ich Lust hätte, mir ihre Musik einmal anzuhören. Lust hatte ich. Aber ich wollte nicht mit dem Dicken in einem Keller sitzen, wo ich nicht die Möglichkeit gehabt hätte wegzugehen, wenn er mich belästigte. Johnny lachte mich aus. ‹Ich bin doch dabei. Er wird dich nicht einmal schief von der Seite ansehen.›

Am darauf folgenden Wochenende brachte er ihn noch einmal mit. Da benahm der Dicke sich manierlich, und ich willigte ein, mit ihnen zu fahren. Es wurde ein toller Abend. Sie spielten ein neues Lied, es hieß ‹Song of Tiger›. Johnny sagte, das sei jetzt mein Lied. Er hätte es für mich gemacht.

Nach einer Stunde hörten sie auf zu spielen. Die beiden anderen gingen hinaus und kamen nicht zurück. Johnny gab mir etwas zu trinken und schaltete die Stereoanlage ein. Es gab ein paar Tonbänder mit Aufnahmen, die sie selbst bespielt hatten. Wir tanzten, tranken noch ein paar Gläser, setzten uns auf die Couch. Und da ist es eben passiert.

Ich will nicht behaupten, er hätte mich vergewaltigt. Es war sehr schön. Und ich wollte es auch. Ich war ein bisschen betrunken und hatte nur Angst, dass ich schwanger werde. Ich hatte noch nie ein Verhütungsmittel genommen.

Johnny sagte: ‹Mach dir keine Sorgen. Ich passe auf.› Darauf habe ich mich verlassen. Und dann bekam ich meine Periode nicht. Ich bin fast gestorben vor Angst. Johnny gab mir Geld. Ich sollte mir einen Test aus der Apotheke holen. Er sagte: ‹Wenn der Test positiv ist, heiraten wir eben.›

Er war positiv. Als ich ihm das sagte … Er tat, als freue er sich riesig, riss mich an sich und jubelte. ‹Ich werde Vater. Meine Eltern werden Augen machen. Morgen stelle ich dich ihnen vor. Lass dir etwas einfallen, damit deine Mutter dir Ausgang gibt. Und sag ihr auch, es wird ziemlich spät werden. Wir treffen uns um zwei hier auf dem Parkplatz. Wenn es eine halbe Stunde später werden sollte, lauf nicht heim. Warte auf mich.›

Das habe ich getan, bis abends um sieben. Er kam nicht. Ich habe ihn nie wieder gesehen. Was ich tun konnte, um ihn ausfindig zu machen, habe ich getan, viel war das nicht. Ich kannte seinen richtigen Namen nicht und wusste nicht, wo er wohnte.

Das Einzige, woran ich mich erinnerte, war, dass wir an dem Abend auf der Autobahn Richtung Hamburg gefahren waren. Aber wir hatten hinten im Wagen gesessen, er hatte mich abgelenkt. Ich wusste nicht einmal, ob wir im Haus seiner Eltern oder bei einem seiner Freunde gewesen waren. Wochenlang fuhr ich herum und suchte. Ich dachte, mir fiele die eine oder andere Einzelheit ein, wenn ich unterwegs bin.

Jeden Abend, wenn Vater von der Arbeit kam, ließ er den Wagen am Buenser Weg stehen, damit Mutter nichts merkte. Meinem Vater erzählte ich, dass ich üben müsse, damit ich das Fahren nicht wieder verlernte. Er verstand das.

Über die Schwangerschaft konnte ich nicht mit ihm reden. Es war auch sonst niemand da. Irgendwann begriff ich, dass meine Suche aussichtslos war. Ein paar Wochen habe ich noch gewartet, dass Johnny sich bei mir meldet. Er kannte meinen Namen und meine Adresse. Ich mochte nicht glauben, dass ein Mensch so schlecht sein kann. Aber die Mädchen, mit denen er vor mir zusammen gewesen war, sagten alle: ‹Hast du dir wirklich eingebildet, dass der es ernst meint?›

Ende Oktober bemerkte ich, dass mein Bauch dicker

wurde. Und meiner Mutter war aufgefallen, dass mir häufig übel war. Sie verlangte, dass ich mich von einem Arzt untersuchen ließ. Da bin ich von zu Hause weg, per Anhalter. Und dann habe ich versucht, mich umzubringen. Ich habe mich vor ein Auto geworfen. Dabei verlor ich das Baby. Es war ein Mädchen, das konnte man schon sehen. Mir selbst war nicht viel passiert, nur ein paar Schrammen im Gesicht und eben die Fehlgeburt.

Ich musste wieder heim. Aber meine Mutter wollte mich nicht mehr im Haus haben. Dass ich zu sterben versucht und dabei mein Baby getötet hatte, sei die schwerste Sünde, die ein Mensch begehen könne, sagte sie und warf mich hinaus.

Ich fuhr nach Köln und fand Arbeit dort. Ein Jahr später lernte ich meinen Mann kennen, wir heirateten. Aber ich habe die Sache nie überwunden. Meine Mutter hat doch Recht. Ich bin eine Mörderin. Ich habe ein unschuldiges Kind getötet. Seit mein Sohn auf der Welt ist, stelle ich mir vor, wie es wäre, wenn er eine ältere Schwester hätte, die ihn liebt, die alles für ihn tut und immer für ihn da ist.

Als ich Johnny heute Nachmittag mit dieser Frau sah … Zuerst habe ich nur seinen Rücken gesehen. Da dachte ich noch, das kann nicht sein. Aber dann richtete er sich auf. Ich hörte ihn sprechen. Und dann spielte die Frau das Lied. Mein Lied.

‹Song of Tiger›.

Es war … Ich weiß nicht, was es war. Es ging so wahnsinnig schnell. Es ging irgendwie automatisch.»

Mit dem letzten Satz hob sie den Kopf, schaute dem Chef ins Gesicht und fühlte die Erleichterung wie eine warme Flüssigkeit durch den Körper fluten. Seine Miene war weich geworden. Er glaubte die Geschichte. Es war aber auch eine sehr gute Geschichte. Und da sie zu einem kleinen Teil auf Wahrheit beruhte, konnte niemand sie widerlegen.

Die kleine Kölner Altbauwohnung, in der Margret Rosch im Dezember vor fünf Jahren ihre Nichte aufgenommen hatte, lag an einer viel befahrenen Straße. Im Winter störte es Margret nicht. Da reichte es ihr, morgens und abends kurz durchzulüften. Im Sommer wurde es oft unerträglich. Bei geöffneten Fenstern drang neben dem Verkehrslärm auch der Gestank von Abgasen bis in den letzten Winkel. Blieben die Fenster geschlossen, staute sich die Hitze. Da hatte man beim Heimkommen das Gefühl, einen Brutofen zu betreten.

Heimgekommen war Margret Rosch an diesem Samstagabend kurz nach neun Uhr. Den Nachmittag und den frühen Abend hatte sie mit einem langjährigen Freund verbracht. Sie bezeichnete ihn nie anders als ihren Freund. Achim Miek, Doktor der Medizin mit eigener Praxis in der Innenstadt und seit dreißig Jahren ihr Geliebter.

Verheiratet war Margret nie gewesen, und jetzt lohnte sich das nicht mehr. Nach all den Jahren als Freundin konnte sie dem Gedanken, ihre persönliche Freiheit aufzugeben, nicht mehr viel abgewinnen. Obwohl Achim Miek jetzt darauf drängte. Er war seit gut einem Jahr verwitwet.

Margret hatte ihn nie gedrängt, niemals das Wort Scheidung ausgesprochen. Und nur ein einziges Mal hatte sie ihn gebeten, etwas für sie zu tun, nicht direkt für sie – für ihren Bruder und ihre Nichte. Es lag fünf Jahre zurück, im August war es gewesen – und nicht legal. Dass Achim Miek sie ausgerechnet heute daran hatte erinnern müssen, hielt Margret später für ein schlechtes Omen. Man hätte es eher Erpressung nennen können.

Sie hatte sich früher als geplant verabschiedet, um einer Auseinandersetzung aus dem Weg zu gehen. Als sie ihre Wohnung betrat, war sie nicht eben bester Laune. Die Luft war stickig. Aber es war spät genug, um alle Fenster zu öffnen. Der Verkehr hatte nachgelassen. Draußen war es einige Grade kühler als drinnen.

Sie nahm eine lauwarme Dusche. Anschließend richtete sie sich ein leichtes Abendbrot, aus dem gemeinsamen Essen im Restaurant war ja leider nichts geworden. Dann las sie ein paar Seiten in einem Roman, um die Enttäuschung und das ungute Gefühl zuzudecken.

Für halb elf war auf dem Ersten Programm ein Film angekündigt, den sie sich anschauen wollte. Als sie ihr Fernsehgerät einschaltete, sprach gerade ein gütig aussehender Mensch mit engagierter Miene über das große Vorbild, den Erlöser.

Margret vergaß auf der Stelle die eigenen Probleme, bis auf die Worte ihres Freundes: «Vergiss nicht, was ich für dich getan habe.» Wie hätte sie das vergessen sollen? Sie hatte bei dieser Sache damals entschieden mehr riskiert als Achim Miek. Unvermittelt spürte sie kalte Wut in sich aufsteigen, sah für den Bruchteil einer Sekunde die bläulich verfärbte Leidensmiene ihrer jüngeren Nichte vor sich, hörte Elsbeths sanfte Stimme ein Gebet murmeln. Der Geruch von brennenden Kerzen stach ihr in die Nase. Der Eindruck war so real, dass sie niesen musste.

Sie putzte sich die Nase, griff erneut nach dem Buch und konzentrierte sich auf die Zeilen, während der gütig aussehende Mensch noch ein paar Minuten lang referierte. Wenn man es so erlebt hatte wie Margret, konnte man dem nicht zuhören. Dabei hatte sie es nur sporadisch erlebt. Vierteljährlich für höchstens zwei Tage – und nicht einmal von Anfang an. Mit den regelmäßigen Besuchen bei ihrem Bruder hatte sie erst begonnen, als Wilhelm sie ausdrücklich darum bat. Zu dem Zeitpunkt war Cora neun Jahre alt gewesen. Und wenn Margret abreiste, sprach sie ebenfalls ein Gebet, genauso inbrünstig wie die, die Elsbeth im Wohnzimmer murmelte. «Pass auf Cora auf, Wilhelm. Du musst etwas für sie tun, sonst geht sie vor die Hunde.»

Jedes Mal nickte Wilhelm und versprach: «Ich tu, was ich kann.»

Ob er es wirklich tat und wie viel er tun konnte, wusste Margret nicht. Sie wusste insgesamt nicht viel über ihn. Achtzehn Jahre Altersunterschied – das von der Mutter gehätschelte Nesthäkchen und der große Bruder.

Als Margret geboren wurde, hatte Wilhelm sich bereits als Freiwilliger zur Wehrmacht gemeldet. Er war in den Jahren danach einmal auf Urlaub daheim gewesen, doch daran erinnerte sie sich nicht. Daheim war damals Buchholz, die kleine Stadt nahe der Lüneburger Heide, in die es Wilhelm später zurückzog. Im Frühjahr 1944 verließen Margret und ihre Mutter die alte Heimat. Sie kamen ins Rheinland, wo noch Verwandte der Mutter lebten. Es war nach dem Umzug oft vom großen Bruder die Rede gewesen. Doch Margret lernte ihn erst kennen, als sie zehn Jahre alt und Wilhelm bereits ein gebrochener Mann war.

Es war nie offen darüber gesprochen worden. Aus den wenigen Andeutungen, die er im Laufe der Jahre gemacht hatte, zog Margret den Schluss, dass er in Polen an Erschießungen teilgenommen hatte, Zivilbevölkerung, auch Frauen und Kinder. Auf Befehl; hätte er sich geweigert, hätte man ihm vermutlich auch eine Kugel ins Genick gejagt oder ihn aufgeknüpft. Wilhelm konnte es nicht so sehen und wurde nicht damit fertig.

Er hielt es nicht lange aus im Rheinland bei Mutter und Schwester. Der Vater war in Frankreich gefallen. Und Wilhelm wollte zurück nach Buchholz. Vielleicht hoffte er, dort einen Teil der unschuldigen Jugend wieder zu finden.

Stattdessen fand er Elsbeth. Eine bildhübsche junge Frau aus Hamburg, eine fast übernatürliche Erscheinung mit weißblondem Haar und einem Teint wie Porzellan, mit einem Schicksal, wie es nach dem Krieg viele gehabt hatten – ein Verhältnis mit einem Sieger. Elsbeth war schwanger geworden, bekommen hatte sie das Kind nicht. Dass sie es mit Hilfe einer Stricknadel losgeworden und fast daran gestorben war, erfuhr Margret erst, als es bei Elsbeth nichts mehr zu retten gab. Aber es war eine Erklärung. Und Erklärungen waren das Wichtigste überhaupt.

In den eineinhalb Jahren, die Cora bei ihr verbrachte, hatte Margret häufig darüber gesprochen. Unzählige Nächte hatten sie zusammengesessen, über Schuld und Unschuld, Glauben und Überzeugung diskutiert. Über die Eltern, die langen kinderlosen Jahre ihrer Ehe. Wie Wilhelm sich an Elsbeths Seite allmählich von einem schwermütigen in einen lebenslustigen Mann verwandelte. Wie Elsbeth ihn mitriss, lachen, tanzen, lieben. Wie er begann, sein Leben zu genießen. Wie sie reisten, eine Woche Paris, drei Tage Rom, das Oktoberfest in München und der Prater in Wien.

Einmal im Jahr waren sie ins Rheinland gekommen. Karneval in Köln, den ließ Elsbeth sich nicht entgehen. Da trank sie auch mal ein Gläschen. Und wenn es ein Gläschen zu viel wurde, verfiel sie in melancholische Stimmung, erzählte ein wenig von Liebe, Leid und der schweren Schuld, die sie auf sich geladen hatte.

Als sie schwanger wurde, war Elsbeth fast vierzig, Wilhelm ging auf die fünfzig zu und war überglücklich. Zu Coras Geburt lud er Mutter und Schwester ein. Sie mussten unbedingt kommen und die kleine Enkeltochter und Nichte, dieses Geschenk des Himmels, bewundern. Ein hübsches Baby, kerngesund, mit Wilhelms dichtem dunklem Haarschopf und einem gesunden Appetit. Es hatte Elsbeth viel Kraft gekostet. Ganz matt lag sie in dem Krankenhausbett, fast ausgeblutet, blass und schwach, aber ebenso glücklich wie Wilhelm.

«Hast du sie schon gesehen, Margret? Geh nur, die Schwester wird sie dir zeigen. Alle hier sagen, dass sie selten so ein hübsches Kind gesehen haben. Und wie stark sie ist. Sie hält ihr Köpfchen schon aus eigener Kraft oben. Nie hätte ich geglaubt, dass ich einmal ein Kind im Arm halten darf – und dann so ein schönes. Der Herr hat mir verziehen, er hat mir ein so großes Geschenk gemacht. Für so ein Kind gibt man gerne etwas von sich her. Ich werde mich schon wieder erholen.»

Doch ehe Elsbeth sich erholen konnte, wurde sie zum zweiten Mal schwanger, mit Magdalena. Die Todeskandidatin. Gezeichnet vom offenen Ductus Botalli, der Verbindung zwischen Aorta und Lungenarterie, die sich normalerweise bei der Geburt schließt, außerdem geschlagen mit mehreren Septumdefekten. Sowohl die Vorhöfe des winzigen Herzens als auch die beiden Kammern waren betroffen. Hinzu kamen weitere Gefäßanomalien. Die linke Herzkammer war nicht vollständig ausgebildet, die Bauchaorta wies sackartige Ausbildungen, Aneurysmen, auf. Der betroffene Abschnitt war zu groß, um ihn komplett zu entfernen. Und die Ärzte vermuteten, dass noch weitere Gefäße betroffen waren.

Margret war Krankenschwester. Niemand musste ihr sagen, dass der blaue Winzling keine Chance hatte – trotz der sechs Operationen im ersten halben Jahr. Einer der Ärzte hatte damals zu Wilhelm gesagt: «Was in der Brust Ihrer Tochter schlägt, ist kein Herz, das ist ein Schweizer Käse. Es sieht aus, als hätte es jemand mit einer Stricknadel bearbeitet.»

Unglücklicherweise hatte Elsbeth diese Worte ebenfalls gehört, oder sie waren ihr von einer nichtsahnenden Krankenschwester zugetragen worden.

Aber egal, was die Ärzte an Zeit vorgaben, Magdalena strafte sie Lügen. Sie nahm es sogar mit einer Leukämie auf und gewann ihren Kampf. Elsbeth führte das auf die Kraft der Gebete zurück und steigerte ihren Eifer so, dass es für jeden normal empfindenden Menschen unerträglich wurde.

Margret hatte gewusst, wie es im Haus des Bruders zuging, und nichts getan, die Entfernung zum Vorwand genommen und die alte Mutter, mit der sie damals zusammenlebte. In den ersten Jahren nach Magdalenas Geburt hatten ihre Besuche in Buchholz Seltenheitswert gehabt. Kurz reinschauen, Augen zu und wieder nach Hause.

Dann starb ihre Mutter. Wilhelm kam zur Beerdigung nach Köln – allein, Elsbeth war nicht abkömmlich. Abends saßen sie zusammen, Margret und ihr Bruder, der dem Alter nach beinahe ihr Vater hätte sein können. Er druckste eine Weile herum, ehe er seine Bitte flüssig über die Lippen brachte. Ob sie nicht in den nächsten Wochen einmal zu Besuch kommen möchte. Und ob sie vielleicht einmal mit Elsbeth reden könne. Ein Gespräch von Frau zu Frau – über die Bedürfnisse eines Mannes. Es fiel ihm schwer, es auszusprechen. Dass er es überhaupt schaffte, wo sie sich so fremd waren, zeigte, dass er keinen Ausweg mehr wusste.

«Ich habe schon daran gedacht, mich von ihr zu trennen. Aber das wäre verantwortungslos. Und ich will mich nicht drücken vor der Verantwortung. Nur kann es nicht so weitergehen, das halte ich nicht aus.»

Nach einer Pause von mindestens zwei Minuten fügte er hinzu: «Seit Magdalenas Geburt schlafe ich im Kinderzimmer. Sie lässt mich nicht zu sich. Ich kann sagen, was ich will. Früher bin ich oft zu einer Frau gegangen, die Geld nahm. Ich wusste mir nicht anders zu helfen. Es war nicht richtig, ich weiß. Ich habe auch damit aufgehört vor einiger Zeit.»

Seit Magdalenas Geburt, das waren zu dem Zeitpunkt acht Jahre. Wilhelm war neunundfünfzig, sah jedoch wesentlich jünger aus. Ein großer, kräftiger Mann war er. Und wie er sie anschaute, wie er murmelte: «Es geht ja nicht nur um mich, auch um Cora. Sie ist jetzt neun. Und sie wird älter, und ... Ich habe Angst um sie.» Da lief es Margret kalt den Rücken hinunter. Obwohl Wilhelm es bestimmt nicht so gemeint hatte, wie sie es im ersten Augenblick auffasste.

Vierzehn Tage später machte sie sich auf den Weg und versuchte ihr Glück bei Elsbeth. Doch da war alle Mühe vergebens. Elsbeth hörte ihr mit genügsamer Miene und im Schoß gefalteten Händen zu und sagte: «Wenn ich die Kraft hätte für ein weiteres Kind, würde ich ihn zu mir lassen. Meine Zeit ist noch nicht abgelaufen, ich könnte noch empfangen. Und wie soll ich das schaffen? Nein! Wir müssen alle Opfer bringen. Wilhelm ist ein Mann. Er muss es tragen wie ein Mann.»

Das hatte Wilhelm wohl tun müssen. Er war vermutlich wieder zu einer Frau gegangen, die Geld nahm. Genau wusste Margret es nicht. Es war nie mehr über die Sache gesprochen worden, nur noch ein paar Mal über Wilhelms Angst um Cora, die plötzlich ein paar Auffälligkeiten zeigte.

Es war nicht angenehm gewesen, darüber nachzudenken, ob Wilhelm dem Wahnsinn, den Elsbeth mit Cora veranstaltete, die Krone aufsetzte. Der eigene Bruder! Und wenn er hundertmal nicht wusste, wohin mit seinen Bedürfnissen, er würde sich nicht an einem Kind vergreifen! Gewiss nicht an seiner Tochter!

Margret konnte sich das nicht vorstellen und hatte mit halbem Herzen versucht, der Sache auf den Grund zu gehen. Sie war gegen eine Mauer gerannt, hatte schon damals die Erfahrung gemacht; was Cora nicht sagen wollte, bekam kein Mensch aus ihr heraus.

Dass es irgendwann zu einer Katastrophe hatte kommen müssen, war vorhersehbar gewesen. Zu einer! Aus Margrets Sicht war die vor fünf Jahren geschehen, genau am 16. Mai – an Magdalenas Geburtstag. Cora war fast zerbrochen und ein halbes Jahr wie vom Erdboden verschluckt gewesen.

Nur mit Schaudern erinnerte sich Margret an den Anruf im Dezember des gleichen Jahres, an die Stimme ihrer Nichte am Telefon: «Darf ich zu dir kommen? Ich kann hier nicht mehr leben. Ich kann überhaupt nicht mehr leben, glaube ich.» Und wie sie dann vor ihrer Tür stand mit den zerstochenen Armen und der Kerbe in der Stirn. Und die Nächte bis weit in den folgenden März hinein, in denen Margret aus dem Bett gesprungen und ins Wohnzimmer gerannt war. Als Erstes immer nach den Händen gegriffen, damit Cora sich nicht verletzte. Grauenhafte Albträume und danach rasende Kopfschmerzen und eisernes Schweigen. Was immer mit ihr geschehen war, Cora konnte nicht darüber reden, sie sprach nur einmal von einem Unfall im Oktober.

Sie hätte Hilfe gebraucht, einen kompetenten Arzt. Aber sie ließ niemanden an sich heran. Margret musste betteln, ehe sie sich wenigstens einmal von Achim Miek untersuchen ließ. Die Kopfschmerzen seien wohl Ursache der Schädelverletzung, meinte Achim und wunderte sich, wie gut die Wunde verheilt war in der kurzen Zeit seit Oktober. Was die Albträume anging, vermutete er ein traumatisches Erlebnis. Und das aufzuarbeiten gehörte in die Hände eines Facharztes. Ein guter Psychologe könne wahrscheinlich helfen.

Cora winkte ab. Und irgendwie schaffte sie es ohne Hilfe. Inzwischen war es überflüssig, sich Sorgen um sie zu machen. Es ging ihr gut. Alle zwei Wochen kam sie sonntags zu Besuch mit Gereon und ihrem Söhnchen, erzählte vom eigenen Haus und der aufreibenden Arbeit im Büro.

Margret freute sich jedes Mal, mit welcher Begeisterung Cora in die ihr fremde Materie eingestiegen war. Gereon Bender war in Margrets Augen kein Traummann. Er war ein Trottel. Aber seit der Hochzeit mit ihm hatte Cora etwas Sinnvolles zu tun, keine Zeit mehr zum Grübeln – und absolut keine Probleme mehr. Immer machte sie einen ausgeglichenen Eindruck, wenn sie zu Besuch kamen. Am nächsten Tag wollten sie auch kommen.

Am Freitag hatte Margret noch mit ihrer Nichte telefoniert, kurz vor Mittag. Da hatte Cora ein bisschen nervös geklungen. In letzter Zeit klang sie freitags häufig ein bisschen nervös. Kein Wunder nach einer Woche voll Hektik und Stress im Büro.

Kurz vor elf, gerade als der Film begonnen hatte, rief Gereon an. Das hatte er bis dahin noch nie getan. Da war schon der Anruf an sich ein schlechtes Zeichen. Das zweite an diesem Abend. Gereon gab einen konfusen Bericht, von dem Margret im ersten Moment nur ein Wort verstand: Kripo!

Sie dachte, Cora sei etwas zugestoßen. Dass Cora zugestoßen haben könnte, der Gedanke wäre ihr nicht im Traum gekommen. Cora war rebellisch auf ihre Art, sie mochte auf manche Leute einen aggressiven Eindruck machen. Doch im Grunde ihres Herzens war sie sanft wie ein Lamm. Und Lämmer töten nicht, taugen nur zum Opfer.

Gereon hatte längst wieder aufgelegt, da hielt Margret den Telefonhörer noch am Ohr und war überzeugt, sie habe irgendetwas falsch verstanden. Sie versuchte einen Rückruf, aber es wurde nicht abgehoben, weder im Haus ihrer Nichte noch bei deren Schwiegereltern. Es dauerte eine Weile, ehe sie sich aufraffen konnte, die Auskunft anzurufen und die Nummer der Polizeibehörde des Erftkreises zu erfragen. Danach brauchte sie einen Cognac.

Es schwankte wie damals zwischen Nicht-wissen-Wollen und dem Bedürfnis, sich Gewissheit zu verschaffen, zwischen dem Wunsch nach Ruhe, einem Leben ohne Probleme und dem Bewusstsein, dass niemand für Cora einstand. Von Gereon Bender durfte man nichts erwarten. Er hatte mit seinem letzten Satz klargemacht, wie die Dinge für ihn standen. «Die ist für mich erledigt.»

Margret brühte Kaffee auf, trank zwei Tassen, um den Cognac zu neutralisieren. Dann wählte sie endlich, nannte ihren Namen und brachte ihr Anliegen vor. Doch es gab keine Auskunft am Telefon. Es gab auch nicht die Möglichkeit, sie mit einem der zuständigen Beamten zu verbinden. Das war Auskunft genug.

5. Kapitel

Rudolf Grovian schaltete das Aufnahmegerät vorläufig ab, als sie mit einem tiefen Atemzug zu erkennen gab, dass sie erst einmal genug erzählt hätte. Es war ein paar Minuten nach elf. Sie wirkte müde, ausgelaugt und sehr erleichtert. Er kannte den Effekt aus anderen Verhören. Der Kaffee war längst fertig. Er erhob sich, ging zum Spülschrank, nahm den Becher, wusch ihn äußerst gründlich und so, dass sie es sehen konnte, unter fließendem Wasser aus. Dann schüttelte er ihn, dass die Wassertropfen nur so flogen. Ein sauberes Tuch zum Trockenwischen war natürlich nicht in der Nähe. Nie war das da, was man gerade brauchte.

«Nehmen Sie Milch oder Zucker, Frau Bender?»

«Nein, vielen Dank, schwarz, bitte. Ist er schön stark?»

«Wie Teer», sagte er. Und sie lächelte flüchtig und nickte.

Er goss den Becher voll und brachte ihn ihr an den Schreibtisch. Sein Verhalten entsprach noch der gängigen Verhörtaktik. Dass etwas daran anders war als sonst, fiel niemandem auf, nicht einmal ihm selbst. «Möchten Sie auch etwas essen?»

Er setzte sich wieder auf den Stuhl ihr gegenüber und fragte sich, wo er um diese Zeit noch etwas Essbares auftreiben sollte. Flüchtig tauchte die reich gedeckte Kaffeetafel seiner Schwägerin vor seinem geistigen Auge auf. Für den Abend waren Nackensteaks vom Grill vorgesehen gewesen, zusammen mit dem geplanten ernsten Wort an seine Tochter wären sie für seine Galle ohnehin zu fett gewesen.

Er schaute zu, wie sie den Becher mit beiden Händen umfasste, ihn dann vorsichtig beim Henkel nahm und zum Mund führte. Sie trank einen winzigen Schluck, murmelte:

«Gut, genau richtig», und schüttelte den Kopf. «Vielen Dank, ich bin nicht hungrig, nur ziemlich müde.»

Das war nicht zu übersehen. Er hätte ihr eine Pause gönnen müssen. Sie hatte das Recht darauf. Aber es waren nur noch ein paar Fragen. Sie hatte es vermieden, den kleinsten Anhaltspunkt zu geben, der es erlaubt hätte, ihre Angaben zu überprüfen. Keine Namen! Mit Ausnahme von Johnny Guitar und dem blödsinnigen Horsti. Kein Lokal benannt, keinen Fahrzeugtyp, von einem amtlichen Kennzeichen ganz zu schweigen. Es passte zu ihr. – Nur niemanden mit hineinziehen.

Aber sie musste begreifen, dass es so nicht ging. Ein wenig mehr als das bisher Gelieferte brauchte er schon. Sonst müsste sich der Staatsanwalt zwangsläufig an die Stirn tippen und auf ein paar Ungereimtheiten verweisen. Auf die Tatsache zum Beispiel, dass Georg Frankenberg aus Frankfurt stammte. Er war dort geboren und aufgewachsen, hatte sein Elternhaus erst verlassen, als er zur Bundeswehr einberufen wurde. Anschließend hatte er sein Studium an der Universität in Köln aufgenommen.

Buchholz in der Nordheide! Was mochte Frankenberg dorthin verschlagen haben? Dass ihn nur die Suche nach Abenteuern hinauf in den Norden getrieben haben sollte, war schwer vorstellbar. Rudolf Grovian ging davon aus, dass einer seiner Freunde aus Hamburg oder Umgebung stammte. Leider hatte er versäumt, von Meilhofer Auskünfte über die beiden anderen Bandmitglieder einzuholen. Er hatte zu dem Zeitpunkt nicht ahnen können, dass sie wichtig werden könnten.

Er fragte nicht, ob sie sich imstande fühle, noch ein paar Fragen zu beantworten, sagte nur: «Der Kaffee wird Ihnen gut tun.»

Die Brühe war ziemlich stark, das hatte er gesehen, als er den Becher voll goss. Deshalb hatte er nichts davon genommen. Starker Kaffee bekam seiner Galle auch nicht.

Er schaltete das Aufnahmegerät wieder ein und begann – ahnungslos, in welcher Wunde er stocherte –, mit dem einzig konkreten Punkt, den sie genannt hatte. «Sie haben Georg Frankenberg also vor fünf Jahren, genau am 16. Mai kennen gelernt.»

Sie schaute ihn über den Rand des Bechers mit ausdruckslosem Blick an und nickte. Er rechnete kurz. Zu dem Zeitpunkt war Frankenberg zweiundzwanzig gewesen und dürfte am Beginn seines Studiums gestanden haben. Das Sommersemester begann im März und ging bis Mitte Juli. Semesterferien waren im August und September. Blieben die Wochenenden. Sie hatte ausschließlich von Wochenenden gesprochen. Und nicht einmal von jedem.

Ein junger Mann mit einer fatalen Neigung zu flotten Wagen hatte schnell ein paar hundert Kilometer zurückgelegt, und motorisiert dürfte Frankenberg während seiner Studienzeit gewesen sein. Nobles Elternhaus, das den Sprössling mit allem versorgte, was für ein standesgemäßes Leben notwendig war. Der Vater war ein Herr Professor! Facharzt für Neurologie und Unfallchirurgie. Seit sieben Jahren Chef in der eigenen Klinik, die sich auf plastische Chirurgie spezialisiert hatte. Da erwartete man, dass der Filius wusste, in welche Fußstapfen er zu treten hatte.

Aber der Sohn hatte ein paar Flausen im Kopf, saß lieber am Schlagzeug als im Hörsaal, amüsierte sich jede Woche mit einer anderen, schwängerte schließlich ein Mädchen aus obskuren Verhältnissen, das so leicht nicht zu haben gewesen war. Dass Frankie sich tatsächlich gefreut haben sollte, Vater zu werden, mochte sein oder auch nicht. Seine Eltern dürften keinesfalls begeistert gewesen sein. Es passte wirklich alles. Rudolf Grovian besaß genug Phantasie, um sich in die seelische Verfassung Georg Frankenbergs hineinversetzen zu können. Ein junger Mann ließ vor Jahren – entweder um Ärger daheim zu vermeiden oder auf Befehl von oben – seine schwangere Freundin sitzen. Vermutlich hörte er irgendwann, dass sie sich im Oktober vor ein Auto geworfen hatte. Damit verklärte sich für ihn die ganze Angelegenheit.

Das Gewissen meldete sich und machte ihm schwer zu schaffen. Wenn er später von dieser Freundin sprach – nur einmal und in Andeutungen –, erklärte er sie für tot, gestorben bei einem Unfall. So konnte man das auch ausdrücken. Aber vergessen hatte Frankie sie nie. Wie oft mochte er sich gefragt haben, was aus ihr und seinem Kind geworden wäre, wenn er sich zu ihr bekannt hätte? Und als sie sich am See auf ihn stürzte …

Dass seine Stimme um einige Grade sanfter klang, fiel ihm nicht auf. «Wir brauchen zumindest die Namen der beiden Männer, mit denen Georg Frankenberg damals zusammen war, Frau Bender.»

Sie hob müde die Schultern. «Ich weiß die Namen nicht. Er nannte die beiden nur seine Freunde.»

«Würden Sie die Männer wieder erkennen?»

Sie atmete tief durch. «Den Dicken vielleicht. Den anderen kaum. Ich habe ihn nur einmal flüchtig gesehen. Er war schon unten, als wir kamen. Es war nicht sehr hell, und er saß in der Ecke. Als er zusammen mit dem Dicken hinausging, habe ich mich nicht um ihn gekümmert.»

So ungefähr hatte er sich das gedacht. Aber es konnte nicht schwierig sein herauszufinden, mit wem Frankenberg für kurze Zeit von einer Karriere als Musiker geträumt hatte. Der nächste Punkt: «Welchen Wagen fuhr Georg Frankenberg, als Sie ihn kennen lernten?»

Sie schaute in den Kaffeebecher. «Das weiß ich nicht mehr. Als ich mitgefahren bin, das war, glaube ich, nicht sein Auto. Der Dicke saß am Steuer.» Nach ein paar Sekunden fügte sie zögernd an: «Das war ein Golf GTI, silberfarben. Das Kennzeichen begann mit einem B. BN vielleicht – ich bin nicht sicher.»

«Und diese Fahrt ging nach Hamburg?»

Sie nickte nur.

«Geht es nicht ein bisschen genauer, Frau Bender? Wie lange dauerte die Fahrt? Welche Abfahrt haben Sie genommen?»

Sie zuckte mit den Achseln und murmelte: «Tut mir Leid. Ich habe nicht aufgepasst.»

«Sie haben also keine Ahnung, in welchem Stadtteil von Hamburg das Haus lag?»

Als sie den Kopf schüttelte, fühlte er Frustration in sich aufsteigen. «Können Sie wenigstens das Haus beschreiben? War es ein freistehendes Haus? Wie sah die Umgebung aus?»

Sie reagierte aufbrausend. «Wem nutzt das denn heute noch? Das bringt doch nichts! Hören Sie: Ich habe gestanden, dass ich ihn erstochen habe. Ich habe Ihnen erklärt, warum ich ihn umgebracht habe. Lassen wir es doch damit gut sein. Wozu wollen Sie das alles wissen? Wollen Sie sich auf die Suche nach dem Haus machen? Dann viel Glück. Hamburg ist groß. Und es war ein großes Haus.»

Sie brach ab, blinzelte nervös, wischte sich mit der Hand über die Augen, als wolle sie einen unangenehmen Eindruck verscheuchen. Unvermindert heftig fuhr sie fort: «Es war eine Villa mit viel Grün drum herum. Mehr weiß ich wirklich nicht. Ich war sehr verliebt und habe mehr auf Johnny geachtet als auf die Umgebung oder die Hausfassade. Den Flur kann ich Ihnen beschreiben. Dann können Sie ja an allen großen Häusern klingeln und fragen, ob Sie sich den Flur mal ansehen dürfen.»

«Vielleicht mache ich das», sagte er. «Wenn Sie mir sagen, wie der Flur aussah.»

«Es war überhaupt kein Flur», murmelte sie. Erneut blinzelte sie heftig, stellte den Kaffeebecher ab, bewegte die Schultern, als sei ihr Nacken verspannt, und biss sich auf die

Unterlippe, ehe sie endlich erklärte: «Es war eine Halle, riesengroß und ganz in Weiß gehalten. Nur im Fußboden waren kleine grüne Steine zwischen den weißen Platten. Und da hing ein Bild an einer Wand, neben der Treppe zum Keller. Ich weiß es noch, weil Johnny mich an die gegenüberliegende Wand drückte und mich küsste. Und die anderen gingen schon die Treppe hinunter. Ich habe ihnen nachgeschaut und das Bild gesehen. Gewundert habe ich mich, dass sich jemand so etwas aufhängt. Da war überhaupt nichts zu erkennen. Es waren nur Farbkleckse.»

Es war eine so gute Geschichte gewesen. Bis dahin! Dass der Chef weitere Fragen hatte, war zwar unangenehm. Aber ein paar Antworten gab es noch. Ein silberfarbener Golf GTI und ein Autokennzeichen, das mit einem B begann. BN vielleicht oder auch nicht. Sie hatte BM sagen wollen. Im letzten Moment war ihr eingefallen, dass Gereons Kennzeichen mit BM begann. Da hätte der Chef die Lüge sicher bemerkt.

Was den Wagen anging, hatte sie nicht lange überlegen müssen. Es war ein typisches Junge-Männer-Auto. Gereon hatte einen silberfarbenen Golf gefahren, als sie ihn kennen lernte, allerdings nicht mehr lange, der Wagen war schon alt gewesen. Und sie meinte, sich zu erinnern, dass auch Johnnys kleiner, dicker Freund einen Golf gefahren hatte. Genau wusste sie es nicht mehr. Es war auch nicht wichtig. Sie hatte ja nie etwas mit diesen beiden Männern zu tun gehabt.

Und das Haus, irgendein Haus in Hamburg. Man brauchte nur ein bisschen Logik. Natürlich ein freistehendes Haus! Wenn im Keller ein Proberaum für Musiker eingerichtet war, musste ringsum ein bisschen Platz sein, damit sich die Nachbarn nicht über den Lärm beschwerten. Und ein großes, freistehendes Haus in Hamburg konnte nur Leuten gehören, die reich waren. Und reiche Leute hängten sich Bilder an die Wände. Wie sie ausgerechnet auf ein Bild aus Farbklecksen gekommen war, wusste sie beim besten Willen nicht. Aber es war ebenso nebensächlich wie das Auto.

Der Chef unterbrach ihre Gedanken. «Wieso die anderen?», fragte er. «Eben sprachen Sie nur von dem Dicken und sagten, der dritte sei schon unten gewesen, als Sie kamen. Wer war denn da noch auf der Treppe außer dem Dicken?»

Die anderen? Es war ihr nicht bewusst, das gesagt zu haben. Sie presste eine Hand gegen die Stirn, versuchte sich zu erinnern, wie genau sie formuliert hatte, als sie das Bild aus Farbklecksen ins Spiel brachte. Es fiel ihr nicht ein, und der Chef wartete auf eine Antwort. Es musste eine logische Antwort sein. Ein Bild aus Farbklecksen war nicht logisch. Reiche Leute bevorzugten gediegene Kunst. Ihre Stimme klang gequält. «Ich weiß es nicht. Ein Mädchen. Der Dicke hatte sich auch ein Mädchen mitgenommen.»

Sie nickte zufrieden. Das war eine hervorragende Antwort. «Genau!», sagte sie. «So war das. Sonst wäre ich nämlich nicht mitgefahren. Dem habe ich nicht getraut. Ich hatte es vergessen. Aber gerade fiel es mir wieder ein. Es war noch ein Mädchen bei uns.»

Sie lächelte ihn an wie um Verzeihung bittend. «Jetzt fragen Sie mich aber nicht, wie das Mädchen hieß. Das weiß ich wirklich nicht. Ich hatte sie noch nie vorher gesehen. Sie war an dem Abend zum ersten Mal da. Ich glaube, sie war nicht aus Buchholz. Wissen Sie, die Mädchen aus Buchholz waren vorsichtig geworden, was Johnny und seinen Freund anging. Von denen wäre garantiert keine mit uns gefahren. Es war ein fremdes Mädchen, und es ging später zusammen mit dem Dicken und dem anderen hinaus. Ich weiß nicht, wo sie hingegangen sind. Vielleicht sind sie weggefahren.»

«Wie sind Sie denn nach Hause gekommen?»

«Johnny hat mich heimgebracht. Mit dem Golf. Der stand vor dem Haus, als wir herauskamen.»

«Dann können die anderen doch nicht weggefahren sein.»

Sie seufzte und erklärte gereizt: «Ich habe doch gesagt, vielleicht. Sie können auch noch im Haus gewesen sein. Ich weiß es nicht. Ich bin ja nicht durchs Haus gelaufen.»

Der Chef nickte bedächtig. «Und bei der Rückfahrt haben Sie auch nicht auf die Hausfassade oder die Strecke geachtet!»

«Nein, ich war ziemlich betrunken und bin im Auto eingeschlafen.»

Er nickte noch einmal und wollte wissen: «Im wievielten Monat waren Sie schwanger, als Sie das Baby verloren?»

Sie musste erst überlegen. Was hatte sie gesagt? Im August mit Johnny geschlafen! Hatte sie den August erwähnt? Sie erinnerte sich nicht, wusste nur noch, dass sie gesagt hatte: «Im Oktober merkte ich, dass mein Bauch dicker wurde ...»

Das war ein bisschen knapp, nach drei Monaten wurde noch kein Bauch so dick, dass es auffiel. Ob der Chef das nicht wusste? Jetzt nur keinen Fehler machen. Sie schüttelte den Kopf. «Bitte, das nicht noch einmal. Ich kann nicht darüber reden. Das konnte ich noch nie.»

Rudolf Grovian wollte sie nicht zu sehr bedrängen. Er gestattete sich nur den dezenten Hinweis, dass er sich notgedrungen an andere halten musste, wenn sie nicht kooperierte. «Wie alt sind Ihre Eltern, Frau Bender?»

Sie antwortete automatisch. «Mutter ist fünfundsechzig, Vater zehn Jahre älter.»

In dem Moment schaltete sich Werner Hoß ein. «Warum haben Sie mir gesagt, Ihre Eltern seien tot?»

Sekundenlang schien sie irritiert, starrte Hoß feindselig an und erklärte mit rauer Stimme: «Für mich sind sie das. Und Tote muss man in Frieden ruhen lassen. Oder sind Sie anderer Meinung?»

«Nein», sagte Hoß. «Aber sie leben ja noch. Und wenn ich merke, dass ich in einem Punkt belogen wurde, werde ich auch bei anderen Punkten stutzig.»

Im ersten Moment hatte Rudolf Grovian sich zwar jede Einmischung verbitten wollen. Dann ließ er Hoß erst einmal gewähren, mal sehen, worauf es hinauslief.

«Sie haben uns sehr viel erzählt», sagte Hoß. «Und es war einiges dabei, was mir merkwürdig vorkommt. Dass sich zum Beispiel ein Schlagzeuger Johnny Guitar nennt und ein großer, kräftiger Mann Horsti.»

Sie zuckte mit den Achseln. «Merkwürdig fand ich das nicht, nur lächerlich. Aber wer weiß schon, warum einer sich so nennt oder anders. Er wird seine Gründe gehabt haben.»

«Mag sein», räumte Hoß ein. «Und über seine Gründe werden wir vermutlich nichts mehr erfahren. Kommen wir also wieder zu Ihren Gründen. Warum sollten wir glauben, Ihre Eltern seien tot? Könnte es sein, dass Ihre Eltern uns etwas ganz anderes erzählen als Sie?»

Etwas wie ein Lächeln verzog ihr den Mund. «Meine Mutter wird Ihnen etwas aus der Bibel erzählen, sie ist verrückt.»

«Aber Ihr Vater ist doch nicht verrückt», nahm Rudolf Grovian die Sache wieder in seine Hände. «Eben haben Sie uns erzählt, dass er ein sehr netter Mensch ist. Oder war das auch eine Lüge?»

Sie schüttelte stumm den Kopf.

«Warum regt es Sie denn auf, wenn ich sage, dass ich mit ihm reden möchte?»

Sie atmete zitternd durch. «Weil ich nicht will, dass er sich aufregt. Er weiß nichts von Johnny. Er hat mich ein paar Mal gefragt damals, ich habe ihm nichts gesagt. Es war nicht leicht für ihn, als ich wieder heimkam. Er machte sich Vorwürfe. Einmal sagte er: Wir beide wären besser vor Jahren hier weggegangen. Dann wäre das nicht passiert. Aber Vater war immer ein verantwortungsbewusster Mann. Er wollte Mutter nicht allein lassen mit dem Erlöser und der büßenden Magdalena.»

Für Rudolf Grovian hatte der Name keine Bedeutung. Er sah nur ein Zucken in ihrem Gesicht, als habe sie Schmerzen. Sie griff nach dem Kaffeebecher und führte ihn mit einer hastigen Bewegung zum Mund. Aber sie trank nicht, stellte ihn zurück auf den Schreibtisch und bat: «Könnten Sie bitte etwas Wasser zulaufen lassen? So ist er mir doch zu stark, davon wird mir übel.»

«Es ist nur kaltes Wasser.»

«Das macht nichts. Er ist sowieso zu heiß.»

Der Schreck war ihr wie ein Blitz durchs Hirn geschossen. Magdalena! Es war noch einmal gut gegangen. Der Chef reagierte nicht, auch der andere hakte nicht nach, ob das mit den Geschwistern auch eine Lüge gewesen sei. Sie strich mit einer Hand über die Stirn, zupfte die Haare über der Narbe zurecht, betastete vorsichtig die blutige Kruste über dem rechten Auge, rieb mit einer Hand durch ihren Nacken und bewegte den Kopf. «Darf ich aufstehen und ein bisschen herumgehen? Ich bin steif vom Sitzen.»

«Natürlich», sagte der Chef.

Sie trat ans Fenster, schaute in die Dunkelheit und erkundigte sich mit abgewandtem Rücken. «Wie lange wird es noch dauern?»

«Nicht mehr lange, es sind nur noch ein paar Fragen.»

Rudolf Grovian sah sie nicken und hörte sie murmeln: «Das dachte ich mir.» Lauter und in bestimmtem Ton sagte sie: «Na schön, machen wir weiter. Haben Sie das Ding wieder eingeschaltet? Ich habe keine Lust, Ihnen morgen früh alles noch einmal zu erzählen.» Sie gewann ihre alte Form zurück, kratzbürstig wie zu Anfang. Dass er ihr Verhalten da noch als aggressiv bewertet hatte, schien ihm nun übertrieben formuliert. Sie zeigte keine Anzeichen mehr von Schwäche und Erschöpfung oder gar Verwirrung. Das allein zählte. Die nächste Frage. Wie hieß das Lokal, in dem sie Georg Frankenberg alias Horsti oder Johnny Guitar kennen lernte?

Die Antwort kam nach einigem Zögern. «Es war im ‹Aladin›. So haben wir es genannt wegen der Lampen. Es hatte eigentlich keinen Namen. Ich meine, von montags bis freitags hatte es keinen. Da war es etwas für alte Leute. Und samstags war es eben das ‹Aladin›. Da war ich meist. Weil man da tanzen konnte.»

Das ließ sich zur Not überprüfen. Und wann genau hatte sie versucht, sich das Leben zu nehmen? Diesmal kam zuerst ein lang gezogener Seufzer, dann die Auskunft: «Habe ich doch schon gesagt, im Oktober. Den genauen Tag weiß ich nicht mehr.»

Und in welchem Krankenhaus war sie anschließend behandelt worden? Sie antwortete mit abgewandtem Rücken. Ihre Stimme klang belegt. «Ich war nicht in einem Krankenhaus. Der Mann, der mich angefahren hat, war Arzt. Er hat mich in seine Praxis gebracht. Ich sagte ja, ich war nicht schwer verletzt. Außerdem hatte er etwas getrunken. Er hatte Angst um seinen Führerschein und war dankbar, dass ich keine Polizei wollte. Ich bin dann bei ihm geblieben, ein paar Wochen, bis Mitte November.»

«Wie hieß dieser Arzt, und wo wohnte er?»

Sie drehte sich um und schüttelte nachdrücklich den Kopf. «Nein! Bitte, lassen Sie das. Ich rede nicht über den Arzt, das kann ich nicht. Er hat mir geholfen. Er hat gesagt, ich ... Er war sehr nett zu mir. Er hat gesagt, ich ...» Das Kopfschütteln wurde heftiger, gleichzeitig schlang sie die Hände umeinander, rieb und knetete sie und versuchte einen dritten Anlauf. «Er hat gesagt, ich ...»

Sie schaffte es erst nach einer Pause und ein paar vernehmlichen Atemzügen, den Satz zu vollenden: «... muss wieder nach Hause gehen. Aber meine Mutter ...»

Sie zog die Schultern zusammen, als sie sich erinnerte. Mutter in der offenen Haustür stehend. Der misstrauische Blick. Sie sah sich selbst. Ein neues Kleid auf dem Leib, darüber einen Mantel, ebenfalls neu. Und die Schuhe, die Unterwäsche, über die Grit Adigar sich so gewundert hatte, schwarze Spitzenwäsche und Strümpfe, alles neu. Alles bezahlt von einem Mann, der sich verpflichtet gefühlt hatte, ihr zu helfen. Ein Arzt! Das war keine Lüge.

Und Mitte November setzte er sie in einen Zug und schickte sie heim, obwohl es ihr noch nicht gut ging. Im Gegenteil, es ging ihr sehr schlecht. Die Zugfahrt war nur ein verschwommener Eindruck. Wo sie eingestiegen, ausgestiegen und wie sie heimgekommen war, daran erinnerte sie sich gar nicht. Nur wie sie dann vor der Tür stand. So schwach auf den Beinen, den Kopf mit Blei gefüllt. Neben dem Blei nur den Wunsch, sich in ein Bett legen zu dürfen und zu schlafen. Einfach nur noch zu schlafen. Sie hörte ihre eigene Stimme, den bettelnden Ton darin: «Mutter, ich bin es, Cora.»

Und Mutters Stimme, teilnahmslos und gleichgültig: «Cora ist tot.»

So ähnlich hatte sie sich auch gefühlt im November vor fünf Jahren. Und jetzt wieder. Sie hätte Mutter nicht erwähnen dürfen. Und den Arzt auf gar keinen Fall.

Rudolf Grovian sah, dass sie sich fast die Finger brach mit diesem Kneten und Reiben. Er bezog die Abwehr auf die Worte über ihre Mutter. «Schon gut, Frau Bender. Sie müssen es nicht wiederholen. Das haben wir bereits auf Band. Aber den Namen des Arztes brauchen wir unbedingt. Wir wollen dem Mann nichts Böses. Kein Mensch wird ihn heute noch dafür belangen, dass er vor fünf Jahren unter Alkoholeinfluss ein Auto gefahren hat. Wir wollen ihn nur als Zeugen hören. Er könnte uns Ihren Selbstmordversuch bestätigen und die Schwangerschaft.»

«Nein!», sagte sie gepresst, krallte die Hände hinter dem Rücken um das Fensterbrett. «Von mir aus können Sie es wieder vergessen. Ja, vergessen Sie es. Sagen wir doch einfach: Ich hatte mal was mit dem Mann, den ich erstochen habe. Er hat mich sitzen lassen, ich war sauer auf ihn. Und als ich ihm heute begegnete, habe ich ihn umgebracht.»

Rudolf Grovian legte eine gehörige Portion Nachdruck in seine Stimme. «Frau Bender, so geht das nicht. Sie können uns nicht irgendwas erzählen und bei jedem Punkt, der es uns erlaubt, Ihre Angaben zu überprüfen, mauern. Da muss ich fast wie mein Kollege annehmen, dass Sie uns nicht die Wahrheit sagen.»

Sie drehte sich erneut dem Fenster zu. Es war eine endgültige Bewegung, ihre Stimme unterstrich das noch. «Ich habe gesagt, vergessen Sie es! Ich habe mich nicht darum gerissen, Ihnen irgendwas zu erzählen. Sie haben mir gedroht, vergessen Sie das nicht. Aber jetzt müssen Sie aufhören. Ich kann nicht mehr, es geht mir nicht gut. Sie haben gesagt, wenn es mir nicht gut geht, soll ich es sagen, und dann hören wir auf.»

«Ich habe aber nicht gesagt, Sie sollen es als Ausrede benutzen.»

«Es ist keine Ausrede. Ich kann wirklich nicht mehr.» Ihre Stimme, eben noch fest und bestimmt, klang mit einem Mal matt und weinerlich. Ihre Unterlippe begann zu zittern wie die eines zweijährigen Kindes, das in der nächsten Sekunde in Tränen ausbrechen will.

Er sah es in der Fensterscheibe. Doch auf solch einen billigen Trick fiel er nicht herein. Den Ton hatte seine Tochter auch immer benutzt, wenn sie ihren Willen auf andere Weise nicht durchsetzen konnte. Und die Unterlippe, Mechthild hatte es Eine-Schnute-Ziehen genannt.

«Ein paar Minuten werden Sie noch können», sagte er. Dass seine Stimme schärfer klang, konnte er nicht verhindern, wollte er auch nicht. Bei aller Rücksicht und Anteilnahme, sie sollte spüren, dass er sich nicht auf Dauer mit Ausflüchten und Verweigerung abspeisen ließ. «Sie sind also im Dezember vor fünf Jahren nach Köln gekommen. Gab es einen besonderen Grund, dass Sie sich ausgerechnet für Köln entschieden?»

Er nahm an, dass sie doch etwas über Frankenbergs wahre Identität und seinen Aufenthaltsort herausgefunden hatte. Dass sie sich auf den Weg machte, ihn zu suchen.

Und sie sagte leise: «Nein! Ich habe mich in einen Zug gesetzt, und der fuhr eben nach Köln.»

Bis dahin hatte er ihr geglaubt. Das glaubte er auf keinen Fall. «Vielleicht denken Sie noch einmal nach, Frau Bender. Es gab einen Grund. Wir kennen ihn bereits. Aber wir möchten es von Ihnen hören.»

«Da muss ich nicht nachdenken. Es gab keinen Grund. Ich kannte niemanden in Köln, darauf wollen Sie doch hinaus.»

Sie begriff nicht, warum er so nachdrücklich fragte, stand im Geiste noch daheim vor der Haustür, schaute in Mutters Gesicht, hörte Mutters Stimme. Cora ist tot. Nein! Cora lebte, der Mann war tot. Und Cora verlor allmählich ihren Verstand. Sie spürte es ganz deutlich – wie eine Hand voll Wasser, das langsam durch ihre Finger davonrann. Sie mochte die Finger noch so fest zusammenpressen, das Wasser ließ sich nicht festhalten.

Es war nicht gut, eine Lügengeschichte mit Bröckchen von Wahrheit zu mischen. Dann bekam die Lüge lange Beine und holte einen ein, und die Wahrheit schlug einem wie mit Knüppeln auf den Kopf. Und dann geriet alles durcheinander. Das Bild aus Farbklecksen war frei erfunden! Das wusste sie genau. Und trotzdem sah sie es deutlich vor sich, wie es da an der Wand hing in der weiß gehaltenen Halle, nur im Fußboden waren kleine grüne Steine. Und das Gesicht ... So dicht vor dem ihren, dass sie die Augen schließen musste, weil es verschwamm. Es konnte nicht sein. Johnny küsste sie – so wie sie es eben erzählt hatte. Sie fühlte den Druck seiner Lippen auf den ihren.

Es waren nur die eigenen Finger, die sie gegen den Mund

presste, um nicht aufzuschreien. Sie wusste, dass es nur ihre eigenen Finger waren. Nur half ihr dieses Wissen nicht. Über seine Schulter schaute sie auf die beiden Rücken auf der Treppe!

Ein kleiner, dicker Mann und ein Mädchen auf dem Weg nach unten. Das Mädchen hatte blonde Haare. Es trug eine dunkelblaue Bluse aus Satin und einen weißen Rock mit gezipfeltem Saum. Der Rock war aus Spitze und fast durchsichtig.

Wo kamen diese Einzelheiten her? Sie musste es irgendwo gesehen haben. In einem Film! Das war die Erklärung. Es konnte nur ein Film gewesen sein. Und jeder Film hatte Dialoge. Das Mädchen auf der Treppe lachte und rief über die Schulter: «Kommt ihr? Damit könnt ihr unten weitermachen. Da ist es sicher gemütlicher.» Jeder Film hatte Musik. Von unten drang ein Wirbel nach oben. Ein Schlagzeugsolo. Und während sie sich bemühte, sich auf den Titel des Films zu besinnen oder darauf, wie es nach dieser Szene weitergegangen war, fragte der Chef nach Köln.

Sie war nicht mehr in der Verfassung, sich eine logische Lüge einfallen zu lassen. Köln! Das war Margret. Ob er bereits von ihr wusste? Was er gesagt hatte, klang danach. Ob Gereon sie erwähnt hatte? Möglich.

Fünf Minuten Pause. Mehr brauchte sie nicht. Nur fünf Minuten, um sich für Köln eine plausible Geschichte auszudenken. Und wenn er ihre Bitten ignorierte, musste sie ihn eben an sein Versprechen erinnern. «Kann ich vielleicht etwas essen, bevor wir weitermachen? Bitte, ich bin sehr hungrig. Am See bin ich ja nicht mehr dazu gekommen. Ich wollte mir den Rest vom Apfel nehmen. Ein Golden Delicious, die Sorte mochte ich schon als Kind sehr gerne.»

Wir hatten einen Garten, er lag nicht beim Haus. Wir mussten weit laufen, um dorthin zu kommen. In Wirklichkeit war es nicht weit. Aber damals kam mir alles sehr groß, sehr lang und unendlich vor. Etwas, das immer weiterging und nie aufhörte. Für mich war es ein furchtbar langer Weg zum Garten. Und oft war ich so müde, dass ich dachte, ich schaffe ihn nicht. Ich wollte ihn auch nicht schaffen, weil der Garten eine große Versuchung war.

In dem Jahr, in dem Magdalena gegen ihren Krebs kämpfte, als ich anfing darüber nachzudenken, wie es wäre, wenn sie nicht mehr heimkäme, waren wir nicht oft im Garten gewesen. Im darauf folgenden Frühjahr war dann viel zu tun. Wir gingen fast täglich hin, zupften Unkraut aus den Gemüsebeeten, das war meine Aufgabe. Vater arbeitete derweil mit einem Spaten oder einer Harke. Mutter kümmerte sich um Magdalena. Es war ein milder Frühling, und Mutter glaubte, die frische Luft täte Magdalena gut.

Rechts und links von unserem lagen andere Gärten, in denen es auch Obst gab, Erdbeeren und Apfelbäume. Zäune gab es nicht, zwischen den Gärten war nur eine Furche gezogen. Die Erdbeeren standen so dicht an der Furche, dass ich mich nur hätte bücken müssen, keinen Fuß in den Nachbargarten setzen, wirklich nicht. Manchmal hingen sie in der Furche.

Ich hätte sie zusammen mit ein wenig Unkraut abreißen und rasch in den Mund stecken können, ohne dass es jemand gesehen hätte. Das wagte ich nicht. Ich hatte erlebt, was nach einer Tafel Schokolade mit Magdalena geschehen war. Und die hatte Vater mir gegeben. Aber etwas nehmen, das einem nicht gehört, war eine von den großen Sünden.

Ich war acht Jahre alt inzwischen und wusste, dass es gewaltige Unterschiede gab. Ich wusste es nicht von Mutter, für die wogen alle Sünden gleich schwer. Aber wir sprachen auch in der Schule darüber: Über die lässlichen, das waren die kleinen, die verziehen wurden, wenn man sie auf der Stelle bereute. Über die mittelschweren, von denen man im Fegefeuer geläutert wurde, wenn man gestorben war. Und über die Todsünden, für die man bis in alle Ewigkeit in der Hölle büßen musste.

In der Schule war nie die Rede davon, dass ein anderer dafür leiden oder sterben müsse. Das behauptete nur Mutter. Und ich war mir nicht mehr sicher, ob Mutter es vielleicht ein bisschen besser wusste als die Lehrerin. Die Lehrerin war nicht katholisch.

Es war für mich eine unsichere Zeit. Ich wusste nie, wem und was ich glauben durfte. Vater sprach mal so und mal so. Den einen Abend kniete er unter dem Kreuz und bereute seine Begierden. Am nächsten Abend war er nervös, lief im Haus herum oder schloss sich im Badezimmer ein. Wenn er dann wieder herunterkam, schaute er Magdalena an und murmelte: «Was habe ich dir angetan, Spatz?»

Magdalena war kränker als vorher. Sie musste alle vier Wochen nach Eppendorf gebracht werden. Da gaben sie ihr Gift, sagte Vater, und beschossen sie mit bösen Strahlen. Am Tag, bevor Mutter sie hinbrachte, weinte sie viel. Nur ganz still und leise für sich, weil sie sich nicht anstrengen durfte. Wenn sie zurückkamen, ging es ihr so schlecht, dass sie keine zwei Minuten allein bleiben konnte.

Manchmal schickte Mutter mich ins Schlafzimmer, damit ich mir anschaute, was ich getan hatte und es nie vergaß. Dann stand ich neben dem Bett und schaute Magdalena an. Und sie schaute mich an. Ich hätte mich gerne bei ihr entschuldigt, aber ich wusste nie, was ich sagen sollte.

Es war eine schlimme Zeit. Vor allem das Frühjahr. Das war wie ein Zwang. Ich musste mir unentwegt vorstellen, was mit Magdalena passierte, wenn ich eine Erdbeere nahm. Das Gefühl, dass es allein in meiner Hand lag, ob sie lebte oder starb ... Ich musste doch ständig kontrollieren, was ich tat, was ich sagte und was ich dachte. Manchmal war mir alles zu viel. Dann wäre ich gerne eingeschlafen, hätte etwas Schönes geträumt und im Traum weitergelebt.

Als die Erdbeerzeit sich ihrem Ende näherte, war ich sehr erleichtert. Ich hatte der Versuchung widerstanden und war stolz auf mich. Ich war vor allem stolz, weil es zu funktionieren schien. Magdalena erholte sich allmählich. Von einem Tag zum anderen merkte man keinen Unterschied, aber von einem Monat zum nächsten schon.

Mutter fuhr sie immer in einem alten Kinderwagen zum Garten. Und im Frühjahr hing Magdalena noch wie ein Kleiderhäufchen im Wagen. Aber im Herbst konnte sie fast aufrecht sitzen. Immer nur für ein paar Minuten, es war trotzdem ein großer Fortschritt.

Im Sommer war im Garten nicht viel zu tun gewesen. Und es war auch am späten Nachmittag oft noch zu heiß für Magdalena. Im Herbst gingen wir wieder jeden Tag. Wenn Vater von der Arbeit kam, marschierten wir los wie eine kleine Prozession. Vater voran, mit den Geräten auf der linken Schulter. In der rechten Hand trug er immer einen Eimer. Mutter schob den Kinderwagen. Magdalena trug eine Mütze, obwohl ihr Haar schon ein bisschen nachgewachsen war. Aber es war noch sehr dünn und fast weiß. Sonne konnte sie am Kopf nicht vertragen.

Ich lief hinter Mutter her und dachte an die gelben Äpfel. Golden Delicious, Vater hatte mir gesagt, wie sie heißen und dass sie süß waren. Der Baum stand so dicht an der Grundstücksgrenze, dass viele in die Furche und einige sogar in unseren Garten fielen. Und ich dachte, dass es nicht direkt gestohlen wäre, wenn sie in unserem Garten lagen und ich sie aufhob, und dass Äpfel nicht so verheerend sein konnten wie Schokolade und Bonbons. Grit sagte häufig, Obst essen sei gesund. Ich könnte auch für Magdalena ein paar aufheben, dachte ich, damit sie gesund wurde. Ich wollte sie nicht für mich alleine, wirklich nicht.

Der Weg zum Garten führte über eine Straße, auf der viel Verkehr herrschte. Und irgendwo am Straßenrand stand eine große alte Holzkiste, in der früher das Streugut für den Winter aufbewahrt worden war. Inzwischen war sie leer. Das wusste ich von Vater. Und dann hatte ich diesen Traum.

Im Traum waren wir auf dem Heimweg. Magdalena saß im Wagen, sie war völlig erschöpft, hatte Schmerzen und weinte leise. Mutter machte Halt, kniete auf der Straße hin und begann zu beten. Ich ging an ihnen vorbei. Vater war schon auf Höhe der Kiste. Ich erreichte ihn, und wir gingen langsam weiter.

Dann hörte ich Geräusche hinter mir, ein Knarren und Knurren. Ich drehte mich um und sah einen schwarzen Wolf aus der Kiste springen. Mich und Vater beachtete er nicht. Er hetzte auf Mutter und Magdalena zu, war mit einem Satz im Kinderwagen und hatte Magdalena auch schon verschlungen. Um Mutter kümmerte er sich nicht.

Er lief zurück zur Kiste, sprang hinein, und bevor er den Deckel zuklappte, schaute er mich an. Er lachte wie ein Mensch, riss sein Maul weit auf dabei. An seinen Zähnen war noch Magdalenas Blut. Ich hätte Angst haben müssen. Aber ich hatte keine. Wie er mich anlachte, wusste ich, dass er mich mochte. Ich hätte ihn gerne mit nach Hause genommen wie einen Hund.

Mutter lag neben dem leeren Kinderwagen auf den Knien und hatte die Hände zum Himmel erhoben. Vater legte mir den Arm um die Schultern. Er lächelte zufrieden und sagte: «Das war der Höllenhund. Ein schönes Tier, nicht wahr! Hast du gesehen, was für einen prachtvollen Schwanz er hatte? Und diese herrlichen Zähne. Damit hat er uns einen großen Gefallen getan. Die sind wir los! Endgültig. Jetzt müssen wir uns nicht mehr wünschen, dass uns die Sünden abfaulen. Jetzt können wir sie wieder genießen. Und das werden wir tun, Cora. Soll ich dir mal etwas Schönes zeigen?»

Es war ein Zweikampf! Nach seinem kurzen Einwurf beteiligte sich der Mann im Sportanzug nicht weiter. Er saß da wie abgeschaltet. Mit dem sicheren Instinkt eines gehetzten Tieres erkannte sie, dass er nicht einverstanden war. Sie wusste nur nicht, was ihn störte, ihre Lügen oder die Vorgehensweise des Chefs. Dieses Bohren, Stochern, Drängen.

Er verlangte ihr etwas ab, was sie nicht geben konnte. Es war fast so wie damals mit Mutter. Das alleine hätte sie bewältigt. Das hatte sie von Grund auf gelernt, täuschen. Nur war es diesmal ganz anders. Es war wie verhext. Das Bild ließ sich nicht abschütteln, es beschwor nur weitere Bilder herauf. Diese verdammten Farbkleckse. Und die beiden Rücken auf der Treppe. Ein Mann und ein Mädchen.

Sie sah die Rücken nun auch auf den Vordersitzen eines Wagens. Nur waren es dort die Rücken von zwei Männern. Einer drehte sich zu ihr um und lächelte sie an. Sein Blick war wie ein Versprechen. Johnny Guitar!

Es war alles nur Einbildung. Ein Wunschtraum. Wünsche konnten im Hirn leicht zu Bildern werden und sich wie Erinnerungen darin breit machen. Und der Rest … Die Stimme des Mädchens, die Satinbluse, der Rock mit dem gezipfelten Saum, das Schlagzeugsolo. All diese Einzelheiten, irgendwann hatte sie das vermutlich gesehen und gehört. In einem Film! Es gab überhaupt keine andere Möglichkeit. Gereon hatte sich Unmengen von Filmen angeschaut. Fast jeden Abend einen. Das waren über tausend in den drei Jahren. Wenn ihr erst der Titel einfiel oder der Schluss …

Der Chef ließ ihr keine Zeit zum Nachdenken. Er zauberte von irgendwoher einen Imbiss herbei. Nur ein paar Kekse und noch einmal frischen Kaffee. Diesmal sollte der andere ihn aufbrühen, damit er nicht so stark wurde. Sie hörte seine Stimme wie durch Watte. Immer wieder Köln. Warum hatte sie sich ausgerechnet für diese Stadt entschieden, wollte er wissen. Bremen oder Hamburg wäre doch nahe liegender gewesen. Wo hatte sie das Geld herbekommen für eine so weite Fahrt?

«Gestohlen», murmelte sie und schaute zu Boden. «Von meiner Mutter. Fast achthundert Mark. Davon konnte ich die Fahrkarte bezahlen und ein paar Wochen leben. Ich fand sofort Arbeit und auch eine kleine Wohnung.»

«Wo?»

Sie nannte ihm Margrets Adresse! Im Durcheinander war nichts anderes greifbar. Es dauerte ein paar Sekunden, ehe ihr bewusst wurde, was sie gesagt hatte. Im selben Augenblick wurde ihr klar, wie sinnlos es war. Wenn er ihre Worte überprüfte, und das tat er gewiss, musste er rasch feststellen, wo die Lügen aufhörten und die Wahrheit begann.

Der Herzschlag beschleunigte sich, die Hände wurden feucht von Schweiß. Margret käme in große Schwierigkeiten. Sie hatte einen entscheidenden Fehler gemacht. Sie hätte sagen müssen, sie sei mit Johnny durchgebrannt. Nicht sofort, erst im August. Der August war wichtig. Sie wusste nicht, warum. Im Augenblick wusste sie insgesamt nicht viel, weil es zu viel war, was ihr durch den Kopf zog.

Aufgeben! Sie hatte schon von Leuten gehört, die in Verhören zusammenbrachen, deren Widerstandskraft gebrochen wurde von immer denselben Fragen. Sie nicht! Sie raffte zusammen, was noch an Kraft in ihr war. Eine letzte Reserve gab es immer. Achtzehn Jahre Kampf gegen Mutter hatten sie stark gemacht, hatten sie gelehrt, Geschichten so zu erzählen, dass keine Frage offen blieb. Wahrscheinlich musste sie Mutter auch noch dankbar sein für das unermüdliche Training.

Dem äußeren Anschein nach war es die endgültige Resignation. Den Kopf kurz anheben, ein wunder Blick in die Augen des Chefs und den Kopf wieder senken, die Stimme ebenfalls. Im Innern war es eiserne Selbstkontrolle und Anspannung bis zum Zerreißen. Die linke Hand mit der rechten umklammern, den Schweißfilm am Rock abwischen. Sie saß längst wieder auf dem Stuhl. Ihre Schultern sackten nach unten. Georg Frankenberg war tot, ihn konnten sie nicht um eine Bestätigung bitten.

Es war nur ein Flüstern. «Sie finden es ja doch heraus. Ja, es gab einen Grund, dass ich ausgerechnet nach Köln gekommen bin. Ich habe Ihnen eben nicht die Wahrheit gesagt, weil ich mich so geschämt habe. Ich bin nämlich damals eine Weile mit Johnny herumgezogen. Verstehen Sie? Er hat mich gar nicht heimgebracht an dem Abend, als wir in Hamburg waren. Die anderen waren weg, wir waren allein im Keller. Er wollte, dass ich bei ihm bleibe. Und ich … ich hatte doch mit ihm geschlafen, und das war toll gewesen. Ich dachte, wir gehören jetzt zusammen. Das war im August. Hatte ich schon gesagt, dass es im August war?»

Der Chef nickte, und sie log ihm vor von einigen Wochen, in denen sie gemeinsam herumgezogen waren, von einer Fahrt im September Richtung Köln, wo Johnny einen Freund besuchen wollte, wie er von unterwegs mehrfach vergebens telefonierte, um sie anzukündigen. Und einmal schickte er sie zum Telefon, er schrieb ihr die Nummer auf einen Zettel. Und später, als sie wieder daheim war, fand sie den Zettel. Und als Mutter sie hinauswarf, rief sie die Nummer an. Es meldete sich eine junge Frau. Sie fragte nach Johnny, die Frau wusste mit dem Namen nichts anzufangen und riet ihr, am Abend noch einmal anzurufen, dann sei ihr Mann daheim.

Ein paar Sekunden Pause! Sie nahm einen Schluck aus dem Kaffeebecher. Fast atemlos wartete sie, ob auch zu dieser Lüge ein paar Bilder entstanden. Es geschah nichts. Sie biss ein winziges Stückchen von einem Keks ab, konnte es kaum schlucken. Die Kekse hatten einen Überzug aus Schokolade, da war jeder Krümel das Todesurteil für Magdalena.

Der Chef beobachtete sie aufmerksam. Sie hatte schon wieder einen Fehler gemacht. Eine Weile herumgezogen!

Womit denn? Mit welchem Fahrzeug waren sie nach Köln gekommen, um Johnnys Freund zu besuchen, wenn doch der silberfarbene Golf dem Dicken gehörte?

Ehe der Chef nachhaken konnte, log sie rasch weiter. «Abends rief ich noch einmal an. Der Mann war am Telefon. Diesmal fragte ich nach Horsti. Der Mann lachte. ‹Sein Name ist Georg Frankenberg›, sagte er. ‹Wie er auf Horsti gekommen ist, weiß der Blödmann selbst nicht.› Der Mann fragte mich, was ich von Georg Frankenberg wollte. Ich sagte nur, dass ich mit ihm befreundet gewesen sei und ihn gerne wieder sehen möchte. Und der Mann sagte, da müsse ich nach Köln kommen.»

In dem Moment wurde Rudolf Grovian stutzig und sah sich gezwungen, alles in Frage zu stellen. Da hätte Werner Hoß gar nicht so demonstrativ das Gesicht verziehen müssen. Sein Name ist Georg Frankenberg! Das waren seine Worte. Er wusste nicht, was er von dieser Formulierung halten sollte. Georg Frankenberg war – außer für seine Eltern – Frankie gewesen, sogar für seine Frau. Das nahm dem Freund aus Köln jede Substanz. Er fragte trotzdem: «Hatte der Mann auch einen Namen?»

Sie hörte sein Misstrauen. Aber den Patzer mit dem Fahrzeug hatte er anscheinend nicht registriert. Und dass es um Margret ging, glaubte sie nicht mehr so recht. Das hätte er ihr doch längst ins Gesicht gesagt. Ihm ging es nur um Georg Frankenberg und die Namen von Freunden, die ihre Geschichte bestätigten. Sie konnte ihm keine Namen geben. Nicht einmal aus Versehen oder in Verwirrung konnte sie Namen ausplaudern.

«Ich überlege ja schon. Es war ein komischer Name. Ich komme im Moment nicht drauf. Ich bin sehr müde.»

«Und die Telefonnummer?»

«Tut mir Leid, die habe ich vergessen. Nummern konnte ich mir nie merken.»

«Die Adresse?»

Sie hob die Achseln an, erklärte leise: «Weiß ich nicht mehr. Vielleicht fällt mir morgen wieder ein, wie die Leute hießen und wo sie wohnten. Wenn man sich unbedingt an etwas erinnern will, geht es überhaupt nicht. Man kann so etwas nicht erzwingen, wissen Sie.»

«Ja, ich weiß», sagte Rudolf Grovian. «Und wenn man das Blaue vom Himmel lügt, taugen Erinnerungen sowieso nicht viel. Sie sind also der Einladung dieses Mannes gefolgt?»

Sie nickte mechanisch. In ihrem Kopf schien eine Art Dammbruch stattgefunden zu haben. Ein wüstes Knäuel von Bildern und Worten schoss aus der Bruchstelle und wirbelte ihr durchs Hirn. Die vier Leute auf der Decke am See. Das Lied. Die Äpfel aus dem Supermarkt und die aus dem Garten. Die Geschichte, die sie erzählt hatte, und der Film, in dem ein junger Mann und ein Mädchen eine Treppe hinunterstiegen.

Zudem spuckte der Berg Erinnerung weitere Steine aus und warf sie durchs Gelände. Mutter, Vater, Magdalena, Horsti, Johnny, Margret und Gereon. Viele Namen. Zu viele. Es waren ein paar dabei, die sie nie gehört hatte. Lächerliche Namen, Böcki und Tiger. In ihrem Gesicht zuckte es wie kurz vor einem Tränenausbruch. «Das hätte ich mir besser erspart. Frankie wollte nichts mehr von mir wissen.»

«Wer ist Frankie?», fragte der Chef.

Sie zuckte zusammen. «Was?»

«Wer ist Frankie?», wiederholte Rudolf Grovian und hatte Mühe, die Frage in Neutralität zu packen. Er warf Werner Hoß einen triumphierenden Blick zu. Darauf hatte er gewartet. Für ihn war es die Bestätigung. «Sie sagten, Frankie wollte nichts mehr von mir wissen, Frau Bender. Wer ist Frankie?»

Es war ihr nicht bewusst, was sie gesagt hatte. Und dass sie den Namen am See gehört hatte, hatte sie vergessen. «Was habe ich gesagt? Tut mir Leid. Ich bin wirklich sehr müde.»

Sie fasste mit einer Hand an die Stirn. Ihre Augen huschten über die Schreibtische, erfassten Werner Hoß und blieben an ihm haften, als könne er der Quälerei ein Ende machen. Es war nur noch Quälerei. Dieser prall gefüllte Kopf. Wie ein Schubfach, in das sie zu viel hineingestopft hatte. Nun quoll alles auf einmal heraus.

Nur das kleine Messer, das sie dringend brauchte, fand sie nicht. Sie hätte erst alles sortieren müssen. Und wenn sie alles sortiert hatte, hätte sie festgestellt, das Messer war nicht im Schubfach gewesen. Es lag auf dem Tisch, auf dem die Zitronen geschnitten wurden, sichtbar für jeden, der hereinkam. Nur sie hatte es nicht gesehen. Weil sie zu tief lag und der Tisch zu hoch war. Und vor dem hohen Tisch stand ein kleiner, dicker Mann. Er hatte sich weißes Pulver auf den Handrücken gestreut, leckte es ab, trank etwas und biss in die Zitrone.

«Sagen Sie ihm, er soll aufhören», stammelte sie, den Blick auf Werner Hoß gerichtet. «Sagen Sie ihm, er muss mich jetzt in Ruhe lassen, sonst werde ich verrückt. Ich sehe lauter komische Dinge, nur so blöde Sachen. Sie werden sich schieflachen, wenn ich Ihnen davon erzähle.»

Sie schüttelte sich wie ein Hund mit nassem Fell, senkte den Kopf und betrachtete ihre Hände. «Mir ist mal etwas sehr Dummes passiert», erklärte sie. «Ich kann mich nicht daran erinnern, will ich auch gar nicht. Ich habe es eingemauert. Achim hat gesagt, das machen viele Leute mit Erlebnissen, die sie nicht verkraften. Sie ziehen eine Mauer durch ihr Hirn und stopfen alles, was wehtut, dahinter. Achim sagte, man muss die Mauer einreißen und die Dinge verarbeiten, sonst kommt man nie zur Ruhe. Aber ich fand das mit der Mauer eine sehr gute Lösung.»

Sie nickte versonnen, hob den Kopf wieder und schaute Werner Hoß an. Ausschließlich an ihn gerichtet, sprach sie weiter. «Man hat im Hirn wahnsinnig viel Platz. Zum Denken braucht man nicht mal die Hälfte, knapp vierzig Prozent, glaube ich. Es kann aber auch sein, dass es umgekehrt ist und man sechzig braucht. Wussten Sie das?»

Werner Hoß nickte.

Sie lächelte melancholisch. «Das ist toll, nicht wahr? Das ist wie ein Dachboden, auf dem man das ganze Gerümpel unterbringen kann. Es hat auch funktioniert – bis Weihnachten. Seitdem ist es wieder da. Wenn ich das Lied gehört habe, kommt es über die Mauer wie der Wolf aus der Kiste. Vielleicht hat es etwas mit der Geburt des Erlösers zu tun. Das weiß ich nicht. Ich weiß ja gar nicht, worum es geht. Ich wache auf, und es ist nichts da. Es darf auch nichts da sein. Es hat mir den Kopf zerbrochen, wissen Sie. Ich fühle es heute noch, wenn ich den Traum hatte.»

Das wehmütige Lächeln verlor sich. Nach einem tiefen Atemzug wurde sie eifrig. «Als Kind ist mir das schon mal passiert. Das war aber ein anderer Traum, an den konnte ich mich immer erinnern. Und den fand ich auch schön, ich war gerne ein Tier.»

6. Kapitel

Es war ein furchtbarer Traum damals mit dem Wolf. Aber er war auch wunderschön. Mein sehnlichster Wunsch ging in Erfüllung. Magdalena war nicht mehr bei uns, und es war nicht meine Schuld. Mutter wollte auch nicht mehr bei uns sein. Sie blieb neben dem leeren Kinderwagen liegen. Und Vater hatte den Eimer voller Äpfel. Ich dachte, er müsse schon vorher gewusst haben, dass es passiert, sonst hätte er Gemüse und Kartoffeln in den Eimer getan.

Ich wachte auf und fühlte mich ganz leicht, obwohl ich rasch begriff, dass es nicht wirklich geschehen war. Aber gerade das fand ich so toll. Ich wusste, dass es eine der allerschwersten Sünden war, einem Menschen den Tod zu wünschen. Dafür musste man eines Tages Schmerzen leiden, die nie ein Ende nahmen.

Bis in alle Ewigkeit, sagte Mutter immer, würden Hunderte von kleinen Teufeln mir das Fleisch mit rotglühenden Zangen vom Leib reißen – in winzig kleinen Stücken, damit mein Fleisch für die Ewigkeit reichte.

Mutter hatte mir Bilder gezeigt, auf denen das mit anderen Leuten passierte. Aber wenn ich es nur träumte, konnte ich nichts dafür, und dann war es bestimmt keine Sünde.

Als ich morgens aufstand, war mir immer noch so leicht. Ich hatte das Gefühl, es würde ein ganz besonderer Tag werden. Damals dachte ich zuerst sogar, es wäre ein Wunder geschehen. Aber ein Wunder war es nicht, es wurde nur alles ganz anders.

Nachmittags musste Mutter Einkäufe machen. Sie schickte mich nach oben, Magdalena anschauen. Ich stellte mich wie sonst auch neben das Bett und dachte, sie schlafe. Doch als unten die Haustür zufiel, öffnete sie die Augen und fragte: «Liest du mir was vor?»

Es war das erste Mal, dass Magdalena mit mir sprach. Sie sprach überhaupt selten, höchstens mal mit Mutter. Manchmal hatte ich schon gedacht, sie könne nicht richtig sprechen. Ich wusste gar nicht, was ich sagen sollte.

«Bist du taub, oder verstehst du kein Deutsch?», fragte sie.

«Was soll ich denn sagen?», fragte ich.

«Gar nix, lies mir was vor», verlangte sie.

Ich wusste nicht, ob Mutter damit einverstanden war. «Ich glaube, das ist zu anstrengend», sagte ich.

«Für dich oder für mich?», fragte Magdalena. «Soll ich dir sagen, was ich glaube? Du kannst gar nicht lesen.»

Ich war zu verblüfft, dass man mit ihr ganz normal reden konnte wie mit den Kindern auf dem Schulhof, dass ich gar nicht darüber nachdachte, was ich sagte. «Und ob ich das kann. Ich kann es sogar besser als Mutter. Ich lese nämlich laut und deutlich, ich nuschele nicht. Und ich kann auch richtig betonen, sagt die Lehrerin. Die anderen können das längst nicht so gut.»

«Das glaube ich erst, wenn du mir was vorliest», sagte sie. «Oder willst du nicht, weil du mich nicht leiden kannst? Das kannst du ruhig zugeben. Ich weiß, dass mich hier keiner leiden kann. Das macht mir nichts aus. Ich kann auch keinen leiden. Warum meinst du, habe ich bisher den Mund gehalten? Weil ich nicht mit Idioten spreche. Ich spare mir den Atem für Leute, die etwas Vernünftiges sagen können.»

Da nahm ich die Bibel vom Nachttisch und schlug eine Stelle auf, die Mutter oft las, von dem Wunder, das der Erlöser getan hatte, als ein Mann sein Gewand berührte. Ich weiß nicht, ob ich ein schlechtes Gewissen hatte, weil sie sagte, dass wir sie nicht leiden können, oder ob ich ihr beweisen wollte, wie gut ich lesen konnte. Vielleicht war ich auch ein bisschen stolz, weil sie mit mir gesprochen hatte.

Ich gab mir sehr viel Mühe. Sie hörte mit geschlossenen Augen zu. Anschließend verlangte sie: «Und jetzt das von der Magdalena, die ihm die Füße wusch und sie mit ihren Haaren abtrocknete. Das mag ich am liebsten.»

Als ich auch das zu Ende gelesen hatte, sagte sie leise: «Ich habe aber auch ein Pech.»

Ich wusste nicht, was sie meinte. Und sie sagte: «Na, bei uns hat er doch kein Gewand an, nur so ein kleines Läppchen vor dem Bauch. Meinst du, wir könnten ihm eins umhängen? Wenn du ihn vom Schrank nimmst und heraufbringst, könnten wir es versuchen. Wir nehmen ein Taschentuch, und das berühre ich dann. Und danach wasche ich ihm die Füße. Ich trockne sie ihm mit meinen Haaren auch wieder ab. Das muss doch helfen.»

«Deine Haare sind viel zu kurz», sagte ich.

Magdalena zuckte mit den Schultern. «Da müssen wir nur nahe genug ran. Das wollte ich schon immer mal tun. Holst du ihn rauf? Oder hast du Angst, dass Mutter dich auf der Treppe erwischt?»

Ich hatte keine Angst vor Mutter. Ich wollte nur nicht, dass Magdalena etwas tat, wovon sie sich viel erhoffte. «Er kann dir nicht helfen», sagte ich. «Er ist doch nur aus Holz. Und die Magdalena aus der Bibel war nicht krank. Sie war eine Sünderin.»

«Sündigen kann ich auch», erklärte sie. «Soll ich mal ein dreckiges Wort sagen?» Bevor ich ihr antworten konnte, sagte sie: «Arschloch! Holst du ihn jetzt?»

Da ging ich hinunter. Sie tat mir plötzlich so furchtbar Leid. Ich glaube, an dem Nachmittag begriff ich zum ersten Mal, dass meine Schwester ein normales Kind war. Ein sehr krankes Kind, das jederzeit sterben, das niemals ein Leben führen konnte wie ich. Aber sie konnte sprechen wie ich, denken wie ich und fühlen wie ich.

Ich brachte ihr das Kreuz ans Bett. Zuerst machten wir das mit dem Taschentuch. Ich nahm eins von Vater, das war groß genug. Ich band es ihm um den Hals, und Magdalena rieb es zwischen ihren Fingern. Dann holte ich aus dem Bad Wasser in einem Zahnputzbecher. Und Magdalena wusch ihm die Füße. Ich hielt das Kreuz ganz nahe an ihren Kopf. Damit sie ihn mit ihren Haaren auch wieder abtrocknen konnte. Völlig trocken wurden seine Füße nicht. Seine Beine waren auch nass geworden. Er war ja ziemlich klein. Und Magdalena wollte nicht, dass ich ihn mit dem Taschentuch trockenrieb. «Dann wirkt es vielleicht nicht», meinte sie.

Nachdem ich ihn wieder hinuntergebracht hatte, fragte ich, woher sie schmutzige Ausdrücke kannte.

«Aus der Klinik», sagte sie. «Du glaubst nicht, was die da für dreckige Worte kennen. Und wenn sie meinen, man schläft, sagen sie die auch. Die Ärzte nicht, aber die anderen Leute. Viele Leute, die krank sind, werden richtig gemein. Ich liege ja meist bei den Großen. Und die schimpfen und fluchen, sie wollen einfach nicht sterben.»

Für einen Moment war sie still, dann sprach sie langsam weiter: «Ich wünsche mir, dass ich nicht mehr nach Eppendorf muss. Obwohl es manchmal nett ist, nicht so langweilig wie hier. Sie haben Spiele. Wenn ich im Bett sitzen kann, bringt die Schwester eins, sie holt dann auch ein paar Kinder, und die spielen mit mir. Es ist Mutter nicht recht. Aber sie traut sich nicht, etwas zu sagen. Einmal hat die Schwester nämlich mit ihr gemeckert. Mutter sagte, ich könnte nicht spielen, ich müsste ruhen. Da hat die Schwester gesagt: ‹Es kommt der Tag, da kann sie ruhen, bis sie schwarz wird. Und bis dahin soll sie spielen, solange sie Lust hat.› Tote werden schwarz, weißt du, und dann kriegen sie Würmer und faulen weg.»

Sie schaute mich nicht an, während sie das sagte. Sie malte mit einem Finger Kreise auf das Laken und erzählte noch mehr. «Da war mal ein Mädchen, die war schon achtzehn. Die hat mir das erklärt. Sie hatte auch Leukämie, aber bei ihr schlug die Behandlung nicht an. Einen Knochenmarkspender haben sie auch nicht gefunden für sie. Sie sagte, sie hätte keine Angst vor dem Tod. Aber ich habe welche.»

Sie malte immer noch Kreise auf das Laken. Aber jetzt hob sie den Kopf und schaute mir ins Gesicht. «Nicht vor dem Tod», sagte sie. «Sterben macht mir nichts aus. Es ist vielleicht besser, wenn man tot ist und nichts mehr wehtut. Wenn sowieso nichts richtig funktioniert und man nicht mal alleine aufs Klo gehen kann, ist es wirklich besser, glaube ich. Nur ... Ich will nicht schwarz werden. Ich will keine Würmer kriegen und wegfaulen. Kannst du dir vorstellen, wie eklig das ist? Ich habe zu Mutter gesagt, sie sollen mich verbrennen lassen. Das machen viele. Es ist auch gar nicht so teuer. Aber Mutter sagte, das geht nicht. Erde zu Erde, hat sie gesagt. Der Erlöser ist auch nicht verbrannt worden.»

Wieder war sie still und schloss für eine Weile die Augen. Ich dachte, sie sei erschöpft vom vielen Reden. Das war sie auch, aber sie wollte mir unbedingt noch etwas sagen. Sie war nur nicht sicher, ob sie mir trauen durfte.

«Was ich dir jetzt sage, kannst du von mir aus Mutter erzählen», begann sie. «Ich hasse ihn! Ich hoffe, er fault jetzt, wo seine Füße nass geworden sind. Holz fault nämlich auch, wenn es nass wird. Deshalb wollte ich ihn waschen. Nur deshalb. Glaub nicht, ich denke, der macht mein Herz gesund. So einen Quatsch erzählen sie einem bloß, damit man den Mund hält und tut, was sie wollen. Ich habe aber keine Lust mehr. Wirst du es Mutter erzählen?»

Ich schüttelte den Kopf.

«Dann sind wir jetzt Freundinnen, ja?», fragte sie.

«Wir sind doch Schwestern», sagte ich. «Das ist mehr als Freundinnen.»

«Ist es nicht», widersprach sie. «Freundinnen mögen sich nämlich immer und Schwestern manchmal nicht.»

«Aber ich mag dich», sagte ich.

Sie verzog ihr Gesicht, es sah fast aus wie ein Lächeln – aber nur fast. Ich glaube, sie wusste genau, dass ich gelogen hatte. Dabei mochte ich sie in dem Moment wirklich. Das sagte ich ihr auch, und sie fragte: «Meinst du, wir könnten auch mal was zusammen spielen?»

«Ich weiß nicht. Was denn?»

«Kennst du das Spiel: Ich sehe was, was du nicht siehst? Dabei muss man sich nicht anstrengen. Das kann man gut spielen, wenn man im Bett liegt.»

Sie erklärte mir das Spiel, dann spielten wir es eine Weile. Im Schlafzimmer gab es nicht viel zu sehen. Uns wurde rasch langweilig. Wir hatten alles schon dreimal durch, da schlug Magdalena vor: «Wir können auch das Wunschspiel spielen, das habe ich mir selbst ausgedacht. Es ist ganz leicht. Man muss nur sagen, was man sich wünscht. Aber es müssen Dinge sein, die man kaufen kann. Also nicht so was wie viele Freunde oder so. Und dann muss man aufzählen, was man damit machen will. Am besten, ich fange mal an, dann siehst du, wie es geht.»

Sie wünschte sich als erstes einen Fernseher. Das kannte sie aus der Klinik. Da waren manchmal Leute, die ein Gerät auf dem Zimmer hatten. Dann wollte sie von morgens bis abends fernsehen. Außerdem wünschte sie sich ein Radio und einen Plattenspieler mit vielen Schallplatten. «Aber Stereo!», sagte sie. «Ich mag Musik so gerne, richtige Musik. Nicht solche, wo nur einer singt.»

«Soll ich Vater fragen, ob er ein Radio kauft? Es gibt ganz kleine, die kann man leicht verstecken.»

Magdalena schüttelte den Kopf. «Das bringt nichts. Wenn er wirklich eins kauft, wo soll ich es denn hier verstecken? Ehe wir uns umsehen, hat Mutter es verbrannt. Außerdem glaube ich nicht, dass er eins kauft. Für dich vielleicht, aber für mich nicht. Der rührt für mich keinen Finger. Er wünscht sich, ich wäre tot.»

«Das ist nicht wahr!», sagte ich.

«Ist es wohl», widersprach sie. «Wenn ich tot bin, kann er bei Mutter schlafen. Alle Männer schlafen bei ihren Frauen. Das tun sie gerne. Ich hab das mal gehört in der Klinik. Da hat ein Mann den Arzt gefragt, wann seine Frau nach Hause kommt und ob er sofort wieder mit ihr schlafen darf. Seine Frau hatte einen Herzinfarkt. Und der Arzt hat gesagt, das dauert noch ein Weilchen. Der Mann war sehr enttäuscht. Vater ist auch sehr enttäuscht. Deshalb ist er immer so unausstehlich.»

Ganz Unrecht hatte sie nicht. Manchmal war Vater wirklich unausstehlich. Nicht zu mir oder zu ihr, nur zu Mutter. Er schrie sie an, wenn sie ihm abends das Essen vorsetzte. Einmal warf er ihr den Teller mit der Suppe nach. «Den Fraß kannst du ins Wohnzimmer tragen. Der Herr stellt ja keine großen Ansprüche. Aber ich will für mein Geld etwas Vernünftiges auf dem Teller haben.»

Dann rannte er hinauf und schloss sich im Bad ein. Als ich später an die Tür klopfte, weil ich mal aufs Klo musste, brüllte er: «Geh in den Garten pinkeln! Ich kann jetzt nicht aufmachen! Ich bin gerade dabei, mir den Schwanz abzureißen. Das kann noch dauern. Er hängt verdammt fest.»

Aber ich mochte ihn trotzdem. Und Magdalena mochte ich auch, an dem Nachmittag ganz bestimmt. Ich wollte nicht, dass sie schwarz wurde und Würmer bekam. Das stellte ich mir genauso eklig vor wie sie. Ich weiß noch, dass ich dachte, es wäre am besten für sie, wenn mein Traum in Erfüllung ginge. Mit einem Bissen von einem großen Wolf verschlungen zu werden, das ging schnell und tat wahrscheinlich auch nicht sehr weh.

Und in der Nacht hatte ich den Traum wieder. Er war ein bisschen anders als beim ersten Mal. Nachdem der Wolf sie gefressen hatte, kam er langsam auf mich zu. Er lief nicht zurück zur Kiste wie beim ersten Mal. Er stand vor mir und schaute mich an. Von seiner Schnauze tropfte noch Magdalenas Blut. Und er drückte mir die Schnauze in den Bauch. Ich dachte, jetzt frisst er mich auch. Aber es sah eher so aus, als wollte er schmusen.

Und dann passierte etwas Komisches. Seine Schnauze verschwand in meinem Bauch. Und das tat überhaupt nicht weh. Auch nicht, als der Rest von ihm in mir verschwand. Die Beine, die Pfoten, der ganze Körper, zuletzt der dicke Schwanz. Und mein Bauch war in Ordnung, es war kein Loch drin. Da wusste ich Bescheid.

Ein paar Wochen vorher hatte ich nämlich auf dem Schulhof gehört, wie zwei Mädchen über einen Mann sprachen, der sich nachts in einen Wolf verwandelte und Leute fraß. Tagsüber war er ein ganz normaler Mensch. Da gab er sich sehr viel Mühe, lieb und nett zu sein, half allen Leuten, und alle mochten ihn leiden. Es quälte ihn furchtbar, dass er so böse war und jede Nacht zur Bestie wurde. Aber er konnte nichts dagegen tun. Es passierte ihm einfach.

Bei mir musste das so ähnlich sein, und Vater wusste das schon seit langem. Er stand neben mir auf der Straße, hatte alles gesehen und war sehr ernst. «Mach dir keine Sorgen», sagte er. «Von mir erfährt niemand etwas. Ich habe mir schon gedacht, dass es irgendwann so kommt. Erinnerst du dich, dass ich an deinem Geburtstag zu dir sagte, du müsstest doch Hunger haben wie ein Wolf? Da habe ich schon damit gerechnet, dass du zum Tier wirst und sie umbringst, bevor sie dir dein Leben wegfrißt.»

An der Stelle wachte ich auf. Ich fühlte mich stark und so mächtig wie die Bestie, von der die Mädchen auf dem Schulhof gesprochen hatten. Nach ein paar Minuten fiel mir auf, dass mein Bett kalt wurde. Ich hatte es nass gemacht und schämte mich so, dass ich weinen musste. Vater wachte auf, kam zu mir, befühlte das Laken und meinte: «Das ist nicht schlimm, Cora. Das kann jedem mal passieren.»

Mein Nachthemd und die Unterwäsche waren auch nass. Vater half mir, alles auszuziehen. Dann durfte ich mich in sein Bett legen, weil es im Zimmer so kalt war.

Minutenlang fühlte Rudolf Grovian sich betrogen. Er wusste beim besten Willen nicht, wie er Cora Benders Verhalten einordnen sollte. Werner Hoß schien es auch nicht zu wissen und hing wie gebannt an ihren Lippen.

Sie faselte mit verhangenem Blick und zuckenden Mundwinkeln von der Mauer im Hirn und dem Tier im Bauch, das bei der einen ein Krebs mit scharfen Scheren war und bei der anderen ein Wolf, der Kinder fraß und in sie hineinkroch. Immer wieder kam der Wolf in den Bauch des Kindes. Aber es tat nicht weh. Es konnte auch nicht wehtun, weil das Kind selbst das Tier war. – Es war ein furchtbares Kind. Es machte das Bett nass, um bei Vater zu sein. Es hatte den Erlöser erstochen, weil er nicht faulen wollte. Sechs- oder siebenmal hatte es das Zitronenmesser in ihn gestoßen! Und der Erlöser hatte das Kind angeschaut. Und er hatte gesagt: «Dies ist mein Blut, das für deine Sünden vergossen wird.» Und mit seinem Blut auf dem Gesicht war das Kind frei gewesen, erlöst von dem Fluch, den der Erzengel ausgesprochen hatte.

Mit dem Blut des Erlösers auf Brust und Bauch hatte das Kind erkannt, Johnny war nie ein Engel gewesen. Sein Freund hatte ihn Böcki genannt. Er war Satan. Er führte das Weib durch die Schlange in Versuchung. Und als es am Boden lag, kam der Tiger. Im Bauch des Weibes war kein Platz mehr für ihn. Da stopfte er dem Weib seinen Schwanz in den Mund. Und als es ihn biss, schlug er zu.

Er hatte Pranken aus Kristall, in denen sich das bunte Licht brach. Dann kam die Dunkelheit, das große Vergessen. Und das Vergessen war der Tod. Und der Tod war der Traum. Und der Traum lag hinter der Mauer im Hirn. Es war alles ganz einfach, man musste es nur wissen.

Jetzt wusste sie es. Jetzt überschaute sie das alles und erkannte die Zusammenhänge. Jetzt wusste sie sogar, warum es so grausam gewesen war, wenn Gereon vorher noch eine Zigarette geraucht hatte. Es lag am Aschenbecher, der hatte das Licht ausgeschaltet und das Lied heraufbeschworen.

Für das Aufnahmegerät sprach sie zu leise. Rudolf Grovian, der näher bei ihr war, verstand sie trotzdem und fühlte sich verdammt elend; hilflos, unsicher, überfordert und ein bisschen wütend. Er traute ihr durchaus zu, eine Wahnsinnsshow abzuziehen, um ihr Ziel zu erreichen, in Ruhe gelassen zu werden. Aber hundertprozentig sicher war er nicht.

Dies ist mein Blut, dachte er und: Vater, vergib ihr! Ihm war nach einem Fluch. Der Erlöser und ein Zitronenmesser. Satan in der Gestalt eines Liebhabers. Religiöser Wahnsinn! Wenn zutraf, was sie über ihre Kindheit erzählt hatte, musste man das einkalkulieren und noch einiges mehr. Dann durfte sich niemand wundern, wenn sie als Nächstes erzählte, ein Engel des Herrn habe ihr den Befehl gegeben, Männer zu töten, die ihre Frauen in der Öffentlichkeit küssten.

Er hob die Hand, wollte Hoß ein Zeichen geben, dass er das Verhör abbrach. Da schüttelte sie sich, richtete sich auf dem Stuhl auf und erklärte mit ruhiger Stimme und in normaler Lautstärke: «Entschuldigung. Ich war nicht ganz bei der Sache. Wir hatten zuletzt von Frankie gesprochen, nicht wahr? Frankie war der Name! Ich wusste nicht, woher ich ihn kannte. Aber es fiel mir gerade wieder ein. Der Mann in Köln nannte ihn so.»

Sie nickte, als müsse sie sich das selbst bestätigen, etwas eifriger fuhr sie fort: «Jetzt weiß ich auch wieder, wie seine Freunde hießen. Nicht die Leute aus Köln, an die Namen kann ich mich im Moment wirklich nicht erinnern. Aber die beiden anderen, die zusammen mit uns im Keller waren. Ich weiß natürlich nicht, wie sie wirklich hießen. Ich weiß nur, wie sie sich nannten. Böcki und Tiger.»

Sie lachte leise, hob verlegen die Achseln an und räumte ein: «Klingt blöd, ich weiß. Aber ich habe das so gehört. In Köln, als Frankie und der Mann über die beiden sprachen.»

Rudolf Grovian fasste es nicht und wusste auch nicht, wie er es einschätzen sollte. Sie war wieder voll da. Und der neuerliche Wandel machte den Verdacht auf ein Schmierenstück zunichte. Welchen Grund sollte sie haben, einen gelungenen Auftritt abzubrechen? Also ein geistiger Ausrutscher. Und es mochte bereits der zweite an diesem Tag gewesen sein. Beim ersten war ihr nur zusätzlich die Hand mit dem Messer ausgerutscht.

Er konnte sich nicht aufraffen, sie zu unterbrechen, wusste nicht mehr, was er glauben sollte oder durfte. Sie erzählte mit beherrschter Stimme von ein paar Tagen in Köln. Von dem verzweifelten Versuch, Horsti alias Johnny beziehungsweise Georg oder Frankie zurückzugewinnen. Wie er sie abserviert hatte, so kalt und gnadenlos. Wie seine Freunde, dieses junge Ehepaar, ihr halfen. Wirklich nette Leute, sehr verständnisvoll, rührend besorgt. Morgen fiel ihr der Name garantiert ein. Heute hatte sie es nicht so mit Namen, es war vielleicht verständlich, es war ein furchtbarer Tag gewesen.

Es war ein paar Minuten nach Mitternacht, als das Telefon auf dem vorderen Schreibtisch klingelte. Beim ersten Ton zuckten sie alle drei zusammen. Sie sprach noch und unterbrach sich mitten im Satz. Werner Hoß nahm mit offensichtlicher Erleichterung den Hörer ab, sagte kurz: «Ja», lauschte ein paar Sekunden und warf Rudolf Grovian einen sonderbaren Blick zu.

Sie war ebenfalls erleichtert über die Unterbrechung, schaute zu, wie der Chef nach dem Hörer griff. Eine kurze Verschnaufpause, die Bruchstücke sortieren. Es sah wüst aus in ihrem Hirn. Die Mauer brach. An manchen Stellen gab es schon breite Risse, da schimmerte etwas durch. Die weiße

Halle mit den kleinen grünen Steinen im Fußboden, die Treppe und das Fleckenbild gehörten hinter die Mauer. Und sie waren nur der Auftakt gewesen. Am Ende der Treppe lag ein Raum, in dem buntes Licht flackerte.

Hineingefallen war sie nicht, aber sie hatte einen Blick hinuntergeworfen und weißes Pulver auf einem Handrücken gesehen. Und den Biss in eine Zitrone. Eine Pranke aus Kristall. Böcki und Tiger. Es war grausam, und es war lächerlich. Ein Wunder, dass der Chef nicht gelacht hatte.

Ganz klein vor Angst und Sorge, betrachtete sie sein Gesicht. Zuerst huschte ein Ausdruck von Erstaunen darüber, dann Genugtuung, seine Stimme troff über davon.

«Es muss nicht sein», sagte er. «Es reicht, wenn Sie am Vormittag kommen. Um zehn Uhr?» Er horchte wieder, lächelte sogar. «Ja, gut, wenn es Ihnen so wichtig ist. Es ist nicht die erste Nacht, die ich mir um die Ohren schlage.»

Nachdem er aufgelegt hatte, schickte er zuerst ein bedeutsames und wie um Vergebung bittendes Nicken an den Mann im Sportanzug, dann eins in ihre Richtung. In sein Lächeln mischte sich Mitleid. Er zeigte auf das Telefon. «Ein junges Ehepaar?», fragte er. «Freunde von Georg Frankenberg?» Er seufzte und sagte gedehnt: «Frau Bender!»

Dann sprach er weiter mit väterlicher Gönnerhaftigkeit: «Warum haben Sie uns nicht einfach gesagt, dass Ihre Tante in Köln lebt? Sie sind im Dezember vor fünf Jahren zu Ihrer Tante geflüchtet. Es gab kein junges Ehepaar. Das gerade war Ihre Tante, Frau Bender.»

Sie schüttelte den Kopf. Das hätte sie besser gelassen. Sie spürte weitere Brocken aus der Mauer fallen und wie sie darüber stolperte, wie sie abrutschte, ein paar Treppenstufen hinunter. Es gab nirgendwo einen Halt. Sie bemühte sich zwar, indem sie sich an Margret klammerte und schrie: «Nein! Das stimmt nicht! Meine Tante hat nichts damit zu tun. Sie hatte nie etwas mit mir zu tun. Da fällt mir gerade ein, wie die Leute hießen, die Frau hieß Alice. Und der Mann ... warten Sie, es fällt mir sofort ein. Er hieß ... Er war ... O Scheiße, verfluchte Scheiße, wo ist das denn hin? Gerade wusste ich es noch. Er ... Er wollte sich selbständig machen mit einer Gemeinschaftspraxis, das hat er mir erzählt.»

Scheiße, dachte auch Rudolf Grovian, zu mehr reichte es nicht. Winfried Meilhofer und Alice Winger, der See! Und sie schrie weiter: «Was hätte ich denn bei meiner Tante suchen sollen? Meinen Sie wirklich, ich hätte eine Frau angerufen, die ich kaum kannte, damit sie mir hilft?»

«Ja», sagte er, es klang gepresst von Enttäuschung und Frustration. «Und das meine ich nicht nur. Ihre Tante hat es mir gerade so erklärt. Und damit stellt sich uns die Frage, wo Sie die Namen Frankie, Böcki und Tiger tatsächlich gehört haben. Nicht von einem Mann in Köln. Sie haben diese Namen heute Nachmittag am See aufgeschnappt, habe ich Recht?»

Sie starrte ihn mit konzentriert gerunzelter Stirn an. Es schien fast, dass sie angestrengt über seine Frage nachdachte. Aber sie antwortete nicht. Es war auch überflüssig. Alles war in Frage gestellt, alles wieder offen. Wie ein Idiot war er ihr auf den Leim gegangen! Und warum, verdammt nochmal? Weil sie ihm exakt das erzählte, was er eingangs für die einzig rationale Erklärung gehalten hatte – eine wunderhübsche Liebesgeschichte mit tragischem Ausgang. Er seufzte und winkte ab. «Machen wir Schluss.»

«Nein!» Sie hielt sich nur mit Mühe auf dem Stuhl, das sah er. Mit beiden Händen umklammerte sie die Sitzlehne. «Ich kann das alles nicht noch einmal. Wir bringen es jetzt zu Ende.»

«Nein», sagte er ebenfalls und sehr bestimmt. «Ich habe genug für heute. Ich rufe die Kollegen. Die können Sie für die Nacht unterbringen. Eine Portion Schlaf wird Ihnen gut tun. Sie sagten ja eben, dass Sie sehr müde sind.»

«Das war doch nur so gesagt. Ich bin überhaupt nicht

müde», beteuerte sie und fragte im gleichen Atemzug: «Was wollte Margret? Warum hat sie angerufen?»

«Sie will mit uns reden», sagte er und fand, es wurde allerhöchste Zeit, mit einem Mitglied ihrer Familie zu sprechen. «Und das ist ihr so wichtig, dass sie damit nicht bis morgen warten kann. Sie kommt her.»

«Sie müssen sie wieder wegschicken», verlangte sie beschwörend. «Mit Margret vertrödeln Sie nur Ihre Zeit. Sie kann Ihnen nichts sagen. Niemand kann Ihnen etwas sagen, nur ich.»

Rudolf Grovian lächelte freudlos. «Und Sie haben für heute genug gesagt, glaube ich. Da brauchen wir drei Tage, um das zu sortieren. Mal sehen, ob Ihre Tante uns dabei helfen kann.»

Wieder schüttelte sie den Kopf, noch etwas heftiger diesmal. Und es ging noch ein paar Stufen hinunter. «Das kann sie nicht! Ich habe ihr nie etwas erzählt. Ich habe keinem Menschen etwas davon erzählt. Ich habe mich viel zu sehr geschämt. Sie haben kein Recht, Margret Fragen zu stellen. Wenn ich Ihnen doch sage, dass sie nichts weiß.»

Sie sprang vom Stuhl auf, es half nicht viel. Der Körper kam zwar in die Höhe, das Hirn nicht. Das rutschte die letzten Stufen hinunter und tauchte mitten hinein in das zuckende Licht. Sie blinzelte heftig und bettelte: «Lassen Sie Margret in Ruhe, bitte. Sie hat nichts Schlimmes getan. Niemand hat etwas Schlimmes getan, nur ich. Ich bin eine Mörderin, glauben Sie mir. Ich habe ein unschuldiges Kind getötet. Das ist die Wahrheit. Und Frankie! Ihn natürlich auch. Aber ich musste ihn doch umbringen, weil er ...»

Sie geriet ins Stammeln, gestikulierte hektisch und hilflos mit beiden Händen, als könne sie auf diese Weise den Wahrheitsgehalt ihrer Behauptungen unterstreichen und ihn zwingen, ihr noch ein paar Minuten seiner Zeit zu widmen. «Er hat ... Er wusste nicht, wie er es machen muss. Ich habe ihm gesagt, er muss aufpassen. Er hat nicht auf mich gehört. Ich habe ihm gesagt, er muss aufhören. Er hat sich nicht darum gekümmert. Wissen Sie, was er getan hat?»

Natürlich wusste Rudolf Grovian es nicht, aber er konnte es sich lebhaft vorstellen. Anscheinend versuchte sie, ihn mit ihrem Gestammel erneut auf Schwangerschaft und Fehlgeburt festzunageln. Dazu passte jedoch nicht, was danach kam.

«Er hat sich auf sie geworfen», keuchte sie atemlos und heftig blinzelnd. «Er hat sie geküsst. Und er hat sie geschlagen. Immer abwechselnd geküsst und geschlagen. Und dabei schrie er: Amen! Amen! Amen! Er war verrückt, ich nicht. Er hat so lange auf sie eingeschlagen, bis sie tot war. Ich habe gehört, wie ihre Rippen brachen. Es war furchtbar, es war so grauenhaft. Ich wollte ihr helfen, aber sie haben mich festgehalten. Der eine lag auf mir, der andere hielt meinen Kopf fest und steckte mir sein Ding in den Mund. Ich habe ihn gebissen, und ...»

Das Licht flackerte noch einmal, ehe es erlosch. Und sie wusste nicht weiter. Der Chef starrte sie an. Der Mann im Sportanzug sprang auf und mit zwei Sätzen auf die Tür zu. Er verließ den Raum. Das Aufnahmegerät lief noch, hatte jedes ihrer Worte aufgezeichnet, hielt auch den Rest fest.

«Rufen Sie ihn zurück!», schrie sie. «Es darf jetzt keiner weggehen. Lassen Sie mich nicht allein. Bitte! Das halte ich nicht aus. Helfen Sie mir! Um Gottes willen, helfen Sie mir. Holen Sie mich hier raus. Ich kann nicht im Keller sein. Ich sehe nichts mehr. Schalten Sie das Licht wieder ein. So helfen Sie mir doch!»

Alles verwischte sich. Der Chef stand nur da und rührte sich nicht. Er hätte etwas tun müssen. Irgendetwas. Ihren Arm nehmen, ihre Hand halten, sie zurück zur Treppe führen. Oder wenigstens das Licht wieder einschalten, damit sie allein zur Treppe zurückfand. Es war so dunkel, nur ein paar grüne, blaue, rote und gelbe Blitze zuckten noch durch den

Raum und zerrten Bruchstücke aus der Finsternis. «Loslassen», keuchte sie. «Geh runter von ihr, lass sie in Ruhe. Aufhören! Hört auf, ihr Schweine! Lasst mich los!»

Rudolf Grovian konnte nicht reagieren, er war zu schockiert von seinem Begreifen. Was sie da von sich gab, klang nach Vergewaltigung, und was sie zuvor gestammelt hatte, klang nach Mord. Und sie hatte ein zweites Mädchen erwähnt, das dumm genug gewesen war, sich ihnen anzuschließen. Es war wohl doch nicht so aus der Luft gegriffen, wie er sekundenlang angenommen hatte.

Er sah, wie sie mit einer Hand vor ihrem Unterleib fuchtelte und mit der anderen vor ihrem Gesicht, als wolle sie etwas von sich wegschieben. Dabei würgte sie. Ohne Zweifel erlebte sie gerade noch einmal, was sie ihm zu erklären versuchte.

Er sah, wie sie einen Arm hochriss, als wolle sie sich vor etwas schützen. Wie sie mit beiden Händen an den Kopf griff und schrie: «Nein!» Er sah, dass sie schwankte, dass ihr verzerrtes, aufgequollenes Gesicht plötzlich erschlaffte. Aber er war nicht schnell genug bei ihr. Es waren nur zwei Schritte, und trotzdem lag sie auf dem Fußboden, bevor er sie erreichte und ihren Sturz auffangen konnte.

Es war zu plötzlich gekommen. Im ersten Moment konnte er gar nicht reagieren. Dann schlug er mit der Faust gegen sein Bein. Am liebsten hätte er sich auch gegen den Kopf geschlagen, sich in den Hintern getreten, wenn er ihn nur hätte erreichen können. Das war sein Albtraum. Keinen Arzt gerufen, trotz der Schlagspuren in ihrem Gesicht, trotz der Aussage eines jungen Arztes: «Ich dachte, er schlägt sie tot.»

Hirnblutung, schoss es ihm durch den Kopf. Und endlich kniete er neben ihr und hob ihren Kopf an. Dass er zu flüstern begann, wurde ihm nicht bewusst. «Na, komm schon, Mädchen, steh auf. Tu mir das nicht an. Komm schon. Komm schon! Du warst doch okay.»

Auf ihrer Stirn zeichnete sich ein roter Fleck von der Größe eines Handtellers ab. Er schob mit zitternden Fingern ihr Haar zurück, um nach weiteren Verletzungen zu suchen, wohl wissend, dass er nur mit den Augen keine schwer wiegenden entdecken konnte.

Aber er sah die Einbuchtung im Schädelknochen und die gezackte weiße Linie direkt am Haaransatz. Ihr Atem ging flach, aber gleichmäßig. Er hob ihr linkes Augenlid an, genau in dem Moment, in dem Werner Hoß den Raum wieder betrat, dicht gefolgt von den beiden Kollegen, die sie für den Rest der Nacht in Verwahrung nehmen sollten. Hoß griff sofort nach dem Telefon.

«Sie sackte einfach weg», sagte Rudolf Grovian hilflos. «Ich hab zu spät reagiert.»

Zehn Minuten später traf der von Werner Hoß alarmierte Arzt ein. Es waren höllische Minuten für Rudolf Grovian. Zwar kam sie zu sich, noch bevor Hoß den Hörer aufgelegt hatte, aber es schien kein Funken Leben mehr in ihr. Wie eine Stoffpuppe ließ sie sich vom Boden aufheben und auf einen Stuhl setzen. Und als er ihr die Hand auf die Schulter legen, als er irgendetwas sagen wollte, schlug sie mit schwachen fuchtelnden Bewegungen nach ihm und schluchzte: «Gehen Sie weg. Warum haben Sie nicht aufgehört? Warum haben Sie mir nicht geholfen? Es ist alles nur Ihre Schuld.»

Dann wandte sie sich an Berrenrath und bettelte: «Können Sie ihn rauswerfen, bitte? Er macht mich verrückt. Er hat mir die Mauer kaputtgemacht. Das halte ich nicht aus.»

Rudolf Grovian sah sich gezwungen, den Raum zu verlassen, damit sie sich wieder beruhigte. Werner Hoß folgte ihm auf den Flur, räusperte sich mehrfach, ehe er sich erkundigte: «Wie ist das denn passiert?»

«Na, wie soll das passiert sein», fauchte Rudolf Grovian. «Sie hat's doch gesagt. Ich habe nicht aufgehört und ihre Mauer kaputtgemacht.»

Hoß ließ ein paar Sekunden verstreichen, ehe er fragte: «Und was halten Sie von der Story?»

«Weiß ich noch nicht. Aus den Fingern gesogen hat sie sich das jedenfalls nicht. Ich habe noch nie erlebt, dass einer übers Flunkern zu Boden geht.»

«Ich auch nicht», sagte Hoß unbehaglich. «Dabei hätte ich geschworen, dass sie uns nach Strich und Faden belogen hat.»

Das Eintreffen des Arztes entband Rudolf Grovian von einer Antwort. Zu dritt betraten sie den Raum wieder. Sie saß unverändert auf dem Stuhl. Berrenrath stand neben ihr und hatte ihr eine Hand auf die Schulter gelegt. Ob er sie damit zu trösten oder zu stützen versuchte, war nicht zu erkennen.

Aber Halt brauchte sie anscheinend nicht mehr. Kaum hatte sie den Neuankömmling registriert, streifte sie die Apathie ab und protestierte erst einmal gegen das Erscheinen eines Weißkittels. Ihre Stimme klang lahm vor Benommenheit und Verwirrung, aber es ging ihr gut, es ging ihr blendend. Sie hatte weder Kopfschmerzen noch sonst was. Eine Spritze brauchte sie auf keinen Fall.

Der Arzt überprüfte ihre Reflexe, diagnostizierte nach einem langen Blick in ihre Pupillen einen simplen Schwächeanfall und sprach dabei mit Engelszungen auf sie ein. Dass ihr eine Injektion gut täte. Nur etwas für den Kreislauf, ein harmloses Stärkungsmittel, das sie wieder auf die Beine brachte.

Sie lachte hysterisch, verschränkte zuerst die Arme vor dem Leib, mit beiden Händen hielt sie ihre Taille umklammert. «Sparen Sie sich das Gesülze. Ich weiß, was Sie von mir wollen. Sie wollen nur an meine Arme.»

Dann streckte sie ihm abrupt beide Arme entgegen. «Bitte, bedienen Sie sich. Suchen Sie sich eine Vene aus, wenn Sie eine finden. Wollen Sie auch eine Blutprobe nehmen? Tun Sie's lieber, sonst kriegen Sie am Ende noch Ärger. Wer weiß denn, was ich mir heute Morgen reingezogen habe.»

Der Arzt klopfte eine Weile auf ihre Armbeugen und entschied sich für den Handrücken. Er machte eine Bemerkung über eine Haut wie Leder, alte Narben und dass er solche Krater noch nie gesehen habe.

Rudolf Grovian hörte es zwar, aber er war zu erleichtert über ihre Reaktion, um auf der Stelle seine Schlüsse zu ziehen. Eine halbe Stunde später saß er ihrer Tante gegenüber.

Für Margret Rosch war es ein zäher Kampf gewesen. Hartnäckig sein, obwohl es um etwas ging, wovon sie lieber nichts gehört hätte. Sich nicht abspeisen lassen, obwohl es verlockend war. Es wieder und wieder versuchen, bis endlich ein Anruf durchgestellt wurde.

Sie bestand darauf, ihre Nichte zu sehen. Rudolf Grovian vertröstete sie auf später. Augenblicklich lag Cora Bender in einem der Nebenräume. Der Arzt war noch bei ihr, zusammen mit Berrenrath, um dessen Anwesenheit hatte sie gebeten. «Ich nehme an, dass mich einer von Ihnen bewachen muss. Sind Sie so nett und übernehmen den Posten? Sie sehen in diesem Haufen aus wie ein Mensch.»

Werner Hoß hatte noch einmal frischen Kaffee aufgebrüht. Zwei Tassen davon nahm Rudolf Grovian mit in das Büro, in das er Margret Rosch führte. Sie machte auf ihn einen fassungslos betroffenen, aber resoluten Eindruck. Eine attraktive Person, Mitte fünfzig, mittelgroß, kräftige Figur. Dichtes Haar vom gleichen Farbton wie das ihrer Nichte, rötlich braun. Auch das Gesicht wies eine Familienähnlichkeit auf.

Die wichtigste Frage, ob es bei ihrer Nichte jemals Anzeichen einer geistigen Störung, Verwirrtheitszustände oder dergleichen gegeben hätte, beantwortete Margret Rosch mit einem energischen Kopfschütteln. Und bevor sie weitere Auskünfte gab, verlangte sie ihrerseits welche.

Es gab keinen Grund, ein Geheimnis aus den Tatsachen zu

machen. Er umriss die Sachlage in ein paar knappen Sätzen. Sie hörte mit steifem Gesicht zu. Als er zum Ende kam, gab es die ersten Antworten.

Der Name Georg Frankenberg sagte ihr nichts. Horsti und Frankie riefen nur ein Achselzucken hervor. Johnny dagegen war ihr ein Begriff. Cora hatte ein einziges Mal über ihn gesprochen und ihn bei dieser Gelegenheit als den Erzengel bezeichnet, der die Menschen aus dem Paradies vertrieb. «Und ihnen gingen die Augen auf, und sie erkannten, dass sie nackt waren.»

Sein Freund nannte ihn Böcki, dachte Rudolf Grovian, er war Satan, führte das Weib durch die Schlange in Versuchung. Und dann kam der Tiger. Er hatte Pranken aus Kristall.

Natürlich klang es verrückt. Aber die Kerbe in ihrer Stirn und die Narbe hatte er mit eigenen Augen gesehen. Und sie hatte auch einen Aschenbecher erwähnt. Man brauchte nicht viel Phantasie, um sich vorzustellen, was in diesem Keller abgelaufen war. Und wer sich einen Diskoabend mit dem Auge Gottes in freier Natur hatte erschwindeln müssen, packte vermutlich auch eine bittere Erfahrung in Bibelsprüche.

Ob Johnny mit Nachnamen Guitar oder Saxophon genannt worden war, wann Cora Bender ihn kennen gelernt und was genau sie mit ihm erlebt hatte, wusste ihre Tante nicht. Dennoch bestätigte sie indirekt das Gestammel ebenso wie die klar verständlichen Passagen.

Es war vor fünf Jahren gewesen. Im Mai hatte ihr Bruder Margret Rosch angerufen. Er machte sich Sorgen um seine Tochter, vermutete, sie sei in schlechte Gesellschaft geraten.

«Ich habe ihn nicht ernst genommen», sagte Margret Rosch. «In einem Haus, in dem ein Fernseher Teufelswerk ist, ist jeder junge Mann schlechte Gesellschaft.»

Doch so unbegründet, wie sie gedacht habe, seien die Befürchtungen ihres Bruders nicht gewesen, erklärte sie. Im

August sei Cora verschwunden und drei Monate wie vom Erdboden verschluckt gewesen. Erst im November habe sich ein Arzt bei Wilhelm gemeldet.

Laut Auskunft dieses Arztes hatte man Cora ein paar Wochen zuvor gefunden, irgendwo am Straßenrand. Sie war furchtbar misshandelt worden und bis dahin ohne Bewusstsein gewesen. Später erzählte sie, sie sei vor ein Auto gelaufen. Der Arzt vermutete jedoch aufgrund ihrer Verletzungen, man habe sie aus einem fahrenden Auto auf die Straße geworfen.

Rudolf Grovian fühlte sich etwas leichter. Was Margret Rosch ihm sonst noch bot, passte ebenfalls ins Bild. Sie sprach von einem Trauma. Was immer ihrer Nichte angetan worden war, Cora konnte nicht darüber reden. Den Selbstmordversuch konnte man damit ins Reich der Fabel schieben, die Schwangerschaft vermutlich auch. Er versuchte, Gewissheit über diesen Punkt zu erhalten. «Ihre Nichte hat wiederholt behauptet, sie habe ein unschuldiges Kind getötet.»

Margret Rosch lachte nervös. «Das hat sie mit Sicherheit nicht. Sie hatte kein Kind.»

«Ich denke auch eher an eine Schwangerschaft», sagte er.

«Sie meinen eine Abtreibung?» Margret Rosch schüttelte den Kopf. «Das kann ich mir nicht vorstellen. Nicht bei Cora.»

«Es könnte eine Fehlgeburt gewesen sein», sagte er. «Wenn sie misshandelt wurde, wäre das nicht verwunderlich. Ist Ihnen der Name des Arztes bekannt, der Ihre Nichte damals behandelt hat?»

«Nein. Ich weiß auch nicht, in welcher Klinik sie behandelt wurde.»

«Sie sagte, sie sei nicht in einer Klinik ...»

Margret Rosch lachte unfroh und unterbrach ihn damit. «Sie sagte! Fragen Sie nicht Cora. Sie hat diese Sache völlig verdrängt. Wissen Sie, was ein Trauma ist?»

Er dachte an eine Mauer im Hirn, die er mit seinen Fragen eingetreten hatte, und nickte kurz. Und Margret Rosch meinte: «Gut, dann fragen Sie Ihren Verstand. Ich kenne eine Menge Ärzte, auch engagierte Ärzte. Aber es ist keiner dabei, der ein schwer verletztes Mädchen ohne Bewusstsein vom Straßenrand aufhebt und mit zu sich nach Hause nimmt. Das wäre verantwortungslos. Ich weiß nicht, warum sie Ihnen das so erzählt hat. Vielleicht wünscht sie sich, es wäre einer für sie da gewesen. Einer, der wirklich einmal etwas für sie tut. Sie war immer ziemlich auf sich allein gestellt.»

Das klang logisch. Die nächste Frage. Er hatte die Bemerkung des Arztes über die zerstochenen Arme nicht vergessen. «Hatte Ihre Nichte jemals mit Drogen zu tun?»

Es vergingen ein paar Sekunden, ehe Margret Rosch zögernd nickte. «Mit Heroin, aber nur kurz. Das muss in der Zeit passiert sein. Ich nehme an, Johnny hat es ihr gegeben, um sie sich gefügig zu machen. Selbst gespritzt hat sie auf keinen Fall. Sie wusste nicht, wie man mit dem Zeug umgeht.»

Margret Rosch seufzte. «Als sie zu mir kam, war sie in einem elenden Zustand. Sie meinte, es seien Entzugserscheinungen, aber damit hatte es nichts zu tun. Sie hatte grauenhafte Albträume. Immer kurz vor zwei in der Nacht. Man konnte die Uhr danach stellen. Ich gab ihr regelmäßig Resedorm. Ebenso gut hätte ich ihr Traubenzucker geben können. Pünktlich um fünf Minuten vor zwei saß sie auf der Couch, schlug um sich und schrie sich die Lunge aus dem Leib: Aufhören! Hört auf, ihr Schweine! Sie war nicht wach und auch nicht wach zu bekommen. Wenn ich sie ansprach, stammelte sie etwas von einem Keller, von Würmern, Tigern und Ziegenböcken.»

Rudolf Grovian hörte es mit Interesse und fühlte weitere Steine von seinem Herzen purzeln. Böcki und Tiger, die Namen hatte er ihrer Tante nicht genannt. Und es war eine Sache, eine junge Frau mit Fragen in den Wahnsinn zu treiben. Es war eine ganz andere Sache, diese junge Frau mit Fragen an einen Punkt zu bringen, an dem Erinnerungen aufbrachen, die letztendlich ein Motiv lieferten.

«Ich habe sie mehrfach aufgefordert, zu einem Arzt zu gehen», fuhr ihre Tante fort. «Das lehnte sie ab, und zwingen mochte ich sie nicht. Aber sie brauchte dringend Hilfe. Ich habe ihr schließlich Psychopharmaka ins Essen gemischt. Nach ein paar Monaten ging es ihr besser, sie schlief nachts durch und erholte sich auch körperlich.»

Margret Rosch schwieg ein paar Sekunden lang und wollte dann wissen: «Was ich Ihnen hier erzähle, das erfährt sie doch nicht, oder? Wenn Sie ihr sagen, dass ich Sie über das Heroin informiert habe, macht Cora die Tür zu. Dafür garantiere ich. Nichts ist ihr wichtiger, als das unter Verschluss zu halten. Am besten wäre, wenn Sie es gar nicht erwähnen. Es ist doch auch nicht nötig, ihr das noch einmal vorzuhalten. Es ist lange her. Sie hat Ihnen bereits eine Menge erzählt, wahrscheinlich den Anfang der Geschichte. Johnny wird sich ja nicht gleich wie ein Tier benommen haben. Vielleicht kann ich sie dazu bewegen, Ihnen auch noch etwas vom Ende zu erzählen. Ich weiß nicht, an wie viel oder ob sie sich überhaupt erinnert. Aber es wäre einen Versuch wert. Erlauben Sie mir, mit ihr zu sprechen?»

Er nickte, vertröstete sie erneut auf später und tastete sich langsam voran. Elternhaus, Kindheit. Er wollte nur eine Bestätigung für die fanatisch religiöse Mutter und den Vater, der dem Wahnsinn nicht hatte die Stirn bieten können. Vielleicht noch ein wenig zu dem, was ihm im Hinterkopf tickte. Kindesmissbrauch?

Doch kaum hatte er die ersten Fragen zu Cora Benders Kindheit gestellt, ging mit ihrer Tante eine seltsame Verwandlung vor. Die Bereitwilligkeit und der Eifer lösten sich in Wohlgefallen auf.

«Dazu kann ich nicht viel sagen. Ich hatte kaum Kontakt zur Familie meines Bruders. Ich konnte mich mit den Verrücktheiten meiner Schwägerin nicht auseinander setzen. Wenn ich sie besuchte, machte Cora auf mich einen normalen Eindruck. Meine Schwägerin ließ ihr nicht viel Freiraum. Aber Cora schaffte es, sich gegen ihre Mutter zu behaupten. Manch ein Kind wäre unter dem ständigen Druck zerbrochen, Cora dagegen ... wie soll ich das ausdrücken? Sie wuchs daran. Sie war immer sehr reif für ihr Alter, sehr verständig und verantwortungsbewusst. Sie übernahm schon früh Pflichten im Haushalt. Nicht weil sie dazu aufgefordert wurde, sondern weil sie sah, dass ihre Mutter damit nicht zurechtkam. Man könnte sagen, sie übernahm die Rolle der Erwachsenen.»

Und was war mit der Rolle im Ehebett gewesen? All die auffälligen Zeichen! Bettnässen mit neun. Und mit neunzehn Heroin! Missbrauchte Kinder endeten häufig so, das wusste Margret. Aber Wilhelm war immer ein anständiger Kerl gewesen, das wusste sie auch. Und jetzt war er ein alter Mann, ausgelaugt und müde vom erbärmlichen Leben. Manchmal rief er an. «Wie geht es Cora?» Er freute sich immer, zu hören: «Es geht ihr gut.»

Fast eine Stunde saß Margret Rosch mit Rudolf Grovian zusammen. Von dem, was ihr neben der Fassungslosigkeit durch den Kopf ging, erfuhr er nichts. Auch der Name Magdalena fiel nicht einmal. Irgendwann kam die Frage: «Wann kann ich denn nun endlich meine Nichte sehen?»

Er erhob sich. «Ich schau mal, wie weit die Kollegen sind.»

Die Kollegen standen auf dem Gang herum. Er wollte nur sehen, in welchem Zustand Cora Bender sich befand. Sie saß wieder aufrecht, als er den Raum betrat. Berrenrath stand am Fenster und unterhielt sich mit dem Arzt. Und der Arzt hatte eine Miene aufgesetzt, die ihn unwillkürlich an die Bemerkung Winfried Meilhofers denken ließ; das göttliche Strafgericht.

Da musste der richtige Eindruck entstanden sein. Die Polizei und ihre brutalen Verhörmethoden. Eine bewusstlose junge Frau mit zerschlagenem Gesicht.

«Ihre Tante möchte Sie sehen, Frau Bender», sagte er.

Sie starrte ihn an, als wolle sie sich mit ihren Blicken in sein Hirn bohren.

«Die Frau braucht Ruhe», protestierte der Arzt.

«Quatsch», widersprach sie. Eben haben Sie mir noch erzählt, dass mich Ihr Mittelchen wieder munter macht. Das hat es getan. Ich war noch nie in meinem Leben so wach.» Sie schaute zu Rudolf Grovian auf. «Was hat sie Ihnen erzählt?»

«Ich hole sie», sagte er nur.

Zwei Minuten später betrat er den Raum erneut. Margret Rosch war dicht hinter ihm. Er winkte Berrenrath und den Arzt hinaus. Er selbst blieb, hielt sich jedoch im Hintergrund und beobachtete schweigend. Margret Rosch blieb mitten im Raum stehen. Und er sah die Panik in Cora Benders Gesicht, hörte die raue, gedrängte Stimme: «Was hast du ihm erzählt?»

«Nichts», log ihre Tante. «Mach dir keine Sorgen. Ich bin nur hier, um dich zu sehen. Aus deinem Besuch morgen wird ja leider nichts. Ich hatte mich darauf gefreut. Wie geht es dem Kleinen?»

Sie sprach, als mache sie einen Besuch am Krankenbett, als ginge es nur um ein gebrochenes Bein. Doch so rasch war Cora Benders Misstrauen offenbar nicht zu besänftigen.

«Gut. Hast du wirklich nichts gesagt?»

«Nein. Was soll ich denn gesagt haben?»

«Was weiß ich! In so einer Situation erzählt man eine Menge Blödsinn. Das habe ich auch getan. Vom Erlöser, der büßenden Magdalena und dem ganzen Quatsch.»

Margret Rosch schüttelte den Kopf. «Nein, kein Wort.»

Cora Bender sackte vor Erleichterung ein wenig in sich zusammen und wechselte das Thema. Ob sie sich hatte beschwichtigen lassen oder einen bestimmten Zweck verfolgte, wagte er nicht zu beurteilen. Es klang bedrückt und aufrichtig und passte zu dem Verhalten, das sie am See gezeigt hatte. Berrenrath hatte von ihrer Sorge um die Ohren des Kindes berichtet.

«Hat Gereon dich angerufen?», wollte sie wissen.

Margret Rosch nickte, und sie erkundigte sich: «Wie geht es ihm? Hat er etwas von seinem Arm gesagt? Ich habe ihn gestochen, zweimal, glaube ich. Einer von den Sanitätern am See hatte ihn verbunden. Es war ein ziemlich großer Verband, ging über den ganzen Unterarm. Hoffentlich kann er damit arbeiten. Im Moment ist so viel zu tun. Manni Weber schafft das nicht allein. Und den Alten kannst du vergessen. Du weißt ja, wie er ist. Er hat eine große Klappe, aber er kann einen Schraubenzieher nicht von einer Rohrzange unterscheiden.»

Ihre Tante nickte erneut, biss sich auf die Lippen und brachte die Sprache endlich – zumindest im Ansatz – auf das Geschehen.

«Brauchst du irgendetwas? Soll ich mich um einen Anwalt kümmern?»

Cora Bender winkte ab. «Lass nur. Aber wenn du mir ein paar Sachen bringen könntest. Ein bisschen Kleidung und das Waschzeug. Das Übliche, du weißt schon.»

Unvermittelt wurde Margret Rosch heftig. «Nein, ich weiß nicht. Was ist denn das Übliche, wenn man ins Gefängnis geht? Das ist nicht wie Urlaub. Cora, tu mir einen Gefallen und sag den Leuten hier die Wahrheit. Mach dir keine Gedanken um andere. Denk jetzt mal an dich. Sag ihnen, was vor fünf Jahren passiert ist. Erzähl ihnen, warum du im August damals von daheim weggegangen bist. Sie werden das verstehen. Erzähl ihnen alles.»

«Habe ich schon», behauptete sie.

«Das glaube ich dir nicht», erklärte Margret Rosch.

Sie hob gleichmütig die Achseln. «Dann lass es! Lass mich in Ruhe. Stell dir vor, Mutter hätte Recht und ich wäre tot.»

Ein paar Sekunden lang war sie still. Dann bat sie leise: «Sprichst du mit Vater? Erfahren muss er das ja. Es ist mir lieber, wenn du es ihm sagst. Aber bring ihm das behutsam bei. Sag ihm, es geht mir gut. Ich will nicht, dass er sich aufregt. Er soll auch nicht herkommen. Ich will das nicht.»

Margret Rosch nickte nur und warf einen sehnsüchtigen Blick zur Tür. Rudolf Grovian begleitete sie hinaus, bedankte sich für ihr Erscheinen und die Hilfe, die sie ihm gewesen war. Es war ihm ernst damit. Johnny und Heroin, furchtbar misshandelt und aus einem fahrenden Auto auf die Straße geworfen, damit ließ sich etwas anfangen. Nicht zu vergessen die brechenden Rippen des zweiten Mädchens.

Auch der Dialog zwischen Tante und Nichte war aufschlussreich gewesen und hatte die Verdrängungsmechanismen der Familie offenbart. Reden wir zuerst mal übers Wetter.

Er war ziemlich sicher, dass Margret Rosch ihm noch ein bisschen mehr hätte erzählen können. Zumindest ein paar Worte über den Erlöser, die büßende Magdalena und den ganzen Quatsch. Es musste verwundern, dass Cora Bender nur daran gelegen schien, sich in diesen Punkten des Schweigens ihrer Tante zu versichern. Und das, obwohl sie selbst bereits ausführlich davon berichtet hatte.

In Gedanken korrigierte er sich. Nein, sie hatte nur über das Kreuz gesprochen. Deutlich erinnerte er sich an das Zucken in ihrem Gesicht, als sie den Erlöser im Zusammenhang mit der büßenden Magdalena erwähnte. Und wie sie mit dem Wasser für ihren Kaffee sofort ein Ablenkungsmanöver startete.

Er war nicht sonderlich bibelfest und fragte sich, welche

Bedeutung einer biblischen Randfigur zukommen mochte, wenn Georg Frankenberg fünf Jahre nach seinem Auftreten als Satan mit der Schlange nun als Erlöser fungiert hatte. Aber es lohnte nicht, darüber zu grübeln.

Ein Trauma! Er hatte daran gerüttelt – unwissend und ahnungslos. Es umzurühren war wirklich nicht seine Aufgabe; nicht vor diesem Hintergrund. Dafür waren die Ärzte zuständig. Er machte einen Fehler immer nur einmal. Vor seinen Füßen würde sie nie wieder zusammenbrechen. Man musste wissen, wo die Grenze war. Er hatte die seine erreicht. Dachte er.

7. Kapitel

Margrets Besuche waren für mich immer eine zwiespältige Sache. Sie kam zu selten und blieb nicht lange genug, um wirklich etwas zu verändern. Sie brachte nur Hoffnung für Vater ins Haus und nahm sie wieder mit, wenn sie zurückfuhr.

An die Besuche aus den ersten Jahren erinnere ich mich kaum. Es können nicht viele gewesen sein. Und da kam Margret meist zusammen mit einer uralten Frau, meiner Großmutter. Sie brachten jedes Mal etwas Süßes mit. Mutter nahm es in Empfang, legte es in den Schrank zum Brot. Wo die Sachen von da aus hingerieten, wussten nur Mutter und der Erlöser. Vergünstigungen gab es nicht durch diese frühen Besuche. Deshalb empfand ich sie eher als Belästigung. Die Großmutter wollte ständig von mir wissen, ob ich artig sei, Vater und Mutter gehorche, immer brav täte, was sie von mir verlangten. Ich nickte zu allem und war erleichtert, wenn sie wieder abfuhren.

Dann kam Margret das erste Mal allein. Die Großmutter war gestorben. Bei dem Besuch unterhielt sie sich mit mir. Sie wollte wissen, ob mir die Schule Spaß mache. Ob ich gute Noten hätte. Welches Fach ich am liebsten mochte. Ob es mir gefiel, mit Vater in einem Zimmer zu schlafen. Und ob ich ihr vielleicht ein Bild von Vater zeichnen könnte, weil sie kein Foto von ihm hatte.

Ich konnte nicht gut zeichnen und malte ihr ein Männchen mit einer Harke und einem Eimer. Margret wollte wissen, was das lange Ding an der Seite des Männchens bedeutete. Ich erklärte es ihr. Das war es auch schon.

Die restliche Zeit war sie mit Mutter zusammen. Tagsüber

jedenfalls, Vater musste ja arbeiten. Und Mutter war danach tagelang so komisch. Ich weiß nicht, wie ich es beschreiben soll. Es kam mir vor, als hätte sie Angst. Richtig durcheinander war sie, hielt mir endlose Vorträge über die wahren Sünden, als ob es nicht schon genug andere gegeben hätte.

Die wahren Sünden seien die Begierden des Fleisches, sagte Mutter. Damit konnte ich nichts anfangen. Ich war doch erst neun Jahre alt. Ich dachte, es hätte etwas mit dem Rinderbraten zu tun, den sie für Margret auf den Tisch hatte bringen müssen. Vater hatte das verlangt. Einem lieben Gast könne man nicht zwei Tage hintereinander Bohnensuppe vorsetzen. Vater hatte sich zwei Stücke von dem Braten genommen, ich nur eins, das kleinste, obwohl Margret mich aufforderte: «Nimm dir doch noch ein Stück, Cora. Oder magst du kein Fleisch?»

Natürlich mochte ich Fleisch. Aber ich dachte, wenn ich mir noch ein Stück nehme, Margret reist wieder ab, und ich muss mir das dann anhören. So war es ja auch.

Und dann, eine Woche nachdem Margret abgereist war, kam ein Päckchen. Im Winter war das, in den Schulferien. Das weiß ich noch genau. Das Päckchen kam morgens mit der Post, und weil Vaters Name draufstand, wagte Mutter nicht, es zu öffnen. Sie legte es auf den Küchenschrank. Und abends trennte Vater mit einer großartigen Geste die Kordel durch.

Margrets Besuch hatte ihn verändert. Seit sie wieder weg war, sprach er unentwegt von dem neuen Wind, der jetzt im Haus wehte, und von den sieben dürren Jahren, auf die sieben fette folgen mussten. Und wenn es acht dürre gewesen wären, müssten es auch acht fette sein. Danach sei er dann alt genug für den endgültigen Verzicht.

Einmal sagte er zu Mutter: «Wer nicht erhören will, muss zahlen. Sonst kriege ich noch Schwielen an die Hände.» Grit Adigar sagte immer zu ihren Töchtern: «Wer nicht hören will, muss fühlen», wenn sie Kerstin oder Melanie auf die

Finger schlug. Mir war Vaters komisches Gerede nicht geheuer. Die Leute in unserer Nachbarschaft erzählten, Mutter sei verrückt. Das sagten sie so, dass ich es hörte. Ich hatte Angst, dass Vater nun auch verrückt wurde.

Er machte ein Theater um das Päckchen, benahm sich, als sei ein neues Herz für Magdalena drin. Es waren ein paar Süßigkeiten, von denen er sofort etwas verteilte, obwohl Mutter mit steifem Gesicht dabeistand. Magdalena bekam ein Röhrchen mit Schokoladenbonbons. «Viele, viele bunte Smarties.» Ich kannte die Dinger vom Schulhof. Ich bekam auch ein Röhrchen und wollte es Mutter geben. Aber Vater hielt meine Hand fest.

«Das sind deine», sagte er. «Und du wirst sie essen. Den Rest heben wir uns für Weihnachten auf. Dann müssen wir Mutter nicht zumuten, süße kleine Verführer einzukaufen.»

Außer den Süßigkeiten hatte Margret noch andere Sachen eingepackt, alle in buntes Papier gewickelt, mit Schleifen darum. An den Schleifen waren kleine Karten befestigt, auf denen unsere Namen standen. Obenauf lag ein Briefumschlag.

Es war der erste Brief von Margret, den Vater mir vorlas. Nicht nur mir, Mutter und Magdalena waren auch in der Küche. Mutter hatte beide Sessel aus dem Wohnzimmer geholt und aneinander gestellt, damit Magdalena liegen konnte. Es ging ihr nicht so gut an dem Tag.

Margret wünschte uns allen ein frohes Weihnachtsfest, ein glückliches und vor allem gesundes neues Jahr. Sie bedauerte, dass ihr Besuch nicht das gewünschte Resultat erzielt hatte. Hoffte, Mutter möge sich noch auf ihre Pflichten besinnen und einmal darüber nachdenken, dass der Erlöser niemals Enthaltsamkeit von seinen Dienern gefordert habe. Das hätten später andere behauptet. Aber denen sei es nur darum gegangen, das angehäufte Vermögen nicht an irgendwelche Erben verteilen zu müssen. Und Mutter möge doch bitte auch bedenken, dass Vater nicht allein im Zimmer läge.

Es sei keinem geholfen, wenn es ein Unglück gäbe. Sie verstehe sehr gut, dass Mutter Angst vor einer weiteren Schwangerschaft habe. Aber das müsse in der heutigen Zeit nicht sein, da gäbe es genügend Mittel. Und Margret war sicher, dass der Erlöser diese Mittel billigte, weil niemand die Natur der Menschen besser kannte als er. Und das zweite Lamm zu opfern sei eine Verschwendung, die er niemals gutheißen könnte.

Vater las das alles laut vor, dann kam er zu den Geschenken. Für Magdalena eine Puppe. Sie war aus Stoff, hatte ein lustiges Gesicht mit buntem Garn aufgestickt. Große blaue Augen und rote Wangen, ein lachender Mund mit weißen Zähnen. Ihr Haar war aus Strickwolle, gelbe Fäden, die zu dicken Zöpfen geflochten waren. Margret wünschte Magdalena von ganzem Herzen ein Gesicht, wie die Puppe es hatte, lustig und gesund. Magdalena durfte die Puppe sofort auspacken. Ich half ihr dabei.

Währenddessen warf Vater ein winziges Päckchen zu Mutter hinüber und sagte: «Geh am besten mal ins Wohnzimmer. Zeig es ihm und frag, ob er etwas dagegen einzuwenden hat.» Mutter rührte sich nicht von der Stelle. Das kleine Päckchen prallte von ihrem Kittel ab und fiel zu Boden. Zuletzt überreichte Vater mir mein Geschenk. Es war ein Buch: «Alice im Wunderland».

Mehr als den Titel habe ich nicht lesen können. An dem Abend war es schon zu spät, und am nächsten Tag verlangte Mutter, dass ich es im Blecheimer vor dem Altar verbrannte. Sie verlangte es nicht so, wie man einen Befehl gibt. Sie hielt mir eine Predigt über Margrets Brief und die verdorbenen Gedanken darin. Dass ich ihr sofort sagen müsste, wenn Vater sich mir zu erkennen gäbe.

Ich dachte, jetzt ist sie völlig übergeschnappt. Ich kannte Vater doch schon so lange. Und dass er mein richtiger Vater war, wusste ich inzwischen auch ganz genau. Ich sah ihm sehr ähnlich und glaubte schon lange nicht mehr, dass die Adigars meine Familie wären. Ich nickte nur zu allem.

Ich nickte auch, als sie mich fragte, ob ich nicht wie sie der Ansicht sei, dass es für ein erfülltes Leben vollkommen ausreiche, das Buch der Bücher zu kennen? Das kannte ich nun auswendig. Mutter hatte mir sämtliche Sündenfälle der Menschheit erzählt, bis sie mir an den Ohren wieder herausliefen. Und seit ich selbst lesen konnte, musste ich ... Ach, was soll's!

Sie schickte mich, den Blecheimer zu holen, drückte mir die Zündhölzer in die Hand, und dann schauten wir zu, wie sich das Wunderland in ein Häufchen Asche verwandelte.

Als Vater am späten Nachmittag heimkam und davon erfuhr, wurde er so wütend, wie ich ihn noch nie erlebt hatte. Er sagte Dinge, von denen ich damals nur die Hälfte verstand. Dass er nie damit gerechnet hätte, die Hure eines Besatzungssoldaten könnte sich eines Tages in ein Gebetbuch verwandeln. Es hätte ihr doch auch einmal geschmeckt. Und sie hätte sich nicht nur das reinschieben lassen, was von der Natur dafür vorgesehen wäre, sondern auch mit Freuden die Nadel. Mutter stand da, als sei ihr das Gesicht eingefroren. Irgendwie tat sie mir Leid.

Danach saßen wir noch lange am Küchentisch, Vater und ich, während Mutter das Geschirr spülte. Vater erzählte mir die Geschichte von Alice im Wunderland. Dabei kannte er sie gar nicht. Er erfand für mich eine völlig andere von einem Mädchen, dessen Mutter verrückt war und die ganze Familie in den Wahnsinn treiben wollte. Dass es dem Mädchen daheim nicht gefiel, dass es aber nicht weglaufen konnte, weil es noch zu jung war und kein Geld hatte. Und da machte es sich seine eigene Welt. Es dachte sich Leute aus und unterhielt sich mit ihnen, obwohl sie nicht existierten.

«Dann war das Mädchen aber genauso verrückt wie seine Mutter», sagte ich.

Vater lächelte. «Ja, wahrscheinlich. Aber wie soll man auch nicht verrückt werden bei so einer Mutter? Wenn man nie etwas anderes sieht, nie etwas anderes hört.»

Magdalena war auch in der Küche. Wie am Abend zuvor lag sie in den beiden Sesseln. Sie hatte einen harten Tag hinter sich; zwei Einläufe, die nichts weiter gebracht hatten als Bauchkrämpfe. Sie hatte aufmerksam zugehört und unentwegt zwischen Vater und Mutter hin- und hergeschaut. Sie kannte die Geschichte von Alice im Wunderland nämlich.

Die Schwester, die in der Klinik dafür sorgte, dass sie manchmal mit anderen Kindern spielen durfte, hatte sie einmal in ein Zimmer gebracht, in dem eine andere Mutter ihrem Kind aus dem Buch vorlas. Später hat sie mir das erzählt. Aber wovon «Alice im Wunderland» tatsächlich handelte, hat sie mir nicht gesagt. Ich habe sie auch nicht gefragt, ich wollte es gar nicht wissen.

Vater lächelte sie an und fragte: «Wie geht es unserem Spatz denn heute?»

Magdalena antwortete ihm nicht. Sie sprach inzwischen oft mit mir und selten mit Mutter. Mit ihm sprach sie nie. Mutter tat das an ihrer Stelle. «Es geht ihr nicht gut. Wie sollte es auch in einem Haus, in dem sich niemand an die Gebote des Herrn hält?»

«Du hältst dich doch daran», sagte Vater. Er war immer noch sehr verärgert. «Aber das Gebot musst du mir erst zeigen. Ich kann mich nicht erinnern, jemals gelesen zu haben, dass der Herr von einem Kind verlangt hätte, ein Buch zu verbrennen. Soweit ich weiß, waren es andere, die das veranlasst haben. Aber die nannten sich ja auch Herren. Von denen hast du zu viel mitbekommen, fürchte ich. Da wirfst du manchmal die Methoden durcheinander.»

Mutter schaute ihn nur an. Er nickte vor sich hin, senkte den Kopf und betrachtete die Tischplatte. «Aber um auf deinen jetzigen Herrn zurückzukommen», sagte er nach einer

Weile. «Hat er nicht gesagt: Wenn ihr nicht werdet wie die Kinder? Ich meine, er hätte mal so etwas gesagt. Und wenn du dich schon Punkt für Punkt an seine Worte hältst, dann such dir nicht nur die raus, die dir in den Kram passen. Kinder möchten auch mal etwas anderes als Kreuzzeichen schlagen. Wenn wir schon eins hergeben müssen, und irgendwann müssen wir, das weißt du so gut wie ich, dann will ich das andere so gesund und munter wie es nur eben geht. Ich hätte auf die Ärzte hören sollen, dann wäre es längst überstanden. Dann könntest du deinen Blödsinn auf dem Friedhof veranstalten.»

Ich dachte, mir wäre das Herz stehen geblieben. Was er damit meinte, wusste ich genau. Und Magdalena wusste es auch. Sie war nicht dumm. Durch die häufigen Aufenthalte in der Klinik wusste sie eine Menge über ihre Krankheit und andere Dinge. Sie wusste viel mehr als ich. Sie konnte nicht lesen, nicht rechnen und nicht schreiben. Aber sie kannte Worte wie Elektrokardiogramm, Septumdefekt, Insuffizienz, Aortenaneurysma, Pathologie und Krematorium. Und sie wusste auch, was diese Worte bedeuteten.

Sie schaute Vater an, drückte ihre Puppe an sich und spielte mit den dicken Fadenzöpfen. Es sah aus, als wollte sie ihm etwas sagen. Sie bewegte die Lippen, ein paar Mal tat sie das. Nur kam kein Ton heraus. Schließlich erkannte ich, dass sie nur ein Wort formte. Arschloch!

Ob Vater es auch ablesen konnte, weiß ich nicht. Er atmete tief durch, dann meinte er etwas leiser: «Aber wo wir uns nun einmal so entschieden haben, sollten wir auch versuchen, es so erträglich wie möglich zu machen. Ein bisschen Freude geben, nicht immer nur fromme Sprüche. Davon hat sie nichts. Ich bin sicher, ihr hätte die Geschichte von Alice im Wunderland auch gefallen. Und Cora hätte ihr bestimmt etwas vorgelesen.»

Mutter erklärte: «Sie muss jetzt ruhen. Es war ein anstrengender Tag für sie.» Sie hob Magdalena aus den Sesseln, nahm sie auf den Arm und trug sie zur Tür. Vater schaute ihnen nach und schüttelte den Kopf. Dann betrachtete er wieder die Tischplatte. «Das war meine Sünde», sagte er leise, «dass ich einmal nicht verzichten und die Zeit abwarten konnte. Hätte ich ihn doch besser in ein Mauseloch gesteckt.»

Er hob den Kopf und schaute mich an. «Am besten, wir gehen ins Bett, was meinst du? Für dich wird es ohnehin Zeit, und ich bin auch müde.»

Wir gingen nach oben. Mutter war noch mit Magdalena im Bad, wusch sie und putzte ihr die Zähne. Vater ging ins Schlafzimmer und holte sich die Sachen aus dem Schrank, die er am nächsten Morgen zur Arbeit anziehen wollte. Ich ging in unser Zimmer und zog das Nachthemd über. Als Mutter mit Magdalena aus dem Bad kam, ging ich hinüber, um mir ebenfalls die Zähne zu putzen.

Mutter brachte Magdalena ins Bett und ging noch einmal hinunter, um zu beten. Vater kam zu mir, er war sehr bedrückt, stand neben dem Waschbecken und schaute zu, wie ich mir das Gesicht wusch und die Haare kämmte.

Ich kam mit dem Kamm nicht durch. Manchmal zwirbelte ich meine Haare, wenn ich lange vor dem Altar knien musste. Vater half mir, die Knoten aufzulösen. Dann zog er meinen Kopf gegen seine Brust, hielt ihn fest. «Es tut mir so Leid», murmelte er. «Es tut mir so furchtbar Leid.»

«Sei nicht traurig wegen dem Buch», sagte ich. «Ich mag gar nicht gerne lesen. Ich mag es lieber, wenn du mir von früher erzählst. Du hast mir schon lange nichts mehr erzählt von der Eisenbahn und der alten Schule und wie sie die Kirche gebaut haben.»

«Ich habe dir viel zu viel davon erzählt», sagte er. «Nur nicht ans Heute rühren und nicht ans Gestern.»

Er hielt meinen Kopf fest gegen seine Brust gepresst und strich mit einer Hand meinen Rücken hinunter. Dann stieß er mich plötzlich weg, drehte sich zum Waschbecken und sagte: «Wird Zeit, dass das Frühjahr kommt. Da hat man Arbeit im Garten und keine Zeit mehr für dumme Gedanken.»

Es war ein dummer Gedanke gewesen anzunehmen, Margret hätte sie verraten. Auf Margret konnte man sich verlassen, sie hatte ja auch selbst einiges zu verlieren. An der Angst, der Verwirrung und der Unsicherheit änderte die Erkenntnis nichts.

Als Margret zusammen mit dem Chef den Raum verließ, kam der Mann im Sportanzug herein. Mit ihm blieb sie ein paar Minuten allein. Sie wünschte sich, er hätte mit ihr gesprochen. Nur zwei Sätze, um das tote Gefühl aus dem Kopf zu vertreiben.

Seit sie aus der kurzen Bewusstlosigkeit erwacht war, war es so eng und dunkel da drin wie in einem Grab. Oder in einem Keller, in dem jemand das Licht ausgeschaltet hatte. Sie wusste, dass sie etwas Grauenhaftes gesehen und etwas Schreckliches gefühlt hatte. Aber was immer durch die Mauer im Hirn gebrochen war, es hatte sich wieder zurückgezogen. Nur das Gefühl war geblieben. Und Vaters Stimme spukte in der Dunkelheit herum.

Sie sah ihn auf ihrem Bett sitzen. Abend für Abend war er zu ihr gekommen in den wenigen Wochen, die sie nach der Rückkehr im November damals noch daheim verbracht hatte. Sie hörte sein Flehen, die Stimme so alt und brüchig. «Sprich mit mir, Cora. Tu es nicht wie sie. Du musst mit mir reden. Sag mir, was passiert ist. Was immer du getan hast, ich werde dich nicht verurteilen und niemals ein Wort darüber verlieren, das verspreche ich dir. Ich habe gar nicht das Recht, dich zu verurteilen. Und Mutter hat es auch nicht. Jeder von uns hat etwas auf dem Gewissen. Jetzt sage ich dir, was ich getan habe und was Mutter getan hat. Und dann bist du an der Reihe. Du musst es mir sagen, Cora. Wenn man nicht darüber spricht, frisst es einen auf. Was ist passiert, Cora? Was hast du getan?»

Nur zwei oder drei Sätze von dem Mann im Sportanzug, um Vaters Stimme zu übertönen. Aber er schaute sie nur an, sein Blick spiegelte Mitgefühl und Unsicherheit. Vielleicht wartete er darauf, dass sie etwas sagte. Als sie schwieg, machte er sich an dem Aufnahmegerät zu schaffen. Er nahm die Kassette heraus und legte sie zu den anderen, die im Laufe des Abends zusammengekommen waren.

Kassetten! «Ich spule ein Stück vor», hatte die Frau am See gesagt. Und: «Das ist das Beste, was ihr je gehört habt.»

Der Satz fuhr ihr wie ein Stromschlag durchs Hirn und fand irgendwo ein Echo. «Das ist das Beste, was ich je gehört habe», sagte Magdalena.

Magdalena lag auf dem Bett und hielt ein winziges Kassettengerät in der Hand, von dem eine dünne Schnur zu dem Stöpsel in ihrem linken Ohr führte. Sie lachte leise, wiegte den Kopf, nur den Kopf, etwas anderes konnte sie nicht wiegen. Sie summte eine Melodie. «Bohemian Rhapsody – Is this the real life?» Und Magdalena sagte: «Ich liebe das Stück. Eine Stimme hat dieser Freddy Mercury, einfach Wahnsinn. Ich wünsche mir, ich könnte es mal richtig laut hören. So wie in der Disco. Aber da bräuchten wir eine riesige Stereoanlage. Und wenn die Alte die zu Gesicht bekäme, sperrt sie uns auch noch den Strom ab. Hast du den Hauptwasserhahn gefunden?»

Der Chef kam zurück und fragte: «Wie fühlen Sie sich, Frau Bender?»

Sie war noch bei Magdalena und sagte: «Leider nicht. Ich hole einen Eimer von Grit, zum Waschen reicht das.» Dann erst wurde ihr bewusst, was der Chef gefragt hatte, und sie sagte rasch: «Danke, ausgezeichnet.»

Sie war überzeugt, dass es nun weiterging mit den Fragen. Daran erinnerte sie sich noch, dass er zuletzt hatte wissen wollen, wo sie die Namen Frankie, Böcki und Tiger gehört hatte. Bei Frankie war es einfach. Am See. Und das wollte sie ihm sagen.

Es ging nur mit der Wahrheit. Lügen machten alles schlimmer. Mutter hatte es wieder und wieder gepredigt. Mutter hatte immer Recht gehabt, das war jetzt endgültig bewiesen. Wer den Herrn erzürnte, den strafte er. Dem einen verwirrte er die Sprache, dem anderen den Geist.

Die Wahrheit! Die reine Wahrheit! Nichts als die Wahrheit! Ich kannte den Mann nicht. Ich kannte ihn wirklich nicht, weder seinen Namen, noch sein Gesicht! Ich weiß nicht, warum ich ihn töten musste. Ich weiß nur, ich musste es tun!

Doch der Chef machte keine Anstalten, tauschte einen Blick mit dem Mann im Sportanzug und sagte in besorgtem Ton etwas von Ruhe, die sie alle bitter nötig hätten. Als er es aussprach, fühlte sie die Müdigkeit wie Blei in den Gliedern. Gleichzeitig hatte sie Angst, allein gelassen zu werden mit den Erinnerungsfetzen, die sich ihr aufdrängten, die wie schmutzige alte Putzlappen die Seele scheuerten. Alles im Innern wurde steif und hart. Sie kam kaum vom Stuhl in die Höhe und hatte nicht mehr die Energie zu protestieren.

Der Chef sorgte dafür, dass sie fortgebracht wurde. Der freundliche Berrenrath und sein junger Kollege nahmen sie mit. Dann lag sie auf einem schmalen Bett, fast so tot wie Georg Frankenberg und doch nicht fähig, Schlaf zu finden.

Sie grübelte, ob Margret Vater schon angerufen hätte. Wahrscheinlich nicht so spät in der Nacht! Es gab kein Telefon im Haus der Eltern. Wenn man ihnen eine dringende Nachricht zukommen lassen wollte, musste man in der Nachbarschaft anrufen und Vater erst holen lassen. Und Grit Adigar mitten in der Nacht aus dem Bett klingeln ... Grit!

Sie war so wund. Nie zuvor hatte sie etwas Ähnliches empfunden. Und jetzt breitete es sich aus. Sehnsucht nach früher! Noch einmal an Magdalenas Bett sitzen und von draußen erzählen. Von der Disco, von wilder Musik, grellem Licht und jungen Männern. Und Magdalenas Fragen beantworten. «Wie ist das mit Koks? Das soll ein irres Gefühl sein. Man erlebt alles viel intensiver, vor allem den Sex. Hast du es schon mal probiert? Wie war es? Erzähl.»

Noch einmal vor dem Altar knien. Noch einmal die Hände falten. Noch einmal flehen, der Erlöser möge die Kraft zum Verzicht geben und Magdalena den nächsten Tag. Und dann hinüberlaufen zu Grit, die regelmäßig fragte: «Na, Cora, alle Pflichten erfüllt für heute?»

Alle Pflichten erfüllt! Nicht nur für heute – für alle Zeit.

Einen Mann getötet – Georg Frankenberg! Ein Lied gehört – Song of Tiger! Ein Märchen erzählt – Alice im Wunderland! Vaters Fassung – und machte sich ihre eigene Welt. Dachte sich Leute aus, die nicht existierten – Böcki und Tiger.

Das Schlimmste war zu spüren, wie der Verstand bröckelte, wie er mürbe wurde, mehr und mehr an Substanz verlor. Am Ende könnte man ihn zwischen zwei Fingerspitzen zerbröseln. Gegen fünf am Morgen schlief sie endlich ein.

Um die Zeit lag Rudolf Grovian auf der Couch im Wohnzimmer. Die Arme hatte er unter dem Nacken verschränkt. Er betrachtete die dunkle Zimmerdecke und hörte ihr Betteln: «Schalten Sie das Licht wieder ein.»

Um drei war er heimgekommen, aufgewühlt, erschöpft und ein wenig deprimiert von dem Bewusstsein, dass er etwas angefangen hatte, dessen Beendigung er anderen überlassen musste. «Helfen Sie mir!» Er konnte ihr nicht helfen. Alles, was er für sie tun konnte, war, zu beweisen, dass Johnny Guitar und Georg Frankenberg identisch gewesen waren.

Werner Hoß zweifelte daran, und was Hoß an Argumenten vorbrachte, war nicht so einfach von der Hand zu weisen.

Dreimal hatten sie sich die beiden wichtigsten Bänder angehört, ehe sie Feierabend machten. Das erste und das letzte. Hoß plädierte für das erste. «Es war das Lied.» Er meinte, das sei die Antwort. Und mit dieser Antwort sei das Gestammel auf dem letzten Band ja nicht in Frage gestellt. Es seien lediglich zwei Paar Stiefel. Man könne doch nicht wissen, was in einem Kopf vorginge, der neunzehn Jahre lang mit der Bibel geprügelt und vor fünf Jahren von einer Kristallpranke zerbrochen worden wäre.

Rudolf Grovian hatte sich ins Bett gelegt und so lange herumgewälzt, bis Mechthild verlangte: «Rudi, tu mir den Gefallen und leg dich auf die Couch. Dann kann wenigstens ich schlafen.»

Er hatte es sich schon vor langer Zeit abgewöhnt, mit ihr über seinen Beruf zu sprechen. Mechthild hatte ihre eigene Auffassung von Recht, Gesetz und Gerechtigkeit. Sie verbrachte zwei Nachmittage in der Woche in der Kleiderkammer der Caritas, verteilte abgelegte Mäntel und Hosen an gescheiterte Existenzen und andere Bedürftige. Ehrenamtlich, versteht sich! Und wenn er ihr früher erzählt hatte, dass wieder mal eine dieser gescheiterten Existenzen mit einer Knarre in der Hand in eine Sparkassenfiliale marschiert war, hatte Mechthild regelmäßig gesagt: «Ach, der arme Kerl.»

«Ist Marita gut heimgekommen?», fragte er, um überhaupt etwas zu sagen und in der Hoffnung, dass sie ihn fragte, warum es so spät geworden und was denn los gewesen sei. Irgendwie war es ihm ein Bedürfnis, von ihr zu hören: «Ach, das arme Geschöpf.»

«Ich nehm's an», sagte sie.

«Was hat sie dir erzählt? Sie hat dir doch was erzählt. Ich meine, ich hätte was von Anwalt gehört.»

«Rudi», kam es gedehnt und gequält. «Lass uns morgen in Ruhe darüber reden. Sieh mal auf die Uhr.»

«Morgen habe ich keine Zeit. Ich will es jetzt wissen.»

«Sie will sich scheiden lassen», seufzte Mechthild.

«Was?» Es war nicht einmal wert, vom Kissen hochzuschießen. Er hatte es ja bereits befürchtet. «Wenn es dem Esel zu wohl wird», sagte er, «geht er aufs Eis.»

«Rudi», seufzte Mechthild erneut. «Sie tut es nicht zum Vergnügen, das kannst du glauben.»

«Mir reicht's, wenn du es glaubst», sagte er. «Aber du glaubst ihr ja jeden Scheiß.»

«Wenn sie doch Recht hat», erklärte Mechthild halbwegs bestimmt. «Peter arbeitet zu viel. Sie ist immer allein. Das ist kein Leben für eine junge Frau.»

«Wieso? Ich finde, das ist ein tolles Leben. Er arbeitet zu viel, und sie wirft das Geld, das er damit verdient, mit beiden Händen zum Fenster raus. Das ist doch besser, als mit gefalteten Händen unter einem Kreuz hocken zu müssen.»

«Na, das ist ja ein Vergleich», sagte Mechthild. «Wie kommst du denn darauf?»

«Nur so. Sag mal, haben wir eigentlich eine Bibel?»

«Also, jetzt reicht's, Rudi! Es ist fast halb vier.» Mechthild drehte sich auf die Seite.

«Haben wir eine oder nicht?», fragte er.

«Unten im Schrank», sagte sie.

Da ging er hinunter, räumte den halben Schrank um, fand ein abgegriffenes und reichlich dünnes Exemplar. Es musste noch aus der Schulzeit seiner Tochter stammen. Es lag bei ihren alten Schulbüchern, und die Ränder waren vollgekritzelt. Er legte sich damit auf die Couch und las das Stück über die Vertreibung aus dem Paradies. Daran erinnerte er sich noch, dass es um einen Apfel gegangen war. Und er ging so weit, zu vermuten, dass Cora Bender die Äpfel nur aus einem Grund mit an den See genommen hatte, weil sie dort schwimmen wollte bis zum Jüngsten Tag.

Die Vertreibung aus dem Paradies, aus dem Familienbetrieb ihres Schwiegervaters und der Ehe mit einem Mann, der ihr das Gesicht blutig schlug und sich einen Dreck darum scherte, wie die Polizei mit ihr umging. Mit keinem Wort hatte Gereon Bender sich nach dem Befinden seiner Frau erkundigt oder gefragt, was denn nun mit ihr geschehe, als er seine Aussage machte.

Unter der Erinnerung an ihr Söhnchen stand ihm nicht mehr der Sinn nach der büßenden Magdalena. Er las trotzdem ein paar Zeilen und fühlte sich anschließend noch deprimierter. Magdalena war eine Hure gewesen. Und da ergab sich in Verbindung mit Heroin und ihren zerstochenen Armbeugen eine Kombination, die ihm überhaupt nicht gefiel.

Um halb sechs raffte er aus den Küchenschränken zusammen, was man für ein kräftiges Frühstück brauchte, und legte einen Zettel für Mechthild auf den Tisch, dass er zusehen wolle, zu Mittag heimzukommen. Länger, davon war er überzeugt, konnte es kaum dauern, Cora Bender beim Haftrichter abzuliefern. Und genau das hatte er vor. Genau das hätte er am vergangenen Abend schon tun müssen, als sie die ersten Anzeichen von Verwirrung zeigte. Es war unverzeihlich, dass er sich seiner inneren Stimme widersetzt hatte.

Um sechs war er wieder im Büro. Kurz nach ihm traf Werner Hoß ein. Sie stellten die Unterlagen für den Staatsanwalt zusammen, hörten sich noch einmal die Bänder an, vor allem das letzte, diskutierten eine Weile darüber und kamen zu keiner Einigung.

«Ist eigentlich das Band aus Frankenbergs Recorder sichergestellt?», fragte er.

Hoß grinste. «Wollen Sie einen Versuch machen?»

«Nein», sagte er und grinste ebenfalls. «Ich lasse die Finger von der Sache. Aber wenn es sich tatsächlich um eine Eigenkomposition handelt ...» Den Rest sprach er nicht aus.

Hoß kümmerte sich darum und trieb die Kassette bei der Spurensicherung auf. Sie hörten kurz hinein. Es war nur Musik. Rock, ziemlich wüst und wild. In Rudolf Grovians

Ohren klang es nach Chaos und immer gleich. Aber wenn es etwas mit der Musik zu tun gehabt hatte, konnte es sich nur um das letzte Stück auf dem Band handeln. Von Winfried Meilhofer wussten sie, dass der Recorder abgeschaltet hatte – wenige Sekunden, nachdem es geschehen war.

«Auf einen Versuch sollten wir es ankommen lassen», meinte Hoß. «Wir lassen sie einen Querschnitt hören. Wenn sie das Stück auf Anhieb bezeichnen kann. Ich könnte das nicht bei dem Gewusel.»

Rudolf Grovian schüttelte bestimmt den Kopf. «Und wenn sich herausstellt, dass wir es ihr vorgespielt haben, können wir die Sache vergessen.»

Kurz vor neun traf eine Kopie vom Obduktionsbefund ein. Sieben Stiche insgesamt. Die Platzierung stimmte mit Cora Benders Angaben überein. Einer in den Nacken, einer hatte die Halsschlagader zerfetzt, einer den Kehlkopf getroffen. Die restlichen waren mehr oder weniger belanglos. Todesursache: Aspiration. Georg Frankenberg war an seinem Blut erstickt, bevor er hatte verbluten können.

Wenig später erschien der Staatsanwalt. Es wurde noch einmal alles durchgesprochen von A bis Z.

«Haben Sie ein Geständnis?»

«Wir haben eine Aussage», sagte Rudolf Grovian. Er erklärte, wie er darüber dachte, erwähnte auch den Schwächeanfall. Vertuschen ließ sich das nicht. Und beschönigen wollte er es nicht. Er beschrieb ihr Schwanken zwischen Klarheit und Verwirrung und schloss mit Margret Roschs Worten über die Albträume.

«Ich möchte, dass Sie sich das hier anhören.» Auf sein Zeichen schaltete Werner Hoß das Bandgerät ein. Cora Benders Stimme ließ den Staatsanwalt die Stirn runzeln. Auf den Schwächeanfall ging er nicht ein. Seine Miene machte deutlich, was er davon hielt. So etwas durfte einfach nicht passieren. Er lauschte sekundenlang dem Gestammel vom Band, murmelte: «Guter Gott» und machte eine bezeichnende Geste vor der Stirn. «Ist sie …»

Werner Hoß hob bedeutsam die Schultern. Rudolf Grovian schüttelte nachdrücklich den Kopf. Und der Staatsanwalt wollte wissen, ob sie ihnen etwas vorgespielt haben könnte.

«Nein!», sagte Rudolf Grovian. Einen kleinen Seitenhieb konnte er sich nicht verkneifen. «Wenn Sie dabei gewesen wären, müssten Sie die Frage nicht stellen. Diese Bänder sollten sich Leute anhören, die sie interpretieren können. Und wenn ich sage anhören, meine ich das auch. Mit einem schriftlichen Bericht ist es nicht getan. Sie schleppt ein tüchtiges Päckchen mit sich herum.» Er gab ein paar Stichworte zur Kindheit. Religiöser Fanatismus und das Ding, von dem sie sich vorgestellt hatte, es müsse abfaulen.

«Und dann das», sagte er. «Wir werden uns morgen darum kümmern. Viel haben wir nicht in der Hand, das gebe ich zu. Nur die paar Sätze. Aber wir sollten zumindest nachfragen. Vielleicht ist zur fraglichen Zeit ein junges Mädchen aus Buchholz verschwunden. Vielleicht haben die da oben sogar eine Leiche mit gebrochenen Rippen.»

Der Staatsanwalt zuckte mit den Achseln, blätterte in den Zeugenaussagen und überflog den Obduktionsbericht. Dann hob er den Kopf und meinte: «Wir haben auch eine, vergessen Sie das nicht. Unsere hat zwar keine gebrochenen Rippen, aber mir reicht das hier dreimal. Es ist selten, dass sich jemand so präzise erinnert, wohin er oder in diesem Fall sie gestochen hat.»

«Was heißt hier präzise», sagte Rudolf Grovian. «Sie hat die Punkte aufgezählt, an denen ein Stich tödlich sein kann. Ihre Tante ist Krankenschwester, bei der hat sie eineinhalb Jahre gelebt. Da könnte sie sich ein bisschen medizinisches Wissen angeeignet haben.»

Der Staatsanwalt betrachtete ihn sekundenlang mit unbewegter Miene. «Das wären dann aber merkwürdige Gespräche gewesen bei der Tante», meinte er. «Und sie hat die Punkte nicht nur aufgezählt, Herr Grovian. Sie hat sie auch getroffen.»

Das wusste er ja, auch wenn er es nicht mit eigenen Augen gesehen hatte. Und er wusste auch, dass derart präzise Angaben äußerst selten, um nicht zu sagen die große Ausnahme waren. Bei einer Tat im Affekt erinnerte sich anschließend kein Mensch an den exakten Ablauf. Und es war ein Affekt gewesen. Etwas anderes konnte es gar nicht gewesen sein. Und ihm war es wichtig, dass der Staatsanwalt sich seiner Meinung anschloss. «Wollen Sie mit ihr reden?», schlug er vor. «Ich kann sie holen lassen.»

Der Staatsanwalt schüttelte den Kopf. «Lassen Sie sie schlafen. Es muss eine harte Nacht für sie gewesen sein. Aber meine war auch nicht angenehm. Nach einer Fortsetzung ist mir im Moment nicht.»

Arschloch, dachte Rudolf Grovian.

Es war später Vormittag, als Berrenrath sie weckte. Dass er längst daheim in seinem Bett hätte liegen können, wusste sie nicht. Und wenn er es ihr gesagt hätte, es hätte sie kaum noch interessiert. In der Nacht mochte seine Freundlichkeit einen gewissen Wert gehabt haben. Jetzt war Berrenrath nur noch ein Glied in der Kette, mit der sie zurückgeprügelt und gefesselt worden war in der Vergangenheit.

Sie hatte einen schalen Geschmack im Mund, aber der Kopf war wieder völlig klar und kalt, als sei ihr Gehirn im Schlaf erfroren. Nun war die Angst in einem Eisblock eingeschlossen – und mit der Angst jedes andere Gefühl.

Sie bat um ein Glas Wasser. Das bekam sie, Mineralwasser. Es tat gut, sie trank in kleinen Schlucken. Wenig später brachte Berrenrath sie zurück in das Büro des Chefs.

Dort bot man ihr ein Frühstück. Der Chef war da, der andere auch, diesmal mit einer hellen Stoffhose und einem dezent gemusterten Hemd bekleidet. Beide Männer wirkten übermüdet. Und besorgt waren sie, dass es ihr auch wirklich gut ging. Auf dem Tablett, das man ihr vorsetzte, stand ein Teller mit Wurst- und Käsebroten. Sie war nicht hungrig. Der Chef forderte sie auf, wenigstens ein bisschen zu essen. Sie tat ihm den Gefallen, biss einmal von einem Salamibrot ab und schluckte den Bissen mit viel Kaffee hinunter.

Dann fragte sie nach den Namen. «Es tut mir Leid. Mir ging gestern so viel durch den Kopf. Ich konnte mir Ihre Namen nicht merken.»

Der Chef nannte sie ihr, aber in seinem Fall war der Name ohne Bedeutung. Er hatte sie an den Rand des Wahnsinns getrieben und ihr damit deutlich gemacht, wie viel Macht er besaß über sie und ihren Verstand. Nach ihm konnte keiner mehr kommen, der stark genug wäre, ihr das anzutun.

Er erklärte, dass sie nun zum Amtsgericht nach Brühl führen, um sie dem Haftrichter vorzustellen.

«Damit werden Sie warten müssen», sagte sie, schaute Werner Hoß an und erklärte mit unbewegter Miene: «Sie hatten ja in der Nacht bereits Zweifel an meiner Geschichte. Mit Recht!»

Sie waren beide sehr aufmerksam, ließen kein Auge von ihr, während sie mit ruhiger und gefasster Stimme das gesamte Lügengebilde um Johnny Guitar widerrief. Sie schloss mit einer winzigen neuen Lüge: Im Oktober vor fünf Jahren sei sie beim Überqueren einer Straße nicht aufmerksam gewesen und von einem Auto angefahren worden.

Sie sah Werner Hoß nicken, seine Miene drückte Genugtuung aus. Der Chef warf ihm einen wütenden Blick zu und schüttelte den Kopf. Dann begann er von Margret zu sprechen, vorsichtig, behutsam, wie die Katze um den heißen Brei schleichend. Margret habe ihm von einer furchtbaren Misshandlung erzählt. Sie selbst habe auch ein paar Hinweise gegeben, behauptete er.

Es war ein harter Schlag zu erfahren, dass Margret sie angelogen und doch geredet hatte. Die Häufchen Dreck ausgebreitet, die sie von Vater kannte, das Ende der Geschichte! Furchtbar misshandelt! Und ihr den Rat gegeben, die Wahrheit zu sagen. Ab August! Ab August war die Wahrheit für Margret nicht mehr gefährlich. Denk jetzt mal an dich! Margret hatte an sich gedacht.

«Was soll der Blödsinn?», fuhr sie auf. «Ich habe keine Hinweise gegeben. Oder habe ich etwa behauptet, ich sei misshandelt worden?»

Der Chef lächelte. «Nicht direkt.» Er bat sie, sich ein Stück von einem der Bänder anzuhören, natürlich nur, wenn sie sich dazu in der Lage fühle.

«Von mir aus», sagte sie. «Ich fühle mich genau richtig für meine Lage.»

Er schaltete das Bandgerät ein. Und sie hörte sich das Gestammel an. «Er hat so lange auf sie eingeschlagen, bis sie tot war. Ich habe gehört, wie ihre Rippen brachen.»

«Mein Gott», sagte sie, «das klingt ja scheußlich. Hört sich an, als sei ich ziemlich durcheinander gewesen. Sie haben mir aber auch ganz schön zugesetzt. Das können Sie nicht leugnen. Der Weißkittel, den Sie mir auf den Hals gehetzt haben, sagte, ich sei starkem emotionalem Druck ausgesetzt gewesen. Deshalb sei ich zusammengeklappt. Fragen Sie ihn, wenn Sie mir nicht glauben. Oder fragen Sie Herrn Berrenrath, er hat es auch gehört. Aber machen Sie sich keine Sorgen. Ich werde mich nicht über Sie beschweren. Sie haben Ihre Arbeit getan. Ich verstehe das.»

Rudolf Grovian nickte, warf Werner Hoß einen undefinierbaren Blick zu. Es war eine Bitte um gütliches Einvernehmen oder die Verurteilung zum Schweigen, das blieb sich gleich. Er atmete tief durch, versuchte einzuschätzen, in welcher Verfassung sie war. Sie wirkte völlig klar. Und wenn sie wollte, konnte sie ihm eine Menge Arbeit ersparen. Sie musste nur den Namen des Mädchens nennen, das der kleine Dicke für sich mitgenommen hatte.

Er ging äußerst behutsam vor, erklärte ihr, zu verstehen, was sie zu ihrem Widerruf veranlasste: Die Angst, sich noch einmal mit grausamen Dingen auseinander setzen zu müssen.

Sie verzog spöttisch den Mund. «Sie verstehen einen Dreck. Es gab kein Mädchen für den Dicken. Es war Johnny, der die Mädchen abschleppte. Der Dicke trottete jedes Mal hinter ihnen her wie ein Hündchen, das nur mal am Knochen schnuppern darf.»

«Dann gab es Johnny also», stellte Rudolf Grovian fest.

«Natürlich. Aber nicht für mich. Der hat mich doch mit dem Hintern nicht angeguckt.»

Rudolf Grovian legte ein wenig väterliche Ermahnung in die Stimme. «Frau Bender, Ihre Tante sagte ...»

Weiter kam er nicht. «Lassen Sie mich doch in Ruhe mit dem Quatsch! Margret hat keine Ahnung! Oder war sie etwa dabei? Vergessen Sie den Mist da. Hören Sie sich lieber das erste Band an. Da haben Sie die richtigen Antworten bekommen. Ich habe Georg Frankenberg gestern zum ersten Mal gesehen. Und ich habe gehört, wie der Mann, der bei ihm war, über ihn sprach. Deshalb konnte ich Ihnen etwas über die Musik und den Keller erzählen.»

«Nein», widersprach er. «Sie haben schon vor Jahren von einem Keller gesprochen, geträumt haben Sie davon. Da war Ihre Tante sehr wohl dabei. Und in der vergangenen Nacht sind Sie nicht zusammengebrochen, weil ich Sie unter Druck gesetzt habe. Ich habe Sie unter Druck gesetzt, das bestreite ich nicht. Aber das war nicht der Grund für Ihren Zusammenbruch. Sie haben sich an den Keller erinnert. Geschrien haben Sie, dass Sie es nicht aushalten. Dass ich Ihnen helfen soll. Ich will Ihnen helfen, Frau Bender. Aber Sie müssen mir einen Schritt entgegenkommen. Ihre Tante sagte ...»

Sie schürzte die Lippen und begann zu nicken. Dabei grinste sie, mit den Verletzungen im Gesicht wirkte es hilflos. «Ich könnte Ihnen etwas von meiner Tante erzählen, da würden Ihnen die Ohren flattern. Meine Tante hat sich ein Ding geleistet, ich glaube, das nennt man Diebstahl. Und Sie kommen im schlimmsten Albtraum nicht darauf, was sie geklaut hat. Margret hat Sie genauso belogen wie ich. Das dürfen Sie mir unbesehen glauben. Sie kann es sich gar nicht leisten, Ihnen die Wahrheit zu sagen. Aber lassen wir das, ich will niemanden in die Scheiße reiten. Ich hatte ein paar Albträume, als ich bei ihr wohnte, das stimmt. Aber die hatten nichts mit Georg Frankenberg zu tun. Da ging es um ganz andere Dinge.»

«Ich weiß», sagte er, «um Böcke, Schweine und Tiger. Um Würmer und dergleichen. Man braucht nicht viel Phantasie, um das zu interpretieren. Für mich klingt es nach einer Vergewaltigung.»

Wie er dazu kam, ihr ein Wort in den Mund zu legen, hätte er niemandem erklären können. Er fing sich einen verständnislosen Blick von Werner Hoß ein.

Und sie lachte auf. «Vergewaltigung? Wer hat Ihnen denn den Floh ins Ohr gesetzt? Margret?» Sie nickte, lachte noch einmal kurz und abfällig. «Wer sonst! Zu ärgerlich, dass sie es nur Ihnen gesagt hat. Das hätte sie besser mit mir besprochen, da hätte ich aber eine Story gehabt. Da säße ich jetzt hier wie ein Lamm.»

Margret hat oft gesagt, ich hätte meinen Weg gemacht, trotz allem. Für sie sah es vielleicht so aus. Aber es war nicht mein Weg, es war meine Teststrecke. Bewusst sündigen! Und zusehen, was passiert. Mit Magdalenas Leben spielen, als wäre der Tod nur ein kleiner Ball, den man von einer Hand in die andere wirft. Eine Zeit lang war es das, Nervenkitzel. Später war es Gewohnheit.

Es fing mit kleinen Dingen an. Mit dem Traum vom Wolf, bei dem ich das Bett nass machte. Bei dem ich nicht aufhörte, mir zu wünschen, dass er noch einmal käme. Weil er mich frei machte, wenigstens für die kurze Zeit in der Nacht. Und er kam immer wieder. Fast ein Jahr lang, fast jede Nacht. Oder dass ich am Nachmittag zu Grit hinüberhuschte und um ein Bonbon bettelte oder ein Stück Kuchen, das ich dann in aller Eile hinunterschlang. Jedes Mal, wenn ich danach ins Haus zurückkam, beobachtete ich Magdalena. Immer war ihr Zustand unverändert. Die kleinen Sünden konnten sie also nicht umbringen.

Ich wollte sie auch nicht umbringen, wirklich nicht. Sie war eine große Belastung für mich. Sie zwang mir ein Leben auf, das ich nicht führen wollte. Aber nach dem Nachmittag mit dem Taschentuch und den nassen Füßen des Erlösers wünschte ich mir oft, ich hätte mehr für sie tun können, als mit ihr reden oder ihr Geschichten aus der Bibel vorzulesen.

Ich glaube, ich hatte angefangen meine Schwester zu lieben. Und wenn ich bei Grit Süßigkeiten schnorrte ... Vielleicht wollte ich mir nur beweisen, dass ich sündigen konnte auf Teufel komm raus, ohne dass es einen Einfluss auf Magdalenas Befinden hatte. Wenn mir dafür eines Tages die kleinen Teufel das Fleisch mit glühenden Zangen vom Körper rissen, war das allein mein Problem.

Und dann fand ich eines Tages auf der Straße ein Markstück. Da war ich elf und ging bereits zur Hauptschule. Ich hatte noch nie eigenes Geld gehabt. Die anderen Mädchen in meiner Klasse bekamen sonntags von ihren Eltern etwas. Und montags gingen sie nach der Schule in einen kleinen Laden und kauften sich Negerküsse, Weingummi oder Eis am Stiel. Mich zogen sie auf, dass ich nie in den Laden gehen konnte.

Es war morgens auf dem Weg zur Schule. Ich sah das Geldstück da liegen. Ich wusste, dass ich es zwar aufheben durfte, aber abgeben musste. Und ich steckte es ein. In der großen Pause verließ ich den Schulhof. Es war verboten. Ich ging zum Laden und kaufte mir ein Eis. Und als die Lehrerin mich fragte, wo ich gewesen sei, sagte ich, ich hätte Kerzen für meine Mutter bestellen müssen. Alles zusammengenommen musste so schwer wiegen wie eine Todsünde.

Mittags trödelte ich auf dem Heimweg. Ich hatte schreckliche Angst. Es war Magdalena an dem Morgen gar nicht gut gegangen. Und ich … Ach, ich weiß nicht, obwohl ich schon alt war, obwohl ich es gar nicht glauben wollte und mir ein paar Leute versichert hatten, Mutter sei nicht richtig im Kopf, ich glaubte es immer noch – irgendwie.

So etwas setzt sich fest. Es gibt keinen Beweis dafür und keinen dagegen. Man kann nicht viel tun. Man kann immer nur etwas versuchen. Manche Leute glauben, sie werden vom Pech verfolgt, wenn sie unter einer Leiter durchgehen. Oder dass ein Unglück geschieht, wenn ihnen eine schwarze Katze über den Weg läuft. Sie schaffen es nie, unter einer Leiter durchzugehen. Und bei der schwarzen Katze kehren sie wieder um. Aber ich wollte es wissen. Und dann kam ich heim.

Ich klingelte schon lange nicht mehr an der Haustür, sondern ging hinten herum zur Küche. Bevor ich die Tür erreichte, hörte ich Mutter singen.

«Großer Gott, wir loben dich. Herr, wir preisen deine Stärke. Vor dir neigt die Erde sich und bewundert deine Werke. Wie du warst vor aller Zeit, so bleibst du in Ewigkeit. Alles, was dich preisen kann, Cherubim und Seraphinen, stimmen dir ein Loblied an. Alle Engel, die dir dienen, rufen dir stets ohne Ruh' heilig, heilig, heilig zu.»

Wenn Mutter dieses Lied sang, musste eigentlich alles in Ordnung sein. Das war es auch. Ich kam in die Küche, Magdalena saß im Sessel und hatte das kleine Tischchen über den Beinen. Sie löffelte Hühnerbrühe – ganz allein – und blinzelte mit einem Auge: Ich solle aufpassen, was jetzt käme. Es ging ihr viel besser als am Morgen.

«Das wird mir aber sehr langweilig da oben», sagte sie. «Den ganzen Tag nur heilig, heilig, heilig rufen.»

Es ging ihr so gut, dass sie Mutter ein bisschen ärgern konnte. Das tat sie gerne, weil sie sich auch oft über Mutter ärgerte. Magdalena war kein sanftes Kind. Solange sie noch klein gewesen war, hatte sie nicht viel tun können. Sie konnte auch nicht viel tun, als sie älter wurde, sie konnte nur reden. Und Mutter war jedes Mal verblüfft oder schockiert, vielleicht, weil sie Magdalena in ihrem Zustand nicht ins Wohnzimmer scheuchen konnte, wenn sie über den Erlöser oder Mutters Ansichten spöttelte. Blasphemie, sagte Mutter dazu, und das war auch eine sehr große Sünde.

«Hör lieber auf zu singen», verlangte Magdalena. «Dabei vergeht mir der Appetit. Wenn ich da oben nichts anderes rufen darf, will ich wenigstens etwas anderes hören, solange ich noch hier unten bin. Cora soll mir etwas aus der Schule erzählen.»

Aus der Schule erzählen, das hatte sich mit der Zeit aus unserem Wunschspiel ergeben – als Ersatz fürs Fernsehen. In der Schule war häufig etwas los. Mal hatten sich welche geprügelt. Mal war einer von den größeren Jungs beim Rauchen erwischt worden. Einmal hatte sich ein Mädchen in der Toilette eingeschlossen und Tabletten genommen. Da war später sogar ein Krankenwagen gekommen. Magdalena fand es aufregend, wenn ich so etwas erzählte.

Das war ihr Leben, sie kam ja kaum raus – nur mit Mutter in die Klinik alle drei Monate. Einmal in der Stadt mit ihr spazieren gehen war nicht möglich. Und sie im Kinderwagen spazieren fahren, da schämte sie sich, dafür war sie doch schon zu alt.

Vater hatte vorgeschlagen, einen Rollstuhl für sie zu kaufen. Das wollte sie nicht. «Einer, der sich dreimal am Tag in den Schwanz kneift, weil er mich gemacht hat, braucht für mich keinen Pfennig aus dem Fenster zu werfen», sagte sie zu mir.

So schlimm, wie sie meinte, war Vater nicht. Das sagte ich ihr auch oft. Außerdem hatte ich angeboten, sie im Rollstuhl spazieren zu fahren. Aber das wollte Mutter nicht. Magdalena hätte unterwegs etwas passieren können. Dann hätte ich nicht gewusst, was ich tun sollte.

Ich wollte gerne etwas für sie tun, wirklich. Mit elf Jahren wollte ich es schon fast jeden Tag. Aber ich konnte ihr nur erzählen, was in der Schule los war. Wenn nichts Besonderes gewesen war, erfand ich einfach etwas. Den Unterschied merkte sie ja nicht.

An dem Tag hätte ich ihr von dem Markstück erzählen können. Verraten hätte sie mich nicht. Aber wir blieben bei Mutter in der Küche. Während Mutter den Tisch abräumte und das Geschirr spülte, erzählte ich eine erfundene Geschichte. Als Mutter mit dem Abwasch fertig war, war Magdalena erschöpft. Mutter brachte sie hinauf. Aber als Vater am späten Nachmittag von der Arbeit kam, war sie bereits wieder unten.

Und am nächsten Tag tat ich es wieder – sogar schlimmer. Bevor ich zur Schule ging, nahm ich Geld aus Mutters Portemonnaie – zwei Markstücke. In der Pause verließ ich den Schulhof, allerdings hatte ich die Lehrerin um Erlaubnis gefragt. Ob ich gehen dürfe und fragen, ob die Kerzen schon geliefert seien. Die Lehrerin sagte: «Natürlich, Cora, lauf nur.»

Und ich lief zum Laden, kaufte mir ein Eis und eine Tafel Schokolade. Das Eis aß ich sofort. Die Schokolade versteckte ich in meiner Jackentasche. Mittags brachte ich sie in den Schuppen und legte sie in die hinterste Ecke unter die alten Kartoffelsäcke.

Als ich dann auf die Küchentür zuging, hatte ich Herzklopfen. Doch bevor ich die Klinke drückte, hörte ich Magdalena reden. Wie am Tag zuvor saß sie im Sessel, hatte einen Teller mit Kartoffelbrei und einem weich gekochten Ei vor sich. Es ging ihr gut. Nachdem sie eine Stunde geruht und ich gebetet und die Schularbeiten gemacht hatte, wollte sie unbedingt mit mir spielen. Nicht «Ich sehe was, was du nicht siehst» oder das Wunschspiel, ein richtiges Spiel.

Mutter schickte mich zu Grit Adigar, das «Mensch ärgere dich nicht» zu holen. Bevor ich mit dem Karton unter dem Arm zurück in unsere Küche ging, lief ich rasch in den Schuppen und brach ein Stück von der Schokolade ab. Ich legte es mir nur auf die Zunge und ließ es langsam schmelzen. Wenn ich darauf gekaut hätte, wäre es Mutter aufgefallen.

Magdalena beobachtete mich, während ich die Figuren auf das Spielfeld stellte. Sie sah, dass ich etwas im Mund hatte, aber sie sagte nichts. Erst später, als Mutter hinausging, fragte sie: «Was hattest du da eben?»

«Schokolade.»

Magdalena dachte, ich hätte sie von Grit bekommen. «Wenn du das Spiel zurückbringst, bringst du mir auch ein Stück mit? Aber pass auf, dass das Papier dranbleibt. Du musst es mir unters Kopfkissen legen. Ich esse es, wenn Mutter mich ins Bett gebracht hat. Ich passe auf, dass sie es nicht sieht.»

Mutter wollte nicht, dass sie Süßigkeiten aß, berief sich dabei allerdings nicht auf den Erlöser wie bei mir, sondern auf den Zahnarzt. Es war ein großes Problem mit Magdalenas Zähnen. Sie waren zu weich. Einmal hatten sie ihr in der Klinik einen Backenzahn ziehen müssen, der ein Loch hatte. Da hatten sie ihr eine Spritze gegeben. Und Magdalena hatte sie nicht vertragen. Die Ärzte hatten zu Mutter gesagt, so etwas dürfe nicht wieder vorkommen. Deshalb war Mutter auch so hinterher mit dem Zähneputzen.

Ich wusste das. Und ich wusste auch, dass man nach dem

Zähneputzen nichts Süßes mehr essen darf, weil es sonst Löcher gibt. Um es ganz konkret auszudrücken, ich wusste, dass ich ihr schadete – richtig schadete, wenn ich ihr ein Stück Schokolade unter das Kopfkissen legte. Ich nickte trotzdem.

Magdalena griff nach dem Würfel und sagte: «Dann mal los! Nimm keine Rücksicht auf mich, Cora. Ich kann gut verlieren.»

Nimm keine Rücksicht auf mich, Cora! Den Satz von ihr höre ich heute noch. Er wurde mir zum Lebensmotto. Ich nahm auf nichts und niemanden mehr Rücksicht, belog die Lehrerin und die anderen Kinder in der Schule, sogar meinen Vater. Ich klaute, was sich nur klauen ließ. Mindestens zweimal in der Woche nahm ich Geld aus Mutters Portemonnaie. Ich kaufte mir Süßigkeiten, versteckte sie im Schuppen und holte mir etwas, wann immer ich Lust hatte. Wenn sich die Gelegenheit bot, brachte ich auch für Magdalena etwas ins Haus und legte es ihr unter das Kopfkissen. Wenn meine Vorräte verzehrt waren, nahm ich eben wieder Geld.

Zuerst hatte ich Angst, dass die Leute aus dem kleinen Laden Mutter etwas erzählten. Sie kaufte auch da ein. Und eigentlich hätten sie sich wundern müssen, dass ich plötzlich über so viel Geld verfügte. Um allem vorzubeugen, erzählte ich einmal, Margret hätte mir Geld geschickt in einem Brief, und Margret hätte geschrieben, dass ich Mutter nichts davon sagen sollte, damit sie es mir nicht wegnähme und Kerzen oder Rosen dafür kaufte. Die Frau im Laden lächelte und sagte: «Von mir erfährt deine Mutter kein Sterbenswörtchen.»

Damals begriff ich, was es bedeutet, Geld zu haben. Alle waren plötzlich freundlich zu mir, alle, die vorher gelacht oder mich nicht beachtet hatten. Als ich zwölf wurde, waren es mindestens drei Mark in der Woche von Mutter. Dabei bekam ich zu dem Zeitpunkt auch schon regelmäßig Geld von Vater.

Manchmal wunderte es mich, dass Mutter das Geld nicht vermisste. Ich weiß nicht, ob sie mit der Zeit nachlässig geworden war oder ob ich sie überzeugt hatte, ich sei der frömmste Mensch auf der Welt. Vielleicht hatte ich sie überzeugt. Ich gab ihr Recht, egal welchen Unsinn sie verzapfte. Ich half ihr im Haushalt, spülte freiwillig das Geschirr ab, wischte Staub oder holte die Wäsche von der Leine, damit sie sich um Magdalena kümmern konnte. Das tat ich immer, wenn ich ein schlechtes Gewissen hatte. Und das hatte ich oft, weil ich alles hatte und Magdalena nur selten etwas abgeben konnte.

Ich verzichtete auf das Abendessen, wenn ich mich am Nachmittag so mit Süßigkeiten voll gestopft hatte, dass ich keinen Bissen mehr runterbrachte. Zu Mutter sagte ich: «Ich habe bei der Einkehr heute Mittag eine Begierde entdeckt. Ich will jetzt Buße tun.» Mutter fand so viel Einsicht natürlich toll.

Um die Einkäufe riss ich mich jedes Mal. Ich sagte: «Lass mich das machen, Mutter. Ich bin jung und stark. Es macht mir nichts aus, schwer zu tragen. Und du brauchst deine Kraft für Magdalena.»

Und dann sagte ich noch, dass ich lieber zum Aldi ginge, weil dort alles billiger sei. «Man darf die Händler doch nicht dazu verleiten, sich zu bereichern.» Und Mutter fand, sie hätte an mir eine große Hilfe und ich hätte viel vom Erlöser gelernt. Manchmal sagte sie, sie sei stolz auf mich.

Und wenn ich Magdalena erzählte, welchen Bären ich Mutter aufgebunden hatte, meinte sie: «Man muss sie verarschen, wo man nur kann. Blödheit muss bestraft werden.»

Magdalena dachte, dass ich den weiteren Weg in die Stadt nur gehe, damit ich ihr erzählen konnte, ob irgendwo etwas los gewesen sei. Warum ich tatsächlich lieber zum Aldi ging, habe ich ihr nie gesagt. Weil man dort leichter klauen konnte und Woolworth in der Nähe war.

Gut die Hälfte von dem, was ich nach Hause trug, war nicht bezahlt. Beim Aldi klaute ich Süßigkeiten und ein paar von den Lebensmitteln, die ich für Mutter besorgen sollte. Bei Woolworth nahm ich Haarspangen, Lippenstifte und anderen Kleinkram, den ich leicht in die Jackentasche stecken, aber selbst gar nicht brauchen konnte. Ich verkaufte die Sachen auf dem Schulhof.

Ich konnte so gut klauen, das glaubt man nicht. Ich sah nett und harmlos aus, mir traute niemand etwas Böses zu. Viele Leute wussten, wer ich war. Die Frau, die meist bei Aldi an der Kasse saß, wohnte in unserer Straße, für die war ich nur das arme Kind. Und bei Woolworth war eine der Verkäuferinnen eine gute Freundin von Grit Adigar, da war es genauso leicht.

Es hat nie einer etwas bemerkt. Auch nicht die, die mir die Sachen abkauften. Denen musste ich nur sagen: «Meine Tante hat mir wieder ein Päckchen geschickt. Aber was soll ich mit dem Kram? Meine Mutter hängt mir das Kreuz aus, wenn sie mich mit Lippenstift sieht.» Da freuten sie sich alle, weil sie die Sachen von mir für die Hälfte bekamen.

Ich hatte damals eine Menge Geld zur Verfügung. Mein Taschengeld von Vater, die Griffe in Mutters Portemonnaie und meine Einkünfte vom Schulhof. Und ich gab kaum etwas aus. Ich hortete alles, das Geld ebenso wie Naschzeug. Oft hatte ich so viel süßes Zeug im Schuppen, dass ich es nicht alleine essen konnte. Im Sommer schmolz mir die Schokolade unter den alten Kartoffelsäcken. Danach nahm ich häufig etwas mit zur Schule und verschenkte es an andere Kinder. Dann war ich ihre beste Freundin, und sie stritten sich, wer in der Pause mit mir spielen durfte.

Und ich spielte unentwegt mit Magdalenas Leben. Es war wie mit der Leiter. Einmal ist man mutig, man geht drunter durch, und nichts passiert. Und dann tut man es immer wieder. Irgendwann ist man überzeugt, dass es gar kein Pech gibt, das einen verfolgen könnte. Aber das Schicksal kann man nicht austricksen wie eine Mutter, die im Kopf nicht richtig ist. Irgendwann, wenn niemand mehr damit rechnet, schlägt es zu.

Es sah lange Zeit so aus, als hätte ich keinen Einfluss auf Magdalenas Zustand. Egal, was ich tat oder unterließ, ihr ging es gleichbleibend gut oder schlecht. Es kam darauf an, wie man es sah. Die Leukämie hatte sie überstanden. Nach fünf Jahren, sagten die Ärzte, könne man getrost von einer vollständigen Heilung sprechen.

Mutter führte die Genesung natürlich auf unsere Gebete zurück, weil sogar die Ärzte sagten, es sei ein Wunder. Dabei betete ich gar nicht mehr. Ich kniete vor dem Kreuz und dachte mir Geschichten für Magdalena aus.

Einmal erzählte ich ihr, ich hätte jetzt eine richtige Freundin. Da war ich schon fast dreizehn und hätte mir bequem eine Freundin kaufen können. Ich hatte achthundert Mark im Schuppen und wusste, dass Magdalena sich in dem Punkt geirrt hatte. Für Geld konnte man alles haben.

Sie fand das mit der Freundin aufregend. Ich musste ihr das Mädchen beschreiben. Jede Einzelheit wollte sie wissen. Wie groß ist sie? Ist sie dick oder dünn? Ist sie hübsch? Redet ihr auch über Jungs? Hat sie sich schon mal in einen verliebt? Meinst du, du schaffst es, dass sie mal hier am Haus vorbeigeht? Dann könnte ich sie sehen.

Da saßen wir an einem Nachmittag am Fenster im Schlafzimmer. Von dort aus konnte man auf die Straße sehen. Magdalena saß auf dem Bett, und ich passte am Fenster auf. Als ein wirklich hübsches Mädchen die Straße hinunterkam, holte ich Magdalena ans Fenster. Ich hielt sie mit einem Arm fest und klopfte an die Scheibe. Das Mädchen wurde aufmerksam und schaute zu uns hoch. Es schüttelte den Kopf, wahrscheinlich hielt es uns für blöd.

Und ich erzählte Magdalena, meine Freundin wüsste genau, wie vorsichtig wir wegen Mutter sein müssten. Nur deshalb hätte sie den Kopf geschüttelt. Magdalena glaubte mir alles.

Als ich einmal den halben Nachmittag mit Einkäufen vertrödelt hatte, erzählte ich ihr, meine Freundin hätte mich in die Eisdiele eingeladen. Sie hätte mir einen Erdbeerbecher mit Schlagsahne spendiert. Und dann hätte sie mir von einem Jungen vorgeschwärmt, in den sie sehr verliebt sei. Der Junge wüsste aber nichts davon.

Am nächsten Tag erzählte ich ihr, wir hätten einen Brief an den Jungen geschrieben. Und meine Freundin hätte mich gebeten, dem Jungen den Brief zuzustecken. Lügen! Lügen! Lügen! Manchmal kam es mir so vor, als ob mein Leben eine einzige Lüge sei.

8. Kapitel

Allmählich wurde Rudolf Grovian wütend – nicht auf sie, auf sich. Die Warnung ihrer Tante – dann macht Cora die Tür zu – schoss ihm durch den Sinn. Verdammt, er hatte es falsch angepackt. Aber es musste doch möglich sein, den Fuß noch einmal in die Tür zu drücken. Er probierte eine Weile herum, nur fand er den richtigen Ton nicht. Mit Margret legte er nur noch ein paar zusätzliche Riegel vor die Tür.

Auf die Fragen, in welcher Hinsicht er von ihrer Tante belogen worden sei und was Margret Rosch gestohlen haben könnte, dass man im schlimmsten Albtraum nicht darauf käme, antwortete sie: «Machen Sie Ihre Arbeit allein. Sie werden dafür bezahlt, ich nicht.»

Er kam auf den Kernpunkt zurück. Wenn es Johnny gab, war er identisch mit Georg Frankenberg? Darauf gab sie ihm keine Antwort. So sah er sich genötigt, noch einmal zu drohen, obwohl er das auf gar keinen Fall hatte tun wollen. «Frau Bender, dann werde ich wohl doch mit Ihrem Vater reden müssen.»

Sie lächelte. «Probieren Sie es lieber bei meiner Mutter, die hat die Wahrheit mit drei Pfund Bibelseiten gefressen. Aber sorgen Sie dafür, dass Ihre Knie gut gepolstert sind.»

Dann nippte sie an ihrem Kaffee, stellte die Tasse mit einer endgültigen Bewegung zurück und schaute zu ihm auf. «Das war's wohl, oder? Darf ich mich umziehen, bevor Sie mich dem Haftrichter vorführen? Meine Sachen sind verschwitzt. Ich habe darin gelegen. Und ich hatte sie gestern schon an. Die Zähne möchte ich mir auch gerne putzen.»

In dem Moment tat sie ihm unendlich Leid. Sie war immer auf sich gestellt gewesen. Wie sollte sie ausgerechnet ihm glauben, wenn er ihr Hilfe anbot? Davon abgesehen, welche Hilfe konnte er ihr bieten? Etliche Jahre hinter Gittern. Mit so viel Neutralität, wie er aufbringen konnte, sagte er: «Ihre Sachen sind noch nicht hier, Frau Bender. Wir hatten Ihren Mann gestern gebeten, etwas herzubringen. Bisher ist er nicht erschienen.»

Sie zuckte gleichgültig mir den Achseln. «Er wird auch nicht erscheinen. Ich hatte doch gesagt, Margret soll es tun.»

Eine halbe Stunde später traf Margret ein. In der Zeit hatte er sich noch dreimal bemüht, Auskunft zu erhalten. Wer war das zweite Mädchen? Beim ersten Mal versuchte er es mit ruhiger Stimme. Sie schlug vor: «Fragen Sie meine Mutter. Aber Sie können es auch gerne bei meinem Vater probieren. Wenn Sie ihm erzählen, ich wäre vergewaltigt worden, während ein anderes Mädchen totgeprügelt wurde, freut er sich bestimmt.»

Beim zweiten Mal legte er ein wenig Nachdruck in die Stimme. Sie schaute Werner Hoß an und erkundigte sich: «Braucht Ihr Chef ein Hörgerät, oder ist er einfach stur? Er hat ein großes Problem, was? Mir kommt er vor wie eine Schallplatte mit einem Sprung.»

Beim dritten Mal bettelte er fast. Und sie betrachtete die Kaffeemaschine und wollte wissen: «Haben Sie das Ding zu Hause ausrangiert? Können Sie sich fürs Büro keine neue Maschine leisten? So teuer sind die doch nicht. Es gibt welche, die kochen das Wasser richtig. Da schmeckt der Kaffee viel besser. Ich habe mir so eine gekauft. Ich werde sie vermissen. Oder meinen Sie, ich darf in der Zelle eine eigene Kaffeemaschine haben? Dann lasse ich sie mir bringen. Wenn Sie mich dann mal besuchen, kriegen Sie auch eine Tasse. Sie werden mich doch besuchen, oder? Wir machen uns einen gemütlichen Nachmittag mit Kaffee und wilden Geschichten. Mal sehen, wer von uns beiden besser ist.»

Es war eine harte Bewährungsprobe für ihn, fast war er erleichtert, als es endlich an die Tür klopfte und ihre Tante hereinkam. Margret Rosch hatte einen kleinen Koffer gepackt. Werner Hoß nahm ihn und untersuchte den Inhalt. Viel war nicht darin: Zwei Nachthemden, das Waschzeug, zwei Blusen, zwei einfache Röcke, einige Garnituren Unterwäsche, zwei Strumpfhosen, ein Paar Schuhe mit halbhohem Absatz und eine gerahmte Fotografie ihres Kindes.

Es war ein friedliches Bild, aufgenommen auf einer Terrasse. Der Kleine hockte am Boden, eine Hand auf einem grünen Traktor, blinzelte er ins grelle Licht und die Kamera.

Sie winkte ab, als Werner Hoß das Foto zu den anderen Sachen legte. Ihr Gesicht war steif geworden, die Stimme klang hart und unpersönlich, und der Blick, den sie ihrer Tante zuwarf, verschoss Eiskristalle. «Nimm es wieder mit!»

Margret Rosch, die in der Nacht einen so energischen Eindruck auf ihn gemacht hatte, wirkte in dem Moment nur hilflos und irgendwie verängstigt. «Warum denn? Ich dachte, du möchtest gerne ein Bild von dem Kleinen bei dir haben. Es ist doch sicher erlaubt, oder?» Beim letzten Satz warf sie Grovian einen fast verzweifelten Blick zu. Er nickte nur.

«Ich will es nicht», sagte Cora. «Nimm es wieder mit.»

Ihre Tante nahm wie ein eingeschüchtertes Kind die Fotografie von den Blusen und steckte sie in ihre Handtasche.

«Hast du mir Tabletten mitgebracht?», fragte Cora.

Margret Rosch nickte, steckte die Hand noch einmal in ihre Tasche und brachte sie mit einer Medikamentenschachtel wieder zum Vorschein. Und Rudolf Grovian glaubte zu begreifen, warum er den Fuß nicht mehr in die Tür bekommen hatte. «Das ist nicht möglich», sagte er.

«Aber die braucht sie», protestierte Margret Rosch. «Sie hat oft starke Kopfschmerzen. Das sind Folgen einer schweren Schädelverletzung. Sie hat Ihnen doch gestern erzählt von diesem Unfall.» Die Betonung lag unüberhörbar auf dem letzten Wort.

Er nahm ihr die Schachtel aus der Hand. «Ich werde es nehmen und den zuständigen Leuten aushändigen. Wenn sie das Mittel braucht, wird sie es bekommen. In der vorgeschriebenen Dosierung.»

Margret Rosch tat einen Schritt nach vorne, als wolle sie ihre Nichte in die Arme nehmen.

«Lass das!», sagte Cora beinahe lässig. «Am besten, du tust so, als sei ich gestorben. Du brauchst doch dafür nicht unbedingt meine Leiche, oder? Wenn du eine brauchst, geh in euren Leichenkeller, da liegen ja immer ein paar herum.»

Für Rudolf Grovian klang diese Bemerkung nach purer Gehässigkeit. Die Reaktion ihrer Tante war entsprechend. Margret Rosch schluckte hart, ließ die Arme sinken und drehte sich zur Tür ohne ein Wort des Abschieds. Nur eine Sekunde später schloss die Tür sich hinter ihr. Mit einem Kopfnicken bedeutete er Werner Hoß, den Raum ebenfalls zu verlassen. Als er allein mit ihr war, startete er den letzten Versuch.

«So», sagte er. «Jetzt sind wir unter uns, Frau Bender. Und jetzt reden wir miteinander wie erwachsene und vernünftige Menschen. Am See hat es nicht geklappt. Mit den Tabletten wird es auch nicht funktionieren. Über etwas anderes brauchen Sie erst gar nicht nachzudenken. Der Flucht nach vorne schiebe ich einen Riegel vor. Treten Sie lieber die Flucht nach hinten an.»

Sie reagierte nicht.

«Eine schwere Schädelverletzung», sagte er bedächtig. «Sie haben eine ziemlich tiefe Narbe an der Stirn. Da war nicht nur die Haut verletzt, da war auch der Knochen betroffen. Das ist mir in der Nacht aufgefallen. Sie haben, bevor Sie zusammenbrachen, von einer Pranke aus Kristall gesprochen und davon, wie grausam es war, wenn Ihr Mann vorher eine Zigarette rauchte. Weil der Aschenbecher all das auslöste. Also erzählen Sie mir nicht wieder, Sie wären vor ein Auto gelaufen.»

Es schien, dass sie schmunzelte. «Ihnen erzähle ich gar nichts mehr. Ich denke, wenn ich dem Haftrichter etwas erzähle, haben wir alle noch was vom Wochenende. Was sagt eigentlich Ihre Frau, wenn Sie hier durchmachen? Oder haben Sie keine?»

«Doch.»

«Gut.» Sie schmunzelte nicht nur, sie grinste. «Dann packen Sie Ihre Frau ins Auto und machen einen schönen Ausflug mit ihr, wenn Sie mich abgeliefert haben. Ist ja herrliches Wetter draußen. Fahren Sie an den Otto-Maigler-See. Am besten nehmen Sie auch Herrn Hoß mit. Er kann Ihnen ein interessantes Fleckchen zeigen. Da wurde nämlich gestern ein Mann umgebracht. Stellen Sie sich vor, der arme Kerl wurde abgeschlachtet, nur weil er mit seiner Frau Zärtlichkeiten austauschte und dabei ein bisschen Musik hörte. Und da war so eine blöde Kuh, der gefiel das nicht, da ist sie ausgeflippt.»

Er versuchte es mit Autorität. «Frau Bender, die Mätzchen können Sie sich sparen. Woher stammt diese Narbe?»

Sie wurde ausfallend. «Ach, lecken Sie mich doch.»

Noch ein Versuch, sie mit ihren eigenen Ängsten zu ködern. «Ich denke, das mögen Sie nicht. Gestern haben Sie so etwas angedeutet, oder habe ich Sie da missverstanden?»

Sie starrte ihn an, das unverletzte Auge war wie ein Loch im Gesicht. Er hätte gerne gewusst, was in diesem Loch glühte, Wut oder Panik. Sekundenlang glaubte er, das sei der richtige Ton gewesen. Da tippte sie sich gegen die rechte Kopfseite. «Hier habe ich eine Narbe, die ist noch größer. Möchten Sie sie sehen? Da müssen Sie aber die Haare anheben. Nur ist da nicht viel zu sehen. Es sieht eben geflickt aus.»

«Und wer hat Ihnen diese Verletzungen zugefügt?»

Sie zuckte mit den Achseln, das Grinsen fand den Weg zurück auf ihr zerschlagenes Gesicht. «Ich hab's Ihnen doch erklärt. Wenn Sie mir nicht glauben, ist das Ihr Problem. Ich bin mit dem Kopf auf die Motorhaube geknallt. Mehr kann ich Ihnen nicht sagen. Ich war high, als es passierte. Der Weißkittel hat Ihnen doch gesteckt, was mit meinen Armen ist. Und Margret hat doch garantiert auch gesagt, was damals mit mir los war. Ich hab gefixt.»

Sie streckte den linken Arm aus und deutete auf die Armbeuge. «Ich war nicht vorsichtig genug, habe auch keinen Wert auf Sauberkeit gelegt. Das hatte sich mächtig entzündet. Es hat richtige Löcher gegeben. Sehen Sie? Es ist ganz knotig.»

Sie strich mit einem Finger der rechten Hand über das vernarbte Gewebe. «Ich habe alles probiert, was im Angebot war», erklärte sie. «Hasch, Koks, zuletzt Heroin.» Sie lachte leise und fügte hinzu: «Aber keine Sorge. Sie haben nichts versäumt. Ich bin seit Jahren clean. Gestern war ich so sauber wie Sie. Und wenn ich mich gewaschen habe, rieche ich auch wieder so. Zeigen Sie mir jetzt bitte, wo ich mich umziehen kann?»

Sie hatte sehr lässig gesprochen, die Feindseligkeit gab ihrer Stimme einen rostigen Beiklang. Und er hatte keine Ahnung, wie ein Mensch sich mit einem Trauma fühlte. Der Vergleich mit der Mauer schien ihm passend. Was ihm bei seiner Tochter nie gelang, bei ihr schaffte er es: an seinem Konzept festzuhalten; Ruhe, Gelassenheit, Verständnis und Geduld. Er stellte sich einfach vor, dass sie vor ihrer Mauer stand und alles, was sich dahinter verbarg, mit Zähnen und Klauen vor seinem Zugriff verteidigte. «Warum haben Sie uns nicht schon in der Nacht erzählt, dass Sie süchtig waren?»

Sie zuckte erneut mit den Achseln. «Weil ich dachte, es geht Sie nichts an. Es ist ein paar Jahre her und hat mit der Sache nichts zu tun. Mein Mann weiß nichts davon. Ich hatte gehofft, dass er es nie erfährt. Es war lange vor seiner Zeit.»

«War es die Zeit mit Georg Frankenberg? Hat er Ihnen das Zeug gegeben?»

Sie richtete den Blick zur Decke und verdrehte die Augen. «Gegen wen ermitteln Sie eigentlich, gegen mich oder ihn? Was wollen Sie dem armen Schwein denn noch alles anhängen? Sie wollen ihn unbedingt zum Verbrecher stempeln, was? Passt es nicht in Ihr Weltbild, dass eine Frau töten kann, nur weil sie sich über laute Musik ärgert? Soll ich Ihnen was sagen? Eigentlich wollte ich das Weib abstechen. Der Mann hatte einfach Pech, weil er oben lag.»

Rudolf Grovian lächelte. «Und weil das für Sie so aussah, als ob er über die Frau herfiele. Weil Sie befürchteten, er könnte sie schlagen. Hat es Sie an das erinnert, was damals im Keller passiert ist?»

Sie antwortete nicht sofort. Erst nach ein paar Sekunden und einem tiefen, entnervten Seufzer meinte sie lakonisch: «Wenn Sie unbedingt an dieser Story festhalten wollen, finden Sie das mal selbst raus. Fragen Sie einfach noch ein paar Leute. Sie fragen doch so gerne. Warum soll ich Ihnen den Spaß verderben?»

Mit den letzten Worten griff sie eine Bluse, einen Rock, eine Garnitur Unterwäsche und ihre Zahnbürste vom Schreibtisch. Um Erlaubnis fragte sie nicht noch einmal. Sie ging einfach zur Tür. Er folgte ihr, Werner Hoß schloss sich ihnen an. Auf dem Korridor versuchte er es noch einmal. «Frau Bender, es hilft Ihnen doch nicht, wenn Sie so verstockt sind. Wenn Georg Frankenberg ...»

«Wer ist hier verstockt?», unterbrach sie ihn. «Ich bestimmt nicht. Ich mag nur diese Bohrerei nicht. Sie sehen doch, was dabei herauskommt. Ein Haufen Dreck! Ich hatte Ihnen so eine hübsche Geschichte erzählt. Richtig romantisch war sie am Anfang. Und am Schluss war sie rührend. Ein totes Baby. Tote Babys sind immer rührend, dreckig sind sie nicht. Die Wahrheit ist dreckig. Die Wahrheit ist voller Würmer und Maden, sie wird schwarz und stinkt zum Himmel. Ich mag keinen Dreck und keinen Gestank.»

«Ich auch nicht, Frau Bender. Aber ich mag die Wahrheit. Und in einem Fall wie diesem wäre es doch nur zu Ihrem Vorteil, wenn Sie offen zu uns sind.»

Sie lachte kurz auf. «Machen Sie sich keine Sorgen um meinen Vorteil. Um den kümmere ich mich selbst. Das habe ich schon als Kind getan. Ich bin ziemlich früh auf die schiefe Bahn geraten. Da rutscht man irgendwann völlig ab. Da haben Sie Ihre Wahrheit. Mir musste niemand etwas geben, bestimmt keinen Stoff. Was ich haben wollte, habe ich mir genommen.»

Während sie sich – bei offener Tür – notdürftig wusch und umzog, stand er – mit Werner Hoß als Zeugen – auf dem Korridor, horchte auf die eindeutigen Geräusche und ließ den nächtlichen Dialog zwischen ihr und Margret Rosch wieder und wieder durch seinen Kopf ziehen.

Es kam so weit, dass er sich für schizophren hielt, in den harmlosen Sätzen verschlüsselte Absprachen zu vermuten und in einer schockierten und besorgten Tante eine Todesbotin zu sehen. Aber schizophren hin und her, er musste sich den Inhalt ihres Köfferchens noch einmal genau anschauen. Seine Hand hätte er ins Feuer gelegt, dass sie nur deshalb nicht aus der Ruhe zu bringen war, weil Margret Rosch ihr mehr mitgebracht hatte als Tabletten. Vielleicht war die Medikamentenschachtel nur ein raffinierter Schachzug gewesen, um von einer Rasierklinge oder etwas Ähnlichem abzulenken.

Ihr Hirn war immer noch zu einem festen Klumpen gefroren, von dem niemand ein Stück abschlagen, den niemand zum Tauen bringen konnte. Mochte der Chef wüten, wie er wollte. Nur hinter den Rippen glühte es schmerzhaft. Margret hätte das Foto nicht mitbringen dürfen.

Es hatte ihr einen heftigen Stich versetzt, das Kind noch einmal zu sehen, so fröhlich und unschuldig. Es war der letzte Blick zurück gewesen. Lots Weib war daraufhin zur Salzsäule erstarrt. Sie war nur im Innern steif geworfen, so steif und kalt wie Mutter damals, als sie mit Magdalena auf dem Bett saß und von der großen Schuld sprach, die der Herr nicht vergeben hatte.

Aber der Kleine war gut aufgehoben bei den Großeltern. Schwiegereltern dachte sie nicht mehr. Und irgendwann durften sie ihm erzählen, seine Mutter sei gestorben. Wenn sie es ihm erzählten, war es die Wahrheit. Mochte der Chef Riegel vorschieben, so viele er wollte. Sie wusste, was sie zu tun hatte. Sie wusste auch womit! Und Margret schien auch gewusst zu haben, dass es so viele Möglichkeiten nicht gab in einer Zelle, dass man sich auf etwas beschränken musste, das völlig natürlich und harmlos aussah. Nach dem Tod der Angeklagten wurden die Ermittlungen bestimmt eingestellt. Warum sollten sie dann noch im Dreck wühlen?

Auf der Fahrt nach Brühl schwiegen sie. Werner Hoß fuhr, der Chef hatte neben ihr im Fond des Wagens Platz genommen. Er schien endlich begriffen zu haben, dass er drohen, betteln oder weinen mochte, dass er bei ihr auf Granit biss, selbst wenn er sie auf Knien anflehte.

Beim Haftrichter ging es überraschend schnell. Der Chef trug mit nüchterner Stimme vor, was ihr zur Last gelegt wurde. Sie hörte sich alles mit unbewegter Miene an. Der Richter fragte, ob sie sich dazu äußern wolle. Sie erklärte, sie habe sich bereits ausführlich geäußert und wolle sich nicht ständig wiederholen. Und der Richter verfügte, dass sie in Untersuchungshaft zu nehmen sei. Er belehrte sie noch einmal über ihre Rechte. Damit war es überstanden.

Ein kleiner Schock stand ihr noch bevor, als der Chef ihren Koffer äußerst gründlich untersuchte. Sogar das Futter tastete er ab, als vermute er darin ein paar Sandkörner. Und schließlich nahm er die Strumpfhosen an sich.

«Was fällt Ihnen ein?», protestierte sie. «Sie haben kein Recht, sich an meinen Sachen zu vergreifen.»

«Ich habe eine Menge Rechte», sagte er. «Und für Strümpfe ist es doch zu warm. Im Moment tragen Sie ja auch keine.»

Dann ließ er sie allein. Das Mittagessen nahm sie in einer Zelle ein. Es war nicht schlecht. Im Vergleich mit dem, was Mutter früher auf den Tisch gebracht hatte, war es sogar hervorragend.

Und dort war sie ausgekommen und hängen geblieben. Als ob die Vergangenheit das eigentliche Ziel ihres Lebens gewesen sei und sie sich noch einmal überdeutlich vor Augen führen müsse, welch ein schlechter Mensch sie gewesen war. Dabei waren die Erinnerungen, die bisher aufgebrochen waren, noch vergleichsweise harmlos.

In regelmäßigen und kurzen Abständen hörte sie ein Geräusch an der Tür. Der Chef hatte tatsächlich Anweisung gegeben, sie zu beobachten. Aber wenn er sich einbildete, er könne sie zwingen, die Flucht nach hinten anzutreten, irrte er gewaltig. Die Wut auf ihn war wie ein Besenstiel im Rücken. Und der Kopf, immer noch gefroren, brachte glasklare Gedanken zustande. Sie wartete darauf, dass der Nächste kam, ihr ein paar Fragen zu stellen. Lange musste sie nicht warten.

Gegen zehn Uhr am Montagvormittag wurde sie abgeholt und zur Vernehmung zum Staatsanwalt gebracht. Er war ein junger Mann, durchaus freundlich, vor sich hatte er einen Haufen Papier, das er mit ihr durchsprechen wollte. Er wies sie darauf hin, dass ihre Aussage in der vorliegenden Form ohne Wert sei. Er könne das erst akzeptieren, wenn sie ihm die Namen der beiden anderen Männer nenne. Nicht die blödsinnigen Spitznamen Böcki und Tiger. Er brauche die richtigen Namen. Natürlich auch den des Mädchens. Es sei nur in ihrem eigenen Interesse.

Beinahe hätte sie gelacht. Bildete dieser Knabe sich ein, er kenne ihre Interessen? «Hat Herr Grovian Ihnen denn nicht gesagt, dass ich diesen Unsinn gestern widerrufen habe?»

Der Staatsanwalt schüttelte den Kopf. Sie sah ihn unsicher an, schaffte es, Resignation in ihre Stimme zu legen. «Was soll ich denn nun sagen vor dem Richter, wozu raten Sie mir?»

«Zur Wahrheit», sagte der Staatsanwalt.

Zuerst nickte sie bedrückt, dann erklärte sie leise: «Die ist aber verdammt dürftig. Ich war furchtbar wütend auf die Frau.»

«Was hatte die Frau getan, um Sie wütend zu machen?», fragte der Staatsanwalt.

«Eigentlich nichts», murmelte sie. «Mein Mann fand sie scharf. Sie hat Feuer im Hintern, sagte er. Ich habe mir immer Mühe gegeben, dass er mit mir zufrieden ist. Dann kommt so eine Kuh und macht ihm den Hals lang. Und das nicht zum ersten Mal. Er bekam immer Stielaugen, wenn wir am See waren. Und anschließend hielt er mir Vorträge, ich sei prüde und zickig. Manchmal wollte er dann auch Sachen, die ich nicht mochte. Ich konnte mir schon denken, was mich abends erwartete. Und ich hatte einfach die Schnauze voll, verstehen Sie? Ich wollte einem von diesen verdammten schamlosen Weibern einen Denkzettel verpassen. Aber ich kam nicht an sie ran. Und da dachte ich ...»

Sie schaute über seine Schulter auf einen unbestimmten Punkt an der gegenüberliegenden Wand. «Ich dachte eben, ist doch egal, ob ich sie erwische oder den Mann. Ihm hat es ja auch Spaß gemacht. Die sind doch irgendwie alle gleich, diese Schweine.»

Das reichte dem Staatsanwalt. Er fragte noch nach den Stichen, präzise ausgeführt nannte er sie. Als sie dazu nur die Achseln zuckte, wollte er wissen, woher ihre Kopfverletzungen stammten. Sie wiederholte, was sie dem Chef zuletzt erzählt hatte. Voll gepumpt mit Heroin direkt in ein Auto gelaufen. Und einen barmherzigen Samariter habe es nie gegeben, den betrunkenen Arzt als Fahrer habe sie frei erfunden. Behandelt worden seien ihre Verletzungen im Kreiskrankenhaus in Dülmen.

Sie musste lächeln, als sie das sagte, wusste nicht einmal, ob es in Dülmen ein Kreiskrankenhaus gab. Manni Weber war in Dülmen geboren und aufgewachsen, seine Großmutter lebte noch dort. Vor einem Jahr hatte Manni Weber sie um ein paar Tage unbezahlten Urlaub gebeten. Seine Großmutter war gestürzt und lag mit einem Oberschenkelhalsbruch im Krankenhaus. Wo genau, hatte Manni Weber nicht gesagt.

Der Staatsanwalt lächelte nicht. «Wir werden das überprüfen», sagte er.

Sie dachte, er hätte sie nun endlich ein Geständnis unterschreiben lassen. Aber nein. Das müsse ja nun alles noch einmal neu aufgenommen werden, meinte er. Und am besten sei, damit zu warten, bis ihre Angaben überprüft wären. Ihr Geständnis könne sie dann vor dem Untersuchungsrichter ablegen und unterzeichnen.

Kurz nach Mittag war sie wieder in ihrer Zelle. Den halben Nachmittag grübelte sie, wie sie dem Drama ein Ende setzen könne. Schließlich kam sie auf die Idee mit den Papiertüchern. Sie hatte keine, aber man gab ihr bestimmt ein Päckchen, wenn sie darum bat. Papiertücher waren so harmlos wie Eine-Runde-Schwimmen. Als das Abendessen gebracht wurde, fragte sie danach.

«Haben Sie Schnupfen?», wollte die Wärterin wissen.

Sie nickte und schniefte ein wenig. Die Wärterin sagte: «Ich bringe Ihnen gleich ein paar Tücher», und ging weiter.

Sie aß ein bisschen, dabei fühlte sie sich noch gut, ohne Appetit, jedoch sonst in Ordnung. Nachdem sie das Tablett an die Seite geschoben hatte, kniete sie vor dem Bett auf dem Boden und faltete die Hände.

Es war das erste Mal seit langer Zeit, und es ging nur, weil kein Kreuz da war. Einen unsichtbaren Erlöser um Vergebung der letzten Sünde zu bitten, war nicht so schwer. Sie sah dabei das blutige Gesicht des Mannes vor sich. Georg Frankenberg! Und sein Blick … Er hatte ihr vergeben, das war sicher.

Etwas in ihr war immer noch der festen Überzeugung, es sei gut und richtig gewesen, ihn zu töten. Dieses Etwas musste der Wahnsinn sein. Frankie, dachte sie. Ein zärtlicher Mann! Seit drei Wochen verheiratet. Bei ihr waren es drei Jahre. Die Drei war eine magische Zahl. Das wurde ihr mit einem Schlag bewusst, nur begriff sie nicht auf Anhieb, was an der Drei so bemerkenswert war. Als es ihr dann einfiel …

Es waren drei Kreuze auf Golgatha. Und die beiden Männer, die mit dem Erlöser gekreuzigt wurden, hatten den Tod verdient. Der in der Mitte dagegen war ohne Schuld gewesen.

Es traf sie wie ein glühendes Eisen, bohrte sich zwischen die Schulterblätter und zog sie zusammen, kroch in den Nacken und weiter hinauf, stieß ins Hirn und brachte den gefrorenen Klumpen zum Tauen. Wie hatte sie das auch nur für eine Sekunde aus den Augen verlieren können? Der Erlöser war frei von jedem Makel gewesen, so rein und unschuldig, wie kein Mensch jemals sein konnte. Minutenlang zitterte sie wie in einem Krampf. Es war, als stünde Vater neben ihr: «Was hast du getan, Cora? Was hast du getan?» Und über Vaters Kopf schwebte das Kreuz mit dem schuldlosen Mann.

Als es ihr endlich gelang, vom Boden aufzustehen, schlich sie zum Waschbecken. Als wenig später das Tablett abgeholt wurde, wusch sie sich immer noch die Hände und dachte nicht an Papiertücher. Die Wärterin hatte auch nicht daran gedacht.

Rudolf Grovian hatte ein paar Stunden vom Sonntagnachmittag am Otto-Maigler-See verbracht. Nicht, um ihrer Empfehlung zu folgen, er fuhr auch nicht mit seiner Frau hin. Als er in seinen Wagen stieg, war Mechthild bereits auf dem Weg nach Köln. Sie hatte mit dem Mittagessen auf ihn gewartet, natürlich hoffte sie auch, dass er sie begleitete. Aber die Vorstellung, ein paar nutzlose Stunden in der Wohnung seiner Tochter zu verbringen, wo er bisher nicht einmal den Tatort gesehen hatte …

Nur war da nichts zu sehen außer dem Wasser und einem Volksauflauf. Da war auch nichts mit in der Sonne sitzen und die Umgebung oder die Atmosphäre auf sich einwirken lassen. Er war deprimiert, schwankte zwischen der eigenen Überzeugung und der Meinung, die Werner Hoß vertrat, dass Johnny, Tiger und Böcki nichts mit Georg Frankenberg zu tun hatten.

Er saß auf dem platt getretenen Rasen und betrachtete die halb nackten Menschen, junge und alte, Männer, Frauen und Kinder. Ein älteres Paar ging Hand in Hand zum Wasser hinunter. Der Mann musste das Pensionsalter fast erreicht oder bereits überschritten haben. Und er erinnerte sich nicht einmal mehr, wann er zuletzt Hand in Hand mit Mechthild gegangen war. Früher hatten sie oft davon gesprochen, was sie alles tun wollten, wenn die Tochter aus dem Haus war. Mal ein Wochenende ins Blaue, für ein paar Tage in den Schwarzwald oder an die Nordsee, bisher war nichts daraus geworden.

Ein bisschen abseits von ihm spielten ein Mann und ein kleiner Junge mit einem Ball. Der Junge war nur wenig größer als sein Enkel und trat den Ball ungeschickt in seine Richtung. Er fing ihn auf und warf ihn zurück. Der Junge lachte ihn an, und ihm fiel ein, dass seinem Enkel das Lachen bald verginge. Oder auch nicht!

Es war anzunehmen, dass Marita sich samt ihrem Söhnchen daheim einquartieren wollte, wenn ihre Ehe tatsächlich in die Brüche ging. Eine ernüchternde Erkenntnis, die vorübergehend alles andere in den Hintergrund drängte! Der häusliche Friede mit Füßen getreten. Nichts gegen ein paar Bauklötze im Wohnzimmer, nichts gegen ein bisschen Kinderlachen oder

-weinen, aber die geruhsamen Abende auf der Couch wären Vergangenheit, wenn die Tochter wieder im Haus war.

Er sah es vor sich, so wie es früher gewesen war. Der Tisch im Wohnzimmer übersät mit Nagellack, Lippenstiften, Wimperntusche und dem anderen Mist, den sie sich ins Gesicht schmierte. Hundertmal, tausendmal hatte er verlangt, sie solle ihre Kriegsbemalung gefälligst im Bad auftragen. Aber nein! Da war angeblich das Licht zu schlecht, und Mechthild sagte: «Nun lass sie doch, Rudi. Ist das denn nötig, jeden Abend dasselbe Theater?»

Eine knappe Stunde später saß er in der Wohnung seiner Tochter, entschlossen zu retten, was zu retten war. Sein Schwiegersohn war nicht da. Und seine Versuche wurden abgeblockt mit: «Halt dich raus, Rudi, du hast keine Ahnung, worum es geht.»

Mechthild hielt den Jungen auf dem Schoß, sagte ein übers andere Mal: «Ja, aber wie soll das denn ...» Weiter kam sie nie. Wie es denn sollte, hatte Marita bereits gründlich durchdacht. Von Heimkommen war nicht die Rede. Die geräumige Wohnung gegen ein Zimmer im Elternhaus, die Möglichkeiten der Großstadt gegen den kleinbürgerlichen Mief einzutauschen, danach stand ihr nicht der Sinn. Die finanzielle Seite warf keine Probleme auf, Peter müsste natürlich zahlen. Dreitausend im Monat, so stellte Marita sich das vor.

«Es gibt auch kleinere Summen», sagte Rudolf Grovian.

«Es gibt auch größere», sagte seine Tochter. «Und bei seinem Einkommen, da weiß er wenigstens, wofür er schuftet.» Danach vergaß sie seine Anwesenheit und sprach wieder ausschließlich zur Mutter. Es ging um grobe Vernachlässigung, um unüberbrückbare Gegensätze, um einen Mann, der nichts anderes im Kopf hatte als Bits und Bytes, Rams und Roms, das Internet und anderen Firlefanz, mit dem ein vernünftiges Gespräch nicht mehr möglich war, von einem unterhaltsamen Abend in einer Diskothek ganz zu schweigen.

«So ist das nun mal, wenn ein Mann arbeitet und es im Beruf zu etwas bringen will», sagte Mechthild lahm. «Da muss man als Frau hin und wieder eine Faust in der Tasche machen. Dafür hat man doch aber auch was vom Leben.»

Ja, Windeln, Kochtöpfe und zur Abwechslung einmal wöchentlich die Spielgruppe für Zweijährige. Rudolf Grovian konnte sich das nicht länger anhören, er zog unentwegt Vergleiche. Aber es gab keine. Seine Tochter und Cora Bender, das war wie Tag und Nacht, wie Feuer und Wasser. Die eine brauchte seinen Rat nicht, wollte nicht einmal wissen, wie er darüber dachte. Halt dich raus, Rudi. Was sollte ein Mann tun, wenn ihm privat ständig solche Grenzen gesetzt wurden? Ihm blieb doch nur, sich in die Arbeit zu stürzen.

Am Montagmorgen um acht tat er das, hatte am Abend eine längere Unterredung mit dem Staatsanwalt und bis Dienstag genug zusammengetragen, um sie noch einmal mit ihren Lügen zu konfrontieren und ein wenig an ihrer Mauer zu kratzen. Vorsicht hin, Rücksicht her. Er hatte sie herausgefordert und sie ihn. Sie war schuldig geworden, und jetzt war er am Zug. Das war sie ihm schuldig.

Es war später Nachmittag, als er die Zelle betrat. Er sah ihr Erschrecken bei seinem Anblick und erschrak ebenfalls. Die beiden Tage hatten sie in ein stumpfes Bündel verwandelt, das zu keiner Reaktion mehr fähig schien.

Er begann mit dem Kreiskrankenhaus in Dülmen. Das hatte ihn nur einen Anruf und ein bisschen Warterei am Telefon gekostet.

Mit Georg Frankenbergs Vater hatte er persönlich gesprochen, am vergangenen Nachmittag. Ute Frankenberg war noch nicht vernehmungsfähig. Man hatte ihn nicht zu ihr gelassen. Aber viel konnte sie ihm wohl ohnehin nicht sagen, wenn sie ihren Mann erst sechs Monate vor der Hochzeit kennen gelernt hatte.

«Und ich glaube kaum», erklärte er mit einem kleinen Lächeln, «dass er mit seiner Frau über frühere Affären gesprochen hat.»

Im Geist hörte er den Staatsanwalt noch einmal sagen: «Ihr Engagement in allen Ehren, Herr Grovian, aber ich muss Sie dringend bitten, nicht so einseitig zu ermitteln. Gehen wir lieber davon aus, dass die Frau ihr Opfer wirklich nicht kannte.»

Sie musste ihn gekannt haben! Er hatte in den beiden Tagen ein paar Details zusammengetragen, die dafür sprachen. Es Beweise zu nennen wäre übertrieben gewesen. Fakten, das traf es eher. Und zu diesen Fakten gehörte auch die Leiche eines jungen Mädchens.

Es gab tatsächlich eine – mit zwei gebrochenen Rippen! Eine Vermisstenmeldung in Buchholz für die fragliche Zeit gab es nicht. Aber sie hatte ja gesagt, sie habe das Mädchen nie vorher in Buchholz gesehen. Die Vermisstenmeldung konnte überall liegen. In Lüneburg gab es nur die Unterlagen über eine unbekannte Tote – fünfzehn bis höchstens zwanzig Jahre alt.

Im August vor fünf Jahren hatte man ihre skelettierte Leiche in der Nähe eines militärischen Sperrgebiets in der Lüneburger Heide gefunden. Die Todesursache war nicht mehr feststellbar gewesen. Keine Schädelverletzung, Kehlkopf und Zungenbein intakt. Die Rippenbrüche konnten nach Ansicht der zuständigen Gerichtsmediziner später erfolgt sein; Tiere als Verursacher. Das kam häufiger vor.

Die Leiche musste mindestens drei Monate im Freien gelegen haben. Nackt! Kleidungsstücke waren bei ihr nicht gefunden worden. Auch sonst nichts, was der Identifizierung hätte dienen können. Man hatte es mit Aufrufen in der Presse versucht, ohne Erfolg. Die zuständigen Kollegen gingen von einer Anhalterin aus. Aber wenn man in Erwägung zog, dass Cora Bender und ihre hilfsbereite Tante um die Wette geschwindelt hatten, war es durchaus denkbar, dass es sich um das Mädchen aus dem Keller handelte. Man brauchte nicht viel Phantasie, nur etwas Menschenkenntnis, Intuition und ein gutes Gedächtnis, das beiläufig hingeworfene Sätze registrierte und ihnen im entscheidenden Moment die richtige Bedeutung beimaß.

Vorausgesetzt, Cora Bender hatte sich schon im Mai und nicht erst im August zu einer Fahrt mit Johnny und seinem kleinen, dicken Freund überreden lassen, dann kam es hin. Und irgendwie war es doch sonderbar, wie sie und ihre Tante auf dem August herumgeritten waren.

Er hatte vor, sich ans BKA zu wenden und sämtliche Vermisstenfälle der fraglichen Zeit überprüfen zu lassen. Mit einem Namen wäre es wesentlich einfacher gewesen.

Zwei Namen hatte er am Montagmorgen von Winfried Meilhofer erfahren. Ottmar Denner und Hans Böckel. «Sagen Ihnen die Namen etwas, Frau Bender?»

Sie schüttelte den Kopf. Er lächelte weiter. Immer nur lächeln, freundlich sein und Rätsel raten, warum sowohl sie als auch ihre Tante den August als Quelle des Übels nannten. Weil sie von dem Leichenfund wussten! Darauf hätte er einen Eid abgelegt. Weil sie damit nicht in Verbindung gebracht werden wollten, weil sie alles Mögliche und Unmögliche befürchteten, wenn die Verbindung hergestellt wurde. Weil! Wenn! Und hundert Fragezeichen.

«Mir aber!», sagte er. «Hans Böckel gleich Böcki. Ottmar Denner könnte der Tiger sein. Denner war der Komponist in der kleinen Band, hat man mir erzählt. Und Komponisten setzen sich gerne ein Denkmal. Ein Stück auf dem Band heißt ‹Song of Tiger›. Erinnern Sie sich? Sie haben es als Ihr Lied bezeichnet.»

Der Staatsanwalt hatte ihn ausgelacht. Böcki und Tiger, so ein Quatsch! Das hatte ebenso viel Wert wie das Kreiskrankenhaus Dülmen. Und sie schüttelte nur wieder den Kopf. Er sprach unbeirrt weiter. «Interessant erscheint mir auch, dass

Ottmar Denner aus Bonn stammt. Er hat zusammen mit Georg Frankenberg in Köln studiert und während seiner Studienzeit noch daheim gelebt. Er fuhr zu der Zeit einen silberfarbenen VW-Golf GTI, das Kennzeichen begann logischerweise mit BN. Wir bemühen uns im Augenblick, seine derzeitige Anschrift in Erfahrung zu bringen. Aber das ist nicht einfach. Es sieht so aus, als sei er ins Ausland gegangen. In die Entwicklungshilfe.»

Er hatte mit Ottmar Denners Eltern gesprochen, vor ein paar Stunden erst. Und keine Auskunft erhalten. Angeblich wusste man nicht, wo der Sohn sich derzeit aufhielt. In Ghana, im Sudan oder im Tschad. Auch seine Bitte um eine Fotografie war abgelehnt worden. Wozu brauchte er die? Was lag vor gegen Ottmar Denner? Sein Gesprächspartner war ein kleiner, dicker Mann und energischer Vater gewesen, der seine Rechte kannte, die des Sohnes auch.

Und Rudolf Grovian hatte sich vorgestellt, er könne ihr einige Fotografien auf den Tisch legen, fünf oder sechs oder sieben. Er könne sie bitten, den kleinen Dicken herauszusuchen. Fehlanzeige! Aber so wie die Dinge standen, hätte sie wohl auch zu einem Foto nur den Kopf geschüttelt.

Über Hans Böckel hatten sie noch nichts in Erfahrung gebracht. Rudolf Grovian ging davon aus, dass Böckel derjenige war, der aus Norddeutschland stammte. Aber wenn Hans Böckel jemals Verbindung zu einem Haus in Hamburg gehabt hatte, gemeldet war er dort nicht gewesen. Und ein Studienfreund von Frankenberg konnte er auch nicht gewesen sein. Es gab keine entsprechende Einschreibung an der Universität.

Stattdessen gab es eine Erklärung von Georg Frankenbergs Vater. Mit der Mutter hatte Rudolf Grovian nicht reden können. Sie hatte einen Schock erlitten. Und Professor Johannes Frankenberg wusste mit den Namen Denner und Böckel nichts anzufangen. Das mit der Musik sei nur eine kurze Episode gewesen, eine Laune, die ein paar Wochen vorhielt. Georg habe damals rasch eingesehen, dass seine Zeit zu kostbar sei für Spielereien.

Und im Mai vor fünf Jahren hatte sich Georg Frankenberg daheim aufgehalten. In Vaters Privatklinik, wo er einen Armbruch kurierte. Gebrochen hatte sich Georg Frankenberg den Arm am 16. Mai, das ging aus den Unterlagen der Klinik hervor. Genau der Tag, an dem Cora Bender ihm – von ihrer ersten Version ausgehend, in die der Leichenfund so hübsch hineingepasst hätte – abends in einem Lokal in Buchholz näher gekommen sein wollte.

Nach den Angaben seines Vaters war Georg Frankenberg übers Wochenende heimgekommen, am Freitagabend eingetroffen, am Samstagmorgen unglücklich gestürzt. Doch Glück im Unglück, es war ein unkomplizierter Bruch, und es waren nur ein paar Meter vom Privathaus zu Vaters Klinik. Da musste man nicht einmal einen anderen Arzt bemühen.

Dem Staatsanwalt genügte die Aussage von Professor Johannes Frankenberg, um Cora Benders Rückzug als Besinnung auf die Wahrheit zu nehmen. Rudolf Grovian genügte es nicht. Ihn hatte der Zeitpunkt des Armbruchs förmlich elektrisiert. Unterlagen ließen sich manipulieren, wenn man Chef in der eigenen Klinik war und wusste, dass der Sohn Dreck am Stecken hatte. Ausgerechnet der 16. Mai! Ein anderes Datum hätte ihn kaum stutzig gemacht. Aber …

«Professor Frankenberg ist ein honoriger Mann», erklärte er ihr. «So leicht wird er nicht zu widerlegen sein. Wir können nur hoffen, dass Ottmar Denner und Hans Böckel Ihre Angaben bestätigen, wenn wir die beiden ausfindig machen.»

Bis dahin hatte sie nur zugehört, ihn zum Teufel gewünscht und ihn insgeheim bewundert für seine Hartnäckigkeit. Er machte vor nichts Halt, schreckte vor nichts zurück, nicht einmal davor, den Vater ihres Opfers zu belästigen.

Als er von dem silberfarbenen VW-Golf GTI sprach, war Panik aufgestiegen. Aber sie hatte sich rasch wieder beruhigt. Es musste ein Zufall sein, dass Johnnys Freund den gleichen Wagen gefahren hatte wie ein Freund von Georg Frankenberg. Es war eben ein typisches Junge-Männer-Auto. Der Chef schaute sie abwartend und aufmerksam an.

«Niemand kann Ihnen etwas bestätigen», sagte sie. «Ich habe Ihnen ein Märchen erzählt.»

Rudolf Grovian hatte ihre Stimme seit zwei Tagen nicht gehört. In seiner Erinnerung war sie noch fest, feindselig, kalt und gleichgültig wie vor dem Haftrichter. Der raue, völlig emotionslose Klang und ihre geduckte, in sich gekehrte Haltung mahnten zur Vorsicht.

Bedächtig schüttelte er den Kopf. «Nein, Frau Bender, Märchenfiguren legen keine Leichen in der Nähe eines militärischen Sperrgebietes ab. Ich habe das Mädchen gefunden, das mit Ihnen im Keller war. Ein totes Mädchen mit zwei gebrochenen Rippen, Frau Bender. Und Sie haben gehört, wie die Rippen brachen.»

Das hatte er sich für den Schluss aufgehoben, ein Schuss ins Blaue für den Fall, dass sie sich auf nichts einließ. Vielleicht nur ein kleiner Knallfrosch. Wenn sie tatsächlich erst im August und nicht schon im Mai … war die Leiche für ihn bedeutungslos. Aber ein Knallfrosch schien es ihrer Reaktion nach nicht zu sein, eher eine Leuchtrakete. Von einer Sekunde zur anderen erwachte sie zum Leben. Er sah, wie sie nach Atem rang, ehe sie ausstieß: «Lassen Sie mich doch in Ruhe mit dem Blödsinn! Denken Sie nach, Mensch. Ich kann überhaupt nichts gehört haben bei dem Krach. Wenn es so gewesen wäre, wie ich es Ihnen erzählt habe. Es war nicht so. Aber nehmen wir mal an, es wäre. Dann wären da fünf Leute gewesen und laute Musik. Ich weiß nicht, wie es sich anhört, wenn Rippen brechen. Aber so laut kann es nicht sein.»

Ihre Hände begannen zu zittern. Sie umklammerte die

linke mit der rechten. Er kannte das noch aus der Nacht. Es waren die ersten Alarmsignale. Oder – nach den bisherigen Erfahrungen mit ihr wollte er es lieber so bezeichnen – die Vorboten einer Wahrheit, mit der sie nicht konfrontiert werden wollte. Sein Verstand schaltete auf höchste Aufmerksamkeit, hob gleichzeitig mahnend den Finger: «Hör auf, Rudi. Überlass es den Ärzten.» Sein Herz holperte ein wenig.

«Sie sind ein ...», fauchte sie heiser. Der treffende Ausdruck schien ihr zu fehlen oder war ihr vielleicht zu ordinär. Stattdessen erkundigte sie sich: «Finden Sie es eigentlich in Ordnung, was Sie machen? Sie laufen herum und belästigen seinen Vater. Das ist eine Unverschämtheit! Es muss schlimm für den armen Mann sein. Hat er noch mehr Kinder?»

Er schüttelte den Kopf und beobachtete ihr wechselndes Mienenspiel, das Reiben und Kneten der Hände. Ihre Stimme brach, die Schultern sackten nach unten, ihr Kopf ebenfalls. «Dann müssen Sie ihn in Ruhe lassen. Was passiert ist, ist passiert. Es ist keinem Menschen geholfen, wenn Sie herausfinden, dass ein Mädchen gestorben ist. Gut, es ist eins gestorben. Aber ich habe damit nichts zu tun. Ich habe nur den Mann auf dem Gewissen.»

Als sie den Kopf wieder hob und ihm ins Gesicht schaute, überlief ihn ein Frösteln. Da war etwas in ihrem Blick. Er brauchte ein paar Sekunden, eher er es einordnen konnte. Und er schaffte es nur, weil ihre Worte seinen Eindruck unterstrichen. Irrsinn!

«Einen unschuldigen Mann», sagte sie. «Und er wird nicht am dritten Tag auferstehen. Er wird schwarz werden, Würmer bekommen und wegfaulen. Wenn Sie seinen Vater unbedingt belästigen müssen, dann sagen Sie ihm, er soll ihn verbrennen lassen. Werden Sie das tun? Sie müssen es tun. Und Sie müssen mir etwas versprechen. Wenn es mich erwischt, eines Tages, ich will nicht verbrannt werden. Sorgen Sie dafür. Ich will ein anonymes Grab. Sie können mich auch bei einem Truppenübungsplatz ablegen. Legen Sie mich einfach neben das Mädchen.»

Truppenübungsplatz, dachte er. So hatte er es nicht bezeichnet. Aber er hakte nicht nach. Ihn fröstelte immer noch unter ihrem Blick. Das konnte doch nicht sein! Sie war völlig Herrin ihrer Sinne gewesen, bis zum Sonntagmittag aufgewühlt, zeitweise verwirrt unter dem Gewicht ihrer Tat und fest entschlossen, die Konsequenz zu ziehen, aber nicht verrückt. Und dass sie in den beiden Tagen den Verstand verloren haben sollte ... Nein, das war unmöglich. Sie war nur am Ende.

Er wechselte das Thema, begann von ihrem Kind zu sprechen in der Hoffnung, damit so etwas wie Kampfgeist in ihr zu wecken. Ein Junge von zwei Jahren! Ob sie nicht auch finde, dass ein so kleines Kind seine Mutter brauchte?

«Wer braucht denn die Pest?», hielt sie dagegen.

«Niemand», sagte er. «Und es braucht auch niemand Würmer oder die Schwänze von Wölfen oder Tigern im Bauch. Es tut mir Leid, Frau Bender, ich hatte gehofft, wir beide könnten miteinander reden wie normale Menschen. Aber wenn Sie nicht können oder wollen, ich verstehe das. Ich bin wahrscheinlich auch nicht der richtige Mann für Ihre Probleme. Dafür sind Experten zuständig. In den nächsten Tagen kommt wohl einer.»

«Was heißt das?», wollte sie wissen. Und bevor er ihr antworten konnte, wurde sie heftig. «Ich will mit Experten nichts zu tun haben. Hetzen Sie mir bloß keinen Psychiater auf den Hals. Ich sage Ihnen was: Wenn so einer hier auftaucht!»

Was dann passieren sollte, erklärte sie nicht, brach mitten im Satz ab, wischte sich mit einem Handrücken über die Stirn und lächelte. «Ach, was rege ich mich denn auf! Ich muss doch mit keinem reden. Bestimmt nicht mit einem Psychiater. Hören Sie: Von mir aus können Sie mir ein Dutzend

Weißkittel herschicken. Aber sagen Sie ihnen, sie sollen sich ein Kartenspiel mitbringen, damit ihnen die Zeit nicht lang wird.»

Ihr Ausbruch wirkte auf ihn befreiend. Er blieb unverändert freundlich, erkundigte sich, ob sie lieber mit einer Frau reden möchte, statt mit einem Mann. Vielleicht könne er da etwas für sie erreichen. Sie antwortete ihm nicht mehr.

Er wollte sich verabschieden und ging auf die Tür zu mit den Worten: «Ich kann nicht verhindern, dass ein psychologischer Sachverständiger hinzugezogen wird. Das ist eine Entscheidung des Staatsanwalts. Und ich finde, es ist eine gute Entscheidung.»

Damit brach das Eis endgültig.

«Sie finden!», fauchte sie ihn an und stellte sich ihm in den Weg. «Ihnen ist auch jedes Mittel recht. Zuerst setzen Sie mich mit meiner Familie unter Druck und jetzt mit Ihrem verfluchten Sachverständigen. Bilden Sie sich ein, der bekäme mehr aus mir raus als Sie? Ich weiß, was Sie hören wollen. Bitte schön, das können Sie haben. Sparen wir dem Staat ein paar Mark. So ein Sachverständiger will ja bezahlt werden. Und er hat bestimmt einen anderen Stundenlohn als ein Installateur. Es soll doch später nicht heißen, ich hätte unnötige Kosten verursacht.»

«Sie müssen mir nichts sagen, Frau Bender.»

Sie stampfte mit dem Fuß auf. «Jetzt will ich aber, verdammt nochmal. Jetzt will ich, und Sie werden mir zuhören. Wollen Sie mitschreiben, oder können Sie sich das so merken? Frankies Vater hat Sie nicht belogen. Ich habe Frankie nicht im Mai kennen gelernt, das war später. Vielleicht war es im August, ich weiß es nicht mehr genau. Ich hing schon eine Weile an der Nadel, war ständig im Tran und habe nicht auf den Kalender geachtet.»

Sie schniefte und tupfte mit den Fingerspitzen unter ihre Augen. «Haben Sie vielleicht ein Päckchen Papiertücher für mich? Ich habe hier schon darum gebeten, aber die haben es vergessen. Vielleicht kostet es was, ich habe kein Geld dabei.»

Er kramte in seinen Taschen, fand ein angebrochenes Päckchen und reichte es ihr. Sie nahm eins der Tücher heraus, tupfte damit flüchtig die Augen ab und steckte es sorgfältig zurück zu den anderen. Dabei lächelte sie ihn an. «Danke. Und entschuldigen Sie, wenn ich ein bisschen laut geworden bin. Es war nicht so gemeint. Ach, Quatsch, natürlich war es so gemeint. Es ist ein beschissenes Gefühl, wenn man nicht einmal mehr das Recht hat, den eigenen Dreck unter dem Teppich zu lassen. Es ist ein großer Haufen Dreck, das sage ich Ihnen lieber gleich.»

Er lächelte ebenfalls. «Ich habe bestimmt schon größere gesehen.»

Sie zuckte mit den Achseln. «Mag sein, aber ich nicht.» Dann strafften sich ihre Schultern. «Also», begann sie, «es war wahrscheinlich im August. Ich habe zuerst Mai gesagt, weil ich mich geschämt habe. Ich habe mich nämlich gleich am ersten Abend mit ihm eingelassen und mich an ihn rangehängt wie eine Klette. Er hatte Stoff, und er hatte Geld genug, um mich regelmäßig mit dem Zeug zu versorgen. Da brauchte ich mir darum selbst keine Gedanken mehr zu machen. Als Gegenleistung verlangte er, dass ich mit ihm schlief. Das war in Ordnung, das habe ich freiwillig getan. Aber nach ein paar Wochen wollte er, dass ich auch mit seinen Freunden schlafe.»

Sie lachte bitter. «Ich hab's getan. Ich hab alles getan, was er von mir verlangte. Er wollte zusehen, zusammen mit dem Mädchen. Ich weiß nicht, wie sie hieß, wirklich nicht. Aber das ist auch gar nicht wichtig. Es war so eine dämliche Kuh, die er sich von zu Hause mitgebracht hatte. Er hat ihr nichts getan. Er hat sie bestimmt nicht geschlagen. Ich habe mir nur gewünscht, dass er es tut. Er war sehr verliebt in sie und wollte ihr zeigen, was für ein toller Kerl er ist, dass er alles mit mir machen kann.»

«War das auch im August?»

Sie schüttelte den Kopf. «Nein, im Oktober.»

«Und wo waren Sie mit ihm? Daheim waren Sie nicht.»

Wieder schüttelte sie den Kopf. «Ich war mal hier, mal da. In Hamburg oder Bremen, meist habe ich auf der Straße geschlafen. Manchmal hat er mir Geld gegeben für ein Zimmer. Er kam am Wochenende, dann sind wir rumgezogen. Und einmal waren wir in diesem tollen Haus. Das war an dem Abend, als es passiert ist.»

«Was genau ist denn passiert?» Er wusste nicht, ob er ihr glauben durfte. Sie sprach ruhig und beherrscht, mit einem Unterton von Resignation. Es klang nach Wahrhaftigkeit.

«Ich war schwanger von ihm. Und er sagte, wenn ich tue, was er will, besorgt er einen guten Arzt, der alles in Ordnung bringt. Ich habe ein bisschen geheult, aber ich wusste, dass es nicht viel Sinn hatte. Also habe ich nachgegeben.»

Noch einmal lachte sie auf, es war eher ein Schluchzen. Ihr Blick irrte wie gehetzt durch den kleinen Raum, mehrfach strich sie fahrig über ihre Stirn. «Wissen Sie, wie ich mich gefühlt habe? Da liege ich auf dem Boden und lasse mich von den beiden Typen besteigen. Und diese Schlampe sitzt mit ihm auf der Couch und verlangt, dass ich nochmal und diesmal mit beiden gleichzeitig ...» Sie würgte und brauchte ein paar Sekunden, ehe sie weitersprechen konnte. «Sie sagte: Verdirb uns nicht den Spaß, Schätzchen. Und dann sagte sie zu einem von den beiden: Gib ihr eine Prise, das entspannt.»

Sie schüttelte sich, dann fand ihr Blick endlich den Weg zu seinem Gesicht. Ihre Stimme klang wieder fest und beherrscht. «Sie haben mich festgehalten und mit Stoff voll gepumpt. Ich dachte, sie wollten mich umbringen mit dem Zeug. Ich habe mich gewehrt. Da haben sie mich geschlagen und getreten, auf den Kopf und in den Bauch. Und dann fing ich plötzlich an zu bluten. Da haben sie wohl Angst bekommen und sind alle abgehauen. Mich haben sie liegen lassen. Irgendwie habe ich es geschafft, auf die Straße zu kommen. Und da bin ich dann vor das Auto gelaufen. Und mein einziges Glück bei der Sache war: der Mann, der mich anfuhr, war Arzt. Er sah, dass ich eine Fehlgeburt hatte. Er sah auch, dass ich high war. Aber das reicht jetzt wirklich. Als Nächstes fragen Sie doch wieder nach seinem Namen. Und den werden Sie von mir nie erfahren.»

«Warum nicht, Frau Bender? Der Mann hat sich doch in keiner Weise strafbar gemacht. Und so wie es im Moment aussieht, wäre er der Einzige, der Ihre Geschichte bestätigen könnte.»

Sie schaute wieder an ihm vorbei zur Wand und murmelte: «Das wird er bestimmt nicht. Er wird behaupten, dass er mich nie gesehen hat.»

«Warum sollte er das behaupten?»

«Weil er ein Schwein war. Er hat mich angefasst, da wusste ich noch gar nicht, worum es ging. Da dachte ich noch, er will mich nur untersuchen. Einmal wurde ich nachts wach, da onanierte er neben mir. Und vorher hatte er mich befummelt. Wollen Sie noch mehr wissen?»

Er sah, wie sie die Hand um das kleine Päckchen presste, wie ihre Augen zu glänzen begannen. «Er war ein geiler alter Bock», stieß sie hervor. «Wenn er im Zimmer war, roch alles nach Schweiß. Ich sage Ihnen was! Wenn ich diesem Schwein jemals wieder ins Gesicht sehen muss, und das muss ich, wenn ich seinen Namen nenne, ich werde ihn ebenso abstechen wie Frankie. Und wenn der Gerichtssaal voller Polizisten steht, niemand wird mich daran hindern. Und jetzt lassen Sie mich in Ruhe.»

Sie drehte sich um, legte einen Arm gegen die Wand und verbarg ihr Gesicht darin. Sie weinte. Es war das erste Mal, dass er sie weinen sah. Es war ein Reflex, dass er ihr die Hand auf die Schulter legte, ein Bedürfnis, etwas Tröstliches zu tun oder zu sagen. Sie schüttelte seine Hand ab und schluchzte: «Hauen Sie bloß ab, Mensch. Sie haben keine Ahnung, was passiert, wenn ich mit Ihnen rede. Es kommt alles zurück. Es wird alles lebendig. Ich halte das nicht aus. Jetzt gehen Sie doch. Verschwinden Sie. Und lassen Sie meinen Vater in Ruhe. Er ist ein alter Mann, er ist krank, er ist … Er hat mir nie etwas getan. Er konnte doch nichts dafür, dass er in seinem Alter noch Bedürfnisse hatte. Es war alles nur meine Schuld.»

9. Kapitel

Es waren die Süßigkeiten. Darüber hatte ich nicht nachgedacht, wenn ich mich voll stopfte, dass sich das Zeug irgendwo niederschlagen musste. Als ich dreizehn war, wurde es offensichtlich. Ich hatte Fett angesetzt. Babyspeck, sagte Margret und zog mich damit auf, wenn sie zu Besuch kam. Ich wollte nicht dick sein und versuchte, das Zeug wegzulassen. Nur war das nicht so einfach, weil ich nicht mit dem Klauen aufhören konnte.

Beim Geld wurden die Beträge immer größer. Manchmal saß ich im Schuppen und zählte es. Dann stellte ich mir vor, dass ich damit eines Tages weggehen könnte, weit weg. Ich weiß noch, als ich eintausendzweihundertachtundsiebzig Mark zusammenhatte, nahm ich das Kleingeld, ging zum Bahnhof und fragte, was eine Fahrkarte nach Hamburg kostet. «Ich will sie jetzt nicht kaufen», sagte ich. «Ich will es nur wissen.»

Der Mann am Schalter fragte: «Einfach oder retour?»

«Einfach», sagte ich. «Ich komme nie zurück. Und können Sie mir auch sagen, was eine Fahrt auf einem Schiff kostet?»

Er lachte: «Kommt darauf an, wohin man will. Fliegen ist schneller. Allerdings muss man für jedes Kilo Übergewicht extra zahlen.»

Übergewicht, dachte ich, als ich vom Schalter wegging. Und mit den acht Mark ging ich in die Eisdiele und schlang einen großen Fruchtbecher mit Schlagsahne in mich hinein. Anschließend ging ich aufs Klo und steckte mir einen Finger in den Hals. Das machte ich von da an jedes Mal, wenn ich etwas Süßes gegessen hatte.

Magdalena meinte, ich müsse unbedingt damit aufhören.

«Das ist eine Krankheit», sagte sie. «Da sind schon welche dran gestorben. Kauf dir lieber andere Sachen für das Geld.» Sie dachte, es sei nur das Taschengeld, das ich von Vater bekam. «Schicke Klamotten», sagte sie. «Die kannst du auch im Schuppen verstecken. Dann ziehst du dich um, wenn du rausgehst und bevor du wieder reinkommst. Wenn du etwas Schickes zum Anziehen hast, das wirst du sehen, dann kannst du dich auch wieder leiden.»

Ich konnte mir nicht vorstellen, dass Kleider etwas änderten. Ich war viel zu dick, fand mich hässlich und machte immer noch das Bett nass. Nicht mehr jede Nacht, aber oft, obwohl ich längst nicht mehr von dem Wolf träumte. Ich wurde einfach nicht wach, wenn ich mal musste.

Meist merkte ich erst, dass wieder alles feucht war, wenn Vater sich darum kümmerte. Er stand oft auf, zwei-, dreimal die Nacht. Und sein erster Schritt war immer der zu meinem Bett. Und sein erster Griff war immer unter meine Decke.

Manchmal wunderte ich mich, dass er so geduldig mit mir war, dass er nie schimpfte, nie ein Wörtchen darüber verlor. Mein Bett stank, unser ganzes Zimmer stank, weil meine Matratze so oft nass und nie richtig trocken wurde. Im Sommer stellte ich sie tagsüber hochkant vors Fenster. Und dann kaufte ich mir ein Gummituch.

Irgendwie wurde ich nur außen erwachsen, aber da gründlich. Ich bekam einen Busen und Haare unter den Achseln, unten auch. Wenn Vater zur gleichen Zeit wie ich ins Bett ging, schämte ich mich. Ich mochte mich nicht mehr ausziehen, wenn er dabei war. Er merkte das nicht. Wenn ich ins Bad ging, um mich dort auszuziehen, kam er hinterher, weil er mir noch etwas erzählen wollte. Wenn auf der Arbeit etwas Besonderes gewesen war oder mit dem Auto. Mit Mutter konnte er nicht über solche Dinge reden, da besprach er eben alles mit mir. Das fand ich auch toll, aber dass er mir beim Ausziehen zuschaute, war mir nicht recht.

Dann bekam ich auch noch meine Periode. Ich wusste nicht viel über das, was mit mir passierte. Natürlich war ich aufgeklärt, das war in der Schule geschehen. Die rein biologische Seite, wie man schwanger wird. Margret hatte auch mal mit mir darüber gesprochen. Aber sie hatte sich im Großen und Ganzen nur vergewissert, dass mich die erste Blutung nicht unvorbereitet traf.

Als Margret mit mir darüber sprach, wusste ich längst, was auf mich zukam. Mutter hatte mich gründlich instruiert. Dass ich mich hüten müsse, einem Mann das Tor der Hölle zu öffnen. Dass mich nun bald der Fluch Evas träfe. Ein Fluch war es auch.

Ich hatte scheußliche Krämpfe, wenn die Blutung einsetzte. Schon Tage vorher war ich nervös, ich fühlte, dass es kam, und hätte mich am liebsten in eine Ecke verkrochen. Aber ich musste zur Schule. Und ich mochte mich nicht vom Sport befreien lassen, damit es nicht auffiel.

Ich fragte Grit Adigar, was ich tun könnte, wenn wir Schwimmen hätten. Das ging immer abwechselnd, die eine Woche Sport in der Turnhalle, die zweite Woche Schwimmen. Ich konnte doch nicht mit einer Binde ins Wasser. Grit schlug vor, ich solle Tampons benutzen. Sie erklärte mir, wie man damit umging. Ich fand es widerlich, aber ich tat es und wusch mir danach die Hände mit heißem Wasser, bis sie dick und rot waren.

Die anderen Mädchen in meiner Klasse waren begeistert von der Sache. Sie hielten sich für erwachsen und gaben damit an. Sie sagten es auch, wenn Jungs dabei waren. «Ich habe gerade meine Tage.» Die Jungs schien das anzumachen.

Dann passierte das mit der Zeitung. Ich hatte sie auf dem Schulhof bei einem Mädchen gesehen. «Bravo, die Zeitschrift für junge Leute». Natürlich musste ich sie sofort haben. Ich versteckte sie im Schuppen. Und nachmittags, als Magdalena ruhen musste, las ich darin. Es waren eine Menge Artikel, die mich interessierten. Über Musik, Sänger und Rockgruppen, über Schauspieler und wie man sich richtig schminkt. Es waren auch Briefe abgedruckt, von Leuten, die einen Rat haben wollten.

Da war ein Brief von einem Mädchen, das war nur ein Jahr älter als ich, es hatte aber schon einen Freund. Er hatte ein eigenes Zimmer, da waren sie ungestört. Er fasste sie an, wenn sie allein waren, schob seinen Finger in ihr Höschen. Dabei wurde sein Glied steif und ihr Höschen feucht. Und das Mädchen wollte wissen, ob das in Ordnung sei. Es schämte sich für die Feuchtigkeit, aber der Freund fand sie schön. Er war schon etwas älter. Siebzehn, glaube ich.

In der Antwort auf den Brief hieß es, das feuchte Höschen sei normal, das müsse so sein. Für einen Mann sei die Feuchtigkeit ein Zeichen sexueller Erregung der Frau. Er wüsste dann, dass sie bereit sei für den Verkehr.

Mein Gott, habe ich mich geschämt. Ich fragte mich, was Vater wohl von mir dachte. Ob er glaubte, dass ich ihn damit anmachen wollte. Mir wurde richtig schlecht. Es war plötzlich alles ganz anders, es war alles verkehrt.

Als Vater an dem Abend nach Hause kam, musste ich sofort hinausgehen. Ich konnte nicht mit ihm in der Küche sitzen. Schon als er hereinkam, fühlte ich, dass mein Gesicht heiß wurde. Er merkte, dass etwas nicht mit mir stimmte. Magdalena merkte es auch. Vater fuhr nach dem Essen nochmal weg. Mutter ging ins Wohnzimmer. Ich kümmerte mich um den Abwasch. Magdalena blieb bei mir in der Küche und wollte wissen, was eben mit mir los gewesen sei. «Du hattest plötzlich einen Kopf wie eine Tomate.»

Ich erzählte ihr von dem Brief. Zuerst nur davon. Sie dachte, ich hätte einen Freund, und drängte, dass ich ihr mehr erzählte. Alles, was wir bisher gemacht hätten.

«Mich hat noch nie ein Junge so angefasst», sagte ich. «Und mich wird auch nie wieder einer so anfassen.»

«Was heißt, nie wieder?», fragte sie. «Dann hat doch schon einer! Jetzt stell dich nicht so an, Cora. Komm, erzähl es mir.»

Ich wollte nicht. Aber sie drängte so lange, bis ich es ihr schließlich doch sagte. Sie hörte mir aufmerksam zu, und als ich fertig war, meinte sie: «Zeig mir mal genau, wie er dich angefasst hat.»

Nachdem ich es ihr gezeigt hatte, lachte sie mich aus. «Das zählt nicht! Darüber brauchst du dich nicht aufzuregen. Er hat nur gefühlt, ob du ins Bett gepinkelt hast. Da ist nichts dabei, immerhin ist er dein Vater. Das ist genauso, als ob Mutter oder ein Arzt dich anfassen. Überleg mal, wie oft Mutter bei mir da unten rumfummelt, wenn sie mir einen Einlauf macht oder mich wäscht. Da müsste sie ja lesbisch sein, wenn was dabei wäre. Und die Ärzte erst, das kannst du dir nicht vorstellen. Wenn die eine Urinprobe brauchen, warten sie nicht, bis ich aufs Klo muss. Sie schieben mir einfach einen Katheter rein. Nein, glaub mir, Vater hat nichts Schlimmes getan. Missbraucht werden ist ganz anders.»

Das wusste sie von einer jungen Frau, mit der sie mal in der Klinik zusammen in einem Zimmer gelegen hatte. Die Frau war auf den Strich gegangen, gefixt hatte sie auch und eine Menge gesoffen. Nun war ihre Leber kaputt. Sie hatte Magdalena erzählt, das habe sie ihrem Vater zu verdanken. Er habe sich schon über sie hergemacht, da sei sie noch nicht zur Schule gegangen. Zuerst mit dem Finger und dann richtig.

«Das hat er doch nicht gemacht, oder?», wollte Magdalena wissen.

Ich schüttelte den Kopf.

«Siehst du», meinte sie. «Du brauchst dir wirklich keine Sorgen zu machen. Wenn du mir nicht glaubst, frag Margret.»

Das mochte ich nicht. Wenn Vater nichts Schlimmes getan hatte, warum hätte ich Margret fragen sollen? Dass ich etwas Schlimmes gedacht hatte, war mein Problem. Ich dachte auch, dass Vater ein alter Mann sei, viel zu alt, um so etwas noch zu tun. Welch ein Irrtum.

Das waren die wahren Sünden, die Begierden des Fleisches. Es ging nicht um ein Stück Rinderbraten. Es ging um einen alten Mann, der seinen Trieb nicht unter Kontrolle bekam. Der sich mir bereits zu erkennen gegeben hatte, wie Mutter es ausdrückte, als ich noch nicht wusste, dass es zwei verschiedene Sorten Mensch gab. Und als ich es dann genau wusste, passierte es wieder.

Im April, drei Wochen bevor ich vierzehn wurde, wachte ich nachts auf. Ich musste zur Toilette. Im ersten Moment war ich nur glücklich, dass es nicht schon ins Bett gelaufen war. Ich ging im Dunklen zum Bad, dass Vater nicht im Bett lag, fiel mir nicht auf. Im Bad machte ich das Licht an, und da stand er vor dem Waschbecken. Seine Schlafanzughose hing ihm um die Füße. Die Unterhose hatte er auch heruntergelassen. Er hielt sein Glied mit der Hand fest und bewegte die Hand rauf und runter. Ich wusste, was er tat. Die Jungs in der Schule sagten wichsen dazu.

Den Ausdruck fand ich ordinär. Und dass mein Vater es tat, nachdem ich mich entschlossen hatte, ihn als harmlosen alten Mann zu sehen, war ungeheuerlich. Und noch ungeheuerlicher war, ich konnte nicht anders, ich musste ihm zusehen. Und am allerschlimmsten war: er musste mich bemerkt haben, wo ich doch die Tür geöffnet und das Licht eingeschaltet hatte. Aber er machte einfach weiter. Und sein Gesicht dabei, die Töne, die er von sich gab, es war abstoßend.

Plötzlich fuhr er zu mir herum. «Mach, dass du ins Bett kommst!», brüllte er. «Was hast du hier herumzugeistern wie ein Gespenst?»

Ich schrie zurück: «Ich muss mal!»

«Dann pinkel ins Bett», brüllte er. «Das machst du ja sonst auch.»

Er war so laut, dass er zwangsläufig Mutter und Magdalena aufwecken musste. Aber das kümmerte ihn nicht. Ich fand es gemein von ihm, dass er es durchs ganze Haus schrie. Ich konnte doch nichts dafür, dass ich ins Bett machte. Er sagte immer, dass ich nichts dafür könne. «Das sind die Tränen der Seele», sagte er. Und danach ging er ins Bad. Vielleicht aus demselben Grund wie in dieser Nacht.

Ich lief zurück ins Zimmer und warf mich aufs Bett. Dass ich mal aufs Klo musste, hatte ich vergessen. Ein paar Minuten später kam er mir nach. Er setzte sich zu mir und strich mir über den Kopf. Er hatte sich die Hände gewaschen. Ich roch die Seife.

Er starrte mich an, als wolle er mich schlagen. Stattdessen fing er an zu weinen und stammelte: «Es tut mir Leid.» Er heulte wie ein Dreijähriger, der sich das Knie aufgeschlagen hat. Das fand ich beinahe noch widerlicher als das andere. Nachdem er sich wieder beruhigt hatte, meinte er: «Ich hoffe, dass du es verstehst, wenn du älter wirst. Man kommt nicht gegen die Natur an. Was soll ich denn machen? Es gibt Frauen, die lassen sich dafür bezahlen. Aber dann ist es nur ein Geschäft. Wenn ich allein bin, kann ich mir wenigstens vorstellen, es wäre eine bei mir, die mich liebt. Jeder Mensch braucht das Gefühl, dass er geliebt wird, auch ein alter.»

«Ich hatte dich früher sehr lieb», sagte ich und hätte am liebsten auch geheult.

Wie ich befürchtet hatte, waren Mutter und Magdalena von dem Lärm aufgewacht. Morgens beim Frühstück schaute Mutter mich zwar komisch an. Aber sie fragte nicht, was los gewesen wäre. Als ich mittags aus der Schule kam, wollte Magdalena es wissen und drängte jedes Mal, wenn Mutter die Küche verließ: «Erzähl doch! Was hat er gemacht? Ist er dir jetzt doch mit dem Finger reingegangen? Oder hat er ihn dir richtig reingesteckt?»

Ich schüttelte den Kopf. Was wirklich passiert war, mochte

ich ihr nicht erzählen. Das war auch nicht nötig. Magdalena konnte sich denken, was ich gesehen hatte. Sie wusste schon lange, warum er nachts ins Bad schlich.

Vater hatte oft an die Tür nebenan geklopft und zu Mutter gesagt, dass er es jetzt wieder so mache wie der Typ aus der Bibel, der seinen Samen auf die Erde spritzte. Ob sie es mit ihrem Gewissen vereinbaren könne, dass er ständig auf diese Weise sündigen müsse.

Magdalena amüsierte sich darüber. «Er ist noch ziemlich munter, unser alter Knabe. Aber das sind viele in dem Alter. Die Alten sind oft die Schlimmsten, das kannst du mir glauben. Vor allem, wenn sie nicht können, wie sie wollen. Jetzt erzähl doch mal. Hast du wirklich genau gesehen, wie er es gemacht hat?»

Ich konnte nicht darüber sprechen. Tagelang war ich völlig durcheinander. Und nachts erst! Vater kam ein paar Tage lang sehr spät heim. Meist lag ich schon eine Weile im Bett und konnte nicht schlafen. Manchmal dachte ich, ich sollte ihm vielleicht etwas Nettes sagen, wenn er endlich käme. Dass ich ihn immer noch lieb hätte. Ich hatte ihn schon so oft wegen anderer Dinge belogen, es wäre nicht darauf angekommen.

Aber wenn ich seine Schritte auf der Treppe hörte, wenn er die Türklinke drückte, merkte ich, wie mein Bauch hart wurde, kalt und steif wie ein Stein, gegen den man nicht anatmen kann. Dann konnte ich nichts sagen. Dann tat ich so, als ob ich schliefe und lauerte darauf, was er tat. Ob er noch einmal aufstand, zu mir kam oder ins Bad ging.

Ich wünschte mir, es könnte noch einmal so sein wie früher, wo ich sogar in seinem Bett geschlafen hatte. Wo er nichts weiter gewesen war als mein Vater. Plötzlich war er das nicht mehr, er war nur noch ein widerlicher alter Mann, der sich selbst befriedigte. Und die Jungs in der Schule sagten, dabei müsse man an nackte Weiber denken. Woran Vater gedacht hatte, begriff ich drei Wochen später.

Da saßen wir sonntags beim Essen, und plötzlich sagte er zu Mutter: «Ich trage gleich mein Bettzeug rüber. Hier wird jetzt getauscht. Das sind ja keine Zustände so.»

Mutter war natürlich nicht einverstanden. Und er schrie sie an: «Worüber regst du dich noch auf nach all den Jahren?! Du bildest dir doch nicht etwa ein, dass mich dein schrumpliger Hintern noch reizen könnte? Da mach dir nur keine Sorgen. Mir ist ein saftiges Stück Fleisch lieber. Und so eins möchte ich nicht Nacht für Nacht in greifbarer Nähe haben. Ich möchte nicht derjenige sein, der das zweite Lamm opfert. Wenn das hier so weitergeht, kann ich für nichts garantieren. Und jetzt komm mir nicht mit Magdalena. Wenn es da mal Ernst wird, machst du auch nichts mehr, und wenn du hundertmal danebenliegst.»

An dem Abend musste er noch einmal bei mir schlafen. Mutter ging mit Magdalena etwas früher als üblich hinauf und schloss die Zimmertür von innen ab. Am nächsten Tag nahm Vater ihr den Schlüssel weg und trug sein Bettzeug hinüber.

Magdalena kam zu mir ins Zimmer. Wochenlang war deswegen dicke Luft im Haus. Dann begriff Mutter endlich, dass ihre Keuschheit nicht in Gefahr war und ich mit Magdalena zurechtkam. In den ersten Nächten hatte ich zwar Angst. Ich war dieses komische Atmen nicht gewohnt. Magdalena lachte mich aus. «So atme ich immer. Es fällt dir tagsüber nur nicht auf.»

Nach ein paar Wochen fand ich es toll, dass sie bei mir war. Sie genoss es auch. Meist brachte ich sie nach dem Abendessen hinauf. Sie ließ sich lieber von mir helfen als von Mutter. Tragen konnte ich sie nicht, das hatte Mutter auch schon lange nicht mehr gekonnt. Aber wenn man sehr langsam mit ihr ging, reichte es aus, wenn man sie gut stützte. Sogar die Treppe schaffte sie, sie brauchte nur nach jeder Stufe eine Pause.

Ich hielt sie fest, wenn sie sich die Zähne putzte. Das wollte sie lieber allein tun. Waschen musste ich sie dann. In der Wanne baden durfte sie nicht mehr. Früher hatte Mutter sie reingesetzt und auch wieder rausgehoben. Als sie größer wurde, hatte Vater einen Stuhl gekauft mit einem großen Loch in der Sitzfläche und einer Schüssel darunter. Das ging gut so. Man musste nur nachher das Bad aufwischen.

Anfangs war ich ziemlich ungeschickt. Da schrubbte ich an ihr genauso rum wie an mir. Nur hatte sie im Gegensatz zu mir eine sehr empfindliche Haut vom vielen Liegen. Mit den kratzigen Waschlappen tat ich ihr weh.

«Mach es lieber mit den Händen», bat sie. «Dann nimm den Schwamm, um die Seife abzuspülen. Und mit dem Handtuch nur tupfen. Mutter hat das nie begriffen. Aber vielleicht hat sie auch gedacht, wenn sie mich beim Waschen kratzt, trage ich wenigstens auf diese Weise zur allgemeinen Buße bei.»

Nach dem Waschen wurde sie eingecremt, damit sie nicht wund lag. Dann das Nachthemd über und ab ins Bett mit ihr. Wenn in der Küche nichts mehr zu tun war, blieb ich bei ihr. Vor dem Einschlafen erzählten wir uns immer eine Menge.

Und im Bett, mit der geschlossenen Tür, konnte ich anders reden. Und Magdalena war die Einzige, mit der ich wirklich offen über alles sprechen konnte. Nicht übers Klauen, aber über diese Sachen, über den Ekel vor Vater und vor mir selbst. Dass ich nie einen Freund haben wollte.

Obwohl sie ein Jahr jünger war als ich, hatte sie eine andere Einstellung dazu. «Warte mal ab», sagte sie. «Wenn du noch ein paar Pfund runter hast, vergeht der eine Ekel von allein. Und der andere; das kannst du nicht vergleichen. Vor einem alten Mann ekelt es mich auch. Warum meinst du, lasse ich mich von Vater nicht anfassen? Das fehlt mir noch, dass er an mir rumfummelt. Er würde mich bestimmt in die Wanne setzen und rausheben, wenn du ihn darum bittest.

Aber da kann ich nur sagen: Vielen herzlichen Dank. Mit einem jungen Mann ist das ganz anders. Das merke ich bei den Ärzten. Es ist ein großer Unterschied, wie einer aussieht und wie sich seine Hände anfühlen. Am liebsten sind mir die Studenten. Die lassen sie oft scharenweise an mir herummachen. Für die bin ich das Schauobjekt, das medizinische Wunder. Ich bin das halbe Herz mit dem inoperablen Aortenaneurysma, das wider alle Erwartungen seit Jahren hält. Wer weiß, vielleicht hat das Ding in meinem Bauch längst die Funktion der Pumpe übernommen.»

Sie lachte leise. «Da stehen die Jungs dann und wissen nicht, wie sie das Stethoskop ansetzen sollen. Viel mehr lassen sie die armen Kerle leider nicht tun. Nur mal horchen, wie sich ein Luftballon mit Löchern anhört.»

Sie wünschte sich, sie könnte einen Freund haben, später, mit fünfzehn oder sechzehn. Oder besser sofort, weil sie nicht glaubte, dass sie fünfzehn oder sechzehn werden konnte.

Nachdem der Chef sie verlassen hatte, brauchte sie fast eine Stunde, um sich zu beruhigen. Sie verstand nicht, wie sie sich hatte hinreißen lassen können, ihm diese wüste Geschichte zu erzählen, wo sie doch die Tücher bereits in der Hand hielt. Mit zwei Männern geschlafen! Das hatte sie wohl getan in dem schmutzigsten Kapitel ihres Lebens. Da war jedenfalls kurz etwas aufgeblitzt.

Und dann hatte sie Vater vor sich gesehen – mit heruntergelassener Hose und höllischer Wut. Beinahe wäre auch das aus ihr herausgebrochen. Sie hatte es eben noch verhindern können, indem sie den Arzt zum Sündenbock machte.

Es war unverzeihlich. Dieser Mann hatte ihr das Leben gerettet und nichts von ihr verlangt. Ein gütiger, freundlicher Mensch war er gewesen. Niemals hatte er sie in der Art berührt, die sie dem Chef geschildert hatte. Er war kein schmieriger alter Mann gewesen, nur ein Mann im weißen Kittel, der den kleinen Fehler begangen hatte, sich einmal ein bisschen betrunken in sein Auto zu setzen.

Höchstens Anfang fünfzig war er gewesen. Ein schmales Gesicht hatte er gehabt und einen dunklen, sauber gestutzten Vollbart. Wenn er zu ihr kam, hielt er meist eine Spritze in der Hand. Seine Hände waren schmal und sehr gepflegt gewesen. Und eine warme, sanfte Stimme hatte er gehabt. «Wie fühlen Sie sich? Jetzt werden Sie gleich schlafen.»

Ihre Armbeugen waren von eitrigen Geschwüren übersät. In ihrem Handrücken steckte eine Kanüle. In die injizierte er. Und sofort danach kam die Dunkelheit, das Ende der rasenden Schmerzen. Im Kopf waren sie unerträglich. Es war ein Hämmern, Bohren und Stechen, als sei ihr Schädel in einen Schraubstock gespannt. Dabei war es nur ein Verband.

Schädelfrakturen, sagte der Arzt später, als sie endlich so weit war, dass sie ihn fragen konnte. Unter anderem, sagte er, da seien noch mehr Verletzungen gewesen. Und die hätten unmöglich von dem kleinen Aufprall herrühren können. Er sei nicht schnell gefahren, habe sofort gebremst und sie praktisch nur mit dem Kühlergrill gestreift, als sie ihm vor den Wagen taumelte. Vor drei Wochen, als sie aus dem Nichts der Dunkelheit am Rand einer Landstraße auftauchte.

Drei Wochen ohne Bewusstsein?

«Seien Sie froh», meinte er. «Das Schlimmste haben Sie verschlafen. Entzug ist eine scheußliche Sache. Der gesamte Körper rebelliert, alle Nerven spielen verrückt. Aber Sie haben nichts davon bemerkt.»

Er fragte sie nach ihrem Namen. Sie habe keine Papiere bei sich gehabt, sagte er. Er fragte sie auch, ob sie wisse, was mit ihr geschehen sei. Sie wusste es nicht. Es war alles weg. Nicht nur die drei Wochen, von denen er sprach, mehr als fünf Monate waren ausgelöscht.

Das Letzte, woran sie sich erinnerte, war der Samstag in der zweiten Maiwoche. Magdalenas Geburtstag! Eine Flasche Sekt! Bei Aldi – nicht geklaut – gekauft zur Feier des Tages. Drei Tage im Schuppen versteckt. Unter den alten Kartoffelsäcken hervorgeholt, nachdem Mutter und Vater das Haus verlassen hatten, um einen weiteren Abend im Kreise der Hoffnungslosen zu verbringen, die sich an den Himmel klammerten, weil sie nicht allein auf der Erde stehen konnten.

Der Sekt war warm, als sie ihn ins Haus holte. Sie legte die Flasche in den Kühlschrank. Dort blieb sie bis kurz vor acht am Abend. Um acht wollte Magdalena mit einem Schlückchen auf ihr neues Lebensjahr anstoßen. Nur mit einem Schlückchen. «Das wird mir bestimmt nicht schaden», meinte sie. «Und vielleicht hilft es, das Jahr voll zu machen.»

Daran glaubte niemand, nur Magdalena und sie. Sie natürlich auch, ganz fest. Aber die Ärzte in Eppendorf nicht – wie üblich. Im April war Magdalena wieder einmal in der Klinik gewesen. Sie hatte entschieden länger bleiben müssen als die vorgesehenen zwei Tage. Über den Grund wollte Magdalena nicht sprechen.

«Ich gebe was auf den Humbug, den die mir immer servieren. Wenn es nach denen ginge, wäre von mir längst nichts mehr übrig. Die begreifen nicht, wie es funktioniert. Die können sich von mir aus mein Herz und meine Bauchaorta in ihre Hintern schieben. Und meine Nieren hinterher. Ich brauche nichts weiter als meinen Willen. Das ist es, Cora! Man muss leben wollen, dann lebt man auch. Das beweise ich doch seit achtzehn Jahren. Und ich werde ihnen auch beweisen, dass eine Operation möglich ist. Wie viel Geld haben wir inzwischen?»

Punkt acht, das wusste Magdalena, war die Stunde ihrer Geburt.

«Du bleibst doch so lange bei mir?»

«Ich bleibe den ganzen Abend bei dir. Du glaubst doch nicht, dass ich an deinem Geburtstag wegfahre.»

«Ich will aber, dass du fährst. Wenigstens eine von uns soll richtig feiern. Nächstes Jahr feiern wir beide richtig. Wir geben eine Party, dass die Straße wackelt. Heute musst du es nochmal alleine tun. Du musst ja nicht so lange bleiben wie sonst. Wenn du um elf zurückkommst, bin ich zufrieden. Wir heben uns etwas vom Sekt auf. Und dann erzählst du mir, wie es war. Triffst du dich mit Horst?»

«Nein. Ich habe ihm letzte Woche gesagt, dass ich heute nicht kann. Er meinte, das macht nichts. Sein Vater hätte ihn schon ein paar Mal gebeten, nach dem Auto zu sehen. Das könne er dann ja machen.»

«So was Blödes. Aber vielleicht ist er trotzdem da. Nach einem Auto sehen kann ja nicht den ganzen Abend und die Nacht dauern. Und wenn er nicht da ist, amüsier dich mit einem anderen. Ein bisschen Abwechslung kann nicht schaden. Du machst dir zwei schöne Stunden mit einem tollen Kerl, versprich mir das. Und dann kommst du zurück. Und dann ...»

Das war der 16. Mai gewesen! Und plötzlich war Oktober. Der Arzt wusste nicht, was in der Zwischenzeit geschehen war. Er lächelte sie an, während er sie Finger, Zehen, Arme und Beine bewegen ließ. «Es fällt Ihnen bestimmt wieder ein. Lassen Sie Ihrem Kopf ein wenig Zeit, sich zu erholen. Und wenn Ihnen nichts einfällt, ich glaube, viel verloren haben Sie nicht.»

«Ich muss nach Hause», sagte sie.

«Es wird noch ein Weilchen dauern, ehe wir daran denken können.» Er hob ihren linken Fuß an, piekste mit einer Nadel in die Ferse. Als sie zusammenzuckte, sagte er: «Sehr schön.» Und dann sagte er: «Nun schlafen Sie. Sie brauchen noch viel Ruhe.»

Er sprach nie sehr viel, wenn er kam. Und außer ihm kam nur eine Krankenschwester. Eine mürrische Person im gleichen Alter wie er, die die Lippen nicht auseinander brachte und keinen Handgriff tat, der nicht unbedingt notwendig war. Sie brachte das Essen, schüttelte das Kissen auf, zog das Laken stramm und wusch sie. Und der Arzt machte Übungen mit ihr, damit die Glieder nicht steif wurden vom Liegen. Er ließ sie rechnen und Gedichte aus der Schule aufsagen, um festzustellen, ob ihr Hirn gelitten hatte unter dem Heroinkonsum und den Schlägen. Er stach die Nadeln in die Kanüle auf ihrem Handrücken, versorgte die entzündeten Armbeugen mit Heilsalbe und wechselte die Flasche unter dem Bett aus. Ein Blasenkatheter.

Und sie dachte an Magdalena, die sie brauchte, und dass sie so schnell wie möglich heim musste. Magdalena wollte den Ärzten in Eppendorf zeigen, was machbar war. Sie wollte sich operieren lassen in den USA, wenn das Geld für den Flug und die Klinik reichte. Es reichte noch lange nicht. Es fehlte noch eine immens große Summe, die sie beschaffen musste. Daran dachte sie, bis die Injektion ihre Gedanken auslöschte.

Es gab keinen Tag und keine Nacht in dem kleinen Zimmer. Es gab kein Fenster, nur ein schwaches Licht an der Wand. Jedes Mal, wenn sie die Augen aufschlug, brannte es. Jedes Mal, wenn der Arzt kam, versuchte sie, mehr zu erfahren. Aber viel wusste er nicht.

«Ich glaube nicht, dass es ein Unfall war», sagte er einmal. «Die Umstände sprechen dagegen. Ein nacktes junges Mädchen ohne Papiere, voll gepumpt mit Heroin.» Er sprach von gravierenden Verletzungen im Vaginalbereich und an anderen Stellen, die für bestimmte sexuelle Praktiken typisch waren und nur einen Schluss zuließen.

Für ihn hatte sich ein bestimmtes Bild ergeben. Eine süchtige Hure. Eine leichte Beute für einen Perversen, einen Sadisten, einen, der es vorzog zu quälen. Der sein Opfer bewusstlos am Straßenrand ablud, vielleicht in der Annahme, es getötet zu haben.

«Ich hätte die Polizei verständigen müssen», sagte er.

«Aber ich hatte Angst um meinen Führerschein. Und dann dachte ich, Sie sollten selbst entscheiden, wenn Sie wieder dazu in der Lage sind. Die Polizei müsste nach dem äußeren Anschein urteilen. Das wäre so, als ob Sie sich selbst einen Stempel auf die Stirn drücken. Und das halte ich für überflüssig. Sehen Sie, egal, was geschehen ist, egal, wie Sie gelebt haben, Sie sind ohne bleibende Schäden davongekommen. Und Sie sind noch sehr jung, nicht einmal zwanzig. Sie können noch einmal neu beginnen. Sie müssen nur den Willen haben und sich von diesem Gift fern halten. Ihr Körper braucht es nicht mehr, jetzt müssen Sie nur noch Ihre Seele überzeugen. Es lebt sich ohne Heroin besser, glauben Sie mir. Vor allem lebt es sich billiger. Dann reicht auch ein achtbarer Beruf für den Lebensunterhalt.»

«Wo bin ich denn überhaupt?», fragte sie.

«Gut aufgehoben», sagte er und lächelte. «Verzeihen Sie mir, wenn ich jetzt an mich denke.»

Natürlich verzieh sie ihm. Einem so gütigen, verständnisvollen und liebenswürdigen Menschen musste man verzeihen, wenn er einmal an sich dachte und das Risiko scheute, im Nachhinein noch für seine Hilfe mit Führerscheinentzug bestraft zu werden. Beinahe ein Heiliger war er gewesen. Nur diesem Mann hatte sie es zu verdanken, dass sie den Weg in ein normales Leben geschafft hatte.

Und sie hatte ihn zur Bestie gemacht. Weil sie nicht eingestehen konnte, was sie gewesen war: ein Stück Dreck, das sich tiefer und tiefer in die Gosse trieb und zum Schluss jeden an sich heran und alles mit sich machen ließ.

Und der Chef ließ nicht locker, bohrte und stocherte in den alten Wunden, bis sie aufbrachen, eine nach der anderen. Wenn er mit Vater sprach ... Das war das Letzte, was er gesagt hatte, bevor er sie verließ. Dass er am nächsten Morgen nach Buchholz fahren müsse. «Es tut mir sehr Leid, Frau Bender. Ich kann Ihren Vater nicht in Ruhe lassen. Aber ich werde ihn nicht unnötig aufregen, das verspreche ich Ihnen. Ich will ihn nur fragen …»

Vater wusste von den perversen Freiern. Vater wusste auch von anderen Perversitäten.

Die letzte Sünde! Es spielte keine Rolle mehr, ob der Erlöser verzieh oder ob sie in der Hölle schmoren musste, wie Mutter es oft so plastisch geschildert hatte. Bis in alle Ewigkeit werden Hunderte von kleinen Teufeln dir das Fleisch mit rotglühenden Zangen vom Leib reißen. Sie hatten doch längst damit angefangen, die kleinen Teufel. Und der Chef führte sie an, zeigte ihnen die Stellen, wo sie ihre Zangen am besten ansetzten.

Nach dem Abendessen ließ sie noch ein paar Stunden verstreichen, bis sie sicher sein durfte, dass die Aufmerksamkeit nachgelassen hatte. Nachts kamen sie nicht mehr so häufig, um nach ihr zu sehen. Kurz nach zwölf nahm sie das Päckchen mit den Papiertüchern, zupfte von einem Tuch kleine Fetzen ab, drehte sie zu Kugeln und verstopfte sich die Nase damit.

Vorerst konnte sie noch durch den Mund atmen. Sie drehte die restlichen drei Tücher zu einem Klumpen und stellte sich ans Fußende des Bettes mit dem Gesicht zur Wand. Dann atmete sie kräftig aus, stieß sich den Klumpen in den Hals – so tief hinein, wie es nur ging. Und noch bevor sie die Hand wieder nach unten gebracht hatte, warf sie den Kopf mit Schwung nach vorne gegen die Mauer.

Rudolf Grovian brach früh um sechs am Mittwochmorgen auf. Mechthild schlief noch, als er das Haus verließ. Er rechnete mit einer Fahrzeit von fünf Stunden. Eine schlechte Schätzung, die etliche Baustellen auf der A1 außer Acht gelassen hatte. Der erste Stau kurz hinter dem Kamener Kreuz kostete ihn eine halbe Stunde, der zweite vor der Raststätte Dammer Berge fast eine volle. Erst gegen halb eins war er am Ziel.

Buchholz in der Nordheide. Eine blitzsaubere Stadt, viel Grün, im Zentrum gab es kaum ein Gebäude, das älter als zehn oder fünfzehn Jahre war. Cora Benders Kindheit in dieser Umgebung – es war wie die Faust aufs Auge. Und er sah bei diesem Vergleich ihr zerschlagenes Gesicht vor sich.

Eine Weile fuhr er kreuz und quer durch die Stadt, schaute sich um und machte sich auf einem Stadtplan kundig, ehe er den Wagen vor ihrem Elternhaus hielt. Ein nettes Häuschen, gebaut vermutlich Anfang der sechziger Jahre. Sauber und adrett wie die Nachbarschaft, gepflegtes Vorgärtchen, die Fenster blank geputzt, dahinter reinweiße Gardinen. Ihm war danach, den Kopf zu schütteln.

Die genaue Anschrift hatte er am Dienstagabend von Gereon Bender erfahren. Er hatte sich bei Margret Rosch danach erkundigen und ihr bei der Gelegenheit noch ein paar Fragen stellen wollen. Doch Cora Benders Tante war überraschenderweise abgetaucht. So hatte er mit dem Ehemann vorlieb nehmen müssen und die Auskunft erhalten, dass Gereon Bender seine Schwiegereltern nie zu Gesicht bekommen hatte.

«Die wollten schon vor Jahren nichts mehr mit ihr zu tun haben. Da hätte ich besser mal drüber nachgedacht. Es muss ja Gründe geben. Mich hat sie auch von Anfang an belogen. Monatelang hat sie mir erzählt, Margret sei ihre Mutter. Und ihr Vater sei gestorben, kurz bevor sie vierzehn wurde. Erst als wir das Aufgebot bestellten, kam das raus. Da hätte ich sie besser sausen lassen. Sagen Sie mal, wie ist das eigentlich? Sie hat mich doch auch verletzt. Da müsste ich sie doch anzeigen können wegen Körperverletzung. Oder zählt das nicht, wenn man verheiratet ist?»

Gereon Bender hatte noch mehr gesagt. Er hatte eingeräumt, dass es im letzten halben Jahr nicht mehr so rosig um seine Ehe bestellt gewesen war. Noch ein Punkt, in dem er sich getäuscht und hintergangen fühlte. «Ein bisschen prüde war sie immer. Aber ich hatte trotzdem das Gefühl, dass es ihr Spaß macht, dass sie es nur nicht zeigen will. Aber seit Weihnachten …»

Das Radio im Schlafzimmer und diese besondere Zärtlichkeit mit äußerst unangenehmen Folgen. Gereon Bender hatte sich ein wenig geniert, war dann aber doch ins Detail gegangen, sogar mit dem exakten Ausdruck. Oraler Sex. «Jetzt denken Sie nicht, ich hab das von ihr verlangt. Hätte ich nie getan. Ich wollt's mal für sie besonders schön machen. Und sie hat mir fast das Genick gebrochen.»

Seit er das gehört hatte, beschäftigte sich Rudolf Grovian wieder mit dem Verdacht, der ihm im Verhör gekommen war. Kindesmissbrauch. Es passte besser zu Drogen und Ekel. Und ihr letzter Ausbruch passte auch. Da hatte sie nun wirklich zu dick aufgetragen. Von einer Katastrophe in die andere geschlittert. Und lassen Sie meinen Vater in Ruhe! Er ist ein alter Mann! Den sie ihrem Mann gegenüber für tot erklärt hatte.

Der Kern ihrer Geschichte, dass sie irgendwann die Szene erlebt hatte, die sie vor ihrem Zusammenbruch schilderte, glaubte er immer noch. «Ich habe gehört, wie ihre Rippen brachen.» So etwas sog sich niemand aus den Fingern. Aber dass Georg Frankenberg an diesem Horrorszenario beteiligt gewesen sein könnte, mit dieser Ansicht stand er allein.

Sogar Mechthild, die sich, wenn sie nicht gerade mit der Tochter beschäftigt war, gerne auf Seiten der Täter schlug und eine Litanei von Entschuldigungen fand, die in der Ansicht gipfelten, die Leute müssten eigentlich auf freien Fuß gesetzt werden, stimmte diesmal mit Staatsanwaltschaft, Werner Hoß, Untersuchungsrichter und der Presse überein.

Ein unschuldiger Mann, noch dazu ein Arzt, hatte wegen irgendeinem Wahnsinn sterben müssen. Ärzte waren für Mechthild unantastbare Personen, nicht unfehlbar, aber Leute, denen man sich auslieferte, zu denen man zwangsläufig vertrauensvoll aufschaute, damit einen nicht das kalte Grausen überkam, wenn sie ein Messer in die Hand nahmen.

Cora Bender hatte einen dieser vertrauenswürdigen Männer ausgelöscht, von dem die Presse behauptete, er habe nur für seinen Beruf gelebt. Da gab es kaum Gnade in Mechthilds Augen. Sie hatte am Montagmorgen in der Zeitung davon gelesen und den Faden dankbar aufgegriffen, um jeder Diskussion über die bevorstehende Trennung von Tochter und Schwiegersohn aus dem Weg zu gehen.

Er hatte es nicht auf Anhieb durchschaut, hatte sich ehrlich und aufrichtig gefreut, dass Mechthild sich nach langen Jahren wieder einmal für seine Arbeit interessierte und ihm Gelegenheit bot, sich etwas von der Seele zu reden. Leichter war ihm allerdings nicht geworden.

Zwar erkannte Mechthild in Cora Benders Kindheit einen mildernden Umstand. Doch als er zum Ende kam, sagte sie: «Ich möchte nicht in deiner Haut stecken, Rudi. Wie ist dir zumute, wenn du so einer armen Kreatur den Rest geben musst?»

«Ich habe nicht vor, ihr den Rest zu geben», protestierte er.

Und Mechthild lächelte nachsichtig. «Was hast du dann vor, Rudi? Sie hat vor hundert Leuten einen Arzt erstochen. Da kann man ihr doch nicht auf die Schulter klopfen.»

«Wenn ich beweisen kann …»

«Rudi», unterbrach Mechthild ihn. «Mach dir doch nichts vor. Du kannst beweisen, was du willst, es stellt sich hier nur die Frage Haft oder Psychiatrie.»

Sie hatte Recht, er wusste das. Aber er wusste nicht, ob er jemals den Beweis fand, dass es eine Verbindung zwischen Frankie und Cora gegeben hatte. Vor fünf Jahren mochte zwischen Mai und November für Cora Bender die Welt untergegangen oder sonst etwas passiert sein, was ihr Grund gab zu schwindeln, dass sich die Balken bogen, was ihre Tante veranlasste, sich nach ihrer freiwilligen Aufklärungsaktion schnellstmöglich abzusetzen. Über Georg Frankenberg hatten sie bisher nur Gutes gehört. Ein stiller Mann, zurückhaltend, fast scheu Frauen gegenüber.

Und Gereon Bender sagte: «Sie lügt, wie es ihr gerade in den Kram passt.» Natürlich log sie, wenn sie sich nicht anders zu helfen wusste. Wenn einer gegen ihre Mauer trat, warf sie in ihrer Not alles, was ihr durch den Kopf ging, in einen Topf, rührte einmal kräftig um und knallte eine Schöpfkelle Chaos auf den nächsten Teller. Und dann musste man sortieren, was sie anbot, und bei jedem Bröckchen fragen, wo sie es hergenommen hatte.

Inzwischen stand fest, dass sie einen Großteil dessen, was sie an Fakten aus Frankenbergs Vorleben präsentiert hatte, am See aufgeschnappt haben konnte. Einen Großteil, nicht alles. Die Spitznamen Böcki und Tiger hatte Winfried Meilhofer nicht genannt, weil er sie nie zuvor gehört hatte. Zu ihm hatte Georg Frankenberg immer nur von Hans Böckel und Ottmar Denner gesprochen. Und Meilhofer hatte auch den silberfarbenen Golf GTI mit Bonner Kennzeichen nicht erwähnt.

Der Wagen und die beiden Namen waren alles, was Rudolf Grovian noch in der Hand hatte, um eine Linie zwischen Opfer und Täterin zu ziehen. Dabei konnten die Namen durchaus der Phantasie Cora Benders entsprungen sein. Dass es ihm logisch erschien, Hans Böckel gleich Böcki und der «Song of Tiger», bewies nichts.

Aber wenn man zu Gedankenspielereien neigte, ergab sich eine reizvolle Variante. Hans gleich Johnny, Guitar gleich Gitarre. Winfried Meilhofer glaubte sich zu erinnern, Frankie habe einmal erwähnt, Hans Böckel sei der Gitarrenspieler im Trio gewesen. Mochte Georg Frankenberg auch am 16. Mai mit einem Armbruch in Vaters Obhut gelegen haben. Hans Böckel konnte ihr durchaus an diesem Tag begegnet und sie über ihn an Heroin gekommen sein.

Er hatte nicht viel Hoffnung, von ihrem Vater etwas Wesentliches zu erfahren. Er hatte auch nicht vor, den Mann unter Druck zu setzen. «Haben Sie sich an Ihrer Tochter vergangen, Herr Rosch? Haben wir die Katastrophe Ihnen zu verdanken?» Darum konnte sich später der Gutachter kümmern. Er wollte nur ein bisschen Aufschluss über die Zeit von Mai bis November. Und den Namen der Klinik, in der ihre Kopfverletzung behandelt worden war.

Auf sein Klingeln an der Haustür öffnete ihm eine Frau, die vom Aussehen her in die Stadt passte. Blitzsauber und jugendlich, sodass er unwillkürlich schluckte. Cora Benders Worte schossen ihm durch den Kopf. «Mutter ist fünfundsechzig.» Die Frau an der Tür war höchstens Mitte vierzig, modisch gekleidet, eine flotte Kurzhaarfrisur, ein dezentes Make-up. Sie hielt ein Tuch in der Hand, als habe er sie beim Abwasch gestört.

Er stellte sich vor, ohne den Grund für seinen Besuch oder seinen Beruf anzugeben, und erkundigte sich zögernd: «Frau Rosch?»

Sie lächelte. «Gott behüte! Ich bin die Nachbarin, Grit Adigar.»

Ihm fiel ein kleiner Stein vom Herzen, nur ein winzig kleiner. «Ich hätte gerne Herrn Rosch gesprochen. Wilhelm Rosch.»

«Er ist nicht hier», erklärte Grit Adigar.

«Wann kommt er zurück?», fragte er.

Grit Adigar antwortete nicht, wollte stattdessen wissen: «In welcher Angelegenheit möchten Sie ihn sprechen?» Und noch bevor er etwas erklären konnte, schien sie zu begreifen. Sie spähte über seine Schulter zu dem Fahrzeug, das er am Straßenrand geparkt hatte, und nickte gedankenverloren. «Es geht um Cora. Sie sind von der Polizei, nicht wahr?»

Wieder kam er nicht dazu, etwas zu sagen. «Margret sagte

schon, dass wahrscheinlich jemand käme», erklärte Grit Adigar. «Kommen Sie erst mal rein. Das müssen wir ja nicht an der Haustür regeln.»

Sie trat von der Tür zurück. Und damit veränderte sich alles.

Hinter der Tür lag ein schmaler, dämmriger Flur, die Tapeten an den Wänden waren mindestens so alt wie das Haus. Links ging es eine Treppe hinauf, auf den Stufen lag ein abgewetzter Läufer mit Streifen. Geradeaus stand eine Tür spaltbreit offen, durch die ein schmaler Streifen Tageslicht einfiel. Hinter dieser Tür lag die Küche. Rechts daneben war noch eine Tür. Dass auch die offen stand, bemerkte er erst, als er näher kam.

Der Raum dahinter musste das Wohnzimmer sein. Das Fenster führte hinaus auf die Straße. Von den reinweißen Gardinen war innen nichts zu sehen. Die Vorhänge waren aus schwerem braunem Stoff und zugezogen. Der Raum lag im Dunkeln. In der offenen Tür stand eine weitere Frau.

Er zuckte zusammen, als sie plötzlich einen Schritt vortrat. Ein Gesicht wie eine Spitzmaus. Graues Haar, das ihr bis zur Taille reichte. Es sah aus, als sei es wochenlang nicht gewaschen worden. So roch es auch, ein säuerlich muffiges Aroma umgab die Gestalt wie ein zu weit geschnittener Mantel. Für eine Frau war sie groß, hätte ihn wohl um einige Zentimeter überragt, wenn sie sich aufrecht gehalten hätte. Doch sie stand da, als trüge sie eine Zentnerlast auf den Schultern. Eine verblichene ehemals bunte Kittelschürze schlotterte um ihren Körper.

Im Vorbeigehen fasste Grit Adigar nach der Schulter der Frau: «So haben wir nicht gewettet, Elsbeth! Zuerst wird der Teller leer gegessen, dann kannst du weiterbeten.»

Die Frau reagierte nicht, musterte Rudolf Grovian mit leicht geneigtem Kopf und erkundigte sich: «Sucht er die Hure?»

«Nein. Er möchte mit Wilhelm reden. Ich kümmere mich darum.»

Etwas wie ein Lächeln glitt nach Grit Adigars Erklärung um die dünnen Lippen der Jammergestalt, begleitet wurde es von einem bedächtigen Nicken. «Der Herr war mit seiner Geduld am Ende und hat ihn bestraft. Er hat ihm die Stimme genommen und die Kraft. Er hat ihn aufs Lager geworfen, er wird sich nie wieder erheben.»

Es war ein gewaltiger Unterschied, Cora Bender von ihrer Mutter sprechen zu hören, sich ein paar Gedanken dazu zu machen und dann die Mutter leibhaftig vor sich zu sehen und sie sprechen zu hören. Trotz der sommerlichen Temperaturen spürte Rudolf Grovian ein Frösteln. Die Vorstellung eines Kindes, das tagein, tagaus diesem salbadernden Ton ausgesetzt gewesen war, ließ ihn schaudern.

«Schon gut, Elsbeth», sagte Grit Adigar, packte die Schulter fester und schob das muffige Bündel vor sich her auf die Küche zu. «Du setzt dich jetzt an den Tisch und tust, was dem Herrn gefällt. Er mag leere Teller. Das schöne Essen in den Müll werfen wäre Verschwendung. Und wie er darüber denkt, das weißt du doch.»

Zu Rudolf Grovian sagte sie: «Kümmern Sie sich nicht um sie. Früher war es schon schlimm mit ihr. Aber seit Montag ist sie völlig durcheinander. Und wenn Sie sich jetzt fragen, wen die gute Elsbeth als Hure bezeichnet, Cora war nicht gemeint. Das galt Margret. Für Elsbeth ist jede Frau eine Hure, die sich auf ein Verhältnis mit einem verheirateten Mann einlässt.»

Eine an und für sich überflüssige Erklärung, fand er. Und wenn ihm jemand ungefragt etwas erklärte, wurde er immer hellhörig und fragte sich, wozu es gut sein sollte.

Dann saßen sie zu dritt an einem alten Küchentisch. Auf einem Schrank an der Seite stand eine stattliche Anzahl gerahmter Fotografien. Auf jeder davon Cora Bender, allein, mit ihrem Söhnchen, mit ihrem Mann, mit beiden. Das Hochzeitsfoto, ein Schnappschuss aus dem Wochenbett und einer vom neuen Haus. Grit Adigar war seinem Blick gefolgt und erklärte weiter ungefragt: «Margret hat regelmäßig Fotos geschickt. Das ist Wilhelms Altar. Stundenlang konnte er hier sitzen und die Bilder betrachten. Er träumte davon, dass sie einmal auf Besuch käme. Dass er seinen Enkel leibhaftig erleben könnte. Aber das hätte sie nie getan. Und ich glaube, er wusste, dass er sie nie wieder sieht.»

Eine gute Einleitung, fand Rudolf Grovian, um frontal den Punkt anzusteuern, über den er immer wieder stolperte. Von einer Nachbarin war in dieser Hinsicht vielleicht eher etwas zu erfahren als von den Eltern oder einer Tante, die es vorgezogen hatte, nach ihrer freiwilligen Aussage zu verschwinden. «Hat Wilhelm Rosch sich an seiner Tochter vergangen?»

Grit Adigar riss empört die Augen auf. «Wilhelm? Wo denken Sie hin? Auf so eine Idee kann auch nur ein Polizist kommen. Eher hätte er sich eigenhändig kastriert. Cora war sein ein und alles. Es hat ihn fast umgebracht, als sie damals von hier wegging. Und als Margret am Montag ...»

Sie berichtete der Reihe nach. Margret Rosch war ihm um zwei Tage zuvorgekommen, nicht untergetaucht, um weiteren Fragen zu entgehen, nur in bester Absicht noch in der Nacht zum Montag nach Buchholz gefahren, um ihrem Bruder schonend beizubringen, was geschehen war. Aber mit Schonung war nicht viel gewesen bei solch einer Nachricht. Wilhelm Rosch hatte einen Schlaganfall erlitten. Es stand nicht gut um ihn. Margret war bei ihm im Krankenhaus.

Es war am Montag so schnell gegangen, da war keine Zeit geblieben für Erklärungen. Margret Rosch hatte sich bisher einmal telefonisch bei Grit Adigar gemeldet und mitgeteilt, dass es kaum Hoffnung für Wilhelm gab. Und dass vielleicht einer von der Polizei auftauche, weil Cora eine Riesendummheit begangen habe.

«Hat sie versucht, sich umzubringen?», wollte Grit Adigar wissen.

«Nein.»

Sie legte vor Erleichterung beide Hände vors Gesicht und murmelte: «Gott sei Dank. Ich dachte schon, sie hätte es wieder getan. Weil Wilhelm so…»

Wieder! Das klang in Rudolf Grovians Ohren nach einer Frau, die informiert war. Die entschieden mehr wusste als eine Tante, die kaum Kontakt zur Familie gehabt hatte. Die ebenso weiterhelfen konnte wie Cora Benders Eltern. Die vor allen Dingen auch bereit war zu sagen, was sie wusste.

So ohne weiteres war Grit Adigar jedoch nicht bereit. Zuerst wollte sie von ihm wissen, was Cora denn angestellt habe. Wie sie es ausdrückte, klang es harmlos, und dabei huschte ein Lächeln um ihre Lippen. Aber es gefror rasch.

Er entschloss sich zur Offenheit, umriss die Situation in ein paar knappen Sätzen. Grit Adigar schluckte mehrfach heftig und brauchte anschließend ein paar Sekunden, um ihre Fassung zurückzugewinnen. «Gott im Himmel!»

Elsbeth Rosch hob den Kopf, den sie bis dahin teilnahmslos über den Teller gesenkt hatte. Ihre sanfte Stimme hatte einen scharfen Beiton. «Du sollst seinen Namen nicht …»

«Halt die Klappe, Elsbeth», beschied Grit Adigar kurz. Sie atmete hörbar ein und aus. «Wie hieß der Mann?»

«Georg Frankenberg.»

«Den Namen habe ich nie gehört.»

Er zeigte ihr ein Foto, auch dazu schüttelte sie den Kopf. Und einen silberfarbenen Golf mit Bonner Kennzeichen hatte sie nie gesehen.

«Und was ist mit Hans Böckel, Ottmar Denner oder mit den Spitznamen Frankie, Böcki und Tiger?»

Sie hob bedauernd die Achseln an. «Sagen mir auch nichts.»

«Johnny Guitar?»

Grit Adigar lächelte flüchtig. «Der ist mir allerdings ein Begriff. Aber über ihn sollten Sie sich mit meiner Jüngsten unterhalten. Ich weiß nur, dass Johnny vor ein paar Jahren halb Buchholz die Köpfe verdreht hat. Meine Melanie bildete da keine Ausnahme. Er war Musiker. Das hat bei jungen Mädchen einen höheren Stellenwert als Automechaniker.»

Musiker, dachte er, wenigstens etwas. Welches Instrument er gespielt hatte, wusste Grit Adigar nicht. Und sie konnte sich auch nicht vorstellen, dass Cora mit Johnny zusammengekommen sein sollte. «Sie hatte doch einen festen Freund, Horsti.» Den hatte Rudolf Grovian fast schon vergessen.

Grit Adigar lächelte erneut, als wolle sie sich damit entschuldigen. «Mehr als seinen Vornamen kenne ich leider nicht. Für uns war er immer nur Horsti. Für Cora war er die Liebe ihres Lebens. Als sie ihn kennen lernte, war sie siebzehn. Schon nach drei Monaten verkündete sie, dass sie ihn eines Tages heiratet und mit ihm fortgeht. Sie war ganz hingerissen von ihm. Kein Mensch hat es verstanden. Ein kleines, schmächtiges Kerlchen war er, sah fast aus wie ein Albino, helle Haut und strohgelbes Haar, es fehlten nur die roten Augen. Ich habe ihn ein paar Mal kurz zu Gesicht bekommen, wenn er sich auf der Straße herumdrückte und auf Cora wartete. Meine Melanie könnte ihnen mehr erzählen. Leider ist sie zurzeit in Dänemark, sie kommt erst nächste Woche zurück. Aber sie hat die beiden oft zusammen gesehen und sich über Coras Verliebtheit amüsiert. Spargeltarzan nannte sie ihn.»

Es sah so aus, als kämpfe er auf verlorenem Posten. Ein Spargeltarzan als festen Freund. Die nächste Frage. «Wissen Sie Einzelheiten über den Selbstmordversuch von damals, über die Gründe?»

Grit Adigar nickte langsam, schränkte jedoch ein. «Ich weiß nur, was Cora mir erzählt hat. Es ist nicht hier passiert. Sie sagte, sie habe sich vor ein Auto geworfen. Über den

Grund hat sie nie gesprochen. Das musste sie auch nicht. Es lag auf der Hand. Sie ist mit Magdalenas Tod nicht fertig geworden.»

10. Kapitel

Als der Name fiel, spürte Rudolf Grovian ein unangenehmes Ticken im Hinterkopf und eine unbändige Wut auf Margret Rosch. Der Erlöser und die büßende Magdalena! Grit Adigar sprach fast eine halbe Stunde ohne Unterbrechung über das blaue Bündel, die Entbehrungen, den Blecheimer, Brandblasen an den Händen, wunde Knie, nasse Bettlaken und eine vertrocknete Seele.

Allein das Zuhören war eine Qual. Und die ganze Zeit war ihm, als müsse er in der nächsten Sekunde etwas begreifen, irgendeinen Zusammenhang, von dem er bisher nicht einmal geahnt hatte, dass er existierte. Den er auch gar nicht begreifen wollte, weil er zu sehr nach Wahnsinn klang. Und mit der vor sich hin muffelnden Elsbeth an einem Tisch schien es unmöglich, dass sich unter ihrer Fuchtel ein Kind auch nur halbwegs normal hatte entwickeln können.

Ein Zusammenhang tat sich ihm nicht auf. Er begriff nur eines: Warum Cora Bender ihre Schwester bisher nicht erwähnt hatte. Weil sich mit deren Tod eine Schuldenlast verband, die nichts und niemand tilgen konnte. Schuldig geworden noch vor der Geburt. Die gesamte Kraft aus Mutters Bauch gefressen.

Er hätte dieser Jammergestalt eigenhändig das Kreuz brechen können. Wie sie da über ihrem Teller hing, stand für ihn fest, Georg Frankenbergs Tod ging auf ihr Konto, um sieben Ecken vielleicht, aber das nahm ihr nicht ein Gramm Last von den knochigen Schultern.

Grit Adigar beschrieb ein eigenwilliges, stilles, in sich gekehrtes Kind und ein junges, rebellisches Mädchen, das sich einerseits rührend um die kranke Schwester kümmerte, das andererseits ein wenig persönliche Freiheit suchte. Samstagabende mit Horsti im «Aladin».

Ein verrufener Schuppen. Es ging das Gerücht, man habe dort vor Jahren nicht nur Musik, Tanz und Getränke geboten bekommen. Drogen seien auch leicht erhältlich gewesen. Seit gut vier Jahren gab es «Aladin» nicht mehr. Es war jetzt nur noch ein nettes, sauberes Restaurant, in dem man vorzüglich und preiswert speisen konnte.

«War Cora rauschgiftsüchtig?», fragte er.

«Nicht solange sie hier war», erklärte Grit Adigar mit Bestimmtheit. «Sie war viel zu verantwortungsbewusst. Und später, wollen Sie eine ehrliche Antwort?»

Die wollte er schon aus Prinzip. Grit Adigar sagte: «Ich glaube es nicht. Ich fand immer, dass ihre Arme eher dagegen sprachen als dafür. Das müssen vereiterte Wunden gewesen sein. Ich hatte noch nie mit Junkies zu tun, aber den möchte ich sehen, der in eitrige Geschwüre sticht. Da nehmen sie lieber die Beine oder sonst etwas, das hört man doch immer. Ich habe sie darauf angesprochen damals. Und sie sagte: Ich glaube es auch nicht, Grit, aber ich glaube vieles nicht, und es ist trotzdem so. Es wäre doch kein Wunder, wenn ich gefixt hätte. Nach dem Drama hier.»

Ereignet hatte sich das Drama nach Grit Adigars Worten im August vor fünf Jahren. Sie hatte es nicht persönlich erlebt, war an dem fraglichen Samstag zu Besuch bei Bekannten gewesen und erst spät in der Nacht heimgekommen. Insofern konnte sie nur Vermutungen äußern, das betonte sie. Doch es waren Vermutungen, welche die Grenzen der Wahrscheinlichkeit erreichten.

Im April hatten die Ärzte festgestellt, dass es nun wirklich mit Magdalena zu Ende ging. Mitte Mai verschlechterte sich ihr Zustand. Cora verließ das Haus nicht mehr, nicht einmal um Einkäufe zu machen. Das musste Wilhelm übernehmen. Tag und Nacht saß Cora am Bett ihrer Schwester.

Das war die Zeit, in der Grit Adigar Horsti ein paar Mal zu Gesicht bekommen hatte, wenn er sich in der Straße herumdrückte, um wenigstens in Coras Nähe zu sein oder ihr einen Blick auf die Liebe ihres Lebens zu gönnen.

Da war ein Widerspruch zu dem, was Margret Rosch über die beiden Anrufe ihres Bruders erzählt hatte. Grit Adigar tat ihn leicht ab. «Da muss Margret Wilhelm falsch verstanden haben. Schlechte Gesellschaft! So hat er das bestimmt nicht ausgedrückt. Und wenn doch, dann bezog es sich nicht auf Horsti, eher auf Magdalena. Wilhelm kam nicht zurecht mit ihr – und sie nicht mit ihm. Das beruhte auf Gegenseitigkeit. Es war nicht leicht mit ihr. Wenn ein Mensch sterbenskrank ist, heißt das ja nicht, dass er keinen Willen hat. Magdalena hatte einen, das dürfen Sie mir glauben.»

Grit Adigar lächelte dünn und sprach weiter über die letzten Monate. Magdalenas endgültiges Sterben zog sich hin. Und wie das häufig war bei Todeskandidaten: kurz vor dem Ende blühten sie noch einmal auf, schienen sich zu erholen. Im August riskierte Cora es. Wilhelm und Elsbeth machten einen Besuch in Hamburg, Cora gönnte sich einen Samstagabend mit Horsti, dem Getreuen. Nur ein paar Stunden blieb sie weg. Als sie zurückkam, war ihre Schwester tot.

Grit Adigar erhob sich. «Ich will Ihnen etwas zeigen, kommen Sie mit.» Die auf ihren Teller starrende Elsbeth blieb in der Küche zurück. Grit Adigar ging vor ihm her in den Flur und stieg die schmale Treppe hinauf. Oben gab es nur drei Türen. Eine davon öffnete sie für ihn.

Dahinter lag ein spartanisch eingerichtetes Zimmer. Zwei Betten und einen Nachttisch, mehr gab es nicht. Auf dem Nachttisch stand ein kleiner Wecker, dessen Zeiger zwischen vier und fünf Uhr stehen geblieben waren. Neben dem Wecker lag ein Walkman mit Ohrsteckern, dahinter ein Stapel Musikkassetten. Und vor den Kassetten stand ein Foto im Silberrahmen.

Es war eine Amateuraufnahme. Sie zeigte zwei junge Mädchen, nebeneinander auf einem der Betten sitzend. Bei beiden Mädchen reichten die Haare bis in den Silberrahmen. Bei der einen waren sie weißblond, bei der anderen rötlich braun.

Rudolf Grovian nahm das Foto auf und betrachtete es. Sein Hauptaugenmerk galt dem von rötlich braunem Haar umrahmten Gesicht Coras. Mit solch einem Lächeln hatte er sie noch nicht gesehen. Ernst, besorgt und liebevoll wirkte sie. Sie hatte einen Arm um die Schultern ihrer Schwester gelegt. Und Magdalena …

«Zwei sehr hübsche Mädchen», sagte er.

«Hübsch waren sie beide», stimmte Grit Adigar zu. «Aber bei Magdalena ist das eine Untertreibung. Sie war eine Schönheit von der Art, die Männer um den Verstand bringt. Manchmal dachte ich, dass die Natur sämtliche inneren Defekte im Äußeren kompensierte oder mit diesen Defekten dafür sorgte, dass die Hülle nicht noch einen Mann ins Verderben reißt.»

Sie seufzte, hob die Achseln an und lächelte dabei verlegen. «Man kommt auf seltsame Gedanken, wenn man so etwas hautnah erlebt. So muss Elsbeth als junge Frau ausgesehen haben. Kein Wunder, dass sie den Verstand verlor bei diesem Kind. Cora kommt mehr nach Wilhelm. Magdalena war das Ebenbild ihrer Mutter.»

«Man sieht ihr nichts an von der Krankheit», stellte er fest.

Grit Adigar lächelte erneut. «Teuflisch, nicht wahr? Ihre Herzfunktion war derart beeinträchtigt, dass der gesamte Körper aufgeschwemmt wurde. Zusätzlich versagten ihre Nieren. Und sie sah aus wie das blühende Leben. Nur die bläuliche Hautfarbe deutete darauf hin, dass etwas nicht in Ordnung war mit ihr. Bevor ich auf den Auslöser drücken durfte, hat Cora eine halbe Stunde lang mit ihren Make-up-Utensilien hantiert. Magdalena wollte sich nicht fotografieren lassen. Sie war sehr eitel und stimmte erst zu, nachdem Cora sie so zurechtgemacht hatte. Es ist das einzige Bild, das von ihr existiert. Ich habe es Anfang April aufgenommen, zwei Tage bevor sie das letzte Mal nach Eppendorf gebracht wurde. Da dachten wir noch, es ginge ihr besser als je zuvor. Sie hatte zugenommen. Ihr Gesicht war voller geworden, ihre Beine sahen auch nicht mehr aus wie Stelzen. Es war nur Wasser. Aber das haben wir erst später erfahren.»

Er stellte das Foto zurück und drehte sich um. Über dem zweiten Bett war ein Regal angebracht, auf dem sich Buchrücken an Buchrücken reihte.

«Die Bücher fanden wir damals im Schuppen», erklärte Grit Adigar. «Wilhelm hat das Regal erst nachträglich über Coras Bett angebracht und sie hier aufgestellt.»

Es handelte sich überwiegend um medizinische Fachliteratur. Zwei Titel ließen auf den Bereich Psychologie schließen. Die Thematik war bezeichnend, religiöser Wahn und Selbstheilung durch Willenskraft.

Dass Wilhelm im Schuppen noch ein kleines und sehr dünnes Buch gefunden hatte, in dem nur Zahlen standen, erwähnte Grit Adigar nicht. Mehr als dreißigtausend Mark! Wilhelm hatte gefragt: «Wie um alles in der Welt ist sie an so viel Geld gekommen?»

«Seit sie sechzehn war, hat sie den größten Teil ihres Taschengeldes für diese Bücher ausgegeben», sagte Grit Adigar. «Wie oft habe ich sie am Abend aus dem Haus kommen sehen. Sie schlich zum Schuppen. Da verwahrte sie modische Kleidung, Lippenstift und dergleichen; Dinge, die Elsbeth nicht duldete und die für junge Mädchen so wichtig sind. Und ihre Bücher. Wenn sie in die Stadt ging, hatte sie sich umgezogen und ein bisschen geschminkt. Da hätte man denken können, jetzt zieht sie los, um sich zu amüsieren. Aber sie hatte meist einen von diesen Wälzern unter den Arm geklemmt. Und damit geht man nicht tanzen, auch nicht ins

Kino oder in die Eisdiele. Sie hat sich nicht herumgetrieben. Dass sie sich samstags mit Horsti traf, kann man ihr kaum zum Vorwurf machen. Ein bisschen Freiheit brauchte sie doch, ein paar Stunden in der Woche für sich. Den Rest der Zeit war sie für ihre Schwester da.»

Grit Adigar erzählte, dass Cora damals in einer Zeitschrift über Herztransplantation gelesen hatte, über die großen Erfolge, die man damit in den USA verzeichnete. Dass Cora häufig erklärt habe, eines Tages bringe sie Magdalena dorthin. Dass sie nicht begreifen wollte oder konnte, dass es mit einer Herztransplantation nicht getan war.

«Wenn es nur das gewesen wäre», sagte Grit Adigar, «das hätten sie in Eppendorf mit Freude erledigt, allein um zu zeigen, dass sie es können. Ich weiß nicht, was da alles zusammenkam. Da müssten Sie sich mit Margret unterhalten. Sie hat damals die Unterlagen aus der Klinik geholt, die gesamte Krankengeschichte. Solange Magdalena lebte, wusste hier kein Mensch, wie es wirklich um sie stand. Wilhelm kümmerte sich kaum darum. Elsbeth war zu blöd zu begreifen, was die Ärzte ihr erklärten. Und Magdalena wollte es nicht wahrhaben und schwieg. Im April wollten die Ärzte sie in der Klinik behalten. Sie bestand darauf, hier zu sterben. Sie hätte daheim genau die Pflege, die sie brauche, soll sie gesagt haben. Nur hat sie hier den Mund nicht aufgemacht. Und dann kam Cora heim in der Nacht ... Als Wilhelm am nächsten Morgen nachschaute, weil sie nicht herunterkam, war Cora verschwunden.»

«Wann genau war das?», wollte er wissen.

«Warten Sie, das Datum steht auf dem Totenschein. Ich hole ihn, er ist im Schlafzimmer.»

Wie ein Blitz huschte sie zur Tür hinaus, war zwei Sekunden später wieder da und hielt ihm den Schein hin. «Herz-Nieren-Versagen», las er. Und die Unterschrift des Arztes. Sie war unleserlich, er machte sich nicht die Mühe, sie zu entziffern. Seine Augen hatten das Datum ausgemacht. 16. Mai. Magdalenas Geburtstag. Gestorben war Cora Benders Schwester am 16. August.

Zweimal der 16. Man musste nicht Psychologe sein, um zu begreifen, welche Bedeutung das Datum in Cora Benders Leben hatte und warum sie in ihrer ersten Version den Beginn ihrer Romanze mit Johnny in den Mai verlegte. Wunschdenken. Frei nach dem Motto: Wäre ich doch im Mai, statt im August. Die Tote aus der Lüneburger Heide konnte er damit vergessen, ebenso ihre Behauptung, ihre Tante habe ihn belogen.

Von ihrer Tante hatte er vermutlich die Wahrheit gehört, jedenfalls andeutungsweise. Was sie ihm unterschlagen hatte! Von seiner Wut auf Margret Rosch war noch kein Quäntchen verraucht. Dass sich jemand freiwillig anbot, sich geradezu aufdrängte, alle notwendigen Auskünfte zu geben, und dann beim wichtigsten Punkt mauerte, was das Zeug hielt, es war eine bodenlose Unverschämtheit. Behinderung der Ermittlungsarbeit mindestens, wenn nicht Irreführung.

Aber das musste er mit Margret Rosch klären. Er kam auf das zu sprechen, was ihn am meisten interessierte; der ominöse Selbstmordversuch und die anschließende ärztliche Behandlung. Leider wusste Grit Adigar nicht viel darüber.

Es hatte jemand bei ihr angerufen – damals im November, ein paar Tage, bevor Cora zurückkam. Einen Namen hatte Grit Adigar nicht verstanden in der ersten Aufregung. Sie hatte auch nicht nachgefragt, war sofort nach nebenan gelaufen und hatte Wilhelm ans Telefon geholt. Wilhelm müsste den Namen wissen. Er hatte länger mit dem Mann gesprochen. Grit Adigar konnte nur sagen, in welchem Zustand Cora heimgekommen war. Und danach zu urteilen, musste der behandelnde Arzt ein Stümper gewesen sein. So schickte man keine Patientin nach Hause, wenn man auch nur ein bisschen Verantwortungsbewusstsein hatte.

Cora kam mit einem Taxi an. Der Wagen hatte ein Hamburger Kennzeichen. Der Fahrer musste ihr beim Aussteigen helfen. Sie konnte sich kaum auf den Beinen halten. Der Fahrer kümmerte sich nicht weiter um sie, fuhr gleich wieder los.

Grit Adigar schüttelte den Kopf. «Sie stand auf der Straße und starrte das Haus an, als sehe sie es zum ersten Mal. Dann ging sie langsam darauf zu. Ich sah das vom Fenster aus, lief hinaus und sprach sie an. Sie nahm mich nicht wahr. Elsbeth öffnete ihr die Tür. Und, na ja, Elsbeth mit ihrem Dachschaden schaute sie an und sagte: ‹Cora ist tot. Meine Töchter sind beide tot.› Cora schrie auf. Ich hatte noch nie einen Menschen so schreien hören. Wie ein Tier.»

Grit Adigar erzählte weiter, wie Cora in den Knien einknickte und ihren Kopf gegen die Stufen vor der Haustür schlug, wieder und wieder. Wie Wilhelm in den Hausflur kam. Wie sie Cora gemeinsam nach oben schafften. Wie sie sie auszogen. Und unter dem Kleid kam ein völlig abgemagerter Körper zum Vorschein. Die blutig geschlagene Stirn und darüber die frische Narbe, diese Kerbe im Knochen. Gut verheilt für die paar Wochen – im Gegensatz zu den Armbeugen. Und während sie Cora auszogen, schrie und wimmerte sie. «Magdalena kann nicht tot sein! Wir fliegen nach Amerika!»

«Ich hatte das Gefühl», sagte Grit Adigar, «sie wusste es nicht mehr. Sie hatte die Nacht vergessen. Völlig vergessen. So etwas passiert wohl manchmal nach einem großen Schock.»

Die Möglichkeit, dass Cora tatsächlich erst im November vom Tod ihrer Schwester erfahren hatte, weil sie in der fraglichen Augustnacht nicht mehr heimgekommen war, zog Grit Adigar anscheinend nicht in Betracht. Rudolf Grovian tat es.

Johnny Guitar, dachte er, der halb Buchholz die Köpfe verdrehte. Für den sie Luft war. Bis zu diesem Abend. Drei Monate neben dem Bett der Schwester ausgeharrt. Dann wagt sie sich hinaus, glücklich und erleichtert, weil es Magdalena scheinbar besser geht. Und welch ein Glück erst, als Johnny sie endlich zur Kenntnis nimmt. Horsti wird kalt lächelnd abserviert, vielleicht ist er auch nicht im «Aladin» an dem Abend. Sie steigt mit klopfendem Herzen zu Johnny und seinem kleinen, dicken Freund in den silberfarbenen Golf. Vielleicht zusammen mit noch einem Mädchen, vielleicht auch nicht. Das war momentan nicht der springende Punkt.

Die Frage war nur noch, konnte man sich für die Erfüllung eines Wunschtraumes entschließen, die kranke Schwester ihrem Schicksal zu überlassen und nicht mehr heimzugehen? Schwer vorstellbar nach dem, was Grit Adigar erzählt hatte. Es stellte sich noch eine andere Frage, der er bisher nicht die entsprechende Bedeutung beigemessen hatte. Konnte eine schwere Kopfverletzung in wenigen Wochen heilen? Auch das war nur schwer vorstellbar.

Von Cora Benders Elternhaus machte er sich wenig später auf den Weg zu dem Restaurant, in dem man vorzüglich und preiswert speisen konnte. Er hatte Pech. Von fünfzehn bis achtzehn Uhr war geschlossen. Also fuhr er zuerst zum Kreiskrankenhaus, in dem Wilhelm Rosch um den Rest Leben in sich kämpfte, in dem Margret Rosch Wache hielt und das Pflegepersonal kommandierte. Mit Cora Benders Vater konnte er nicht reden. Und ihre Tante verteidigte vehement ihr Schweigen.

Was hatte denn ein vor fünf Jahren an Herz-Nieren-Versagen verstorbenes Mädchen mit dem Fall Frankenberg zu tun? Absolut nichts! Und man musste den Namen Magdalena nur erwähnen, um Cora den Boden unter den Füßen wegzuziehen. Als besorgte Tante hatte Margret Rosch diese Entscheidung lieber ihrer Nichte überlassen wollen. Wenn er sich –

bitte schön – erinnern möge! Sie hatte zu Cora gesagt: «Erzähl ihnen, warum du im August von daheim weggegangen bist.» Dass Cora es nicht erzählt hatte, sprach für sich. Ein Schuldkomplex, von dem sich ein biederer Kripobeamter keine Vorstellung machen konnte.

Den biederen Kripobeamten schluckte er ohne Protest. Margret Rosch ließ ihm auch keine Zeit für eine Zurechtweisung. Sie verstand sich gut darauf, von ihrem Versäumnis abzulenken und den biederen Kripobeamten auf eine andere Fährte zu setzen. Hatte sie doch montags – noch bevor sie ein Wort über Coras Wahnsinnstat verlauten ließ – zuallererst versucht, von Wilhelm den Namen der Klinik zu erfahren, in der ihre Nichte damals behandelt worden war.

Von einer Klinik wusste Wilhelm nichts. Nur ein Arzt! Und dieser Arzt hatte Wilhelm einen Namen und eine Adresse in Hamburg genannt. Doch als Wilhelm später einen Dankesbrief an diese Adresse schickte, kam der postwendend zurück. Adressat unbekannt!

«Interessant, nicht wahr?», fragte Margret Rosch in gemäßigterem Ton. «Welchen Grund hatte dieser Kerl, einen falschen Namen anzugeben? Was hat er mit ihr gemacht? Ich kann's mir denken!»

Sie stieß die Luft aus und schüttelte den Kopf. «Wissen Sie, was mich am meisten ärgert, Herr Grovian? Dass ich Cora damals nicht habe hantieren lassen, als sie mit diesem Zeug in meiner Küche saß.»

«Mit welchem Zeug?»

Margret Rosch seufzte und deutete ein verlegenes Achselzucken an. «Heroin. Ich habe Ihnen doch erzählt, dass sie meinte, ihr elender Zustand sei eine Folge des Entzugs. Sie hatte sich am Bahnhof etwas besorgt und bat mich, ihr die Spritze aufzuziehen. Ich habe es ihr weggenommen. Ich dachte damals nur, sie kann nicht damit umgehen, weil der Kerl ihr das Zeug gespritzt hat. Aber inzwischen denke ich, wenn das der Fall gewesen wäre, da hätte sie doch zumindest einmal sehen müssen, wie er es aufzieht. Sie hatte keine Ahnung. Lassen Sie es auf einen Versuch ankommen, wenn Sie mir nicht glauben.»

Er glaubte ihr kein Wort mehr. Weder den angeblichen Arzt mit falschem Namen noch den Rest. Margret Rosch hatte Zeit genug gehabt, eine Absprache mit Grit Adigar zu treffen. Die nette Nachbarin bereitete den Boden vor, die rührige Tante setzte das Pflänzchen ein. Was sie bezweckten, war ihm allerdings schleierhaft. Als Krankenschwester konnte Margret Rosch kaum so naiv sein zu glauben, er zöge in Betracht, dass ein Medizinstudent in den ersten Semestern Cora Benders Schädelverletzung verarztet hatte.

Es blieb ihm nichts anderes übrig, als Anfragen an alle Krankenhäuser in Hamburg und Umgebung richten zu lassen. Und die freipraktizierenden Ärzte nicht zu vergessen. Eine Arbeit für einen, der sich gerne die Ohren wund telefonierte.

Um Horsti ausfindig zu machen, fehlten ihm die nötigen Informationen. Außerdem war er hungrig. Nach dem Gespräch mit Margret Rosch machte er noch einen Versuch, zu einer vorzüglichen und preiswerten Mahlzeit zu kommen. Es war ein paar Minuten nach achtzehn Uhr, und das Steak war wirklich üppig und ausgezeichnet, auch die Beilagen ließen nichts zu wünschen übrig. Er hatte Mechthild gesagt, dass es sehr spät werden könne und sie mit dem Essen nicht auf ihn warten solle.

Etwas länger als eine Stunde saß er in gemütlich rustikaler Umgebung und versuchte sich vorzustellen, wie es zu «Aladins» Zeiten ausgesehen haben mochte. Die freundliche Bedienung konnte ihm nicht weiterhelfen, lebte erst sei zwei Jahren in Buchholz, hatte niemals von Johnny, Böcki und Tiger, auch niemals von Frankie oder Horsti gehört.

Kurz vor acht trat er die lange Heimfahrt an. Um einiges

klüger als zuvor und keinen Schritt weiter. Im Gegenteil! Auf der Rückfahrt waren es trotz der späten Stunde insgesamt vier Staus, zusammen mit den diversen Baustellen ergaben sie sieben Stunden. Um halb vier in der Nacht war er daheim.

Mechthild schlief, auf seinem Kopfkissen lag ein Zettel, er möge unbedingt noch Werner Hoß anrufen. Doch auch für unbedingt war es zu spät. So leise wie möglich kroch er neben Mechthild ins Bett. Die Augen brannten ihm vor Müdigkeit, der Kopf brummte, Nacken und Schultern waren völlig verspannt. Er brauchte keine zwei Minuten, um einzuschlafen.

Am nächsten Morgen erfuhr er, dass Cora Bender versucht hatte, die Ermittlungen auf ihre Weise zu beenden. Es traf ihn wie ein Peitschenhieb. Wenn er ihr eine geladene Pistole gereicht hätte, hätte er sich nicht halb so elend gefühlt.

Ein Päckchen Papiertücher! Nur noch knapp zur Hälfte gefüllt! Wie hatte er sich nur eine Sekunde lang einbilden können, zumindest eine Ahnung zu haben, was in ihrem Kopf vorging?

Minutenlang saß er an seinem Schreibtisch, saß nur so da und starrte die Kaffeemaschine an. Am Boden der Kanne hatte sich erneut ein brauner Film gebildet. Um halb zehn verließ er das Büro, besorgte in einem Supermarkt eine Flasche Spülmittel und einen Scheuerschwamm. Dann schrubbte er nicht nur die Kanne, er polierte die alte Maschine, bis sie dastand wie neu. Und er sah es nicht einmal.

Er sah nur ihre Hand, die das harmlose Päckchen umklammerte. Irgendwann hörte er auch ihre Stimme: «Sie haben keine Ahnung, was passiert, wenn ich mit Ihnen rede. Es wird alles lebendig.»

Jetzt hatte er eine Ahnung. Zumindest wusste er jetzt, welchen Geist er heraufbeschworen hatte. Die büßende Magdalena.

Sie lag auf einem Bett. Hände und Füße hatte man ihr mit breiten Stoffmanschetten fixiert. Der Kopf schmerzte und summte von Benommenheit, dem heftigen Schlag, den sie sich versetzt hatte, und einer Injektion, etwas zur Beruhigung hatte man ihr gegeben. Das wusste sie noch. Sie hatte getobt, um sich geschlagen, getreten, gebissen, geschrien, war kaum zu bändigen gewesen.

Etwas davon war haften geblieben, aber die Eindrücke waren zu vage, um sich damit zu beschäftigen. Seit man sie in das Zimmer gebracht hatte, lag sie still auf dem Rücken und dämmerte vor sich hin. Sie spürte zwar die Fesseln an Hand- und Fußgelenken, auch die Steifheit in den Gliedern und das breite Wundpflaster auf der Stirn, aber es war alles egal.

Auch als der Kopf sich allmählich klärte, gab es keinen Platz für Tränen. Ihr Herz schlug, sie atmete, konnte sogar denken. Und trotzdem hatte sie aufgehört zu existieren. Nur hatte sie die Ewigkeit um ein paar Minuten verfehlt und war jetzt am schlimmsten Ort, den es gab. Endstation Irrenanstalt!

Ihr Bett war nicht das einzige im Zimmer, aber die anderen Betten waren leer. Nicht unbenutzt, das Bettzeug war knittrig und gab beredtes Zeugnis, dass die Benutzer sich anderswo frei bewegen durften. Sie nicht! Am beschämendsten war noch die Windel. Sie fühlte sie deutlich.

Irgendwann ging die Tür auf. Eilige Hände überprüften die Fesseln, ein unbeteiligtes Gesicht schaute auf sie hinunter. «Wie fühlen Sie sich?»

Gar nicht! Sie wollte sich nicht mehr fühlen und drehte den Kopf zur Seite. Von irgendwoher kamen zwei, drei Tränen und versickerten im Bezug des Kissens, zwei, drei weitere rannen an der Nase entlang und erreichten die geschlossenen Lippen. Sie nahm sie mit der Zungenspitze auf.

Sie war durstig, hätte sich jedoch eher die Zunge abgebissen, als um einen Schluck Wasser zu bitten. Ihr Hals schmerzte vor Trockenheit und der rüden Behandlung, die Nase auch. Wund gescheuert, alles war wund gescheuert.

Es war sehr hell im Zimmer, früher Nachmittag. Ein Flügel des vergitterten Fensters war spaltbreit geöffnet. Von draußen drang das Zirpen von Spatzen herein. Die federnden, schmatzenden Schritte von Gummisohlen verzogen sich wieder in Richtung Tür. Dann war sie erneut allein – mit den Gedanken, den Erinnerungen, der Angst und der Schuld.

Jeden Herzschlag fühlte sie, und bei jedem wünschte sie sich, das dumme Ding möge endlich stillstehen. Sie konzentrierte sich darauf. Wenn man allein durch den Willen leben konnte, wie Magdalena es achtzehn Jahre getan hatte, warum sollte man dann nicht auch allein durch den Willen sterben können? Es ging nicht! Es ging immer weiter.

Später wurde die Tür erneut geöffnet. Draußen war es immer noch hell. Jemand kam herein mit einem Tablett in den Händen. Das Abendmahl. Nur war es nicht das letzte für eine Frau, die aus freiem Willen ihre Entscheidungen treffen konnte, es war das erste für einen Zombie. Eine Schnabeltasse und ein Brot, das jemand mit Käse belegt und in kleine Würfel geschnitten hatte. Eine Hand griff an ihr Kinn, eine zweite Hand hielt ihr die Tülle der Tasse an die Lippen. Sie drehte den Kopf mit einer unwilligen Bewegung zur Seite. Die Brühe lief ins Kopfkissen. Der Geruch von Pfefferminze stieg auf. Eine Stimme sagte in gleichgültigem Ton: «Wenn Sie nicht freiwillig essen und trinken, werden Sie zwangsernährt. Also, machen Sie den Mund jetzt auf oder nicht?»

Sie machte ihn nicht auf. Der Durst war fast unerträglich geworden, der Hals völlig ausgedörrt, die Zunge angeschwollen.

Wer immer gekommen war mit dem Tablett, er ging wieder. Die Tür fiel ins Schloss. Aber nicht lange, da wurde sie erneut geöffnet. Und diesmal kam ER.

Schon als er sich über sie beugte, wusste sie, wer er war.

Er trug den Sachverstand um sich wie eine Aura. Es blitzte in seinen Augen, strömte ihm mit jedem Atemzug aus der Nase. «Ich habe das Wissen und die Macht! Ich bin es, der dich retten kann aus der ewigen Verdammnis. Vertrau dich mir an, und du wirst dich leicht fühlen.»

Da war ein letzter Rest von Renitenz in ihr. Und dieser Rest dachte: Irrtum, du Würstchen. Hast du ein Kartenspiel dabei?

Seine Stimme klang freundlich. «Sie möchten nicht essen?»

Sie war nicht sicher, ob sie ihm antworten sollte. Wer wusste denn, was er aus ihren Antworten ableitete? Am Ende ließ er sie nie mehr aus diesem Zimmer, nie mehr aus diesen Windeln, nie mehr aus seinen Klauen.

Dann entschloss sie sich doch, einen Versuch zu wagen. Nur um ihm zu zeigen, dass er sich an ihr die Zähne ausbiss. Eine süchtige Hure, hart geworden auf der Straße. Da wurden alle hart. Es war nur ein Krächzen, der raue Hals wollte nicht so wie sie. «Vielen Dank, ich bin nicht hungrig. Aber wenn Sie eine Zigarette für mich hätten, wäre ich Ihnen dankbar.»

«Das tut mir Leid», sagte er. «Ich habe keine Zigaretten bei mir. Ich rauche nicht.»

«So ein Zufall», krächzte sie. «Haben wir schon eine Gemeinsamkeit. Ich rauche nämlich auch nicht. Das hab ich mir vor zehn Jahren abgewöhnt. Ich dachte nur, mit einer Zigarette kriege ich wenigstens eine Hand frei.»

«Möchten Sie eine Hand frei haben?»

«Eigentlich nicht. Ich liege ganz bequem so. Ich würde mich nur gerne mal an der Nase kratzen.»

Sie hatte ein anderes Wort als Nase benutzen wollen, ein ordinäres. Arschloch! Das war Magdalenas dreckiges Wort, und es wollte nicht über ihre Lippen.

«Wenn Sie vernünftig sind, sorge ich dafür, dass Ihre Fesseln gelöst werden.»

«Habe ich noch nicht bewiesen, wie vernünftig ich bin?», fragte sie. «Ich wollte dem Staat ein nettes Sümmchen sparen. Man sollte die Todesstrafe wieder einführen. Auge um Auge, so steht es in der Bibel. Leben um Leben.»

Darauf ging er nicht ein. «Es liegt bei Ihnen», sagte er ruhig. «Wenn Sie etwas essen, etwas trinken und Ihre Medikamente nehmen …»

Es strengte an, ihm zu antworten. Aber wo sie nun einmal angefangen hatte, wollte sie auch weitermachen. «Was haben Sie denn Schönes für mich? Ein bisschen Resedorm?»

Es war nur ein kurzes Aufblitzen im Hirn. Eine gepflegte, schmale Hand und ein Glas Orangensaft. Es verschwand auf der Stelle in Dunkelheit. Und in der Dunkelheit fragte eine misstrauische Frauenstimme. «Was gibst du ihr da?»

Die Stimme eines Mannes antwortete, vertraut, aber nicht sanft, nur nüchtern. «Resedorm. So wirkt es am schnellsten.»

Und die Frau sagte mit nörglerischem Unterton: «Aber sie ist doch nicht richtig bei Bewusstsein. Kann sie überhaupt schlucken?»

Der Mann erwiderte leicht ungehalten: «Das versuche ich gerade herauszufinden. Und es wäre mir lieb, wenn du still bist. Ich bin nicht sicher, ob sie uns versteht.»

Es war immer noch dunkel. Sie fühlte nur, dass sich eine Hand unter ihren Nacken schob, und hörte dazu die Stimme. «Blinzeln Sie, wenn Sie mich verstehen.»

Sie blinzelte, aber vor ihren Augen war nur Nebel. «Gut», sagte er. «Versuchen Sie, den Kopf zu heben. Ich helfe Ihnen.» Und der kühle Rand des Glases berührte ihre Lippen. «Hübsch austrinken», sagte er. «Schön langsam, versuchen Sie es. Ein Schlückchen und noch eins. Ja, wunderbar, es geht doch. Sie dürfen gleich weiterschlafen. Sie brauchen noch viel Schlaf.»

Der kam augenblicklich nach dem Glas Orangensaft. Wie mit einem Sack über den Kopf gestülpt kam er. Es war kein

Sack! Es war ein Aschenbecher! Er stand auf einem niedrigen Tisch.

Auch das war nur ein Aufblitzen im Hirn, grün, rot, blau und gelb ausgeleuchtet. Es ergab keinen Sinn, war nur unvermittelt da. Vielleicht, weil der Chef von einem Aschenbecher gesprochen hatte. Aber es kam zusammen mit dem metallischen Geschmack von Blut im Mund und einem Schmerzensschrei, mehr einem Kreischen: «Das Aas hat mich gebissen.»

Und eine Hand griff zum Tisch, tauchte mit einem schweren Aschenbecher aus Glas vor ihrem Gesicht auf, sauste hinunter – und dann nichts mehr. Nur der Gedanke jetzt, fast ein Grinsen im Hirn.

Quäl dich nicht mit der Frage, wer dir den Schädel eingeschlagen hat. Du weißt es doch! Es war einer von den letzten Freiern, die auf ihre Weise bezahlten.

Der Sachverständige stand noch über sie gebeugt, beobachtete die kleinen und winzigen Regungen mit Argusaugen. «Haben Sie Erfahrungen mit Resedorm?», erkundigte er sich.

«Ich habe viele Erfahrungen», sagte sie. «An welchen sind Sie denn am meisten interessiert?» Mit dem ausgedörrten Hals hatte sie beim Sprechen ein Gefühl, als jongliere sie Nadeln in der Kehle. Aber sie sprach weiter. «An meinen Erfahrungen mit einer frommen Mutter? An meinen Erfahrungen mit einem schwachen Vater? Oder an meinen Erfahrungen mit Drogen?»

«Resedorm ist keine Droge», erklärte er. «Es ist ein Schlafmittel.»

«Weiß ich doch», murmelte sie.

Als sie es aussprach, fiel es ihr wieder ein. Margret hatte ihr Resedorm gegeben – auf Vorschlag ihres Freundes Achim Miek. Ein Arzt und eine Krankenschwester …

Nein! Nein, so war das nicht gewesen. Achim Miek hatte ihr niemals ein Glas an die Lippen gehalten, und Margret hatte ihr nie einen Orangensaft gereicht! Zwei Tabletten mit einem Glas Wasser hatte Margret ihr gegeben. Und das eben war auch nicht Margrets Stimme gewesen.

Es musste die mürrische Krankenschwester gewesen sein. Und der Arzt mit den feinen Händen und dem sauber gestutzten Bart! Komisch, bisher hatte sie sich nie an ein Glas in seiner Hand erinnert. Nur an die Injektionen. Und an das, was er ihr gesagt hatte! Perverse Freier!

Sie war müde, nur noch müde. «Weiß ich alles», murmelte sie. «Und das sollten Sie mich tun lassen, schlafen.»

Der Sachverständige blieb noch eine Weile neben dem Bett. Sie kümmerte sich nicht weiter um ihn.

Als sie die Augen schloss, sah sie sich am Wasser stehen. Der Kleine hockte zu ihren Füßen und schwenkte den roten Fisch. Sein schmaler weißer Rücken, die runden, glatten Kugeln der Schultern, der zierliche Nacken und das weißblonde Haar ließen ihn aussehen wie ein Mädchen. Wie Magdalena zu der Zeit, als sie nur ein Bündel gewesen war, das von einem Raum in den anderen getragen wurde, das sie hassen durfte mit der ganzen Inbrunst und der Unschuld eines Kindes.

Warum war sie nicht hinausgeschwommen? Er wäre ihr nicht gefolgt. Sie war doch für ihn nur die Frau gewesen, die ihn übers Wochenende mit Joghurt und Äpfeln fütterte, statt mit Kinderschokolade und Gummibärchen. Dass er sie Mama genannt hatte, war ohne Bedeutung. Irgendwann verband sein Unbewusstes den Begriff Mama vielleicht mit dem Geschmack von Golden Delicious und einem blutigen kleinen Schälmesser. Irgendwann würde seine Großmutter zu ihm sagen: «Lasst uns froh sein, dass sie fort ist. Sie war eine Schlampe. Was wir alles über sie erfahren haben, nachdem sie weg war ...»

Irgendwann hörte sie Schritte zur Tür gehen. Es war nebensächlich. Der Sachverständige käme wieder – wie ein Dämon, den sie selbst aus der Hölle heraufbeschworen hatte.

Die ich rief, die Geister, werd ich nun nicht los.

«Der Zauberlehrling». Das Gedicht hatte sie für die Schule lernen müssen. Es war eins von denen, die der Arzt sie ständig hatte aufsagen lassen. Da hatte es ihr noch gut gefallen. Jetzt gefiel es ihr nicht mehr. Es waren zu viele Geister aufgetaucht.

Und der, der gerade die Tür hinter sich schloss, durfte keine Ruhe geben, bis auch das letzte Körnchen Dreck an die Oberfläche gezerrt war. Ein paar perverse Freier, die einer süchtigen Hure den Schädel einschlugen, nachdem sie ihren Spaß gehabt hatten. Das war seine Aufgabe, dafür wurde er bezahlt.

Sie konnte sich auflehnen gegen ihn – und damit alles hinauszögern. Aber es gab kein Entkommen, kein Recht zu schweigen. Ihre Rechte hatte sie mit dem kleinen Messer in den Mann gestoßen. Und die da draußen wollten wissen, warum. Sie hätte es auch gerne gewusst. Das Lied war kein vernünftiger Grund gewesen. Dass sie sich davor einmal gefürchtet hatte, war schon fast nicht mehr wahr.

Irgendwann schlief sie ein, bemerkte nichts von den Frauen, die ins Zimmer kamen und vielleicht an ihrem Bett standen, vielleicht über ihr Gesicht strichen, vielleicht auch über ihr Haar, bevor sie sich in ihre eigenen Betten legten. Sie meinte am nächsten Morgen, es habe ihr jemand in der Nacht über das Gesicht und das Haar gestreichelt. Es musste Vater gewesen sein, der sie noch einmal in den Arm nehmen und ihr vielleicht einen Teller mit lauwarmer Bohnensuppe hatte bringen wollen, weil er doch wusste, dass sie hungrig war wie ein Wolf.

Als sie aufwachte, waren die Betten schon wieder leer. Und sie fühlte sich halb tot, erinnerte sich an einen wüsten Traum kurz vor dem Erwachen, in dem sie sich die Nase mit Papierfetzen verstopfte und sich einen Knebel in den Hals stieß. Dann ein Schlag gegen die Stirn. Und nicht einmal das Bewusstsein verloren. Die Panik, die Atemnot. Das Rasseln des Schlüssels in der Tür. Die schrille Stimme der Wärterin: «Um Gottes willen! Hab ich mir doch gedacht, dass die durchdreht.» Fremde Finger im Hals. Rote Kreise vor den Augen. Endstation Irrenanstalt. Und das war kein Traum.

Es gab Frühstück, sie nahm etwas davon, als ihr die linke Hand losgebunden wurde. Kurz nach dem Frühstück wurden auch ihre rechte Hand und die beiden Füße von den Fesseln befreit. Sie sollte aufstehen, sich waschen und anziehen. Ihre Glieder waren taub vom Liegen, ihr Verstand taub vor Angst. Um neun Uhr Termin beim Chef, sagte man ihr.

Etwas in ihr weigerte sich, ihn so zu bezeichnen. Der Chef war nach wie vor Rudolf Grovian, ein furchtbarer Mann, der nie begreifen konnte, was er ihr angetan hatte. Aber ihn hatte sie wenigstens belügen können. Bei einem Psychiater hielt sie jeden Versuch für völlig aussichtslos.

Professor Burthe, sagte man ihr. Er sah auch aus wie ein Professor, klein und mickrig. Ein Zwerg war er, das musste er auch sein. Nur Zwerge konnten sich in fremde Gehirne bohren, in jede Windung kriechen, hinter jede Biegung spähen. Er gab sich freundlich wie am Abend, verstrahlte Gelassenheit und Souveränität. Der gütige Allvater, der seine Augen tief in die Herzen anderer versenken konnte. Und er hatte die Augen offen.

Es gab keine Renitenz mehr, kein Aufbegehren. Sie war klein geworden in der Nacht – mit Vater auf der Bettkante und seinem verzweifelten Versuch, ihr seine Liebe zu zeigen. Zu einem winzigen, durchsichtigen Menschlein hatte er sie damit gemacht, das in einem bequemen Sessel Platz nehmen durfte, um gemütlich zu sitzen, während es sein Innerstes bloßlegte.

Der Professor begann mit der Frage, wie sie sich fühle.

«Beschissen», sagte sie und atmete tief durch. Ihre Gelenke schmerzten, aber das war nicht so schlimm. Vater hätte nicht kommen dürfen. Sie hatte doch eigens gesagt, Margret solle verhindern, dass er kam. Sie begann das linke Gelenk mit der rechten Hand zu massieren, hielt die Augen darauf gerichtet und wartete auf die nächste Frage.

Er war so sanft, dass sie es kaum ertragen konnte. Weil es falsch war und verlogen. Er wollte mit ihr über den Sinn des Lebens reden und über die Flucht vor der Strafe.

«Ich wollte nicht vor der Strafe fliehen», sagte sie. «Ich wollte mir nur nicht anhören müssen, was der Chef von meinem Vater erfahren hat.»

«Was könnte er denn erfahren?»

Das geht dich einen Dreck an, du Zwerg, dachte sie. Dass ich ... Vater war einmal in unserem Zimmer und hat im Nachttisch geschnüffelt. Es war ein einfacher Nachttisch mit einem Schubfach oben und einer Klappe unten. Hinter der Klappe bewahrte Magdalena ihre Musik auf. Im Schubfach lagen ihre Medikamente. Und die Kerze! Eine von denen, die Mutter für den Altar gekauft hatte. Mutter kam nie ins Zimmer. Aber Vater. Und er fand die Kerze. Er sah auch, dass ich sie nicht zum Beten benutzt hatte. Der Docht war nämlich noch weiß. Und am Ende war sie ein bisschen verschmiert.

Sie sah Vater bei der Tür stehen, schwankend zwischen Abscheu und Enttäuschung. Die Kerze hielt er in der Hand. Er streckte ihr die Hand entgegen. «Was geht hier vor? Was treibst du damit?»

Sie hörte sich antworten: «Kannst du dir das nicht denken? Du bist doch sonst nicht so schwer von Begriff, wenn es um die Natur des Menschen geht. Hast du mir nicht mal erzählt, wenn man älter wird, kommt man nicht dagegen an? Ich habe auch eine Natur. Aber ich bevorzuge die trockene Variante. Eine Kerze spritzt nicht, und sie stinkt nicht. Leg sie wieder dahin, wo du sie gefunden hast, und dann verzieh dich.»

Vater ließ die Kerze auf den Boden fallen und schlich mit hängenden Schultern zur Treppe. Er weinte wie in der Nacht, als er auf ihrem Bett saß und ihr sein Elend zu erklären versuchte. Diesmal erklärte er nichts, er murmelte nur: «Was ist aus dir geworden? Du bist ja schlimmer als eine Hure.»

Mit den Jahren hat sich alles umgekehrt. Es hatte wohl etwas mit Erwachsenwerden zu tun, mit Verstehen und Begreifen. Es gibt Dinge, die will man nicht verstehen, aber man muss. Dass ein Vater ein Mann ist. Dass er Bedürfnisse hat wie jeder Mann. Dass er zornig wird und ungerecht, wenn man ihm seine Befriedigung verweigert. Irgendwie verstand ich ihn ja.

Als ich älter wurde, habe ich auch oft darüber nachgedacht, wie es wohl ist, geliebt zu werden. Nicht nur mit dem Herzen, auch mit dem Körper. Hingabe, Leidenschaft, Zungenküsse, Orgasmus und solcher Kram. Als ich älter wurde, gewöhnte ich mich an den Busen und die Blutungen. Ich hatte keine Schwierigkeiten mehr, Tampons zu benutzen. Und manchmal dachte ich eben, ob ich jetzt den Tampon reinschiebe oder ob ein Mann ... So groß kann der Unterschied nicht sein, dachte ich. Und wenn ein Mann das braucht!

Aber ich verstand auch Mutter, die damit nichts mehr zu tun haben wollte. Im Grunde war Mutter ein bedauernswertes Geschöpf. Ich meine, wenn eine Frau nicht richtig ist im Kopf, kann sie doch eigentlich nichts dafür. Mutter glaubte diesen Quatsch eben. Dass man es nur tun darf, wenn man ein Kind zeugen will.

Solange sie nicht schwanger wurde, war es in Ordnung gewesen, auch dreimal am Tag. Da durfte sie sich einreden, dass sie sich große Mühe gibt, dem lieben Gott einen Gefallen zu tun. Mutter hat nie begriffen, dass zweitausend Jahre eine verdammt lange Zeit sind, in der nun wirklich mehr als genug Menschen gemacht wurden.

Und dabei könnte es durchaus so sein, wie Margret es in ihrem Brief damals schrieb. Dass der Erlöser mit all diesen

Verboten überhaupt nichts zu tun hatte. Dass der horrende Blödsinn erst später von seinen Vertretern auf Erden erfunden wurde. Und die Leute mussten es glauben. Was hätten sie sonst tun sollen, wo sie nicht lesen und schreiben konnten?

Wenn ich mir nur vorstelle, wie es in Buchholz war. Eine Hand voll Höfe und die Böden so schlecht. Um das bisschen Vieh, das sie hatten, über den Winter zu bringen, mussten sie so manches Jahr das Stroh von den Dächern nehmen. Vater erzählte mir einmal, dass ein fettes Schwein zu der Zeit hundert Pfund wog. Das muss man sich mal vorstellen: Hundert Pfund waren ein fettes Schwein. Darüber kann man heute nur lachen. Und dann die Pest und dreißig Jahre Krieg.

Sie waren arm, sie waren dumm, sie wussten meist nicht, wie sie ihre Kinder satt bekommen sollten. Wenn da einer predigte: Es ist Sünde, es ist schlecht und verdammenswürdig, dem Geschlechtstrieb nachzugeben, schauten sie sich ihre Kinder an und dachten, Mensch, der hat Recht. Wenn wir es lassen, kommen keine Mäuler mehr nach, die wir stopfen müssen.

Und gerade die Frauen. Der Fluch Evas. Denen hat doch keiner etwas gegeben, wenn sie in den Wehen lagen. Das gehörte dazu. Unter Schmerzen sollst du …

Mutter hat sich, als ihr die Verantwortung zu viel wurde, als sie sich nicht mehr anders zu helfen wusste, in diese Armut und diese Dummheit geflüchtet. Und da ist sie hängen geblieben. Da musste sie sich nicht länger mit dem Baby auseinander setzen, das sie nicht wollte – und nicht bekommen hat. Dass es nicht gut gewesen war, es abzutreiben, hatte sie wohl auch vorher gewusst. Aber vorher waren da bestimmt ein paar Leute, die es besser fanden, als aufrechte Deutsche nicht ein Kind vom Feind in die Welt zu setzen. Denen hatte sie geglaubt.

Mutter brauchte immer einen, der ihr sagte, was gut und was richtig ist. Als sie jung war, glaubte sie an den Führer, etwas später glaubte sie an einen Sieger, an sich selbst glaubte sie nie. Mir glaubte sie eine Weile, wenn ich sagte, was sie gerne hörte. Mit ein paar Bibelsprüchen konnte man sie um den Finger wickeln.

Die Mühe hat Vater sich nie gemacht. Wenn er spät in der Nacht und noch dazu betrunken heimkam, erzählte er ihr, sie hätten in der Firma noch etwas gefeiert und er könne sich nicht immer drücken. Mutter wusste so gut wie ich, dass er bei einer anderen Frau gewesen war.

Seit ich ihn im Bad erwischt hatte, ging er häufig zu Huren. Anschließend soff er sich den Kragen voll, weil er sich mies fühlte. Und die Wut auf sich selbst, die Verachtung, die er für sich empfand, ließ er an Mutter aus. Wenn er sie vom Kreuz weg an den Herd scheuchte, damit sie ihm das Essen noch einmal aufwärmte, tat sie mir Leid. Da konnte ich nicht anders. Ich sagte: «Lass nur, Mutter, ich mache das schon.»

Manchmal hätte ich weinen mögen, wenn ich sie zurück ins Wohnzimmer schleichen sah. Ich war erst vierzehn, fünfzehn und fühlte mich so alt. Als ob ich zwei Kinder hätte, die beide größer waren als ich und viel älter. Aber das änderte nichts an der Tatsache, dass sie Kinder waren. Dass ich die Verantwortung trug, für sie sorgen und sie erziehen musste.

Bei Mutter gab es nicht viel zu erziehen. Sie war ein braves Mädchen. Nicht mal schmutzige Gedanken hatte sie, nur schmutzige Unterwäsche. Aber Vater war ein wüster Bengel, mit dem man nicht streng genug reden konnte. Schon mit fünfzehn sagte ich zu ihm: «Wie viel hat dich die Hure heute gekostet? Hundert? Zweihundert? Ich brauche dreihundert für diese Woche. Es ist alles teurer geworden. Und hier sind schließlich noch andere im Haus, die haben auch Bedürfnisse.»

Und Vater schaute mich an, während ich ihm sein Essen vorsetzte. Er sagte nie etwas, zog nur die Geldscheine aus der Brieftasche und schob sie über den Tisch. Er verachtete mich für die Ausdrücke, die ich gebrauchte, das wusste ich. Und ich verachtete ihn, das wusste er.

Wir waren Feinde geworden. So wie eine Mutter und ihr Sohn Feinde werden im Laufe der Zeit. Weil der Sohn Dinge tut, von denen die Mutter meint, er solle sie besser noch lassen. Weil der Sohn weiß, dass die Mutter diese Dinge auch einmal getan hat – oder in meinem Fall noch tun wird. Aber die Mutter ist die Stärkere von beiden. Solange sie zusammen unter einem Dach leben, hat sie viel Macht über den Sohn. Er liebt sie ja, und er wünscht sich von ganzem Herzen, dass sie ihn liebt, dass sie stolz ist auf ihn. Und wenn er hundertmal auf sie schimpft und flucht, wenn er sie tausendmal anbrüllt, ihr seine Wut und seine Enttäuschung ins Gesicht wirft. Es ist nur Verzweiflung, Einsamkeit und die Angst, verlassen zu werden vom letzten Menschen, der ein bisschen Liebe geben könnte.

Nicht Mutter, ich habe Vaters Rückgrat gebrochen. Es war meine Schuld, dass er sich Mutter anschloss. Dass er nicht nur das Bett mit ihr teilte auf seine alten Tage, auch das Kreuz. Dass er vergaß, er war ein Mann. Dass er es völlig vergaß, als sei ihm der Beweis nun endlich abgefault.

Ich habe mich später oft gefragt, wie ich das tun konnte; für Geld mit irgendwelchen Männern schlafen. Ich weiß, warum ich es getan habe. Weil ich das Geld brauchte. Und irgendwann brauchte ich auch Stoff gegen den Ekel – und damit brauchte ich noch mehr Geld. Aber das hat mir als Erklärung nie gereicht. Und das Blöde ist, ich erinnere mich nicht an die Zeit.

Dass wir einmal Hasch geraucht haben in Horstis Auto, weiß ich noch. Horsti hatte sich so einen Prügel gedreht und ließ mich mal ziehen. Und dann sagte er, ich hätte es falsch gemacht, weil ich den Rauch sofort wieder ausgeblasen hatte. Das ist alles, woran ich mich erinnere, der Rest ist weg. Ob das eine Folge der Sucht ist oder ob es eher etwas mit der Kopfverletzung zu tun hat, weiß ich nicht.

Der Arzt damals meinte, es könne sowohl das eine als auch das andere, es könnte durchaus ein Verdrängungsprozess sein. Weil ich Dinge getan hatte, von denen ich wusste, dass kein normaler Mensch sie tut. Und ich wollte doch normal sein. Ich wollte nicht nachdenken müssen über die Männer, an die ich mich verkauft hatte. Deshalb habe ich sie alle hinter die Mauer geschoben. Ich wollte nicht, dass sie in meinem Kopf Gesichter bekamen und Körper und Hände, die mich anfassten. Ich wollte sie nicht vor mir sehen und sie nicht fühlen müssen, wenn ich mich erinnerte. Ich wollte mich eben nicht erinnern.

Und trotzdem habe ich mich oft gefragt, ob es alte oder junge waren. Ich denke, zu Anfang müssen es in der Hauptsache alte gewesen sein. Männer wie Vater, die daheim zu kurz kamen, die sich das, was sie brauchten, nachts im Bad oder abends auf der Straße holen mussten. Die nichts weiter wollten als ein bisschen Zärtlichkeit und das Gefühl, dass sie überhaupt noch Männer sind. Und manchmal habe ich mich dann gefragt, warum ich es meinem Vater nicht angeboten habe.

«Du kannst zu mir kommen, wenn du es so dringend brauchst. Sei ehrlich, du hast auch schon daran gedacht, zu mir zu kommen. Mach dir keine Sorgen, du opferst kein Lamm. Ich bin nie ein Lamm gewesen. Ich war immer der Wolf. Du kannst dir nicht vorstellen, was ich bei Aldi und Woolworth zusammengerafft habe. So wie ich in Mutters Bauch alles zusammengerafft habe. All ihre Kraft habe ich mir über die Nabelschnur geholt. Ich habe Mutters Gehirn ausgedörrt und sie in den Wahnsinn getrieben. Ich bin ein Werwolf, nachts springe ich aus meiner Kiste und fresse unschuldige Kinder. Und alten Männern, die sich nicht wehren können, ziehe ich die Haut vom Leib und reiße ihnen das Herz heraus. Ich bin das personifizierte Böse, Satans Tochter. Und da du mein Vater bist, musst du Satan sein. Komm in meine Arme, du armer Teufel! Als ich noch klein war, hast du das zu mir gesagt. Jetzt sage ich es zu dir.»

Gesagt habe ich es nie. Aber auf meine Weise habe ich wohl versucht, mich bei Vater zu entschuldigen. Vielleicht habe ich in jedem Mann, mit dem ich zu Anfang noch auf normale Weise schlief, ihn gesehen. Vielleicht habe ich irgendwann wirklich begriffen, dass Männer ihren Bedürfnissen ausgeliefert sind. Nicht jeder hat die Kraft eines Erlösers, der verzichten konnte. Und verstehen und verzeihen – sogar der Hure Magdalena.

11. Kapitel

Ihre Stunde war um. Der Professor hatte sie gebeten, ihm von ihren Erfahrungen mit der frommen Mutter und dem schwachen Vater zu berichten. Und sie hatte es getan. Um es möglichst schnell hinter sich zu bringen, hatte sie auch den Dreck ausgebreitet. Leicht war es nicht gewesen. Aber sie hatte es geschafft, war zufrieden mit sich und überzeugt, dass der Professor ihre Worte umgehend an den Staatsanwalt weiterleiten würde.

Vielleicht kam dann einer auf die Idee zu glauben, Frankie sei nur ein ehemaliger Kunde gewesen. Das war auch keine üble Erklärung! Sie hatte ihn töten müssen, ehe er sie erkannte und ihrem Mann gegenüber ein verräterisches Wort verlauten ließ.

Bei dem Gedanken an Gereon schoss ihr kurz etwas Heißes in die Augen. Es ging rasch vorbei. Die Jahre mit ihm waren wie die Haarspangen und Lippenstifte, bei Woolworth gestohlen und auf dem Schulhof an andere Mädchen verkauft oder verschenkt. Aus und vorbei, für immer und alle Zeiten. Spätestens vor Gericht musste Gereon sich anhören, wem er Treue geschworen hatte.

Zu Mittag gab es Kartoffelpüree mit einer undefinierbaren Gemüsebeilage, es war alles völlig zerkocht. Das Fleisch war in kleine Würfel geschnitten, es bestand zum größten Teil aus Fett und Sehnen und schwamm in einer unappetitlichen braunen Tunke. Als Nachtisch war ein Becher Fruchtjoghurt vorgesehen.

Auf dem Tablett lag ein weißer Plastiklöffel. Er erinnerte sie an den See und wühlte alles noch einmal auf. Warum hatte das Kind nicht nach einem Joghurt fragen können? Mit einem kleinen Plastiklöffel hätte sie Frankie höchstens das Gesicht zerkratzt.

Sie aß ein wenig Püree. Es schmeckte nach Pappe. Mit dem Joghurt stellte sie sich an das vergitterte Fenster, schaute den Himmel an und fragte sich, wo die Leute aus den anderen Betten zu Mittag aßen. Ob man sie für so gefährlich hielt, dass sie nicht zusammen mit den anderen essen durfte. Ob es überhaupt Leute gab oder ob die benutzten Betten sie nur vortäuschen sollten. Vielleicht war das ein Test, um festzustellen, wie viel von ihrem Verstand noch übrig war. Vielleicht wollte der Professor sie beim nächsten Gespräch fragen, wie sie mit den Leuten im Zimmer zurechtkäme?

Sie dachte eine Weile nach, welche Antwort sie ihm geben könnte. Dann überlegte sie die Sache mit Frankie als Kunden gründlich. Wenn der Professor nicht von allein auf den Gedanken kam, musste sie ihn mit der Nase darauf stoßen.

Zuletzt fragte sie sich, ob Magdalena erleichtert gewesen war, als sie oben ankam und feststellen musste, dass Mutter noch nicht da war. Ob Magdalena seitdem unentwegt heilig, heilig, heilig rief und sich dabei langweilte. Oder ob sie in einer stillen Ecke dem Erlöser gegenübersaß. Von Angesicht zu Angesicht. Irgendwann hatte Magdalena auf ein Bild in der Bibel gezeigt und gesagt: «Stell ihn dir mit einem vernünftigen Haarschnitt und glatt rasiert vor. Dann sieht der Typ nicht übel aus.»

Frankie hatte auch nicht übel ausgesehen. Ein hübsches Gesicht hatte er gehabt, männlich, aber hübsch. Sie dürften ihr kaum glauben, wenn sie behauptete, er sei ein Kunde gewesen. So einer hatte es nicht nötig, zu einer Hure zu gehen. So einer war auch nicht pervers.

Sie sah ihn noch deutlich vor sich – ohne Blut. Dieser eine Moment, als er sich aufrichtete und gegen das Lied protestierte. Vielleicht hatte es ihn ebenso gequält, wie es sie gequält hatte. Vielleicht war er dankbar gewesen, als sie ihn von seiner Qual erlöste. Wie er sie angeschaut hatte ...

Bis kurz nach zwei stand sie am Fenster. Stand nur da und war glücklich, dass man sie nicht wieder ans Bett gebunden hatte. Das Tablett wurde abgeholt. Es gab eine Rüge, weil sie das Gemüseeinerlei und das Fleisch nicht angerührt hatte. Sie lächelte zur Entschuldigung und zeigte auf ihre Kehle. «Es tut noch weh beim Schlucken. Aber das Joghurt habe ich aufgegessen. Und wenn es morgen Suppe gibt, esse ich bestimmt zwei Portionen.» Dann war sie wieder allein.

Zweimal hörte sie hinter sich ein Geräusch an der Tür. Sie drehte sich nicht um, wusste auch so, was das Geräusch verursachte. Ein wachsames Auge. Kurz nach zwei war es dann ein Schlüssel. Sie dachte an Kaffee und ein Stück von dem trockenen Kuchen aus dem Dürener Krankenhaus, wo sie nach der Geburt des Kindes eine kurze Zeit verbracht hatte. Dort hatten sie den Nachmittagskaffee immer zu Mittag serviert – und am Nachmittag das Abendessen, weil sie Feierabend haben wollten.

Die Tür wurde geöffnet, sie drehte sich um. Und im selben Augenblick sprang die Furcht sie an wie ein wütender Hund. Der Chef! Eine neutrale, fast geschäftsmäßige Miene hatte er aufgesetzt, hinter der er alles verbarg, was er von Vater gehört haben musste.

Hinter der unbewegten Miene versteckte Rudolf Grovian nur die eigenen Gefühle. Mea culpa! Mechthild war derselben Meinung gewesen. Er war über Mittag heimgefahren, hatte es nicht ausgehalten im Büro mit der blitzblanken Kaffeemaschine und dem Stuhl vor Augen, auf dem sie gesessen hatte. Mechthild hatte nicht mit ihm gerechnet, er kam sonst nie mittags heim. Da musste er nicht viel sagen. Sie fragte von sich aus: «Was ist los, Rudi?»

Und nachdem er es erklärt und auch gesagt hatte, was er

seiner Meinung nach als Nächstes tun musste, sagte sie: «Rudi, du hast nicht mehr alle Tassen im Schrank. Lass das arme Ding doch in Ruhe. Du kannst ihr nicht helfen, du machst nur noch mehr kaputt. Da, wo sie jetzt ist, ist sie gut aufgehoben.»

«Gut aufgehoben, dass ich nicht lache! Hast du eine Ahnung, wie es in der Psychiatrie zugeht?»

«Nein, Rudi», sagte Mechthild und schlug ein paar Eier für ihn in die Pfanne, «und ich will auch keine haben. Ich habe nämlich schon eine Ahnung, wie es bei euch zugeht. Das reicht mir. Kein Mensch sagt etwas, wenn du dich zusammen mit Hoß auf einen Kerl stürzt, der es verdient hat. Aber so eine junge Frau! Rudi, bedenk doch, was sie mitgemacht hat.»

Das bedachte er unentwegt. Und das Gesetz verpflichtete ihn, nicht nur gegen sie zu ermitteln, sondern auch alles zusammenzutragen, was zu ihrer Entlastung beitragen konnte. Das erklärte er Mechthild. Und sie sagte: «Dann tu das, Rudi. Tu das, um Gottes willen, und geh mit allem, was du findest, zum Staatsanwalt. Aber nicht zu ihr. Bestimmt nicht mit der Nachricht, dass ihr Vater im Sterben liegt. Was willst du ihr denn noch alles aufladen?»

Wie er sie da am Fenster stehen sah, ein Häufchen Elend, dessen Gesicht in den Farben des Regenbogens schillerte. Auf der Stirn das frische breite Heftpflaster. Er dachte an die Utensilien in seiner Jackentasche und an die Nachricht, die er für sie hatte. Und im Hinterkopf sagte Mechthild noch einmal: «Rudi, du hast nicht alle Tassen im Schrank.»

Die Tür wurde hinter ihm geschlossen. «Es tut mir Leid», begann er und rechnete, als er weitersprach, fest damit, dass sie mit den Fäusten auf ihn losging. Er überlegte bereits, wie er verhindern konnte, dass man sie in eine Zwangsjacke steckte. Aber sie sackte nur ein wenig mehr in sich zusammen, fixierte ihn aus feuchten Augen und schürzte die zitternde Unterlippe wie ein Kind, das gerne weinen möchte und weiß, dass es verboten ist.

«Möchten Sie sich nicht lieber setzen, Frau Bender?»

Sie schüttelte den Kopf. «Ein Schlaganfall?», flüsterte sie. «Wie geht es ihm denn? Wird er es überleben?»

«Die Ärzte sind sehr zuversichtlich», log er. «Und Margret weicht nicht von seiner Seite.»

«Das ist gut», murmelte sie. Dann ging sie doch zum Bett und setzte sich. Er ließ ihr ein paar Minuten, sah, wie sie sich von dem Schock erholte, wie sie Hoffnung schöpfte. Ihre Schultern strafften sich. Sie hob den Kopf und schaute ihn an. «Dann haben Sie wohl nicht mit ihm sprechen können?»

«Nein.»

Ein Lächeln glitt über ihr Gesicht. Sie wirkte mit einem Mal sehr zufrieden. «Gut!», sagte sie. «Und ich will nicht mit Ihnen sprechen. Gehen Sie!»

Er rührte sich nicht von der Stelle. Obwohl er plötzlich fand, es sei die beste Lösung. Die Psychiatrie mochte der blanke Horror sein für einen, der sie nicht brauchte, aber als Sachverständiger genoss Professor Burthe einen hervorragenden Ruf. Er würde aufdecken, warum Georg Frankenberg hatte sterben müssen. Er würde garantiert auch herausfinden, ob, wann und unter welchen Umständen Cora Bender Frankenberg vor Jahren kennen gelernt, ob Heroin eine Rolle dabei gespielt hatte oder ob sie damit erst später in Berührung gekommen war. Was er mit ihr vorhatte, war im Grunde genommen Unsinn. Es hatte keine Beweiskraft vor Gericht. Es war auch nicht geeignet, die Verbindung zu Frankenberg herzustellen. Und sich persönlich Gewissheit verschaffen zu wollen, ob ihre Tante nur wieder ein Ablenkungsmanöver gestartet hatte …

Er atmete einmal tief durch. «Ich verstehe, dass Sie wütend auf mich sind, Frau Bender. Ich verstehe auch, dass Sie nicht mit mir reden wollen. Aber ich bin nicht gekommen, um mit

Ihnen zu reden. Ich wollte Sie nur bitten, etwas für mich zu tun.»

Sie schaute ihn an, fragend, erstaunt – und immer noch zufrieden. Er griff in die äußere Jackentasche. Verflucht! Jetzt hatte er den Kram beschafft. Und jetzt wollte er es wissen. Er zog eine Plastiktüte aus der Tasche, ging damit zum Tisch und breitete die Sachen aus. Eine noch verpackte Spritze, ein hitzebeständiger Löffel, ein Kerzenstummel, ein Gummiband zum Abbinden und ein kleines Tütchen mit pudrigem Inhalt.

Ihre Augen wanderten über die Utensilien. Ihr Gesicht verzog sich in eisiger Abwehr. «Was soll das? Sie mögen die Amerikaner, was? Das ist doch nicht schlecht mit Gaskammer und Giftspritze, spart dem Staat ein Vermögen, und wir sind ja ziemlich pleite. Was soll ich denn für Sie tun? Mir den goldenen Schuss setzen?»

«So viel ist nicht im Tütchen», sagte er.

Sie hob desinteressiert die Schultern an. «Also nur was zur Aufheiterung? Das ist lieb gemeint, trotzdem vielen Dank. Wissen Sie, ich kriege hier Stoff genug. Ich bin gespannt, ob ich mir das Zeug, das die mir hier servieren, später genauso leicht abgewöhnen kann wie das da.»

«Haben Sie sich das hier so leicht abgewöhnen können?» Ihm war nach einem kleinen Schmunzeln. Es schien ein winziger Hinweis, dass ihre Tante in diesem Punkt Tatsachen ausgesprochen hatte. «Da sind Sie aber die große Ausnahme», fügte er an. «Andere kriegen das heulende Elend dabei.»

«Das habe ich verschlafen», erklärte sie patzig.

Er nickte kurz. «Bei dem netten Arzt, nehme ich an. Ein Arzt hat natürlich Möglichkeiten, einem den Entzug leichter zu machen. Aber nach allem, was ich bisher gehört habe, lassen die Ärzte einen damit durch die Hölle laufen, damit man auch gründlich kuriert wird. Na ja, es gibt wohl verschiedene Höllen. Darüber reden wir später.»

«Ich rede gar nicht», sagte sie nachdrücklich. «Nicht jetzt und auch nicht später.»

«In Ordnung», sagte er. «Sie müssen nicht reden. Sie sollen sich das hier auch nicht spritzen. Zeigen Sie mir nur, dass Sie damit umgehen können.»

Sie lachte leise und abfällig. «Ach, darum geht's. Haben Sie mit Margret gesprochen? Was hat sie Ihnen erzählt? Dass ich die Spritze damals nicht aufziehen konnte? Wissen Sie, das ist eine Sache für sich, wenn man nicht weiß wohin. Wenn man Angst hat, rausgeworfen zu werden, weil man ohnehin schon eine Menge Scherereien macht, und wenn man dann auch noch beim Fixen erwischt wird. Da muss man sich was einfallen lassen.»

Noch einmal lachte sie leise auf. «Was passiert, wenn ich Ihnen zeige, dass ich mit dem Zeug umgehen kann? Lassen Sie mich dann endlich in Ruhe?»

Als er nickte, stand sie vom Bett auf und kam zum Tisch. Sie hob den rechten Zeigefinger, als ermahne sie ein Kind zur Aufmerksamkeit. «Gut, dann treffen wir beide jetzt eine Abmachung. Ich zeige es Ihnen. Und dafür lassen Sie nicht nur mich in Ruhe, sondern auch meinen Vater. Ich will Ihre Hand drauf.»

Er reichte ihr die Hand, wunderte sich kurz über ihre zierlichen Finger und den festen Händedruck. Nachdem er sie wieder losgelassen hatte, gab er ihr ein Feuerzeug.

Sie seufzte, betrachtete die verpackte Spritze und das Gummiband. «Das mache ich mir aber nicht um den Arm», erklärte sie. «Das Gefühl mochte ich damals schon nicht. Es reicht doch, wenn ich die Spritze aufziehe. Ich setze sie dann auf dem Handrücken an. In die Arme käme ich sowieso nicht rein. Ist das in Ordnung?»

Er nickte noch einmal.

«Na, dann lassen Sie mich mal überlegen. Das ist ja schon eine Weile her.» Sie legte einen Finger an ihre Schläfe, dann entschied sie: «Zuerst kleben wir mal die Kerze auf den Tisch. Wenn hier Wachsreste bleiben, das erklären Sie denen aber. Es war Ihre Idee.»

«Sie müssen die Kerze nicht auf den Tisch kleben, Frau Bender», sagte er noch. Da hatte sie das Feuerzeug schon an den Docht gehalten, drehte den Stummel über der Tischplatte und ließ Wachs heruntertropfen.

«Das ist aber sicherer», meinte sie, «wenn einem die Hände zittern. Und die zittern ja meist. Da steht sie wenigstens fest. Dann kann man sich auf den Löffel konzentrieren und verschüttet nichts von dem kostbaren Zeug. So, was kommt als Nächstes?»

Sie griff nach dem Tütchen, rieb es zwischen den Fingern und beäugte das weiße Pulver durch das Plastik. «Was ist das? Das ist doch kein Stoff! So was dürfen Sie mir gar nicht geben.»

Sie schob die Zunge in die Backentasche, betrachtete ihn nachdenklich. «Das würden Sie auch nicht tun. So blöd sind Sie nicht. Sie wissen genau, dass ich Sie verpfeife, kaum dass Sie den Rücken gedreht haben. Was haben Sie reingetan? Mehl ist das nicht, das ist nicht so hell.»

Als er nicht antwortete, erklärte sie: «Ich frage nur wegen der Auflösung. Es soll ja keine Klümpchen geben, dann kriege ich es nicht durch die Nadel.»

Er schwieg. Sie zuckte gleichgültig mit den Achseln, riss das Tütchen vorsichtig auf, roch zuerst daran, befeuchtete dann einen Finger und steckte ihn hinein. Sie ließ ihn nicht aus den Augen, während sie den Finger langsam zum Mund führte und kurz gegen die Zungenspitze stippte.

«Puderzucker», stellte sie fest. «Das ist nicht fair. Wo ich so verrückt nach Süßem war. Haben Sie vielleicht auch ein Stückchen Butter in der Tasche? Dann mache ich uns ein schönes Karamellbonbon. Davon hätten wir mehr als von dem Quatsch.»

Als er nicht reagierte, sich nur plötzlich so dumm und dämlich fühlte und Margret Rosch mit ihren Ansichten, die nichts weiter waren als Vernebelungstaktik, zum Teufel wünschte, zuckte sie noch einmal mit den Achseln. «Na schön. Bringen wir es hinter uns.»

Sie kippte den Inhalt des Tütchens in den Löffel, ging damit zum Waschbecken, drehte den Hahn auf und regulierte, bis es nur noch tröpfelte. Dann hielt sie den mit Zucker gefüllten Löffel darunter und nickte bei jedem Tropfen, der darin versank. Es sah fast aus, als zähle sie mit. Zweimal rührte sie behutsam mit einer Fingerspitze in der Masse. Dann war sie anscheinend zufrieden mit der Konsistenz, drehte den Wasserhahn wieder zu und kam zum Tisch zurück. Sie lächelte ihn an, als sie den Löffel über die Kerzenflamme hielt. Er bemühte sich um eine neutrale Miene.

«Hier ist das Wasser wenigstens sauber», sagte sie. «Früher haben wir das aus den Klobecken geschöpft. Wer weiß, was ich mir da für einen Scheiß in die Arme gejagt habe. Da braucht man sich nicht wundern, dass es aussieht, als hätten Ratten dran gefressen.»

Sie war unsicher, es war nicht zu übersehen. Ihre Augen huschten zwischen seiner Miene und dem Löffel hin und her. Schließlich zog sie den Löffel über die Flamme fort, lächelte ihn an und meinte lässig: «Ich glaube, es ist warm genug. Ich muss es ja jetzt nicht kochen lassen.»

Er hatte Mühe, sich das Grinsen zu verkneifen. Als sie mit der freien Hand nach der Spritze griff, hielt er ihren Arm fest. «Danke, Frau Bender, das reicht. Sie müssen es nicht aufziehen.»

Er wusste nicht, ob er lachen oder fluchen sollte. Er wusste auch nicht, welche Bedeutung es für den Fall Frankenberg hatte. Er wusste nur: Ihre Tante hatte Recht. Cora Bender hatte wirklich keine Ahnung, wie man mit Heroin umging. Sie hatte sich nie mit eigener Hand einen Schuss verpasst, sie konnte höchstens im Fernseher zugeschaut haben, wie ein anderer die Spritze aufzog.

Rudolf Grovian blies die Kerze aus, nahm ihr den Löffel aus der Hand und spülte die Zuckerbrühe unter fließendem Wasser ab. Dann packte er alles zurück in die Plastiktüte und steckte sich diese wieder in die Jackentasche.

«So», sagte er dabei. «Sie wissen noch, was wir vereinbart hatten? Sie zeigen mir, dass Sie mit dem Zeug umgehen können, dann lasse ich Sie in Ruhe. Jetzt haben Sie mir gezeigt, dass Sie nicht damit umgehen können. Ich darf Ihnen also noch ein paar Fragen stellen.»

Sie war so verblüfft, dass sie ihn sekundenlang nur anstarrte, ehe sie den Kopf schüttelte und ihn wütend anfunkelte. «Habe ich was falsch gemacht? Ja, ich weiß, ich hätte zuerst die Spritze auspacken müssen. Aber das hätte ich noch getan. Das kann ich auch mit einer Hand und mit den Zähnen. Hören Sie, das ist eine ganz miese Tour, die Sie hier reiten. Sie haben mir den Arm festgehalten, bevor ich es Ihnen zeigen konnte. Und jetzt wollen Sie behaupten, ich hätte es nicht gekonnt.»

«Das war es nicht, Frau Bender.»

«Was dann?»

«Warum wollen Sie das wissen? Sie wollen doch mit Heroin nichts mehr zu tun haben. Da müssen Sie es nicht wissen.»

Zum Teufel mit der Angst und den Schuldgefühlen, seinen und ihren. Er fühlte sich gut in dem Moment, verdammt gut sogar. Der erste Schritt war gemacht. Nun kam der zweite. Dass sie sich mit verschlossener Miene zurück auf ihr Bett setzte und demonstrativ in Richtung Fenster schaute, nahm er nicht so wichtig. Er war sicher, dass er sie zum Reden brachte. Bisher hatte er es doch jedes Mal geschafft, ihr die Zunge gelöst und etwas in ihr geweckt, Bröckchen aus ihrer Mauer getreten. Es brauchte noch einige Tritte, vorsichtig und richtig platziert.

«Mit Ihrem Vater habe ich zwar nicht sprechen können», begann er. «Bei Ihrer Mutter habe ich es erst gar nicht versucht. Aber Ihre Nachbarin hat mir weitergeholfen.» Er machte eine winzige Pause, ehe er den Namen folgen ließ: «Grit Adigar. Sie erinnern sich doch sicher an sie.»

Sie antwortete nicht, starrte weiter in Richtung Fenster und zog die Unterlippe zwischen die Zähne.

«Sie hat mir von Horsti und Johnny Guitar erzählt», fuhr er fort und mischte Grit Adigars Erklärungen mit den eigenen Spekulationen. «Johnny war ein Freund von Georg Frankenberg. Und Horsti war ein kleiner Schmächtiger mit heller Haut und strohgelben Haaren. Sie waren mit Horsti befreundet, seit Sie siebzehn waren. Ihre Nachbarin hat mir auch von Magdalena erzählt. Dass Sie Ihre Schwester sehr geliebt und für sie getan haben, was Sie konnten. Und dass Magdalenas Tod Sie völlig aus der Bahn warf.»

Er ließ sie nicht aus den Augen. Sie tat nichts weiter, als zum Fenster zu starren und dabei auf ihrer Unterlippe zu kauen. Blass war sie geworden unter all den Regenbogenfarben und dem breiten Heftpflaster auf der Stirn. Fast hatte er wieder Mitleid, aber nur fast. Mitleid half ihr nicht.

«So», sagte er noch einmal, als müsse er mit dem Wort einen Punkt in die Luft stechen. «Ich will, dass Sie eines begreifen, Frau Bender! Ich bin nicht Ihr Vater. Ich bin nicht Ihre Mutter. Ich bin nicht Ihre Tante und auch nicht Ihre Nachbarin. Ich kann mir denken, dass es eine Menge Fragen und Vorwürfe gegeben hat, als Sie damals heimkamen. Aber ich bin nicht interessiert an Magdalena. Ich will nicht wissen, warum Sie Ihre Schwester ausgerechnet an dem Abend allein ließen. Das ist für mich völlig irrelevant. Verstehen Sie das?»

Sie reagierte nicht, er fuhr fort: «Ich will nur wissen, was in dieser Nacht im ‹Aladin› passiert ist und wie es danach weiterging. Was aus Horsti wurde, ob Sie mit Johnny zusammengeblieben sind, wann und wo Sie Georg Frankenberg kennen lernten. Ob und wann Sie mit Heroin in Berührung gekommen sind und wer es Ihnen gegeben hat. Ich will vor allem wissen, wie der Arzt hieß, der Ihre Verletzungen behandelt hat.»

Keine Reaktion. Ihre Hände lagen im Schoß wie vergessen. Die Unterlippe musste sie sich inzwischen blutig gebissen haben.

«Und lügen Sie mich nicht wieder an, Frau Bender», sagte er mit einer gewissen Strenge, als spreche er zu einem Kind – und irgendwie sah er sie auch so. «Sie sehen, ich krieg's raus. Das eine geht schnell, das andere dauert etwas länger. Aber am Ende weiß ich das auch. Zwei von meinen Kollegen hängen seit heute Mittag am Telefon, sie haben jeder eine lange Liste neben sich. Jeden Arzt, jedes Krankenhaus in Hamburg und Umgebung rufen sie an. Sie können uns eine Menge Zeit und eine Menge Geld sparen, wenn Sie es mir freiwillig sagen.»

Es kam so unvermittelt, dass er zusammenzuckte. Zuerst war es ein Flüstern. Schon mit der ersten Wiederholung schwoll es zu normaler Lautstärke an. Bei der zweiten schrie sie: «Ich weiß es nicht! Ich weiß es nicht! Ich weiß es nicht! Ich will es auch nicht wissen. Wann begreifen Sie das endlich? Ich bin überhaupt nicht weggefahren an dem Abend. Ich lasse doch meine Schwester nicht allein an ihrem Geburtstag.»

Er hob beide Hände zu einer Geste der Beschwichtigung. «Beruhigen Sie sich, Frau Bender, ganz ruhig. Ich rede nicht vom Geburtstag Ihrer Schwester. Dass Sie an dem Abend nicht ausgegangen sind, weiß ich schon. Ich rede von der Nacht im August, in der Magdalena starb.»

Sie schüttelte den Kopf, wie ein Hund die Regentropfen aus dem Fell schüttelt, ihr Atem ging keuchend. Fast eine Minute verging, ehe sie langsam den Arm hob und auf die Tür zeigte. «Und ich rede gar nicht. Ich hab's Ihnen so oft gesagt.

Ich sag's jetzt zum letzten Mal: Raus! Verschwinden Sie. Hauen Sie ab, Mann. Sie sind ja schlimmer als die Pest. Glauben Sie im Ernst, dass ich nochmal den Mund aufmache? Da müsste ich ja Prügel haben. Ich erzähle Ihnen Scheiße, und dann werde ich den Gestank nicht mehr los.»

Den Kopf schüttelte sie immer noch, zusätzlich stampfte sie mehrfach mit dem Fuß auf. «Nein! Schluss! Aus! Feierabend! Hier gibt's nichts mehr, sonst legen Sie mir am Ende noch meine Schwester ins Bett. Raus! Oder ich brülle das ganze Haus zusammen. Und dann sage ich, dass Sie mir Stoff geben wollten und dass ich das Heroin ins Waschbecken gekippt habe. Die werden mir glauben. Sie haben den Kram ja noch in der Tasche. Und dann sage ich, dass Sie mit mir schlafen wollten. Und dann beweisen Sie mal das Gegenteil. Ich mache Sie genauso fertig, wie Sie mich fertig machen, wenn Sie nicht auf der Stelle verschwinden. Ich rede nur noch mit dem, der hier der Chef ist. Dem habe ich heute Morgen alles erzählt.»

«Alles?», fragte er gedehnt und ihre Drohung völlig außer Acht lassend. «Haben Sie ihm wirklich alles erzählt, Frau Bender?»

Etliche Sekunden vergingen, in denen sie mit verschlossener Miene an ihm vorbei auf die Tür starrte und sich ein wenig beruhigte. «Ich habe ihm alles gesagt, was er wissen muss.»

«Und was haben Sie ihm verschwiegen?»

Wieder vergingen einige Sekunden, in denen sie mehrfach schluckte und sich für die Antwort sammelte. «Nichts von Bedeutung.» Der Rest kam stockend. Es fiel ihr sichtlich schwer, überhaupt ein Wort davon über die Lippen zu bringen. «Nur das, was für Sie – irrelevant ist. Dass ich eine Schwester hatte, die mit achtzehn Jahren – an Herzversagen starb.»

Dieses verfluchte Schwanken. Sein Verstand zeigte mit

ausgestrecktem Arm auf die Tür, sein Gefühl wollte die Arme nach ihr ausstrecken. Ist ja gut, Mädchen, es ist alles gut. Es war nicht deine Schuld. Nichts davon hast du zu verantworten. Kein Mensch wird schuldig geboren.

Stattdessen sagte er: «Ihre Schwester war todkrank, Frau Bender. Sie ist im April aus der Klinik nach Hause gekommen, um dort zu sterben. Sie hat es nur niemandem gesagt.»

«Das ist nicht wahr.» Sie klang, als habe sie kaum noch Atem.

«Doch, das ist es», erklärte er nachdrücklich. «Die Ärzte werden es Ihnen bestätigen. Und wenn Sie den Ärzten nicht glauben, fragen Sie Ihre Tante, sie hat die gesamten Unterlagen aus der Klinik. Da steht alles drin, Frau Bender. Ihre Schwester wäre auf jeden Fall gestorben, auch wenn Sie an dem Abend daheim geblieben wären. Sie hätten es nicht verhindern können.»

Etwas wie ein Lächeln verzog ihre Mundwinkel. Sie begann zu lachen oder zu schluchzen. Er konnte es nicht unterscheiden. «Halten Sie den Mund! Sie haben ja keine Ahnung, wovon Sie reden.»

«Dann sagen Sie es mir doch, Frau Bender. Sagen Sie es mir.»

Sie schüttelte den Kopf, bewegte ihn nur hin und her, von links nach rechts, von rechts nach links. So weit, dass ihr Kinn und die Nase jedes Mal eine Einheit bildeten mit dem Armansatz. Weiter tat sie nichts.

Ich kann mit keinem Menschen über Magdalena sprechen. Wenn ich es täte, offen und ehrlich erzählen, wie es mit ihr war, jeder müsste denken, dass ich sie gehasst habe – so sehr gehasst, dass ich sie töten konnte. Vater hat es gedacht, Margret hat es gedacht. Und Grit wusste nicht, was sie denken sollte.

Ich habe Magdalena nicht getötet. Ich kann sie gar nicht

getötet haben. Sie war doch meine Schwester, und ich habe sie geliebt. Nicht immer, das gebe ich zu. Nicht von Anfang an. Aber dass ich sie anfangs nicht mochte, war doch normal. Jedes andere Kind an meiner Stelle hätte genauso empfunden.

Magdalena hat mir die Kindheit gestohlen. Magdalena hat mir die Mutter genommen und Vater die Frau, die er bitter nötig gebraucht hätte. Die fröhliche, lebenslustige Frau, die sie angeblich einmal gewesen sein soll. Margret hat mir davon erzählt. Eine Frau, die Karneval feierte, die lachen und tanzen konnte und auch gerne mal ein Gläschen trank. Die regelmäßig und weil sie es selbst wollte mit ihrem Mann schlief. Die sich ein Kind wünschte. Die zu einer Mutter wurde, die restlos glücklich war über die Geburt ihrer ersten Tochter.

Ich habe meine Mutter nie lachen sehen, nur beten, nie glücklich, nur wahnsinnig. Und Magdalena hat sie verrückt gemacht. Wäre Magdalena nicht gewesen, hätte ich mir nie anhören müssen, ich hätte Mutter die Kraft aus dem Bauch gefressen. Ich hätte mir nicht jahrelang die Lippen und die Knie wund beten müssen. Ich hätte nicht mit Vater in einem Zimmer schlafen, ich hätte mir nie ansehen müssen, wie er sich selbst befriedigte. Ich hätte mir nie anhören müssen, dass ich für ihn nur ein saftiges Stück Fleisch war. Ich hätte nie diesen Ekel empfunden. Ich hätte nicht jahrelang ins Bett gepinkelt. Ich hätte nicht Zustände gekriegt wegen meiner Periode. Ich hätte eben eine Mutter gehabt, die mir alles erklärte und mir half, mit mir selbst fertig zu werden, wenn ich Schwierigkeiten bekommen hätte. Und vielleicht hätte ich die dann nie bekommen.

Aber Magdalena hat sie doch ebenso vermisst wie ich. Ich weiß noch, sie war gerade fünfzehn geworden, als sie einmal darüber sprach. Sie war wieder mal für zwei Tage in Eppendorf gewesen, war wieder durchgecheckt worden von oben bis unten. Elektrokardiogramm, Blutanalysen, alle möglichen Tests hatten sie mit ihr gemacht, bei denen am Ende nur eine Zahl herauskam. Es war jedes Mal eine verdammt kleine Zahl. Diesmal war es eine Fünf gewesen. Fünf Monate! So viel Zeit hatten die Ärzte ihr noch gegeben.

Ihr Herz war zu groß geworden, richtig ausgeleiert war es. Die Ärzte sprachen ganz offen mit ihr darüber. Früher hatten sie das bei Mutter versucht, aber da war nicht viel zu machen. Und Vater war zu der Zeit ... Na ja, er interessierte sich nicht mehr für das, was im Haus vorging.

Wir lagen abends im Bett, nachdem sie wieder aus der Klinik zurück war. Es war noch hell im Zimmer. Magdalena schaute zur Zimmerdecke hinauf. «Inzwischen ist es mir egal, welche Frist sie mir setzen», sagte sie. «Sie haben sich bisher noch jedes Mal geirrt. So wird es auch diesmal sein. Du wirst es erleben. Ich werde mit meiner Pumpe alt und grau, und du wirst vermutlich die Einzige sein, die es erlebt. Ich nehme doch schwer an, dass unser lieb Mütterlein und Vater Saufkopf bis dahin längst das Zeitliche gesegnet haben.»

Sie verschränkte die Arme unter dem Nacken, nahm sie gleich wieder fort und fluchte: «Verdammte Scheiße, nicht mal liegen kann man, wie man will. Aber trotzdem: Das dauert noch ein Weilchen, ehe ich schwarz werde. Und eines musst du mir versprechen, Cora. Lass mich nicht faulen, steck mich nicht in die Erde zu den Würmern. Sorg dafür, dass ich ein hübsches, sauberes Feuer bekomme. Wenn es gar nicht anders geht, schlepp mich irgendwo in die Wildnis, kipp mir einen Kanister Benzin über und stell dir vor, du stehst mit dem Blecheimer im Wohnzimmer. Ich will die Hölle haben, bevor ich im Himmel mit Mutter um die Wette singen muss. Mir graut jetzt schon vor dem Gedanken, dass ich oben ankomme, und sie erwartet mich an der Himmelspforte.»

Sie lachte leise auf. «Kannst du dir vorstellen, was da oben los ist, wenn Mutter ihr Plätzchen erst bezogen hat? Der gute

Petrus kann in Pension gehen, dafür garantiere ich dir. Mutter wird Empfangschefin, und sie wird schon sortieren, wer rein darf und wer nicht. Mit der Zeit darf dann bestimmt keiner mehr rein. Aber dann kann sie sich ja mit Petrus zusammensetzen, wenn ihr langweilig wird. Dann können sie über alte Zeiten plaudern. Ich halte jede Wette, Mutter weiß mehr darüber als er. Nur was hier unten gebraucht wird, das weiß sie nicht.»

Ein paar Minuten lang war sie still, schaute die Zimmerdecke an, als könne sie hindurch in Mutters Phantasien sehen. Dann sprach sie langsam weiter. «Inzwischen bin ich ganz froh, dass sie es nicht weiß. Wenn sie wieder mal drei Tage keine Zeit hatte, sich zu waschen, bin ich sogar dankbar, wenn sie nicht in meine Nähe kommt. Aber früher habe ich mir oft gewünscht, dass sie mich einmal in die Arme nimmt, statt ihren Quatsch runterzuleiern. Vor allem damals, als es mich so übel erwischte. Es ging mir so dreckig, das kannst du dir nicht vorstellen. Ich habe mir die Seele aus dem Leib gekotzt. Ich dachte, beim nächsten Schwall platzt das Aneurysma. Und wer hielt mir die Schüssel unters Gesicht? Wer wischte mir den Schweiß von der Stirn und die Haare gleich mit vom Kopf? Eine junge Lernschwester. Mutter, die eigens bei mir war, um mir Kraft, Mut und weiß der Teufel was sonst noch zu geben, lag derweil auf den Knien und der Schwester im Weg. Manchmal habe ich mir gewünscht, dass die Schwester ihr einen Tritt versetzt. Ich hätte sie so gebraucht, Cora, und sie war nicht da. Sie war ständig in meiner Nähe. Und nie war sie da. Aber wem erzähle ich das. Für dich war sie ja auch nicht da.»

Sie bewegte langsam ihren Kopf auf dem Kissen, drehte ihr Gesicht zur Seite und schaute mich an. «Hast du dir auch manchmal gewünscht, dass sie dich mal in den Arm nimmt?»

«Eigentlich nicht», sagte ich.

Magdalena seufzte. «Na ja, du hattest Vater. Und jetzt hast

du einen Freund da draußen. Erzähl mir ein bisschen von ihm.»

Und ich erzählte ihr von einem Jungen, der nicht existierte. Er war ein toller Kerl, zwei Jahre älter als ich und bereits mit der Schule fertig. Er fuhr ein Moped, und abends trafen wir uns beim Stadtsee. Seine Eltern waren reich und sehr modern eingestellt. Sie hatten ein tolles Haus, eins von denen, die im Wald an der Straße nach Dibbersen standen, von denen man nur die Dächer sah, wenn man vorbeifuhr. Es war sehr chic und teuer eingerichtet. Und seine Eltern hatten natürlich nichts dagegen, wenn er mich mitbrachte. Im Gegenteil, sie mochten mich sehr gerne und freuten sich jedes Mal, wenn sie mich sahen. Dann sprachen sie ein paar nette Worte mit mir, aber sie hielten uns nie lange auf, weil sie wussten, dass wir lieber allein sein wollten. Wir gingen hinauf in sein Zimmer, hörten Musik, lagen auf dem Bett, küssten und streichelten uns.

Jeden Abend erzählte ich ihr davon. Jeden Abend brachte ich sie nach dem Essen hinauf, half ihr beim Ausziehen, stützte sie beim Zähneputzen, wusch sie, cremte sie ein, brachte sie ins Bett und sagte dabei: «Ich freue mich schon so auf ihn.»

Ich hatte ihm den Namen Thomas gegeben. In der Schule gab es einen Jungen, der so hieß und den ich sehr nett fand. Er war nicht so wüst und ordinär wie die anderen. Ich wusste nicht viel über ihn. Er ging aufs Gymnasium, ich sah ihn immer nur in der Pause. Da saß er meist in einer Ecke auf dem Boden und las in einem Buch. Um Mädchen kümmerte er sich nicht – und sie nicht um ihn. Er trug eine Brille.

Mein Thomas trug natürlich keine. Magdalena hätte das als einen Makel empfunden. Für sie mussten die Jungs groß und stark und hübsch, wild und zärtlich sein. Thomas war schon der zweite in der Art, den ich erfunden hatte.

Wenn Magdalena im Bett lag, ging ich hinunter und sagte

zu Mutter: «Ich muss jetzt unter dem Auge Gottes Einkehr halten.» Ich konnte nicht im Haus bleiben, dann hätte Magdalena den Schwindel schnell bemerkt.

Ich lief in die Stadt. Im Zentrum war immer etwas los. Es wurde viel gebaut. Da schaute ich mir die Baustellen an und stellte mir vor, dass sie uns eines Tages einmauerten. Dass sie einfach eine Mauer um unser Haus zogen, damit wir isoliert waren wie die Pestkranken, von denen Vater mir früher erzählt hatte. Manchmal stellte ich mir auch vor, dass ich Thomas traf. Den richtigen, mit seiner Brille und einem Buch. Dass wir uns irgendwohin setzten und beide in einem Buch lasen.

Ich hatte auch Bücher – gekaufte. Ich hatte sie eigens bestellen müssen, und sie waren ziemlich teuer gewesen. Aber Geld hatte ich genug. Von den dreihundert Mark für den Haushalt, die ich Vater jede Woche abverlangte, brauchte ich nicht mal ein Drittel, und wir lebten trotzdem üppiger als vorher. Und auf dem Schulhof verkaufte ich keine Haarspangen mehr. Lippenstifte wohl noch und andere Make-up-Sachen, aber hauptsächlich Parfüms und andere Dinge, die viel Geld brachten und die man leicht einstecken konnte, einmal sogar einen Walkman.

Für Magdalena hatte ich auch einen besorgt. Sie hatte ihn im Bett immer bei sich. Die Gefahr, dass Mutter sie damit erwischte, bestand nicht. Mutter kam nicht mehr in unser Zimmer. Sie pendelte nur noch zwischen dem Hausaltar und ihrem Bett hin und her, hatte ihre sämtlichen irdischen Verpflichtungen an mich abgetreten.

Ich machte das Frühstück für alle und versorgte Magdalena, bevor ich zur Schule ging. Ich kochte zu Mittag, wenn ich heimkam. Ich machte die Einkäufe, die Wäsche und hielt das Haus sauber. Und jede freie Minute verbrachte ich mit Magdalena, bis sie dann abends im Bett lag und ich auf Tour ging.

Ein Mädchen aus meiner Klasse nahm mir regelmäßig die neuesten Schlager auf Kassette auf. Dafür schenkte ich ihr schon mal eine Kleinigkeit. Sonst hätte Magdalena ja nichts von dem Walkman gehabt. Sie liebte Musik. In den drei Stunden, während ich unterwegs war, hörte sie eine Kassette nach der anderen, bis ich zurückkam.

Bevor ich ins Haus ging, machte ich noch einen kurzen Abstecher in den Schuppen. Dort lagen keine Süßigkeiten mehr unter den Kartoffelsäcken. Dafür lagen jetzt eine Menge anderer Sachen da, auch Zigaretten und ein kleines Feuerzeug. Ich zündete mir eine Zigarette an und nahm ein paar Züge. Dann drückte ich sie sorgfältig aus und steckte sie zurück in die Packung. Auf die Weise kam ich mit einer Zigarette ein paar Tage lang aus.

Ich machte mir gar nichts aus Rauchen. Mir wurde schwindlig davon, husten musste ich auch oft. Aber Magdalena fand es chic, wenn man rauchte. Und sie konnte riechen, ob ich es getan hatte. Ein paar Monate später, nach der Zeit mit Thomas, hörte ich auf damit. Ich erzählte ihr, mein neuer Freund hasse Zigaretten und könne es nicht leiden, wenn ein Mädchen rauchte. Er hätte zu mir gesagt, da könnte er auch gleich einen Aschenbecher küssen. Und ich wolle da lieber kein Risiko eingehen, weil er phantastisch aussähe und ich schon ein feuchtes Höschen bekäme, wenn er mir nur an die Beine fasste. Magdalena verstand das.

Den neuen Freund – ich weiß nicht mehr, wie ich ihn genannt habe, es waren so viele Namen im Laufe der Zeit – machte ich drei Jahre älter. Er war dann auch der erste, mit dem ich schlief. Und Magdalena bat mich, ihr zu zeigen, wie das war.

Ich habe wirklich für sie getan, was ich tun konnte. Manchmal sagte sie: «Wenn ich alt genug bin, selbst zu entscheiden, dann lasse ich mich noch einmal operieren. Ich finde schon einen Arzt, der es tut.»

Wir wollten zusammen in die USA fliegen, in eines der großen Herzzentren. Immer wieder haben wir ausgerechnet, wie viel Geld wir zusammenbekämen bis zu ihrem achtzehnten Geburtstag, wenn wir jede Woche hundert Mark auf die Seite legten. Ich hatte ihr gesagt, so viel könnte ich vom Haushaltsgeld sparen. Dass es eigentlich doppelt so viel war, mochte ich ihr nicht sagen, damit sie nicht stutzig wurde und sich ausrechnete, dass ich klaute wie eine Elster.

Sie meinte, mit hundert Mark in der Woche sei es nicht zu schaffen. Und ich erzählte ihr, dass ich am Bahnhof eine Brieftasche mit tausend Mark gefunden hätte. Und dass ich jetzt immer die Augen offen hielte, weil doch viele Leute ziemlich schlampig mit ihren Sachen wären und gar nicht merkten, wenn sie etwas verloren.

Magdalena lachte. «Du bist lieb», sagte sie. «Aber du bist ein Schaf. Da müsstest du schon eine Bank überfallen, um das Geld zusammenzubringen. Sich darauf verlassen, dass mal einer was verliert ...»

Ich war nahe daran, ihr zu sagen, dass ich das Geld nicht gefunden und weit mehr im Schuppen hatte als tausend Mark. Aber ich hatte in einer Zeitung gelesen, was eine Operation in den USA kostete und dass man sie selbst bezahlen musste. Und so viel hatte ich noch lange nicht. Ich wusste auch nicht, wie ich es beschaffen sollte.

Wenn ich hätte arbeiten können, nachdem ich mit der Schule fertig war, wäre es kein so großes Problem gewesen. Aber einer musste sich doch um den Haushalt und Magdalena kümmern. Mutter schaffte das nicht mehr, auch wenn sie gewollt hätte. Sie war oft so durcheinander, dass sie den Suppentopf mit dem Waschkessel verwechselte. Vater hatte eine moderne Waschmaschine gekauft, damit kam sie überhaupt nicht klar. Sie wollte damit auch nichts zu tun haben. Ich glaube, sie hatte Angst davor. Sie meinte, es sei Teufelswerk und stellte uns das Wasser ab. Wir sollten vierzig Tage in der Wüste fasten. Das konnte ich ihr aber ausreden. Nur musste man eben ständig aufpassen, damit sie keine Dummheiten machte.

Und Magdalena meinte auch, es wäre besser, wenn ich daheim bliebe. «Arbeiten», sagte sie. «Was willst du denn arbeiten? In deinem Alter kannst du höchstens eine Lehre machen. Das sind drei Jahre, in denen du so gut wie gar nichts verdienst. Wenn es dir wirklich ernst damit ist, das Geld für meine Operation zusammenzubringen, müssen wir uns etwas anderes einfallen lassen. Ich hätte da schon eine Idee. Es gibt etwas, da werden die Jüngsten am besten bezahlt. Aber ich weiß nicht, wie du darüber denkst.»

12. Kapitel

Cora Benders Verlegung aus der Untersuchungshaft in die Landesklinik zwang die Justizbehörden, umgehend einen Anwalt für sie zu bestellen. Von Seiten ihrer Familie war bisher kein Schritt in diese Richtung unternommen worden.

Ihr Mann und ihre Schwiegereltern schienen vergessen zu haben, dass sie existierte. Ihre Tante, die ausgebildete Krankenschwester, saß in Norddeutschland und bewachte das Sterben eines alten Mannes, für den niemand mehr etwas tun konnte. Von ihrer Mutter war nichts zu erwarten.

Auf der dem Landgericht Köln vorliegenden Liste mit Rechtsanwälten, die mit einer Pflichtverteidigung beauftragt werden konnten, wurde auch Doktor Eberhard Brauning geführt – und wegen seiner guten Zusammenarbeit vor Gericht sehr geschätzt. Freunde, darunter einige Richter, nannten ihn Hardy. Er war achtunddreißig Jahre alt und ledig. In seinem Leben gab es nur eine Frau, die ihm wirklich wichtig war: Helene, seine Mutter, mit der er zusammenlebte.

Helene Brauning war lange Jahre im gleichen Fachgebiet tätig gewesen wie Professor Burthe. Sie hatte häufig als psychologische Gutachterin vor Gericht ausgesagt und nur zweimal nicht verhindern können, dass eine Haftstrafe verhängt wurde. Helene Brauning hatte sich speziell – und nicht nur vor Gericht – mit den Fällen befasst, in denen eine gravierende Störung vorlag. Allerdings hatte sie sich vor zwei Jahren aus dem Berufsleben zurückgezogen. Es war auf Dauer doch sehr deprimierend gewesen, nicht helfen, nur verwahren zu können.

Für Eberhard Brauning waren Psychiatrie und Psychologie zweischneidige Schwerter. Geistig gestörte Straftäter hatten ihn seit frühester Jugend fasziniert, allerdings nur in der Theorie. In der Realität waren sie ihm ein Gräuel. Glücklicherweise waren sie im Alltag eines Juristen eher die Ausnahme.

Wenn ein Ehemann im betrunkenen Zustand oder aus Eifersucht seine Frau umbrachte, damit konnte er umgehen. Wenn ein bis dahin unbescholtener Angestellter nach einer feuchtfröhlichen Betriebsfeier eine Arbeitskollegin vergewaltigte, für solch einen Mann konnte er sich einsetzen, auch wenn es ihn persönlich schauderte.

Eberhard Brauning brauchte kalkulierbare Reflexe und nachvollziehbare Motivationen. Er brauchte das offene Gespräch, nicht unbedingt Reue; wenn sie ihm geboten wurde, war ihm das recht angenehm, doch ebenso gut konnte er sich mit Leugnen auseinander setzen.

Und all das war von den Geschöpfen, denen Helene mehr als ihr halbes Leben gewidmet hatte, nicht zu erwarten. Sie lebten in einer Welt, zu der er keinen Zugang fand. Ihr Verhalten war ganz nett für eine angeregte Unterhaltung am Abend. Was jedoch seine Arbeit betraf, bevorzugte Eberhard Brauning Fälle, in denen die Sachlage und die geistige Verfassung des Mandanten klar waren.

Als ein solcher stellte sich dem Untersuchungsrichter der Fall Frankenberg dar. Eine junge Frau hatte vor einem guten Dutzend Augenzeugen ihren ehemaligen Liebhaber umgebracht, zu Beginn des Verhörs bestritten, den Mann gekannt zu haben, nach gutem Zureden durch die vernehmenden Beamten schließlich doch die Bekanntschaft und ihre Motivation offen gelegt und zwischenzeitlich einen Suizidversuch unternommen.

Die Ermittlungsunterlagen der Staatsanwaltschaft waren fast vollständig. Es fehlte nur das Gutachten des psychologischen Sachverständigen. Das konnte auch noch ein wenig dauern. Professor Burthe war beruflich stark eingespannt.

Ein unterzeichnetes Geständnis lag ebenfalls noch nicht vor, weil die junge Frau ihre erste Aussage widerrufen hatte und seitdem wieder hartnäckig leugnete, ihr Opfer gekannt zu haben. Was sie sich davon versprach, lag auf der Hand. Und da war Eberhard Brauning nun genau der richtige Mann, sie zu überzeugen, dass eine Haftstrafe dem Maßregelvollzug vorzuziehen wäre.

Dass Cora Bender sich derzeit in der geschlossenen Abteilung der Psychiatrie befand, war für Eberhard Brauning mit ihrem Suizidversuch hinreichend erklärt. Papiertücher! Auf solch eine Idee musste man erst einmal kommen. Er hielt es für einen äußerst raffinierten Schachzug, verließ sich auf den persönlichen Eindruck des Haftrichters, der sie als kaltschnäuzig bezeichnete. Er verstand jedoch auch, dass der Untersuchungsrichter kein Risiko eingehen wollte.

Eberhard Brauning bat um Akteneinsicht und bekam fünf Tage nach Georg Frankenbergs Tod Kopien sämtlicher vorhandenen Unterlagen ausgehändigt. Das war der Donnerstag. Am frühen Abend begann er sein Aktenstudium mit den Zeugenaussagen, die kurz nach der Tat gemacht und später noch ergänzt worden waren um Details, die sich nicht unmittelbar auf das Geschehen bezogen.

Das Verhalten des Opfers erschien ihm ebenso eindeutig wie dem unbedarften Familienvater, der es zu Protokoll gegeben hatte. Dem Personalbogen mit den persönlichen Daten Cora Benders war nachträglich eine Notiz angefügt worden. Eine Schwester, Magdalena Rosch, verstorben vor fünf Jahren an Herz-Nieren-Versagen. Er maß dieser Notiz keine Bedeutung bei.

Bei den Abschriften der Tonbänder beschlich ihn kurzzeitig ein ungutes Gefühl. Entweder hatte Cora Bender sich zeitweise in einem Zustand befunden, für den Verwirrung ein sehr milder Ausdruck war, oder sie hatte den vernehmenden Beamten eine großartige Show geboten. Er gab der letzten Interpretation den Vorzug und hätte dazu gerne die Ansicht seiner Mutter gehört. Leider war Helene schon zu Bett gegangen, als er die Akten endlich beiseite legte. Es war weit nach Mitternacht. Beim gemeinsamen Frühstück am nächsten Morgen war die Zeit zu knapp für ein ausführliches Gespräch. Er erwähnte nur kurz, dass er einen neuen und höchst interessanten Fall habe. Wieder mal eine, die sich einbildete, die Landesklinik sei ein Sanatorium.

Gleich nach seinem Eintreffen in der Kanzlei vereinbarte er einen Gesprächstermin mit seiner Mandantin. Er war fest entschlossen, ihr unmissverständlich klarzumachen, dass sie mit einem umfassenden Geständnis auf milde Richter hoffen durfte. Am frühen Freitagnachmittag, pünktlich um fünfzehn Uhr, wurde eine Tür für ihn aufgeschlossen, und er sah sie das erste Mal vor sich.

Sie stand am Fenster, trug einen schlichten Rock und eine einfach geschnittene Bluse, beides war fleckig und zerknittert. Strümpfe trug sie nicht. Ihre nackten Füße steckten in einem Paar Schuhe mit halbhohen Absätzen. Ihr Haar schien seit mehreren Tagen nicht mehr mit Wasser und Shampoo in Berührung gekommen zu sein. Und ihr Gesicht, als sie sich langsam zur Tür und damit zu ihm umdrehte ...

Eberhard Brauning hielt unwillkürlich den Atem an und fühlte die ersten Zweifel an seiner Beurteilung der Lage aufsteigen. So viel Stumpfheit! Ihre Augen erinnerten ihn an die Glasknöpfe im Kopf eines alten Plüschbären, den er als kleiner Junge heiß geliebt hatte. Sie waren ziemlich groß gewesen, diese Knöpfe. Und wenn er sie ins Licht gehalten hatte, hatte er sich darin spiegeln können. Nur sich, sein Zimmer, die Umgebung eben. Von seinem Innenleben aus Stroh hatte der alte Teddy niemals etwas preisgegeben.

Vor Unbehagen zog er die Schultern zusammen. Der Aktenkoffer in seiner Hand schien sein Gewicht verdoppelt zu haben. Langsam ließ er den angehaltenen Atem entweichen, schluckte einmal trocken und sagte mit bemüht ruhiger und sehr betonter Stimme: «Guten Tag, Frau Bender. Ich bin Ihr Anwalt, Eberhard Brauning.» Den Doktor ließ er weg. Der Titel schien so unpassend angesichts der Glasaugen in dem gelbgrünen Gesicht.

Sie musterte ihn von Kopf bis Fuß, ließ keine Regung erkennen.

«Mein Anwalt», murmelte sie. Ihre Stimme klang nach gar nichts.

«Ich bin vom Gericht mit der Wahrnehmung Ihrer Interessen oder, einfacher ausgedrückt, mit Ihrer Verteidigung beauftragt. Sie wissen, was Ihnen zur Last gelegt wird?»

So wie sie dastand, hätte er geschworen, dass sie es nicht wusste. Sie beantwortete seine Frage auch nicht. «Es ist ziemlich heiß hier drinnen», stellte sie fest und drehte sich wieder dem vergitterten Fenster zu. «Dabei sieht es draußen bewölkt aus. Das ist kein Wetter zum Schwimmen. Ich hätte bei der ersten Runde im Wasser bleiben sollen. Ich hätte längst alles vergessen und könnte jetzt in Ruhe und Frieden mit dem Mann da unten leben.»

Ein zittriger Atemzug ließ ihre Bluse flattern. «Darüber haben wir heute Morgen gesprochen, der Herr Professor und ich. Dass ich mit dem Mann im See leben wollte. Und freitags hätte ich zu ihm gesagt: Du irrst dich, mein Lieber, heute ist schon Montag. Aber heute ist Freitag, oder? Ich habe den Professor gefragt heute Morgen. Und er sagte, heute sei Freitag.»

Sekundenlang war sie still, dann drehte sie den Kopf wieder in seine Richtung und betrachtete ihn über die Schulter mit kritisch abschätzendem Blick. «Oder hat er mich angelogen? Wenn Sie mir einen großen Gefallen tun wollen, dann sagen Sie mir, dass er mich belogen hat. Es ist ein Kreuz mit den Weißkitteln. Wenn man denkt, sie sagen die Wahrheit, irren sie sich. Und wenn man denkt, sie müssen sich irren, sagen sie die Wahrheit. So einer hat mir mal gesagt, ich sei eine süchtige Hure, eine, die sich nur mit perversen Freiern einließ.»

Sie hob kurz die Schultern an, ließ sie gleich wieder fallen. «Der hat sich leider auch nicht geirrt. Die Perversen zahlen einfach besser. Und ich musste eine Menge Geld zusammenbringen bis zum Tag X. Es hing doch alles von mir ab. Und sie hat verlangt, dass ich es tue. Sie wollte, dass ich mit meinem Körper für ihr Herz zahle.»

Ein flüchtig wehmütiges Lächeln brachte für den Bruchteil einer Sekunde Leben in ihr Gesicht. Es war gleich wieder vorbei. «Ich hätte alles für sie getan», erklärte sie. «Das Herz hätte ich mir herausgerissen und es ihr gegeben, wenn es nur möglich gewesen wäre. Sie wusste das. Sie wusste eine Menge über kaputte Typen. Sie wusste auch, dass ich so kaputt war, dass es eigentlich nicht mehr darauf angekommen wäre.»

Eberhard Brauning konnte nichts weiter tun als sie anstarren und sich nur einen ungefähren Reim auf das machen, was sie von sich gab. Herz, Schwester.

Sie nickte gedankenverloren vor sich hin. «Aber das konnte ich nicht für sie tun. Ich war doch erst sechzehn. Ich hatte noch nie mit einem Mann geschlafen. Die ganze Nacht habe ich geheult und gebettelt, dass ihr etwas anderes einfällt. Und wissen Sie, was sie sagte: ‹Du sollst ja auch nicht mit einem ficken, du Schaf. Der normale Verkehr bringt nicht viel. Nur mit SM kannst du richtig Kasse machen, und dabei musst du deine Möse nicht für so einen Drecksack hinhalten. Du brauchst den alten Knackern nur ordentlich was überzuziehen. Gib ihnen die Peitsche. Kneif ihnen in den Sack, stech ihnen Nadeln in die Schwänze, so wollen sie das.› Aber ich konnte auch keine alten Männer quälen. Allein die Vorstellung!»

Sie legte eine Hand vor den Mund. Das bedächtige Nicken

ging in ein ebenso bedächtiges Kopfschütteln über. «Sie sagte, ich soll dabei einfach an Vater denken. Wie er sich an mir aufgegeilt hätte. Sie hätte, als ich ihr zeigte, wie er mir an das Höschen fühlte, nur verhindern wollen, dass ich hysterisch wurde, sagte sie. Nur deshalb hätte sie mir erklärt, es sei nichts dabei. Aber um festzustellen, ob ich ins Bett gepinkelt habe, hätte er mir nicht zwischen die Beine greifen müssen. Da hätte ein Blick aufs Laken gereicht. Als sie das sagte, wusste ich, dass sie ein Biest ist. Aber jeder versucht es auf seine Weise, nicht wahr? Sie wollte doch auch nur leben.»

Eberhard Brauning brachte ein zustimmendes Nicken zustande und sagte: «Das wollen wir doch alle.»

Sie nickte ebenfalls. «Ich hätte es besser getan. Viele wollen es ja wirklich so. Denen tut man nur einen Gefallen, wenn man sie demütigt und quält. Und damit hätte ich sie mir auf legale Weise vom Hals schaffen können. Ich musste sie mir doch irgendwie vom Hals schaffen. Von allein wäre sie nie gestorben. Aber nach einer Operation hätte sie alleine leben können. Da hätte sie mich nicht mehr gebraucht. Warum habe ich es nicht getan, solange noch Zeit war? Warum habe ich das erst geschafft, als sie tot war? Was meinen Sie, war es das schlechte Gewissen? Wollte ich zwei Fliegen mit einer Klappe schlagen? Mich bei meinem Vater entschuldigen und gleichzeitig sagen können: Hallo, du da oben, schau mal nach unten. Siehst du, ich tue es. Ich tu es für dich.»

Sie schaute ihm ins Gesicht, und tief in diesen Glasaugen glomm ein Funke auf. Es war kein Leben, was da glühte, es war nur Qual – wie ein Funken aus der Hölle.

«Ich habe es getan», sagte sie mit einem langen Seufzer. «Nicht so, wie sie es mir vorgeschlagen hatte. Das hätte ich nie geschafft, einen Mann mit einer Nadel zu stechen. Ich habe die Sache umgedreht und meine Haut hingehalten. Aber das habe ich auch nicht verkraftet. Und um die Sauereien auszuhalten, habe ich gefixt. Klingt logisch, oder? Ich meine, es klingt sehr logisch. Aber der Chef glaubt es nicht. Glauben Sie es?»

Eberhard Brauning verspürte das dringende Bedürfnis, gegen die Tür zu hämmern, damit man ihn befreite. Aus dem Blick dieser Augen, in denen es nun stärker glühte, aus dem Raum, nach Möglichkeiten auch von diesem Mandat. Er sah die Notiz vor sich. Herz-Nieren-Versagen! Das war wohl ein Irrtum gewesen – nicht der einzige Irrtum in diesem Fall. Und er hatte sich die Sache eingehandelt!

Er klopfte nicht gegen die Tür, begann nur im Geist zu pfeifen. Ein fröhliches Lied. Ich hab den Vater Rhein in seinem Bett gesehen. Wie er darauf kam, wusste er nicht. Aber im Geist zu pfeifen hatte ihn schon als Kind beruhigt.

Die Betten im Raum waren ordentlich gemacht. Nur an den Bezügen erkannte man, dass sie benutzt worden waren. Sie waren so fleckig und zerknittert wie Cora Benders Kleidung.

Sie war seit mindestens einer Minute still. Es fiel ihm erst auf, als sie seinem Blick folgte, zu grinsen begann und mit spöttischem Unterton meinte: «Sieht aus, als wäre ich hier nicht alleine, was? Lassen Sie sich von den Betten nicht hinters Licht führen. Das ist nur ein Täuschungsmanöver. Bisher habe ich außer dem Pflegepersonal, dem Professor und dem Chef noch keinen zu Gesicht bekommen. Ich nehme an, die wollen testen, ob ich meine Sinne noch alle beisammen habe oder anfange mit Leuten zu reden, die nicht existieren.»

Der Wandel traf ihn völlig unvorbereitet. Ihre Stimme, sogar ihr Blick, waren plötzlich die einer Person, die sich lustig machte. Man hatte ihr einen Streich gespielt und noch nicht erkannt, dass sie die Sache längst durchschaut hatte. Da durfte sie sich amüsieren über die Dummheit der anderen.

Sie zuckte lakonisch mit den Achseln und schränkte ein: «Aber vielleicht liegt es auch daran, dass ich zu viel schlafe. Ich muss mich nur hinlegen, zwei Sekunden später bin ich abgetaucht. Und dann können Sie eine Kanone neben mir abschießen, ich wache nicht auf. Morgens müssen die mich immer rütteln. Der Professor hält es für ein schlechtes Zeichen, dass ich so viel und noch dazu gerne schlafe. Er hat wohl auch mal gelesen, der Schlaf sei der kleine Bruder des Todes.»

Sie lachte belustigt. «Blödsinn, mit kleinen Brüdern hatte ich nie etwas im Sinn. Ich habe jahrelang mit dem großen in einem Zimmer geschlafen. Und ich habe mich auch noch gefreut, als Vater nach nebenan und der große Bruder bei mir einzog. Manchmal ist man so blöd, dass es verboten werden müsste.»

Eberhard Brauning hatte bereits erleichtert aufgeatmet und suchte den Anfang der Rede, die er sich für sie zurechtgelegt hatte. Da blinzelte sie plötzlich, und als sie weitersprach, klang ihre Stimme wieder benommen und so teilnahmslos wie zu Beginn. «Entschuldigung. Sie wissen wahrscheinlich gar nicht, wovon ich rede. Manchmal weiß ich es auch nicht. Ich bin nicht immer ganz klar im Kopf. Die pumpen mich hier andauernd voll mit irgendeinem Scheiß. Der Professor behauptet, es seien nur Psychopharmaka gegen meine Depressionen. Das ist ein verlogener Haufen hier, sage ich Ihnen.»

Ihre Schultern strafften sich, die Stimme ebenso. «Aber ich beiße mich schon durch», erklärte sie. «Das habe ich immer getan. Früher habe ich oft gesagt, wenn mich einer in den Hintern tritt, stolpere ich automatisch zwei Schritte vor. Das ergibt sich ja aus der Bewegung, oder sind Sie anderer Meinung?»

Das hatte bereits hellwach geklungen, mit dem nächsten Satz wurde ihre Stimme scharf und spöttisch. «Jetzt ziehen Sie nicht so ein ängstliches Gesicht. Ich bin nicht verrückt. Ich tu nur so. Es ist praktisch, hier drin verrückt zu sein. Das habe ich schnell herausgefunden. Man kann den größten Schwachsinn von sich geben und auf jede unangenehme

Frage irgendeinen Mist auftischen. Da freuen die sich. Das brauchen sie zur Selbstbestätigung, sie verdienen schließlich ihr Geld damit. Aber wir beide reden vernünftig miteinander. Sie müssen ja niemandem weitererzählen, dass ich noch kann. Ich nehme an, als mein Anwalt unterliegen Sie der Schweigepflicht. Nur brauche ich Sie nicht. Tut mir Leid, dass Sie sich umsonst herbemüht haben.»

Eberhard Brauning fühlte sich einem Wechselbad ausgesetzt. Er wusste weder, was er von ihrem Gerede halten, noch, wie er darauf reagieren sollte. «Ich bin vom Gericht mit Ihrer Verteidigung beauftragt», wiederholte er lahm.

Sie zuckte bedauernd mit den Achseln, ihre gelbgrüne Miene spiegelte Überheblichkeit. «Und woraus schließt das Gericht, dass ich verteidigt werden will? An mir können Sie nichts verdienen, guter Mann. Sagen Sie dem Gericht, ich hätte Sie rausgeworfen. Sie können auch sagen, Sie hätten sich die Sache anders überlegt, nachdem Sie mit mir gesprochen hätten.»

«Das ist nicht möglich, Frau Bender», erklärte er. «Sie brauchen einen Anwalt, und ...» Weiter kam er nicht.

«Quatsch», unterbrach sie ihn lässig. «Ich brauche niemanden. Ich komme am besten zurecht, wenn ich ganz alleine bin. Ich bin nämlich nie alleine. Kennen Sie den Zauberlehrling?»

Als er verblüfft nickte, erklärte sie: «Ich habe die Geister nicht gerufen. Der Chef war es. Dieser Schweinehund hat sie einen nach dem anderen aus der Hölle heraufbeschworen. Jetzt hat er mir auch noch Magdalena auf den Hals gehetzt. Ich wusste, dass das passiert, wenn ich ihn an sie ranlasse. Deshalb habe ich ihn fern gehalten. Aber dann hat er mit Grit gesprochen. Und ich weiß nicht, wie ich sie wieder loswerden soll. Die anderen bin ich auch nicht mehr losgeworden. Johnny, Böcki und Tiger. Ich weiß nicht, wo ich sie hergenommen habe. Und ich weiß – verdammt nochmal – nicht, wo ich sie hinstecken soll, damit sie mir nicht länger auf dem Verstand herumtrampeln.»

Sie schlug sich mit einer Faust in die offene Hand, atmete tief durch und lächelte noch einmal. Überheblich war es nicht mehr, nur noch kläglich. «Mit so einer Gesellschaft ist man hier gut aufgehoben, glauben Sie mir. Es war nicht mein Traum, in der Klapsmühle zu enden. Nur kann man es sich nicht aussuchen. Und viel anders als im Knast ist es gar nicht. Vielleicht ist es sogar besser, ich kriege jedenfalls keinen Ärger mit anderen Weibern. Ich schlucke brav meine Pillen, esse meist meinen Teller leer und erzähle dem Professor, was er hören will. Aber damit wollen wir es gut sein lassen. Dass jetzt noch einer auftaucht und mich mit Fragen nervt, damit er mich vor Gericht verteidigen kann, herzlichen Dank. Ich will nicht verteidigt werden. Das kann ich alleine.»

Es erging Eberhard Brauning, wie es Rudolf Grovian in den ersten Stunden mit ihr ergangen war. Er sah den äußerst schmalen Grat nicht, auf dem ihr Verstand balancierte. Er fühlte Wut in sich aufsteigen, bemühte sich, ruhig zu bleiben und sachlich zu argumentieren. «Das können Sie nicht, Frau Bender. Vor einem Schwurgericht kann sich niemand selbst vertreten. Das könnte nicht einmal ich, wenn man mich eines Kapitalverbrechens bezichtigte. Das Urteil hätte keine Rechtsgültigkeit und könnte jederzeit angefochten werden, wenn der oder die Angeklagte keinen Rechtsbeistand hatte.»

Er machte eine kurze Pause, wartete, ob sie ihm darauf antwortete. Als sie schwieg, ging er die wenigen Schritte zum Tisch, stellte seinen Aktenkoffer darauf ab, öffnete ihn jedoch nicht gleich, zog nur einen der Stühle zu sich heran und sagte dabei: «Das sind die Fakten. Ob es uns beiden gefällt oder nicht, spielt keine Rolle. Ich wurde als Ihr Anwalt verpflichtet, das konnte ich nicht ablehnen. Jetzt könnte ich das. Ich könnte dem Richter erklären, Frau Bender kooperiert nicht, ich kann sie unter diesen Umständen nicht vertreten.

Das würde der Richter einsehen, mich von meiner Aufgabe entbinden und einen anderen Anwalt für Sie bestimmen. Den können Sie natürlich auch ablehnen, ebenso den dritten und den vierten. Ich weiß nicht, wie lange der Richter sich dieses Spielchen von Ihnen bieten lässt, ehe ihm der Geduldsfaden reißt. Aber vielleicht begreifen Sie, dass Sie nur die Alternative haben: ich oder irgendein anderer.»

Warum er ihr das erklärte, wusste er nicht. Es wäre entschieden einfacher gewesen, dem Richter diesen Vortrag zu halten. Nur sah er in dem Moment nichts, was ihn hätte veranlassen können, seine Worte in Kürze zu bereuen. Er fühlte sich auf den Arm genommen von ihr, er hätte geschworen, dass sie mit ihm das gleiche Spielchen versuchte wie mit den Beamten, die das Verhör geführt hatten.

Johnny, Böcki und Tiger! Nicht mit ihm! Sie war gut in ihrer Rolle, sie war fast schon brillant. Aber er lebte – seit er denken konnte – mit Helene. Und wenn er eines von ihr gelernt hatte, dann das: Wer sich amüsieren konnte über die Trottel, die brav ein paar Mätzchen schluckten, der wusste noch genau, was er tat.

Es war faszinierend, ihr Gesicht zu betrachten, den Spott, der ihre Lippen verzog und den Glasaugen Leben einhauchte. Keine Frage, sie amüsierte sich köstlich über ihn. Er war überzeugt, dass Helene seinen Eindruck bestätigt hätte, wäre sie dabei gewesen. Cora Bender bildete sich ein, sie könne alle Welt an der Nase herumführen.

«Da sitzen wir beide wohl in derselben Tinte, was?», stellte sie fest, kam ebenfalls zum Tisch und setzte sich auf einen der Stühle. «Was machen wir nun? Tut mir aufrichtig Leid, dass es ausgerechnet Sie erwischt hat. Aber wenn die Dinge so stehen, behalte ich Sie doch lieber. Sonst schicken die mir am Ende irgendeinen alten Knacker. Mit Ihnen habe ich wenigstens was fürs Auge. Ich werde es Ihnen leicht machen, damit die Angelegenheit für Sie nicht zur Strapaze wird. Ich bin schuldig. Daran gibt es nichts zu rütteln. Ich leugne nicht, bin voll geständig, habe jedoch nicht vor, weitere Erklärungen abzugeben. Reicht das?»

Eberhard Brauning setzte sich endlich, klappte seinen Koffer auf, nahm das Aktenbündel heraus und legte es vor sich auf den Tisch. «Für eine Verurteilung reicht es», sagte er und legte eine Hand auf den Aktendeckel. «Das hier sieht nicht gut aus für Sie.»

Sie grinste wieder. «Daran bin ich gewöhnt. Für mich hat noch nie etwas gut ausgesehen. Stecken Sie es wieder ein, ich weiß, was drin steht. Präzise ausgeführte Stiche! Und es kommt noch einiges dazu. Nur der Himmel allein weiß, was der Chef noch ausgräbt. Und wenn der Herr Professor mit mir fertig ist, möchte er sicher auch einen schönen Bericht schreiben für den Staatsanwalt. Vielleicht tut er Ihnen den Gefallen und erwähnt ein paar mildernde Umstände.»

Mit einem langen Seufzer fügte sie an: «Wir werden sehen. Wenn Sie alles beisammenhaben, überlegen Sie sich Ihre Strategie. Dann kommen Sie nochmal her, und wir besprechen es in Ruhe. Bis dahin bin ich vielleicht auch etwas klüger. Im Moment verschwenden wir beide nur unsere Zeit.»

Sie warf einen sehnsüchtigen Blick zum Fenster, ihre Stimme wurde schwer und melancholisch. Und für kurze Zeit glaubte Eberhard Brauning noch einmal, dass sie nichts weiter als ihre Fähigkeiten unter Beweis stellen wollte.

«Ich muss nämlich ein bisschen aufpassen mit dem, was ich sage», erklärte sie. «Haben Sie schon mal das Gefühl gehabt, Sie müssten Ihren Verstand mit beiden Händen festhalten? Da ist man ziemlich beschäftigt, glauben Sie mir. Ich traue mich kaum noch zu denken. Manchmal muss ich dreimal auf das Gitter schauen, um zu erkennen, dass ich nicht daheim bin. Es ist alles so real, als ob ich mittendrin stehe. Ich bringe sie ins Bett, stehe mit ihr im Bad, habe sie hinter mir in der

Küche. Ich weiß nicht, was das soll. Warum muss ich das alles nochmal erleben? Ich hatte es so weit hinter mir gelassen und die Tür ganz fest zugemacht. Der Chef hat sie eingetreten. Er hätte mir nicht drohen dürfen. Damit hat es angefangen.»

Sie schüttelte verwundert den Kopf und korrigierte sich: «Nein, angefangen hatte es schon am See. Aber da habe ich nur die Himbeerlimonade geschmeckt und das kleine Kreuz gesehen. Und jetzt schmecke ich sein Blut und sehe die drei großen. Es spielt keine Rolle, wohin ich schaue, ich sehe sie überall. Und das in der Mitte trägt einen ohne Schuld.»

Es widerstrebte ihm, ihren Monolog zu unterbrechen. Aber ihm gegenüber war solch eine Show nun wirklich nicht angebracht. Höchste Zeit, ihr das begreiflich zu machen. «Wer hat Ihnen gedroht und womit?» erkundigte er sich.

Sie schaute weiter zum Fenster. Ihr Gesicht trug wieder den gleichen unbeteiligten Ausdruck wie zu Beginn. «Der Chef», murmelte sie und erklärte etwas lauter. «Er heißt Rudolf Grovian. Ein hartnäckiger Hund, sage ich Ihnen. Er hat mir erzählt, er hätte das Mädchen mit den gebrochenen Rippen gefunden.»

Ihr Blick fand zu ihm zurück, und ihre Augen bestanden wieder aus purem Glas. «Furchtbar, nicht wahr?» Sie nickte schwer. «Aber da kann man nichts machen. Er tut nur seine Arbeit. Ich weiß, dass ich kein Recht habe, mich über ihn zu beschweren. Das will ich ja auch gar nicht. Aber jetzt hat er so viel zusammen, da könnte er doch Ruhe geben. Und das wird er nicht tun. Er wird nicht eher aufhören, bis er mich fix und fertig gemacht hat. Ich geh kaputt hier drin.»

Ihre Stimme verursachte ihm einen Kälteschauer. Der letzte Satz war nur noch ein heiseres Flüstern. Sie schlug sich mit einer Faust gegen die Brust. Sekundenlang kniff sie wie unter Schmerzen die Augen zusammen. Dann fing sie sich wieder.

«Ich könnte ihm den Hals umdrehen. Aber irgendwie mag

ich ihn. Der Erlöser hat ja immer gesagt: Liebet eure Feinde. Der Chef war mein erster Feind. Und ich habe mich so stark gefühlt am Anfang. Da lag dieser Mann und blutete und war tot, und mir ging es prächtig. Wie Goliath habe ich mich gefühlt. Ich war Goliath. Ich war so groß, dass ich das Messer auf dem hohen Tisch sehen und greifen konnte. Und dann kam dieser kleine David und sagte, dass er mit meinem Vater reden muss. Ich habe die Nerven verloren und drauflos gelogen. Und das Komische war, je mehr ich erzählte, umso mehr sah ich. Das Klecksebild und die grünen Steine im Fußboden und den Dicken mit dem Mädchen auf der Treppe. Und jetzt sehe ich die drei Kreuze. Ich weiß, dass ich einen unschuldigen Mann getötet habe. Und ich habe Angst. Ich habe entsetzliche Angst vor dem Zorn seines Vaters.»

Eberhard Brauning konnte sich nicht überwinden zu tun, was er sich vorgenommen hatte, sie auf den Punkt bringen. Er wünschte sich, Helene wäre in der Nähe, um ihr Urteil abzugeben und ihm zu sagen, wie er sich verhalten sollte.

Cora Bender presste die Lippen aufeinander, fuhr mit beiden Händen zum Gesicht und bedeckte es sekundenlang. Dabei flüsterte sie: «Manchmal nachts, wenn ich denke, ich schlafe, tritt er an mein Bett. Ich sehe ihn nicht, ich fühle ihn nur. Er beugt sich über mich und sagt: ‹Mein Sohn hatte keine Schuld an diesem Desaster. Er hat getan, was er tun konnte.› Jedes Mal, wenn er das sagt, will ich schreien: ‹Du lügst!› Aber ich kann nicht. Ich kann den Mund nicht aufmachen. Ich schlafe doch.»

Nach einer Ewigkeit nahm sie ihre Hände herunter, und ihr Gesicht war so, wie er sich als Kind das Gesicht eines Geistesgestörten vorgestellt hatte.

«Machen Sie sich keine Sorgen», murmelte sie erschöpft. «Ich weiß, wie das alles klingt. Aber ich weiß auch, wem ich es sagen darf und wem nicht. Beim Professor kommt kein Wort über den Erlöser und die büßende Magdalena auf den

Tisch. Zu Anfang wollte ich wirklich nichts mit ihr zu tun haben. Aber dann wusch sie ihm die Füße, und alles veränderte sich. Kennen Sie sich in der Bibel aus?»

Der Blick, der diese Frage begleitete, war kritisch und nüchtern. Als ob eine Expertin einem Laien etwas begreiflich zu machen versuchte. Er zog wieder unwillkürlich die Schultern zusammen. «Ein wenig», sagte er.

«Wenn Sie Fragen dazu haben», fuhr sie fort, «fragen Sie mich nur. Ich kenne jedes Wort. Ich kenne sogar die Stücke, die nie geschrieben wurden. Als sie ihm die Füße wusch, wollte sie sich nur bei mir einschmeicheln. Ihn wollte sie vernichten, und das hat sie geschafft. Ich habe es getan. Und ich weiß nicht, warum. Ich weiß es wirklich nicht. Das Lied allein kann nicht der Grund gewesen sein.»

Sie begann mit den Fingerspitzen einen Rhythmus auf die Tischplatte zu trommeln. «Es war sein Lied. Und ich hatte es im Kopf. Wie ist es da reingekommen? Ich muss ihn doch gekannt haben, meinen Sie nicht? Warum kann ich mich dann nicht an ihn erinnern? Meinen Sie, er könnte wirklich einer von den Freiern gewesen sein? An die kann ich mich ja auch nicht erinnern. Alles, was nach ihrem Tod passiert ist, ist weg. Ich habe es so tief vergraben, dass ich nicht mehr rankomme. Ich habe mir schon das ganze Hirn danach umgebuddelt und nichts gefunden. Vielleicht lag es hier hinten.»

Sie tippte mit einem Finger gegen ihre von Haaren bedeckte Stirn. «Und dann kann ich bis an mein Lebensende graben, ohne etwas zu finden. Auf die Stelle hat er zuerst geschlagen, das weiß ich jetzt wieder. Und dann nochmal auf die Seite. Da wurde es dunkel. Sie haben wohl gedacht, ich bin tot. Auf die Straße haben sie mich geworfen. Was meinen Sie, soll ich es dem Professor mal so erzählen, wie ich es dem Chef erzählt habe? Das wäre vielleicht günstig, dann gibt es keinen Widerspruch. Man darf sich nicht in Widersprüche verwickeln, dann haben sie einen gleich am Haken.»

«Was haben Sie dem Chef denn erzählt?», erkundigte sich Eberhard Brauning zögernd.

«Na, das mit den beiden Männern, wo Frankie auf der Couch saß. Haben Sie das nicht in Ihren Akten?»

Er schüttelte den Kopf. «Komisch», meinte sie. «Für schlampig hatte ich ihn nicht gehalten.» Dann wurde sie eifrig. «Ich habe gesagt, es waren Freunde von Frankie, und das Mädchen wollte, dass ich sie beide gleichzeitig ranließ. Dabei möchte ich gerne bleiben, und ich möchte eigentlich auch erklären, dass Frankie mein Zuhälter war.»

«War er das?», fragte Eberhard Brauning.

«Natürlich nicht», sagte sie. Es klang beinahe entrüstet. «Aber es könnte mir auch keiner das Gegenteil beweisen. Ich hatte mir das schon mal überlegt, aber im Moment ...» Sie brach ab und lächelte entschuldigend. «Na ja, mir kommt halt manchmal einiges durcheinander, wenn ich denke. Aber machen Sie sich keine Sorgen, das kriege ich hin.»

Dann lehnte sie sich auf dem Stuhl zurück und nickte versonnen. «Jetzt haben wir doch schon alles besprochen. Na, dann hat es sich für Sie wenigstens gelohnt, und Sie haben das Wiederkommen gespart. Ich werde jetzt versuchen, darüber nachzudenken. Vielleicht sollten Sie besser gehen.»

Das fand Eberhard Brauning auch. Er konnte sich nun einigermaßen hineinversetzen – nicht in sie und ihre Motivation, nur in die vernehmenden Beamten. Jetzt musste er sich erst einmal mit Helene besprechen.

Es war ein ständiges Stolpern über Bruchstücke, Sich-wieder-Aufraffen und Weiter-Umherirren in dem Trümmerfeld, das einmal ein sauber von einer Mauer in zwei Hälften geteiltes Hirn gewesen war. Nach dem Besuch des Chefs war es so schlimm geworden, dass sie sich selbst verloren hatte. Manchmal fand sie einen Teil von sich wieder, aber der stammte dann meist aus einer anderen Zeit.

Als ihr Anwalt erschien, tauchten im Gewirr einige Teile der Cora auf, die nach der Geburt ihres Kindes dem Alten Kontra gegeben, ihm die Büroecke, den Lohn und schließlich sogar ein Haus abgerungen hatte. Nur entschwanden die Stücke, noch während er ihr am Tisch gegenübersaß.

Und sie saß wieder an Magdalenas Bett und neben Frankie am See. Sie legte ihr Gesicht in sein Blut, um im nächsten Moment Johnnys Lächeln vom Vordersitz eines Wagens in sich aufzunehmen und dabei genau zu wissen, es konnte so nicht gewesen sein. Es war sowenig Wirklichkeit wie Gottvater, der sich nachts über sie beugte und zu ihr von der Unschuld seines Sohnes sprach, wenn sie dachte, sie schliefe.

Sie hätte dringend einen Menschen gebraucht, der ihr half, die größten Brocken beiseite zu räumen. Aber es hätte ein besonderer Mensch sein müssen. Einer, der verstand und glaubte, notfalls an Geister und Wünsche, die zu Bildern wurden. Wenn gar nichts mehr half, musste man daran glauben. Aber ein besonderer Mensch tauchte nicht auf. Also versuchte sie es alleine. Wenigstens ein bisschen Ordnung schaffen, damit es etwas aufgeräumter aussah.

Dass die anderen Betten kein Täuschungsmanöver waren, bemerkte sie schon kurz nach dem Tag, an dem sie mit ihrem Anwalt gesprochen hatte. Wie lange danach, hätte sie nicht sagen können. Die Tage glichen sich. Aber es war nebensächlich. Sie hatte mit den anderen Frauen nichts zu tun. Im Gegensatz zu ihr waren die in gewisser Weise noch frei. Für sie ging es nur hinaus, wenn eine weitere Sitzung beim Professor anstand. Die Angst vor ihm wurde bald Vergangenheit. Sie kam gut zurecht mit ihm, fand schnell heraus, was er hören wollte. Sogar über Magdalena sprachen sie schließlich, weil sie davon ausging, dass er es ohnehin vom Chef erfuhr.

Und Magdalenas Tod war Frankies Schuld. So hatte sie es schließlich mit ihrem Anwalt besprochen. Der Professor glaubte ihr nicht auf Anhieb, weil Frankies Vater ein Kollege von ihm war, auch ein Professor. Ein hübscher Junge aus gutem Haus, sagte er, habe es doch nicht nötig, sich als Zuhälter zu betätigen.

So ähnlich hatte sie auch einmal gedacht. Aber was sie gedacht hatte, zählte nicht mehr. Jetzt zählte nur noch, dass die Gedanken beisammenblieben wie eine ängstliche Lämmerherde, dass sie sich nicht plötzlich auf und davon machten. Leider taten sie das meist, wenn die Wölfe sie hetzten. Aber nicht in dem Gespräch über Frankie, den Zuhälter. Da hielt sie die Herde eisern beisammen und die Wölfe fern.

Warum nicht, hielt sie dagegen. Frankie fand es eben chic, ein Pferdchen laufen zu haben, das nach seiner Pfeife tanzte. Natürlich hatte er nie mit seinem Vater darüber gesprochen. Kein Mensch wusste davon. Aber so war es gewesen! Er hatte sie aufgehalten an dem Abend im August. Er hatte von ihr verlangt, dass sie mit zwei Männern gleichzeitig schlief.

Er hatte viel von ihr verlangt, zu viel. Und als Magdalena tot war, als sie ihn bitter nötig gebraucht hätte, wurde sie ihm lästig. Er suchte sich eine neue Freundin. Und weil sie nicht freiwillig ging, befahl er seinen Freunden, ihr einen Denkzettel zu verpassen. Er ließ sie zusammenschlagen und schaute zu. Seine neue Freundin auch.

Hätte ihr Anwalt zuhören können, er wäre stolz auf sie gewesen. Obwohl der Professor der Sachverständige war, konnte man ihn ebenso leicht belügen wie Mutter. In insgesamt drei Sitzungen nagelte sie ihn auf den Zuhälter fest, erging sich in Details, schmückte hier und dort etwas aus, präsentierte alle Scheußlichkeiten, die sich ein Hirn nur ausdenken konnte. Die kleinen Teufel mit den rotglühenden Zangen ergaben eine gute Vorlage für perverse Freier.

Wenn der Professor genug gehört hatte, ließ er sie zurückbringen in den Raum. Und dort war sie eine Verrückte, durfte sich gehen lassen und tat das auch. Wenn kein Mensch in ihrer Nähe war, kam es nicht darauf an, wo sie sich aufhielt oder ob sie selbst noch vorhanden war. Es waren genug andere da. Mutter und Vater, Magdalena und Johnny, Böcki und Tiger, Frankie und ein Arzt und die Angst und die Scham und die Schuld.

Ab und zu kamen auch Leute vom Pflegepersonal. Da sie jedoch durch die Tür hereinkamen, wusste sie genau, wie sie sich verhalten musste. Sie sprach ganz normal mit ihnen, beschränkte sich dabei auf Allgemeinplätze, um keinen Fehler zu machen. Sie sagte zum Beispiel: «Was bietet uns die Küche denn heute? Das duftet ja wieder!» Dann betrachtete sie die Pampe und sagte: «Ich wünsche mir nur, ich hätte einen besseren Appetit. Aber ich habe noch nie viel gegessen.»

Manchmal fragte sie auch: «Meinen Sie, ich könnte mal einen richtig guten Kaffee bekommen? Ich bin immer so müde. Ein Kaffee täte mir bestimmt gut.»

So müde, wie sie sich gab, war sie gar nicht, weil sie nur noch am Abend die verordneten Medikamente schluckte. Danach schlief sie auf der Stelle ein und musste sich nicht mit den anderen Frauen auseinander setzen. Es hätte eine fragen können, warum sie hier sei. Aber was morgens auf dem Tablett lag, ließ sie verschwinden. Die Leute vom Pflegepersonal waren nachlässig, und sie selbst war sehr überzeugend.

Und ohne Medikamente hatte sie die Situation besser unter Kontrolle, konnte Vater um Verzeihung bitten, Mutter vom Auge Gottes in freier Natur vorschwärmen, Magdalena von leidenschaftlichen Freunden und dem Flug nach Amerika erzählen. Nur mit Frankie und den anderen jungen Männern sprach sie kein Wort. Wenn Frankie sie anschaute mit seinem Vergebung spiegelnden Blick, schnürte er ihr die Kehle zu. Er musste gewusst haben, dass er als Opferlamm geboren war, um ihre Sünden zu tilgen mit seinem Blut. Wie sonst sollte man sich seinen Blick erklären?

Vielleicht war es am Ende doch nicht so verrückt gewesen, was Mutter gepredigt hatte. Wenn er vor zweitausend Jahren in den Himmel aufgestiegen war, wer oder was hätte ihn daran hindern sollen zurückzukommen, um noch einmal zu helfen, zu erlösen? Um sie ein paar Minuten absoluter Freiheit spüren zu lassen. Vielleicht war er nur aus einem einzigen Grund mit dieser weißblonden Frau an den See gekommen, um ihr vor Augen zu führen, dass Magdalena ein Biest gewesen war. Und vielleicht wollte er, dass sie kämpfte, nicht um ihre äußere Freiheit, nur um die innere, um das Gefühl, von ihm erlöst worden zu sein.

Sie hätte diesen Aspekt gerne mit ihrem Anwalt besprochen. Aber ihn sah sie vorerst nicht wieder. Nur der Chef kam noch einmal und wollte mit ihr über die Irrelevanz reden. Sie schüttelte den Kopf, damit gab er sich zufrieden. Er war auch nicht als Polizist gekommen, nur als Besucher.

Und wie ein Besucher am Krankenbett brachte er ihr etwas mit. Eine Zeitschrift, eine Flasche Haarshampoo und etwas Obst. Drei Äpfel. Golden Delicious. Kein Messer. Er war ein bisschen verlegen, als er ihr die Tüte auf den Tisch legte.

«Ich hoffe», sagte er, «Sie essen sie auch gerne, wenn Sie sie vorher nicht zerschneiden können.»

Seine Verlegenheit machte ihn harmlos und menschlich. Die ersten Fragen, die er stellte, taten ein Übriges. Ob sie schon Besuch gehabt habe, wollte er wissen.

«Mein Anwalt war einmal hier.»

Und sonst sei noch niemand hier gewesen?

Wer denn? Sie wusste, auf wen er abzielte. Gereon! Aber das Kapitel war abgeschlossen. Und es war fast, als hätte sie die Jahre mit ihm nur erfunden. Familie, Beruf, ein Kind, ein Haus, ein schönes Leben. Aus der Traum. Es hatte in ihren Geschichten immer nur ein dramatisches Ende gegeben und niemals eine Fortsetzung.

Der Chef hatte noch einmal mit Margret gesprochen, davon erzählte er ihr. Er hatte den weiten Weg nach Buchholz erneut auf sich genommen, um sich nach Vaters Befinden zu erkundigen, weil er meinte, es interessiere sie vielleicht. Natürlich interessierte es sie, und es rührte sie beinahe zu Tränen, dass ein Feind eine derart großherzige und menschliche Regung zeigte.

Margret war noch bei Vater. Der Chef richtete schöne Grüße aus und Margrets Betroffenheit über die Verlegung vom Untersuchungsgefängnis in die Landesklinik. Er wiederholte wörtlich, dass Margret gesagt hatte: «Um Gottes Himmels willen, holen Sie sie da raus, bevor sie wirklich den Verstand verliert. Haben Sie eine Ahnung, was Sie ihr antun?»

Ganz offen sprach er darüber und war auch ehrlich dabei. Dass er leider keinen Einfluss darauf habe, gestand er. Es läge allein bei ihr. An ihrer Zusammenarbeit mit Professor Burthe. Ob sie dem Professor denn inzwischen von Magdalena erzählt habe.

«Ja, natürlich», versicherte sie.

Rudolf Grovian schüttelte den Kopf. Ihr Lächeln sprach Bände, ebenso gut hätte sie sagen können: «Ich habe ihn tüchtig angeflunkert.» Er legte ein wenig väterlichen Tadel in seine Stimme.

«Frau Bender, Sie müssen ihm die Wahrheit sagen, damit er sich einen Eindruck verschaffen kann. Sie schaden sich nur, wenn Sie ihn belügen. Von seinem Gutachten hängt Ihre Zukunft ab.»

Sie lachte leise. «Ich will keine Zukunft. Ich habe eine Vergangenheit, die reicht für hundert Jahre. Richten Sie Margret einen schönen Gruß von mir aus. Sie hat sich geirrt, es ist doch wie Urlaub. Man wird nicht braun dabei, aber sonst stimmt alles. Der Service ist hier nicht schlechter als in einem billigen Hotel. Alle sind nett, keiner meckert, und keiner erwartet ein Trinkgeld. Sehen Sie, tagsüber habe ich sogar ein Einzelzimmer. Ich sage Ihnen was: Wenn sich das rumspricht, kriegen Sie alle Hände voll zu tun. Dann sind Sie eines Tages froh, wenn Sie mir hier Gesellschaft leisten dürfen. Hier haben Sie Ihre Ruhe, das garantiere ich Ihnen. Ab und zu eine gepflegte Unterhaltung mit einem gebildeten Mann. Ansonsten können Sie sich Ihren Gedanken hingeben.»

«Und welchen Gedanken geben Sie sich hin, Frau Bender?»

Sie hob die Schultern. «Ach, das ist verschieden. Am liebsten denke ich, nicht ich hätte Frankie umgebracht, sondern seine Frau. Und ich hätte nur versucht, ihr das Messer wegzunehmen. Es wäre mir ehrlich gesagt lieber, wenn die kleinen Teufel sich später um meine Sünden gekümmert hätten. Ich bin nicht Pilatus.»

Rudolf Grovian nickte. Er hatte Krach daheim, den ersten richtigen Krach seit zehn, zwölf oder fünfzehn Jahren. Als Mechthild zu toben begann, hatte er nicht einmal gewusst, wie lange es her war. Eine Höllenszene hatte sie ihm gemacht, als er beim Frühstück beiläufig gefragt hatte, ob er die Ersatzflasche Shampoo aus dem Bad mitnehmen könne und vielleicht noch eine Zeitung oder sonst was zum Lesen.

Mechthild hatte ihn erstaunt und misstrauisch angeschaut. «Willst du Hoß den Kopf waschen und ihm etwas vorlesen? Oder was hast du sonst vor? Rudi, du willst ja wohl nicht etwa ...»

Natürlich wollte er, er musste. Er hatte eine Menge erfahren bei seinem zweiten Besuch in Buchholz, viel mehr, als er zu hoffen gewagt hatte. Aber es reichte immer noch nicht, um die Verbindung herzustellen. Dazu fehlten ihm noch ein paar Bruchstücke. Und sie hatte diese Trümmer in ihrem Kopf. Das hatte er Mechthild begreiflich zu machen versucht.

Da war es losgegangen, und geendet hatte es mit: «Fahr nur, fahr zu ihr, wenn du es nicht lassen kannst. Wenn du weg bist, ruf ich mal an, dass sie dich gleich dabehalten.»

Dann war Mechthild ins Wohnzimmer gerannt, hatte die Äpfel aus der Obstschale geschnappt, ihm auf den Tisch geknallt. «Hier, die nimmst du am besten auch mit. Du kannst den Tathergang damit rekonstruieren.»

Mechthild ging von falschen Voraussetzungen aus. Was er rekonstruieren wollte, hatte nichts mit Äpfeln zu tun, allenfalls mit Zitronen.

Er begann zu plaudern, harmlos und unverfänglich. Dass es ihrem Vater nun wirklich etwas besser ginge. Die Ärzte meinten, er sei über den Berg. Margret wolle ein gutes Pflegeheim für ihn suchen. Und Margret denke daran, im Laufe der nächsten Woche zurück nach Köln zu kommen. Dann fragte er, ob sie überhaupt mit ihm reden dürfe. Privater Besuch oder nicht, vielleicht habe ihr Anwalt ihr geraten zu schweigen.

Damit brachte er sie erneut zum Lachen. «Nein, er sah aus, als ob er selbst einen guten Rat braucht. Wissen Sie, irgendwie hat er mich an Horsti erinnert. Nicht dass er ein schmächtiges Kerlchen wäre, aber er war genauso schüchtern und leicht zu beeindrucken.»

Eigentlich hatte Rudolf Grovian noch ein Weilchen über ihren Anwalt plaudern wollen. Eberhard Brauning, den Namen hatte er vom Staatsanwalt gehört, nur sagte er ihm nichts. Er hätte gerne gewusst, ob Eberhard Brauning zu den scharfen Hunden zählte. Es gab ein paar scharfe Hunde unter den Pflichtverteidigern, die für ihre Klientel taten, was getan werden konnte.

Mechthild war der Meinung, dass Cora Bender einen von den ganz scharfen Hunden brauchte, der als Erstes dafür sorgte, dass ein gewisser Polizist die Finger von seiner Mandantin ließ. Weil dieser gewisse Polizist selbst nahe dran war, den Verstand zu verlieren. Das war vielleicht der gute Aspekt an dem Ärger daheim, Mechthild sorgte sich ausschließlich um ihn. «Du reibst dich auf, Rudi. Du steigerst dich da in etwas hinein. Sieh dich doch mal an, wie du aussiehst! Mein Gott, du bist nicht mehr fünfundzwanzig, du brauchst deinen Schlaf.»

Und in den letzten Nächten hatte er nicht allzu viel bekommen. Zu viele Gedanken! Er hätte gerne ein paar davon abgegeben. An ihren Anwalt zum Beispiel. Dass sie ihm, dem Polizisten, den Zugriff auf ihre letzten Reserven verwehrte, war verständlich. Er war von der ersten Minute an der Angreifer gewesen. Aber ein Verteidiger, ein tüchtiger Mann, der ihr von der ersten Sekunde an suggerierte: Ich bin auf deiner Seite.

Was sie gerade gesagt hatte, klang nicht nach Tüchtigkeit und Suggestionskraft. Und Horsti war das zweite Thema für diesen Tag. Er griff den Faden auf, dankbar, dass er sich nicht das Hirn verrenken musste, um sie dahin zu bringen.

Er hatte die weite Fahrt nach Buchholz nicht erneut auf sich genommen, um mit Margret zu reden oder sich nach dem Zustand ihres Vaters zu erkundigen. Da gab es auch nichts mehr zu erkundigen. Wilhelm Rosch war tot. Margret suchte ein Pflegeheim für ihre Schwägerin. Man konnte deren Versorgung nicht auf Dauer der Nachbarin überlassen. Aber ihr das zu sagen, hätte er nicht übers Herz gebracht. Da hätte ihn Professor Burthe nicht eigens darauf hinweisen müssen. «Frau Bender könnte das nicht verkraften.» Natürlich nicht! Horsti war als unverfängliches Thema genehmigt.

Es hatte ihn nicht viel Mühe, nur ein wenig Fragerei gekostet, ihren Jugendfreund ausfindig zu machen. Grit Adigars Tochter Melanie, inzwischen aus Dänemark zurück, hatte ihm weitergeholfen, sich erinnert, dass Horsti mit Nachnamen Cremer hieß und wo er zu finden war. In Asendorf, einem kleinen Ort in der Nähe von Buchholz. Melanie wusste noch mehr.

Sie hatten zu dritt in einem hellen, modern eingerichteten Wohnzimmer gesessen, während Melanie Adigar ihr Gedächtnis bemühte.

Sie hatte Cora einmal zusammen mit Johnny Guitar im

«Aladin» gesehen. An Magdalenas Geburtstag. An dem Punkt versuchte Grit Adigar noch, ihrer Tochter zu widersprechen. «Du musst dich irren. An dem Tag ist sie bestimmt nicht weg gewesen.»

Melanie erklärte mit vorwurfsvollem Unterton: «Mama, ich weiß doch, was ich gesehen habe. Ich habe mich ja auch gewundert. Aber ich habe sogar mit ihr gesprochen. Sie war allein, und ...» Und dann war ein wenig Neid aufgekommen. Johnny Guitar, ein blonder Adonis, ein faszinierender Mann, den hätte auch Melanie nicht von der Bettkante gestoßen. Obwohl er mit Vorsicht zu genießen war! Er schleppte ja immer diesen kleinen Dicken mit sich herum.

Und Melanie hatte einmal erlebt, wie ein Mädchen nach dem Zusammensein mit beiden zurück ins «Aladin» kam. Heulend! Das Mädchen verzog sich mit ein paar anderen aufs Klo. Melanie war neugierig, folgte dem Grüppchen und schnappte zwischen zahlreichen Schluchzern die Sätze auf: «So ein Schwein! Er hat überhaupt nichts unternommen. Er ließ den einfach machen. Die zeige ich an.» Eine andere Stimme riet: «Du solltest lieber den Mund halten. Wir hatten dich gewarnt, und du bist freiwillig mitgefahren.»

Den Mund hielten sie alle. Trotzdem war es für Johnny schwieriger geworden, er kam nicht mehr so gut an. Es konnte nur noch eine Frage der Zeit sein, ehe er das Revier wechseln musste. Dass sich die Gefahr, die von ihm ausging, bis zu Cora herumgesprochen hatte, musste man bezweifeln. Wo Cora doch immer mit Horsti zusammen war.

An dem Abend nicht. Johnny nutzte seine Chance prompt. Und Cora war so verliebt, richtig weggetreten. Sie tanzten und schmusten. Melanie beobachtete sie und war fest entschlossen, Cora zu warnen, bevor sie sich von Johnny zu einer Tour überreden ließ. Aber es geschahen noch Wunder. An dem Abend hatte der kleine Dicke auch einmal Glück. Melanie sah ihn ebenfalls tanzen – fast ohne Pause und immer mit demselben Mädchen. Neu im «Aladin», blond und ein bisschen pummelig, aber ganz niedlich. Genau das Richtige für den kleinen Dicken.

«Wir sind um halb elf gegangen», sagte Melanie Adigar. «Da tanzte er immer noch mit ihr. Und Cora war mit Johnny zusammen. Ich wollte ihr den Spaß nicht verderben. Ich dachte, wenn sie zu viert sind, kann ja nicht viel passieren. Es war das letzte Mal, dass ich Cora gesehen habe. Johnny und sein Freund sind danach auch nicht wieder aufgetaucht.»

Horst Cremer hatte diese Angaben bestätigt und ergänzt. Er war zuletzt am ersten Maiwochenende mit Cora zusammen gewesen. Da hatte sie ihm gesagt, sie könne sich erst in zwei Wochen wieder mit ihm treffen. Einen besonderen Grund hatte sie dafür nicht angegeben, gewiss kein Wort verlauten lassen, dass es ihrer Schwester schlechter ging als sonst. Aber sie hatte nur äußerst selten einmal von ihrer Schwester gesprochen.

Am 16. Mai blieb Horst Cremer daheim. Am 23. wartete er vergeblich im «Aladin» auf Cora. Er drückte sich zwei Abende in der Nähe ihres Elternhauses herum in der Hoffnung, sie zu Gesicht und eine Erklärung von ihr zu bekommen. Auch vergebens. An der Haustür zu klingeln, wagte er nicht bei seiner Schüchternheit und den Horrorgeschichten, die sie ihm über ihren strengen Vater erzählt hatte.

Horst Cremer versuchte sein Glück am letzten Maisamstag noch einmal im «Aladin». Cora erschien nicht. Er fragte ein wenig herum und erfuhr, dass sie ihn am 16. schmählich verraten hatte. Nicht nur Melanie Adigar hatte den Beginn der Liaison mit Johnny Guitar beobachtet. Ein paar andere wollten gesehen haben, dass Cora später in der Nacht zu Johnny und seinem kleinen, dicken Freund ins Auto gestiegen war – zusammen mit noch einem Mädchen, das allerdings niemand kannte!

Rudolf Grovian hatte augenblicklich an die skelettierte

Leiche denken müssen bei dieser Auskunft. Von wegen: Wenn sie zu viert sind, kann ja nicht viel passieren.

Um welches Auto es sich gehandelt hatte, ließ sich nicht mehr in Erfahrung bringen. Melanie Adigar erinnerte sich nicht genau. «Die kamen nicht immer mit demselben Wagen. Kann sein, dass da mal ein silberfarbener Golf dabei war. Der muss dann aber dem kleinen Dicken gehört haben. Johnny stand auf Nobelkarossen. Porsche oder Jaguar. Einmal sah ich ihn aus einem Amischlitten steigen. Keine Ahnung, was für ein Typ das war. Lindgrün war er, das weiß ich noch, mit riesigen Heckflügeln, ein Oldie, ein richtiges Angeberauto. Da dachte ich, der Typ hat einen reichen Papi. Oder sie haben zu Hause einen Autoverleih.»

Auch Horst Cremer konnte keine Auskünfte über den Wagen geben. Man hatte ihm keine Marke genannt. Zu Johnny ins Auto gestiegen eben. Horsti hatte seinen ersten Kummer ersäuft. Bis Mitte Juni schwankte er zwischen Enttäuschung und der Hoffnung, dass Cora zu ihm zurückfände. Johnny war bekannt dafür, dass er nur nach Buchholz kam, um zu naschen.

Horsti verbrachte jedes Wochenende im «Aladin» und belauerte Abend für Abend ihr Elternhaus. An einem Sonntag Ende Juni ging er aufs Ganze. Er begnügte sich nicht damit, an der Straßenecke zu stehen. Er klingelte an der Haustür.

Zu Rudolf Grovian hatte er gesagt: «Da kam ein altes Weib an die Tür, so ein zotteliges Schreckgespenst. Ich frag sie nach Cora, und sie sagt zu mir: Es gibt in diesem Haus keine Cora mehr. Meine Tochter ist verschwunden. Ich dachte, ich hör nicht richtig.»

Das hatte Rudolf Grovian auch gedacht. Verschwunden! Schon Ende Juni? Wo Tante und Nachbarin überzeugt waren, Cora habe bis zum 16. August am Bett ihrer sterbenden Schwester ausgeharrt!

Allerdings waren sowohl Grit Adigar als auch Margret

Rosch plötzlich gar nicht mehr so überzeugt. Nach der Aussage ihrer Tochter trat Grit Adigar den Rückzug an. Sie war ja in der Zeit von Mai bis August nicht nebenan gewesen. Und irgendwie war das schon komisch, wenn sie jetzt darüber nachdachte. Als ob es Wilhelm plötzlich nicht mehr recht gewesen wäre, dass sie auf einen Sprung hereinschaute. Sie hatte sich nichts dabei gedacht, wenn er sie in der Küche abwimmelte. Sie hatte ihm geglaubt, wenn er mit sorgenvoller Miene zur Zimmerdecke deutete und murmelte: «Cora rührt sich nicht von der Stelle.» Warum sollte Wilhelm gelogen haben?

Das fragte Margret sich auch. Wenn Cora, wie Rudolf Grovian vermutete, bereits am 16. Mai verschwunden war, warum hatte Wilhelm dann bei seinem Anruf am 17. Mai nur von schlechter Gesellschaft gesprochen?

Wilhelm konnte man nicht mehr fragen. Rudolf Grovian hatte sein Glück bei Elsbeth Rosch versucht. Unter vier Augen! Margret, die sich nach dem Tod ihres Bruders im Haus einquartiert hatte, verließ widerstrebend die Küche. Und er hörte sich an, dass Magdalena in neu erblühter Schönheit zu Füßen des Herrn saß, nachdem jeder Makel und jeder sündige Gedanke aus ihrem alten Leib gedörrt war.

Es hatte nicht viel Sinn. Im ersten Moment dachte er, Elsbeth erinnere sich nicht mehr an ihre älteste Tochter. Doch dann erzählte sie ihm vom Geschöpf Satans, das sie alle genarrt hatte. Das in den Tempeln der Sünde verkehrte, statt Einkehr zu halten. Das die leidende Kreatur ins Verderben riss, weil es verblendet war von den Begierden des Fleisches. Zu welchem Zeitpunkt das Geschöpf Satans dem Elternhaus den Rücken gekehrt hatte, wusste Elsbeth nicht.

Ihr Gefasel konnte er vergessen. Da gaben die beiden anderen Aussagen mehr her. Leider hatten sie vor Gericht keinen Wert. Was Horst Cremer vorbringen konnte, war Hörensagen um drei Ecken. Er erinnerte sich nicht einmal mehr, wer ihn damals über Coras Treuebruch informiert hatte. Und Melanie Adigar hatte nicht gesehen, ob Cora in der Mainacht das Lokal allein oder in Begleitung Johnnys, des kleinen Dicken und des unbekannten Mädchens verlassen hatte.

Dass er sich mit ihrem Jugendfreund unterhalten hatte, schien sie zu freuen. Ihre Stimme wurde schwer vor Melancholie. «Wie geht es ihm denn? Was macht er? Ist er verheiratet?»

Sie ließ sich berichten, wollte wissen, ob Horsti sich nach ihr erkundigt habe. Dann erzählte sie ihrerseits. Von den Abenden im «Aladin». Wo sie manchmal getanzt und manchmal in einer Ecke gestanden hatten. Horsti schwärmte für Udo Lindenberg. Nicht die wüsten Songs, nur die sanften. «In den dunklen, tiefen Gängen der Vergangenheit. Ein Hauch Erinnerung treibt durch das Meer der Zeit.» Und jetzt tappte sie durch die dunklen Gänge. Ab und zu schwappte eine kalte Welle Zeit über sie hinweg.

Augenblicklich nicht, da war die Welle lauwarm. Sie lachte leise. «Er war ein lieber Kerl. Oft hatte ich ein schlechtes Gewissen, weil ich ihn nur benutzte, um mir die anderen vom Leib zu halten. Ich wollte warten, bis der Richtige kam. Gemein, nicht wahr?»

Rudolf Grovian hob nur kurz die Achseln, ließ sie reden und strapazierte sein Hirn mit der Überlegung, wie er die Klippe Magdalena umschiffen und trotzdem den 16. Mai ansteuern könnte. Nur die Zeit im «Aladin» und die kurze Szene auf dem Parkplatz, über etwas anderes wollte er gar nicht mit ihr reden. Auf gar keinen Fall wollte er sie erneut hinter ihre Mauer scheuchen wie beim letzten Gespräch, wo er sich eine geschlagene Viertelstunde lang ihr Kopfschütteln angeschaut hatte, ehe er begriff, dass sie abgeschaltet hatte.

Nur wissen, wie es weitergegangen war mit ihr und Johnny. Es musste weitergegangen sein. Es gab nur diese eine

Möglichkeit: Johnny gleich Hans Böckel. Böckel besorgte die Mädchen, hatte seinen Spaß mit ihnen und sorgte dafür, dass auch seine Freunde nicht zu kurz kamen. Und wenn es ihr so ergangen war wie der Kleinen, deren Schluchzer Melanie Adigar vor der Toilette belauscht hatte, bekam die Geschichte einen Sinn.

Von der großen Liebe an zwei andere Männer ausgeliefert. Mochte der Dicke auch ein Mädchen bei sich gehabt haben an dem Abend, da war immer noch Georg Frankenberg. Und mochte Frankie ein noch so zurückhaltender und ernsthafter junger Mann gewesen sein – es hatte sich schon manch einer mitreißen lassen. Dann blieb nur noch zu beweisen, dass Georg Frankenbergs Arm nicht am 16. Mai, sondern etwas später gebrochen war.

Für die Vorstellung, wie sich der Armbruch ereignet hatte, brauchte man nicht viel Phantasie, nur ein paar schlaflose Nächte, in denen man im Geist durchspielte, wie ein junger Mann völlig aufgelöst nach Hause kommt. Wie er seinem Vater von einem oder zwei toten Mädchen erzählt. Der junge Mann hat Angst. Der Vater beruhigt ihn, stellt ein paar gezielte Fragen und erfährt: Niemand hat den Sohn zusammen mit den beiden Mädchen gesehen. Darüber hinaus ist es fern der Heimat passiert. Also: Mach dir keine Sorgen, mein Junge. Das regeln wir schon. Es tut auch gar nicht weh. Ich gebe dir vorher eine Spritze.

Rudolf Grovian war mit seinen Gedanken in Frankfurt, im «Aladin» und an einigen anderen Orten, nur nicht ganz bei ihr. Etwas Wesentliches schien er nicht zu verpassen. Er hörte sie weiter über Horsti sprechen, und der war für ihn nun wirklich ohne Belang.

Sie seufzte. «Ich hoffe, er ist glücklich verheiratet. Doch, wirklich, das wünsche ich ihm. Er hat es verdient. Er hat sich immer bemüht, es mir Recht zu machen. Zu meinem Geburtstag hat er mir eine Kassette geschenkt. Er hatte sie selbst aufgenommen. Von Queen. Die hatten wir schon, aber seine Aufnahme war viel besser. Da war überhaupt kein Rauschen drin. ‹We are the Champions› und ‹Bohemian Rhapsody›. Magdalena war verrückt danach. In der Woche hat sie nichts anderes mehr gehört. Sie war so begeistert von Freddy Mercurys Stimme. Und jetzt ist der auch schon so lange tot. Mein Gott, warum sind sie denn alle tot?»

Sie riss entsetzt die Augen auf und legte kurz eine Hand vor den Mund. «Den habe ich aber nicht, oder? Den habe ich bestimmt nicht … Er war krank. Ich meine, ich hätte das mal gelesen, dass er sehr krank war.»

Rudolf Grovian hatte den Anschluss verpasst. Für ihn ging es immer noch um Horst Cremer. Er sah ihr Entsetzen und beeilte sich zu versichern: «Nein, keine Sorge, Frau Bender. Er ist kerngesund, und demnächst bekommt seine Frau ein Baby, darauf freut er sich schon sehr. Es geht ihm wirklich ausgezeichnet. Ich habe ja mit ihm gesprochen. Eine kleine Autowerkstatt hat er eröffnet.»

«Sie lügen», stellte sie fest, biss sich auf die Lippen und schüttelte den Kopf. Und mit dem Schütteln entstand das Bild in ihrem Hirn.

Sie vergaß den Chef, hatte nur noch Augen für den kleinen Wecker auf dem Nachttisch. Er war deutlich zu sehen. Die Zeiger standen ein paar Minuten nach elf.

Magdalena hatte ihre Schritte auf der Treppe nicht gehört, weil sie beide Ohren mit den Stöpseln des Walkmans verstopft und die Musik so laut gestellt hatte wie möglich. Sie richtete sich auf mit einem erstaunten, aber auch zufriedenen Ausdruck auf dem Gesicht. «Du bist ja superpünktlich. War nichts los in der Disco?»

Sie ging zum Bett, setzte sich, hob eine Hand, strich eine der langen Haarsträhnen aus Magdalenas Gesicht nach hinten und küsste sie auf die Wange. «Nein, überhaupt nichts.

Ich hatte keine Lust, noch länger herumzustehen. Ich wollte lieber bei dir sein.»

Aus den winzigen Ohrhörern in Magdalenas Hand drang verzerrt Freddy Mercurys Stimme. *Bohemian Rhapsody. Is this the real life?* Nein, das war es nicht. Es war ein Lügengebilde. «Ich gehe seit Jahren für dich auf den Strich. Wir haben das Geld bald zusammen.» Haben wir nicht! Weil es mit Diebstählen nicht so schnell geht. «Ich habe Schluss gemacht mit meinem Freund. Der wurde mir lästig mit seiner dämlichen Fragerei. Aber ich habe schon wieder einen neuen, er heißt Horst. Ein cooler Typ.» Quatsch! Ein Spargeltarzan, über den sich alle lustig machen. «Ich wollte lieber bei dir sein.» Wollte ich nicht!

Ich wäre gerne geblieben. Johnny war da. Ich habe dir noch nie von ihm erzählt. Ich werde dir auch jetzt nichts erzählen. Johnny gehört mir allein. Stell dir einen Mann vor, jung, stark und so schön, wie du ihn nur auf Papier zu sehen bekommst. Er sieht aus wie der Erzengel aus Mutters Bibel. Und ich habe ihn angefasst, seine Schultern, sein Gesicht. Ich hatte meine Arme um seine Taille und seine Hände in meinem Nacken.

Ihre Hand lag noch an Magdalenas Haar. Sie zog sie nach vorne und strich über die glatte Wange. Mit einem Finger zeichnete sie die Konturen der Lippen nach. «Musst du nochmal zur Toilette, bevor wir uns hinlegen?»

Magdalena schüttelte den Kopf. Sie erhob sich von der Bettkante.

«Dann hole ich uns den Rest vom Sekt.»

Die Flasche war noch fast voll. Um acht hatten sie jede nur einen winzigen Schluck getrunken. Magdalena hatte behauptet, der Sekt schmecke ihr nicht. Sie selbst war vorsichtig gewesen, weil Magdalena darauf bestand, dass sie noch ins «Aladin» fuhr. Jetzt war sie dankbar für Magdalenas Hartnäckigkeit.

Magdalena hatte sich aufrecht in die Kissen gesetzt, als sie mit der Flasche und den beiden Gläsern zurück ins Zimmer kam. Magdalena lächelte und betrachtete sie mit kritischem Blick. «Du bist so komisch. Hast du was?»

«Nein. Was soll ich denn haben?» Sehnsucht habe ich. Ich habe mir so lange gewünscht, dass er einmal mit mir spricht. Mit mehr hatte ich nicht gerechnet. Und nun hat er mich sogar angefasst. Getanzt haben wir. Und ich habe mir gewünscht, dass er mit mir hinausgeht, dass er mich liebt. Er war erregt, ich habe es gespürt beim Tanzen. Als ich gehen musste, hat es mich fast zerrissen. Nächste Woche wird er mich nicht mehr kennen. Ich hätte bei ihm bleiben müssen. Die Chance bekommt man nur einmal. Und ich habe sie nur bekommen, weil sonst keine da war für ihn, weil er sich langweilte. Ich weiß das. Und jetzt habe ich meine einzige Chance verspielt. Aber ich hatte dir ja versprochen, dass ich nicht zu lange bleibe.

Manchmal hasse ich dich! Und jetzt hasse ich dich mehr als zu Anfang, ich hasse dich nicht mehr wie ein Kind. Ich hasse dich wie eine Frau, die um ihr Leben betrogen wird. Wenn du nicht wärst, wäre ich frei. Ich müsste nicht seit zwei Jahren mit dieser Klette Horsti im «Aladin» stehen. Alle amüsieren sich darüber. Ich bin mal wieder die Witzfigur. Cora steht nicht mehr betend auf dem Schulhof. Jetzt steht sie mit einem Spargeltarzan im «Aladin». Für einen richtigen Mann hat sie keine Zeit. Sie hat nämlich eine Schwester, die frisst ihr das Leben weg.

Aber heute hätte ich es allen zeigen können. Allen, die wichtig sind. Melanie war da mit ihrer Clique. Du kennst Melanie nicht persönlich. Du kennst niemanden persönlich, nur dich. Wir unterhielten uns kurz. Melanie fragte nach Horsti. «Wo hast du denn deinen Spargeltarzan gelassen?»

«Der ist zu Hause und biegt ein paar Bananen», sagte ich. Dann wollte ich austrinken und heimfahren. Aber genau in dem Augenblick kamen sie herein. Johnny und sein Freund.

Vielleicht sollte ich dir doch von ihm erzählen. Alles, jede Einzelheit. Nur damit du siehst, dass ich mich nicht von dir kaputtmachen lasse, dass ich noch ganz normal fühlen kann. Willst du es hören? Wie sie hereinkamen, sich an einen Tisch setzten, sich umschauten. Wie sie miteinander sprachen. Ich konnte mir denken, worüber. Dass nichts los ist, dass sie woanders hinfahren müssen.

Aber dann sah der Dicke ein Mädchen. Er sieht jedes Mal eins. Nur hatte er bisher keinen Erfolg. Ich weiß nicht, wie oft ich schon beobachtet habe, dass ihn eine abblitzen ließ. Ich dachte, so wäre es auch diesmal. Er stand vom Tisch auf und ging zu ihr. Er sprach sie an. Und sie ging tatsächlich mit ihm zur Tanzfläche.

Johnny saß allein am Tisch. Er langweilte sich, das sah ich. Heute hast du Pech, dachte ich. Da schaute er zu mir herüber. Und dann lächelte er. Ich weiß nicht, ob ich zurückgelächelt habe. Es war in dem Moment ein Gefühl, als sei mein Gesicht eingeschlafen. Und mein Herz war fast flüssig.

Dann stand er auf. Und dann kam er zu mir. Weißt du, was er sagte? «Die festen Hände daheim gelassen, damit ein armer Mann auch 'ne Chance bekommt?»

Ich konnte es nicht glauben. Er fragte, ob ich Lust hätte, mit ihm zu tanzen. Ob ich Lust hätte! Beim Tanzen erzählte er mir, dass er es bisher nur nicht gewagt hätte, mich anzusprechen, weil Horsti immer bei mir gewesen wäre. Er hielt mich so fest, dass ich ein paar Mal an die Kerze denken musste. Sie ist nicht so dick wie das, was ich gefühlt habe.

Ich fühlte Johnnys Lippen an der Stirn und wartete darauf, dass er mich küsste. Aber er fragte nur, ob ich Lust hätte, woanders hinzufahren mit ihm und seinem Freund. Mit ihm allein wäre ich gefahren, auf der Stelle. Da hättest du ein bisschen länger auf mich warten müssen. Aber zusammen mit seinem Freund! Mir hat mal eine gesagt: Die beiden gibt es nur im Doppelpack. Ich kann mir denken, wie das gemeint war. Und ich glaubte nicht, dass das Mädchen, mit dem der Dicke tanzte, auch mitfahren wollte. Wo sie ihn gerade erst kennen gelernt hatte. Wahrscheinlich tanzte sie nur mit ihm, weil sie dachte, über ihn käme sie an Johnny heran.

Und da sagte ich eben: «Lust hätte ich schon, aber es geht nicht. Ich kann nicht zu lange wegbleiben. Meine Schwester ist alleine zu Hause.»

Er war erstaunt. «Wie alt ist deine Schwester denn?»

«Achtzehn», sagte ich, «heute geworden.»

Er lachte. «Und warum ist sie dann zu Hause? Warum ist sie nicht mitgekommen?»

«Sie fühlte sich nicht so besonders.»

Er wollte unbedingt, dass ich bei ihm bleibe, dass ich mit ihnen fahre. Notfalls mit ihm allein. Er schaute zu dem Dicken und dem Mädchen hin und meinte: «Tiger ist ja beschäftigt. Er hat bestimmt nichts dagegen, wenn wir ihn hier ein Weilchen allein lassen.»

Ich fand es witzig, dass er ihn Tiger nannte. Der sah eher aus wie ein kleines rosiges Ferkel.

Johnny fragte: «Kannst du nicht anrufen, deine Eltern von der Party pfeifen und ihnen sagen, dass heute mal sie babysitten müssen?»

Und ich sagte: «Wir haben keine Eltern mehr.»

Haben wir ja auch nicht. Hatten wir nie. Wir hatten immer nur uns. Und weil ich die Ältere bin und die Stärkere, muss ich für dich sorgen. Da bin ich gegangen, ich bin fast gestorben. Es war, als ob ich mir selbst das Herz herausreiße. Johnny wollte mir seinen richtigen Namen nennen, wenn ich bleibe. Gebettelt hat er. Noch eine halbe Stunde, noch einen Tanz. Er ging mit hinaus auf den Parkplatz. Und bevor ich in den Wagen stieg, küsste er mich endlich. Es war anders als mit Horsti. Er trank Whisky-Cola. Vielleicht war es das. Süß bis in die Knie. Ich hätte stundenlang so mit ihm stehen können, und es waren nur ein paar Sekunden.

Er ließ mich wieder los und sagte: «Sing deiner Schwester ein Schlaflied, und dann komm wieder, ja? Ich warte auf dich.» Er stand da und winkte mir nach, als ich losfuhr. Und ich dachte, dass ich vielleicht wirklich noch einmal zurückkommen könnte, wenn du eingeschlafen bist. Sing deiner Schwester ein Schlaflied …

13. Kapitel

Nur eine Sekunde Unaufmerksamkeit, und es war geschehen. Kaum hatte sie den Namen Magdalena ausgesprochen, tauchte sie weg. Rudolf Grovian beobachtete, wie sie zum Bett ging und sich setzte – seitlich – mit dem Gesicht zum Kissen. Mit einer Hand strich sie über den zerknitterten Stoff. Das wechselnde Mienenspiel dabei machte deutlich, dass sie nicht mehr bei ihm war.

Er hoffte auf ein paar Worte, zumindest ein Murmeln, aus dem sich Rückschlüsse ziehen ließen auf das, was sie gerade durchlebte. Den Gefallen tat sie ihm nicht. Und es von ihrem Gesicht ablesen ... Da war ein Ausdruck von Ekel und Widerwillen, mehrfach schluckte sie heftig. Es schien fast, als kämpfe sie gegen einen Würgreiz an.

Minuten vergingen. Er wagte es nicht, sie anzusprechen. Nur der Himmel wusste, an welchem Punkt er sie erwischte. Dann tauchte sie wieder auf, ganz plötzlich. Ihre Augen waren schreckhaft geweitet. Sie strich mit der Hand über die Stirn. «Ich bin heimgefahren», sagte sie klar verständlich.

Er atmete erleichtert auf und stimmte ihr rasch zu: «Natürlich, Frau Bender.»

«Ich habe Magdalena nicht im Stich gelassen.»

Nur nicht an Magdalena rühren! Nach den Erfahrungen beim letzten Gespräch wollte er ihre Schwester liebend gerne Professor Burthe überlassen. «Natürlich nicht, Frau Bender. Aber wir reden nicht von Magdalena. Wir sprechen nur über Horsti. Er hat sich damals ein paar Mal nach Ihnen erkundigt, als Sie nicht mehr ins ‹Aladin› kamen.»

Sie schaute ihn nur an, schien verwirrt und unsicher. Er wusste nicht, ob sie ihm überhaupt noch folgen konnte, und sprach langsam weiter. «Das war im Juni. Da müssen Sie doch noch daheim gewesen sein. Oder waren Sie schon im Juni weg?»

Natürlich war sie weg gewesen! Er hätte seine Hände dafür über brennende Kerzen gehalten. Sie war im Mai verschwunden, nicht erst im August. Und aus einem unerfindlichen Grund hatte ihr Vater erzählt … Oder die anderen waren der Meinung gewesen, es sei besser, sie neben Magdalenas Bett zu setzen, bis man Gewissheit hatte.

Inzwischen beherrschte er das Spielchen ebenso gut wie sie, ihre Tante und die Nachbarin – einen halben Meter an der Wahrheit vorbei. Es fiel ihr nicht auf. «Einmal hat Horst auch mit Ihrem Vater gesprochen. Ihr Vater hat ihm erklärt, dass Sie nichts mehr von ihm wissen wollen. Sie wären jetzt mit Johnny zusammen, hat Ihr Vater gesagt. Und das war im Juni.»

Welche Reaktion er sich von ihr erhofft hatte, wusste er nicht. Irgendeine. Die bekam er auch. Sie senkte den Kopf und murmelte: «Nein, ich bin heimgefahren.»

Etwas in ihrem Ton irritierte ihn. Er wurde noch vorsichtiger.

«Ganz sicher sind Sie das. Aber Sie waren einmal mit Johnny zusammen?»

«Ja.»

«Wissen Sie noch, wann das war?»

«Ja. Jetzt weiß ich es wieder. An Magdalenas Geburtstag. Aber ich bin heimgefahren.»

Bist du nicht, dachte er und sagte: «Natürlich, Frau Bender. Das bezweifle ich gar nicht. Erinnern Sie sich an den Abend?»

«Ganz genau. Es ist mir gerade eingefallen. Ich bin kurz vor elf heimgefahren.»

So kam er nicht weiter. Er versuchte es anders. «Und warum sind Sie heimgefahren?»

«Ich hatte es Magdalena versprochen. Und ich hatte Angst,

dass Tiger mitfahren wollte. Das Mädchen wäre bestimmt nicht mitgekommen. Sie hatte ihn ja gerade erst kennen gelernt.»

Das Mädchen! Er hätte pfeifen können in dem Augenblick. Gut so, weiter so, erzähl es mir, ganz langsam, ganz vorsichtig. «Welches Mädchen, Frau Bender?»

«Weiß ich nicht.»

Na schön, das wusste ja anscheinend niemand. Kein Wunder, dass es in Buchholz keine Vermisstenmeldung für die fragliche Zeit gab. Der Himmel allein mochte wissen, woher das arme Ding gekommen war. Zurück zum Kernpunkt.

«War Frankie auch dabei?»

Sie betrachtete ihre Hände, spreizte die Finger ab, rieb über die Nägel. Ihre Miene drängte ihm den Vergleich mit einem trotzigen Kind auf. «Wissen Sie es nicht, Frau Bender?»

«Doch, ich weiß es. Er war nicht dabei. Ich habe ihn nie gesehen.»

Er atmete tief durch und entschloss sich, das Ziel frontal anzusteuern. «Doch, Frau Bender. Sie haben ihn gesehen. Einmal, im Keller. Und es war in dieser Nacht. Aber es war später als elf. Ich weiß das genau. Wenn Sie um elf heimgefahren sind, müssen Sie später noch einmal zurückgekommen sein. Ich verstehe sehr gut, dass Sie noch einmal zurückgefahren sind. Ich an Ihrer Stelle wäre auch noch einmal ins ‹Aladin› gefahren. Sie waren sehr verliebt in Johnny und wollten bei ihm sein. Das ist ganz normal. Jedes normale Mädchen hätte das getan, Frau Bender. Und Sie waren doch ein normales Mädchen, nicht wahr? Sie waren nicht verrückt. Nur eine Verrückte hätte Johnny sausen lassen und sich ... daheim verkrochen.»

Beinahe hätte er gesagt: «... neben das Bett der kranken Schwester gesetzt.» Er hatte es gerade noch verschlucken können und sprach mit einem Hauch von Erleichterung weiter. «Sie sind in der Nacht zusammen mit Johnny, dem kleinen Dicken und noch einem Mädchen in ein Auto gestiegen und weggefahren, dafür habe ich Zeugen. Frankie muss der Mann gewesen sein, der schon im Keller war, als Sie mit den anderen hereinkamen.»

«Ich weiß es nicht.» Es klang, als wolle sie weinen. Sie zupfte an ihren Fingernägeln. «Ich weiß es wirklich nicht. Ich weiß nur, dass ich um elf heimgefahren bin. Und dann war Oktober. Ich weiß nicht, wie das passiert ist.»

Ihre Finger verflochten sich, rieben, drehten und kneteten einander, als gebe es keinen anderen Halt als die eigenen Hände. Ihre Stimme bekam einen Hauch von Panik. Ihr Blick war ein einziges Flehen um Glauben und Verständnis.

«Ich habe meine Schwester nicht im Stich gelassen. Ich habe alles für sie getan. Alles nur für sie. Nur anschaffen, das nicht. Ich wollte es nur mit einem Mann tun, den ich liebe. Und Johnny ... Ich habe daran gedacht beim Tanzen. Dass ich es will – mit ihm. Und wenn es nur einmal gewesen wäre. Das wäre mir egal gewesen. Das eine Mal hätte ich erlebt, das hätte mir keiner wegnehmen können. Sing deiner Schwester ein Schlaflied, hat er gesagt. Ich warte hier auf dich. Und ich dachte, wenn sie richtig müde wird, wenn sie schläft, kann ich vielleicht nochmal ...»

Sie riss die Augen auf und beteuerte: «Aber ich war vorsichtig. Ich war immer vorsichtig. Das müssen Sie mir glauben. Ich habe sie geliebt. Ich hätte nie etwas getan, was ihr schadet. Ich habe immer aufgepasst. Ich wusste, worauf ich achten muss. Wenn sie den Atem anhielt, habe ich sofort aufgehört. Und wenn er zu schnell wurde, habe ich langsamer gemacht. Ich habe immer eine Hand auf ihrer Brust gehalten und gefühlt, wie ihr Herz schlägt. Ich habe mich nie auf sie gelegt, nie. Ich habe es meist auch nur mit den Fingern gemacht. Nur ganz selten mit der Kerze, ehrlich. Und mit der Zunge ... das war mir zu ... Sie hat mir davon vorgeschwärmt. Ich hab's mal versucht, aber das war mir zu eklig und auch zu gefährlich. Da konnte ich nicht aufpassen, wie sie atmet.»

Sie zog die Unterlippe ein und zuckte hilflos mit den Schultern. Ihre Stimme war schwer von unterdrückten Tränen. «Ich weiß, dass es nicht richtig war. Ich hätte es nicht tun dürfen. Es war wider die Natur. Dafür wurden Sodom und Gomorrha vernichtet. Ich wollte es ja auch nicht tun. Aber sie sagte, es ist nur bei Vätern und Brüdern verboten, nicht bei Schwestern. Und sie hatte doch nichts von ihrem Leben. Sie wollte so gerne einmal richtig mit einem Mann schlafen, aber das hätte sie niemals … Sie hatte doch nur mich. Und sie hatte auch Gefühl.»

Ihre Stimme brach, zwischen zwei Schluchzern bettelte sie: «Sie werden es dem Professor nicht sagen. Versprechen Sie mir das?»

«Natürlich, Frau Bender, ich verspreche es.» Er hatte es ausgesprochen, noch bevor er richtig erfasste, was sie ihm soeben anvertraut hatte. Das Begreifen ging nicht so rasch. Sie sprach bereits weiter, als ihm klar wurde, wie ihr «Ich habe sie geliebt» zu interpretieren war. Wörtlich!

«Sie sagte immer, ein Orgasmus sei ein irres Gefühl. Und ich wusste nicht, wie es war. An dem Abend wollte ich es wissen. Und da musste ich heimfahren. Sie hat es gemerkt und nicht lockergelassen. Du bist so komisch, hat sie gesagt. Du hast doch was. Und dann hat sie gesagt, ich soll den Sekt alleine trinken. Er schmeckt nicht, und ihr wird schwindlig davon.»

Die Schluchzer verstummten. Sie weinte ohne Tränen, hielt den Blick auf ihre Hände gerichtet, auf diese sich drehenden, windenden Finger. Er hatte das Bedürfnis, sie in die Arme zu nehmen oder wenigstens etwas Tröstliches zu sagen. Aber er wollte sie nicht aus dem Konzept bringen und ließ sie weiterstammeln.

«Ich bin bei ihr geblieben. Ich habe alles getan, was sie

wollte. Ich habe ihr die Nägel lackiert. Wir haben Musik gehört. Ich weiß nicht, was passiert ist. Ich höre sie nur immer noch sagen: Tanz für mich!»

Ihre Finger waren wie zu einem Knoten in ihrem Schoß verflochten. Er hörte die Gelenke knacken und versuchte einzuordnen, was er gerade gehört hatte. Filmriss! Ihr hartnäckiges Leugnen war wie eine Bestätigung. Er lag richtig mit seiner Vermutung. Sie war nicht daheim gewesen, als ihre Schwester starb. Sie hatte erst im November gehört …

Ihre Stimme riss ihn aus seinen Überlegungen. Sie stieß die Sätze aus, als fehle ihr der Atem. «Tanz für mich! Lebe für mich. Rauch für mich eine Zigarette. Geh für mich auf den Strich. Such dir für mich die Freier aus, die am besten zahlen. Und damit du etwas für dich hast, geh in die Disco. Such dir einen Freund, schlaf mit ihm. Und dann erzähl mir, wie es war. Ich habe ihr von dem Licht im ‹Aladin› erzählt, wie es flackert, wenn die Musik lauter wird. Rot und grün und gelb und blau.»

Eine Lichtorgel, dachte er noch. Da schrie sie auf: «Es war dasselbe Licht wie im Keller. Ich kann da nicht hin. Bitte, halten Sie mich fest. Helfen Sie mir. Das halte ich nicht aus. Tun Sie etwas. So tun Sie doch etwas. Ich will nicht in den Keller.» Sie schlug mit den Händen um sich, ruderte durch die Luft, als suche sie Halt.

Er hätte Professor Burthe rufen müssen. Der Gedanke kam ihm auch, aber er ließ ihn sofort wieder fallen. Der Professor war ein viel beschäftigter Mann. Ob er sich jetzt die Zeit nehmen konnte, den Keller mit ihr zu erforschen, war fraglich. Vermutlich hielt er eine Beruhigungsspritze für angebrachter.

Rudolf Grovian glaubte sich durchaus imstande, die Situation unter Kontrolle zu halten. Er setzte sich neben sie auf das Bett, griff nach ihren Händen, hielt sie fest, drückte sie und bemühte sich um einen beschwichtigenden Ton, obwohl ihm das Herz fast zum Hals heraus schlug. Sie war völlig außer sich. Ihr Blick hetzte durch den Raum. Ihre Brust und die Schultern zuckten unter den krampfhaften Atemstößen.

«Ganz ruhig, Frau Bender, ganz ruhig. Ich bin bei Ihnen. Ich halte Sie fest. Fühlen Sie meine Hände? Es kann überhaupt nichts passieren. Wir gehen jetzt zusammen hinunter und schauen uns um. Ich nehme Sie auch wieder mit hinauf. Das verspreche ich Ihnen.»

Es klang verrückt. Aber was hätte er sonst sagen sollen? Ihre Hände umklammerten die seinen und zitterten so stark, dass es sich auf seine Arme übertrug. Sie kniff die Augen zusammen.

«Sagen Sie mir, was Sie sehen, Frau Bender. Was ist im Keller? Wer ist da unten?»

Sie beschrieb ihm einen in zuckendes Licht getauchten Raum. Eine Bar an der linken Wand, eine Menge Flaschen im Regal, dahinter ein Spiegel. In der Ecke gegenüber die Musikinstrumente und die Verstärkeranlage auf einem Podest. «Song of Tiger». Und sie tanzte dazu. Tanzte allein in der Mitte des Raumes. Und rechts an der Wand stand eine Couch, davor ein niedriger Tisch, darauf ein Aschenbecher.

«Song of Tiger»! Es war ein wildes Lied, es war ein wilder Tanz. Dann warf Frankie die Stöcke weg, ging zur Couch und setzte sich neben das Mädchen. Johnny legte ein Band ein, und das Lied dröhnte erneut durch den Raum. Tiger ging zur Bar. Er hatte wieder den Kürzeren gezogen, aber es schien ihn nicht weiter zu bekümmern.

Sie tanzte immer noch. Nicht mehr allein. Johnny hielt sie im Arm und küsste sie. Es war wie ein Traum. Auch dann noch, als er seine Hände unter ihren Rock schob. Sie genoss seine Berührungen. Und diesmal nicht für Magdalena, nur für sich selbst. Man konnte nicht immer für zwei leben.

Irgendwann lagen sie auf dem Boden. Johnny zog sie aus. Es war alles gut. Frankie saß auf der Couch und kümmerte sich nicht um sie. Er unterhielt sich mit dem Mädchen. Tiger schnitt an der Bar eine Zitrone in Stücke, streute sich weißes Pulver auf den Handrücken. Dann leckte er seinen Handrücken ab, kippte eine glasklare Flüssigkeit aus einem kleinen Glas hinterher und biss in die Zitrone. Dreimal tat er das. Dann griff er in seine Hosentasche und sagte: «Ich hab uns was mitgebracht. Ein bisschen Koks. Jetzt wird's gemütlich.»

Rudolf Grovian hörte zu, hielt ihre Hände fest und drückte sie in der Hoffnung, dass sie es spürte. Sie lag immer noch auf dem Boden. Frankie und das Mädchen schauten zu, wie Johnny sie liebte. Tiger kam herübergeschlendert. Er wollte auch seinen Teil. «Mach ein bisschen Platz, Böcki», sagte er.

Johnny tat nichts, um ihn abzuwehren. Und das Mädchen sagte: «Gib ihr eine Prise, das entspannt.»

Es kamen noch ein paar klare Sätze. «Was tust du da? Ich will das nicht. Kein Koks! Mach es wieder weg.» Anschließend gab sie ein wenig Gestammel von sich, nur undeutliches Gemurmel. Dann drehte sie plötzlich mit einem Ruck den Kopf zur Seite. Ihre Stimme klang scharf und atemlos. «Was machst du da? Hör sofort auf damit! Bist du bescheuert? Lass sie los, verdammt nochmal. Du sollst sie sofort loslassen.»

Dann ging ein Ruck durch ihren gesamten Körper. Sie schrie auf. «Nein! Hör auf. Lass das!» Das Schreien ging in Wimmern über. Ihr Kopf flog wieder zu ihm herum, die Augen hatte sie weit aufgerissen. Ihr Blick traf ihn mitten ins Gesicht. Aber er hätte geschworen, dass sie nichts von ihm sah.

«Nicht schlagen! Hör auf, du schlägst sie ja tot! Aufhören! Hört auf, ihr Schweine. Lasst mich los! Loslassen!»

Das kannte er bereits zur Genüge. Nicht ganz in der Fassung, aber so ähnlich hatte er sich das gedacht. Und trotzdem war er nicht auf das gefasst, was dann geschah. Sie zerrte mit erstaunlicher Kraft an ihren Händen, bekam sie frei und sprang auf. Es ging so rasend schnell, dass er nicht reagieren konnte. Sie hatte die Rechte zur Faust geballt und stieß damit auf seinen Hals hinunter. Dabei keuchte sie: «Ich brech dir das Genick, du Schwein. Ich schlitz dir den Hals auf. Ich schneid dir die Kehle durch.»

Sie zählte exakt die Punkte auf, die der gerichtsmedizinische Befund bestätigt hatte, und stieß bei jedem Satz zu. Einmal, zweimal, dreimal, ehe er ihr Handgelenk zu packen bekam. Und kaum hatte er das rechte im Griff, schlug sie mit der linken Faust auf ihn ein. Es dauerte ein paar Sekunden, ehe er auch das linke fassen und sich aufrichten konnte.

Er hielt sie auf Armlänge von sich, schüttelte sie und schrie sie an: «Frau Bender! Hören Sie auf, Frau Bender.»

Zwei Sekunden lang stand sie noch vor ihm und betrachtete ihn mit einem Blick voller Nichtbegreifen. Sie murmelte etwas, das er nicht verstand. Dann brach sie zusammen.

Professor Burthe machte sich nicht die Mühe, seinen Zorn zu verbergen. Dass ein Kripobeamter eine psychisch schwer gestörte Persönlichkeit mit seinen Fragen zum zweiten Mal in den Zusammenbruch trieb, obwohl man ihn gewarnt hatte! Man konnte nur den Kopf schütteln und sich erkundigen: «Was fällt Ihnen ein? Hatte ich Ihnen nicht deutlich zu verstehen gegeben, dass Sie mit Frau Bender nicht umgehen können wie mit einer gewöhnlichen Kriminellen? Das war das letzte Gespräch, das Sie mit ihr geführt haben! Ist Ihnen nicht klar, dass Frau Benders Suizidversuch nur eine Folge Ihrer Ermittlungstechnik war?»

Rudolf Grovian konnte sich nicht zu einer Rechtfertigung aufraffen. Dass er kein Wort über den Tod ihres Vaters verloren hatte, hatten sie bereits geklärt. Cora Bender war in aller Eile zu irgendwelchen Untersuchungen abtransportiert worden, immer noch bewusstlos. Er hätte wer weiß was gegeben, die letzte halbe Stunde mit ihr ungeschehen machen zu können. Er verstand selbst nicht mehr, wie er sich zu diesem

Blödsinn hatte hinreißen lassen können. «Ich nehme Sie auch wieder mit hinauf.»

Irrtum! So einfach war es nicht. Er hatte sich darum bemüht. Minutenlang gegen ihre Wangen geklopft, sie beim Namen gerufen, ihr Gesicht mit kaltem Wasser bespritzt, ehe er sich dazu durchringen konnte, sie den Ärzten zu überlassen. Und die ganze Zeit hatte er denken müssen: wenn sie ein Messer in der Hand gehabt hätte …

Ihm war ein wenig übel. Aber er war auch zufrieden. Ihre Aufzählung: Genick, Hals, Kehle. Mit Vorsatz getötet? Nein, bestimmt nicht! Wenn sie nicht zufällig den Apfel für ihren Sohn geschält hätte, wäre sie nur mit den Fäusten auf Georg Frankenberg losgegangen und hätte getan, woran man sie vor Jahren gehindert hatte – in einer Situation, in der jeder Schlag erweiterte Notwehr gewesen wäre.

Über diese Erkenntnis hätte er gerne mit Professor Burthe gesprochen. Nur kam er vorerst nicht zu Wort. Sekundenlang prasselten die Fachausdrücke auf ihn ein. Schizothymer Typus, abgegrenzte Individualzone, bewusster Gegensatz zwischen Ich und Außenwelt, empfindsames, teilweise gleichgültiges Sichzurückziehen von den Mitmenschen. Der Traum-, Ideen- und Prinzipienwelt wurde der Vorrang eingeräumt.

Es klang sehr eindrucksvoll, nur interessierte es ihn herzlich wenig. Was ihm durch den Kopf ging, war zwar nur die Interpretation eines Laien, aber weit eindrucksvoller. Nach fünf Jahren gab es keine Notwehr mehr. Nach fünf Jahren war es Totschlag. Es sei denn, jemand bewies, dass Cora Bender sich zur Tatzeit nicht am Otto-Maigler-See aufgehalten hatte, sondern in diesem vermaledeiten Keller. Und er konnte das nicht beweisen, er nicht. Das war Aufgabe des Professors.

Die Strafpredigt ließ er über sich ergehen, ohne eine Miene zu verziehen. Professor Burthe beruhigte sich wieder und wollte wissen, was Cora Bender kurz vor ihrem Zusammenbruch von sich gegeben hatte. Rudolf Grovian umriss die Kellerszene und das vorangegangene Gespräch. Dass sie ihn angegriffen hatte, verschwieg er. Aber ein, zwei Sätze zur Notwehr ließ er anklingen. Und sie hatte ja nicht einmal sich allein, sie hatte dieses andere Mädchen verteidigen wollen.

Als er zum Ende kam, nickte Professor Burthe kurz. Eine Zustimmung war das nicht. Im Gegenteil! Natürlich kannte Burthe die Kellerszene, er kannte sogar zwei Versionen. Einmal die vom Band mit den gebrochenen Rippen. Und einmal die mit dem Zuhälter auf der Couch.

Es musste noch eine dritte Version geben, an die Cora Bender niemanden heranließ. Diese dritte Version dürfte das beinhalten, was sich tatsächlich im Keller abgespielt hatte, meinte Burthe. Vermutlich war ihr nur die eigene Lust zum Bumerang geworden. Demzufolge war die Kellerszene nicht von Belang, sie war nur ein winziges Teilstück des schwarzen Kapitels in Cora Benders Leben. Und Cora Bender verteidigte das gesamte Kapitel mit aller Macht gegen jeden Zugriff, notfalls auf Kosten ihrer geistigen Gesundheit. Als ob Rudolf Grovian das nicht schon gewusst hätte.

Professor Burthe erklärte ausführlich den Unterschied zwischen Wahrheit und Lüge und wie Cora Bender mit beidem umging. In einer Stresssituation hielt sie sich zuerst an die Wahrheit. Wenn sie sich auf die Situation eingestellt hatte und der Druck nachließ, suchte sie ihren Vorteil. Den gab es nur über die Lüge. Allerdings erzeugte die Lüge neuen Druck. Die Erregung, die sie dann zeigte, mochte auf einen Laien wirken, als werde ihm nun das letzte Geheimnis offenbart.

So war es im Verhör gewesen. Mit ihm versuchte sie dasselbe Spielchen. Aber er war der Fachmann, ihn konnte man nicht an der Nase herumführen. Niemand wollte bestreiten, dass Cora Bender vor Jahren schlechte Erfahrungen mit einem Mann gemacht hatte, eher wohl mit mehreren. Es stellte auch niemand in Frage, dass sie bei einer dieser Gelegenheiten schwer misshandelt worden war. Mit ihren selbstzerstörerischen Tendenzen musste sie auf entsprechend veranlagte Männer wie eine Herausforderung gewirkt haben.

An dieser Stelle erhob Rudolf Grovian den ersten Einwand. «Wenn Sie damit andeuten wollen, sie sei auf den Strich gegangen, das ist sie nicht. Ihre Schwester hat es von ihr erwartet oder sogar verlangt, wenn ich das eben richtig verstanden habe. Aber sie konnte nicht.»

Sein Gegenüber lächelte. Es war ein sehr wissendes Lächeln. «Sie konnte sehr wohl, Herr Grovian. Nach dem Tod ihrer Schwester hat sie für sich die schlimmste Art von Bestrafung gewählt, die sie sich vorstellen konnte. Perverse Freier. Sie hat mir ein paar Praktiken geschildert. Ich bin einiges gewohnt, aber da wurde sogar mir das Zuhören beinahe zu viel. Sie werden zugeben, Herr Grovian, dass keine Frau solch eine Betätigung zugibt, wenn sie sie nicht auch tatsächlich ausgeübt hat. Es war das Bedürfnis nach Sühne, gekoppelt mit dem unterschwelligen Wunsch nach einem inzestuösen Verhältnis zum Vater.»

«Das ist doch Schwachsinn», protestierte Rudolf Grovian und hörte, wie lahm es klang, als sei er trotz des Widerspruchs halbwegs überzeugt von Burthes Ansicht. Aber so war es nicht. Es war nur Fassungslosigkeit, die ihm die Sprache verschlug, die Sicherheit, mit der es ausgesprochen wurde. Als hätte Burthe daneben gestanden und zugeschaut.

Das hatte er auch, natürlich nur im übertragenen Sinne. Was er vor Rudolf Grovian ausbreitete, war, wie er betonte, Cora Benders innere Überzeugung. Als geschulter und aufmerksamer Beobachter war Burthe imstande, die Bröckchen Wahrheit aus dem großen Haufen Lügen zu fischen.

«Ich fürchte», sagte Rudolf Grovian trocken, «bei dieser Sache haben Sie ein paar Lügen gefischt. Ich weiß nicht, warum sie Ihnen so einen Unsinn erzählt. Aber es kommt zeitlich gar nicht hin. Sie war ...»

Er wollte erklären, was er eben herausgefunden hatte. Dass es von Magdalenas Geburtstag ohne Zeitverzögerung in den Keller ging, und danach war Oktober gewesen. Mit einer Handbewegung wurde er unterbrochen. Es ging hier nicht um Zeit. Es ging auch nicht um Prostitution. Es gab keinen Grund, sich zu ereifern.

Es ging nur um den Tod von Georg Frankenberg, um Cora Benders Motiv und ihre Einsichtsfähigkeit. Die war nicht vorhanden. Cora Bender war schuldunfähig. Man konnte sie nicht zur Verantwortung ziehen für ihre Tat. Es war am See nicht eine Sekunde lang um den Mann und sein Verhalten gegangen. Die Frau war der Auslöser gewesen.

In dem Augenblick hörte Rudolf Grovian sie wohl sagen: «Der Mann hatte Pech, weil er oben lag.» Er schüttelte trotzdem den Kopf. «Ich weiß nicht, wie Sie auf den Gedanken gekommen sind, Herr Burthe. Und Sie machen einen großen Fehler, wenn Sie den Keller so einfach abtun. Ich habe es jetzt zweimal erlebt! Und ich bin auch ein geschulter und aufmerksamer Beobachter. Frau Bender wurde in einem Keller von zwei Männern missbraucht und beinahe umgebracht. Bei dieser Gelegenheit wurde ein weiteres Mädchen getötet, höchstwahrscheinlich von Georg Frankenberg. Deshalb musste er sterben.»

Inzwischen hatte sich Professor Burthe vollends beruhigt, lehnte sich in seinem Sessel zurück, musterte ihn mit nachdenklichem Blick und wollte wissen: «Woraus ziehen Sie Ihre Sicherheit? Aus Frau Benders Worten? Oder haben Sie Beweise?»

Nein, verdammt. Er hatte insgesamt nur Worte. Hier ein paar und da ein paar. Horst Cremer, Melanie Adigar und Johnny Guitar! Es stand nicht einmal fest, dass Hans Böckel und Johnny Guitar identisch waren. Und Böckel war sein einziges Verbindungsglied zu Frankenberg. Man konnte doch vor Gericht nicht mit dem «Song of Tiger» argumentieren.

«Sie tut Ihnen Leid», stellte Professor Burthe fest, als er nicht antwortete. Es klang wie ein Urteil und blieb als unumstößliche Tatsache im Raum stehen. «Sie haben den Wunsch, ihr zu helfen und bemühen sich, eine rationale Erklärung zu finden. Sie haben eine Tochter, nicht wahr? Wie alt ist Ihre Tochter, Herr Grovian?»

Als wieder keine Antwort kam, nickte Burthe sich selbst eine Zustimmung und sprach weiter in diesem verständnisvollen Ton, der Rudolf Grovian zur Weißglut brachte. «Ich habe nicht nur das letzte Band abgehört und verstehe Ihr Engagement. Eine junge Frau, die nichts anderes wollte als ein ganz normales Leben, so hilflos, so verzweifelt. Zerstört von Umständen, die sie nicht beeinflussen konnte, bettelt sie um Verständnis. Da steht sie einem gegenüber, völlig aufgelöst. Sie stammelt ihren Hilferuf und bricht zusammen. Sie waren allein mit ihr, als das passierte, nicht wahr? Cora Benders Hilfeschrei ging ausschließlich an Sie. Und Sie standen in diesem Augenblick stellvertretend für ihren Vater. Genauso haben Sie sich auch gefühlt. Und vor ein paar Minuten hat sich diese Szene wiederholt. Und ein Vater, Herr Grovian, will glauben. Denken Sie einmal darüber nach. Und fragen Sie sich, wie Sie Ihr Verhalten beurteilen müssten, wenn es sich bei einem Kollegen zeigte!»

Rudolf Grovian musste die Zähne zusammenbeißen, deshalb klang es gepresst: «Ich bin nicht hier, um mich analysieren zu lassen. Ich habe lediglich versucht, ein paar neue Informationen abzuklären.»

Burthe nickte bedächtig. «Und konnte Frau Bender diese neuen Informationen bestätigen?»

«In gewisser Weise, ja.»

Wieder nickte der Professor bedächtig. Nach den neuen Informationen erkundigte er sich nicht. «Sie wird Ihnen alles bestätigen, Herr Grovian. Alles, was die Verbindung zwischen ihr und Georg Frankenberg herstellt. Sie selbst ist ja um eine rationale Erklärung bemüht. Sein Tod hatte auf sie eine befreiende Wirkung, und sie sucht nach dem Grund. Sie versucht krampfhaft, ihn in ihr Leben zu installieren und nachvollziehbare Beweggründe zu liefern. Um das zu erreichen, setzt sie ihn sogar als ihren Zuhälter auf eine Couch.»

Rudolf Grovian wollte etwas sagen, wurde jedoch erneut durch eine Handbewegung zum Schweigen verurteilt. «Ich will versuchen, Ihnen etwas zu erklären. Und ich hoffe sehr, dass Sie dann endgültig begreifen, wo Ihre Arbeit und Ihr Engagement enden und meine beginnen. Jetzt vergessen wir Georg Frankenberg und den Keller einmal. Frau Benders Trauma heißt nicht Keller, es heißt Magdalena.»

Für Professor Burthe war es einfach. Für ihn war Georg Frankenberg nur ein Zufallsopfer. Es hätte jeden Mann treffen können, der sich in Begleitung einer Frau befand, an der etwas war, das Cora Bender an ihre Schwester erinnerte. Die Frau zu töten, die ihr Leben zerstört hatte, hätte Cora Bender nicht noch einmal geschafft. In ihrer Not, und es war eine sehr große Not gewesen, hatte sie sich auf den Mann gestürzt. Mit seinem Tod erreichte sie zwei Dinge gleichzeitig. Sie erfüllte Magdalena den größten Wunsch, schickte ihr einen gut aussehenden Mann. Und stellvertretend für Magdalena stieß Frankenbergs Frau ihre Hand zurück und signalisierte damit, dass keine Hilfe mehr gebraucht wurde. Cora Bender war frei. Sie war so frei in diesem Augenblick, dass sogar die Gewissheit einer lebenslangen Haftstrafe sie nicht mehr erschütterte. Strafe hatte sie ihrer Meinung nach auch verdient.

Rudolf Grovian hörte mit regloser Miene der Aufzählung zu. Ein Leben wie ein Strafregister. Lügen, betrügen, stehlen, fixen. Und als krönender Abschluss ein Mord. Nein! Nicht

Georg Frankenberg. Den sollte er ja erst einmal vergessen. Das Opfer hieß Magdalena!

Ob Cora Bender ihre Schwester mit Vorsatz getötet hatte, weil sie Magdalena als Zerstörerin des eigenen Ichs empfand – nicht nur des eigenen, auch der Vater war zerstört worden. Und Cora Bender liebte ihren Vater abgöttisch –, oder ob es versehentlich im Drogenrausch geschehen war, wusste Professor Burthe nicht. Aber die brechenden Rippen waren Magdalenas Rippen gewesen.

Und Rudolf Grovian hörte sie sagen: «Ich habe immer eine Hand auf ihrer Brust ...» Es reichte ihm. Weißkittel, dachte er, ihm fiel nicht auf, wie er sich ihre Denkweise zu Eigen machte. Wenn man denen eine halbe Stunde zuhört, glaubt man wieder an den Weihnachtsmann.

Er nicht! Er hatte Fakten zusammengetragen. «Ich mache Ihnen einen Vorschlag», sagte er, während er sich erhob. «Sie tun Ihre Arbeit, und ich tu die meine. Wenn Sie das in Ihrem Gutachten so anführen wollen, kann ich Sie mit drei Sätzen widerlegen.» Diese drei Sätze wollte Professor Burthe lieber sofort hören. Und Rudolf Grovian zählte seine Fakten auf. Punkt eins: Als ihre Schwester starb, war Cora seit drei Monaten nicht mehr daheim. Da lag sie nämlich mit eingeschlagenem Schädel in irgendeiner Klinik, aus der sie erst im November entlassen wurde. Punkt zwei: Prostitution nach dem Tod der Schwester als Sühne, gekoppelt mit dem unterschwelligen Wunsch nach einem inzestuösen Verhältnis zum Vater. Es war hübsch formuliert. So hätte er das nie ausdrücken können. Nur hatte dazu leider die Zeit gefehlt, mit einem zertrümmerten Schädel prostituierte sich niemand mehr. Davon abgesehen war es kein unterschwelliger Wunsch gewesen und auch nicht der abgöttisch geliebte Vater.

«Sie sollten mal in der Bibel nachschlagen, Herr Burthe. Da steht alles drin. Auf ihre Art versucht sie unentwegt, uns die Wahrheit zu sagen. Magdalena war die Hure.»

Er schüttelte den Kopf und lächelte. «Magdalena hat die Vorarbeit geleistet, und im Keller haben sie ihr den Rest gegeben. Wenn Sie mir nicht glauben, machen Sie einen Versuch mit einer Lichtorgel. Oder spielen Sie ihr das Lied vor. ‹Song of Tiger›. Ich halte jede Wette, das war der Auslöser, nicht Frau Frankenberg. Sie hat selbst gesagt, es war das Lied. Holen Sie zur Sicherheit einen Pfleger dazu, wenn Sie den Versuch machen. Es sind ja ein paar kräftige Männer dabei.»

Er ging langsam auf die Tür zu und spielte seinen letzten Trumpf aus. Punkt drei: «Und fragen Sie Frau Bender bei Gelegenheit einmal, wie viele Tropfen Wasser ein Junkie aus dem Klobecken schöpft, um seinem Schuss die nötige Konsistenz zu verleihen.»

Professor Burthe runzelte die Stirn. «Was soll ich ...»

Rudolf Grovian hatte die Hand bereits an der Türklinke. «Sie haben mich verstanden. Legen Sie ihr ein Fixerbesteck hin. Und lassen Sie Frau Benders Haut untersuchen, jeden Quadratzentimeter. Wenn Sie auch nur eine Narbe finden, die auf frühere SM-Praktiken schließen lässt, quittiere ich meinen Dienst. Aber das werde ich nicht tun müssen.»

Er öffnete die Tür, trat einen Schritt auf den breiten Flur hinaus und sagte: «Denken Sie an das Lied, Herr Professor. Leider habe ich es nicht gewagt, ihr das vorzuspielen. Aber bei nächster Gelegenheit hole ich es nach. Wenn ich Frau Bender hier reingebracht habe mit meinen Ermittlungsmethoden, hole ich sie damit auch wieder hier raus. Das ist ein Versprechen, Herr Burthe.»

Er war so wütend wie selten zuvor und dabei so hilflos, als er die Landesklinik verließ. Er hatte nicht mal Abitur, hatte sich intern hochgearbeitet. Wie sollte er einen Professor widerlegen, wenn es hart auf hart kam? Er konnte kein Gegengutachten in Auftrag geben.

Er fuhr zurück nach Hürth und machte sich im Telefonbuch kundig. Eberhard Brauning, den Namen fand er zweimal, als Anwaltskanzlei und privat. Er wählte die Kanzlei an. Leider war Herr Dr. Brauning nicht zu sprechen. Und einen Termin konnte ihm die freundliche Dame am Telefon frühestens für den nächsten Tag einräumen. Mit ein wenig Nachdruck gelang es ihm, doch zum Herrn Doktor durchgestellt zu werden.

Eberhard Brauning stutzte, als Rudolf Grovian seinen Namen nannte und die Angelegenheit, in der er dringend mit ihm sprechen müsse. Da kam eine Bemerkung durchs Telefon. «Ach Gott, der Chef.» Es folgte ein leises Lachen, dann wieder Sachlichkeit. «Ich hätte Sie ohnehin in den nächsten Tagen um ein Gespräch gebeten. Da sind ein paar Unklarheiten ...»

Weiter ließ Rudolf Grovian ihn nicht kommen. «Ein paar?» Er gestattete sich ein Lachen, nach dem ihm gar nicht war. Dann sprach er weiter, sehr energisch und bestimmt. «Ich wäre Ihnen sehr verbunden, wenn Sie ein bisschen Zeit für mich hätten. Ich verstehe, dass Sie beschäftigt sind, aber ich finde meine Zeit auch nicht auf der Straße. In den nächsten Tagen habe ich keine, und die Sache eilt.»

Und wie sie eilte. So wie Burthe gesprochen hatte, klang es, als neige sich seine Arbeit dem Ende zu. Wenn das verdammte Gutachten erst beim Staatsanwalt lag ... Burthes Erklärungen schwirrten ihm wie ein Wespenschwarm durch den Kopf. Es hätte jeden treffen können, der sich in Begleitung einer Frau ...

Das kam wohl nicht ganz hin. Er jedenfalls hatte sich nicht in Begleitung einer Frau befunden, als sie auf ihn einstach. Und genau das war es gewesen. Er hörte noch, wie sie aufzählte. Genick, Hals, Kehle. Ihm fiel nicht auf, dass sein Gesprächspartner zögerte. Erst als ein lang gezogenes «Ja» durch den Hörer drang, wurde er wieder aufmerksam. «Ich sehe hier in meinem Kalender ...» Was Eberhard Brauning sah, wurde nicht erklärt, stattdessen kam die Frage: «Passt es Ihnen heute Abend? Haben Sie meine Privatadresse?»

«Ja.»

«Gut. Um zwanzig Uhr. Ist Ihnen das recht?»

«Geht es nicht ein bisschen früher?» Es war nicht einmal vier, und er wusste nicht, wie er sich den Nachmittag vertreiben sollte. Ehe er das nicht losgeworden war, konnte er sich kaum auf etwas anderes konzentrieren. «Wie ist es mit achtzehn Uhr? Oder störe ich Sie da beim Abendessen?» Sie verblieben bei neunzehn Uhr.

Nachdem das geklärt war, brühte er Kaffee auf. Während er die erste Tasse trank, hörte er noch einmal kurz in die Bänder hinein. «Ich wollte doch nur ein normales Leben! Verstehen Sie das?» Und: «Gereon hätte das nicht mit mir machen dürfen.» Oraler Sex, dachte er, Magdalenas Traum. Deshalb ist sie ausgerastet, als ihr Mann das bei ihr versuchte. Irgendwie erklärte sich alles.

Bei der zweiten Tasse notierte er ihre Beschreibung des Kellers, soweit sie ihm in Erinnerung war. Auf sein Gedächtnis konnte er sich verlassen. Die Rekonstruktion war ausgezeichnet. Er sah es vor sich. Die Flaschen in den Regalen, den Spiegel dahinter. Und davor ein kleiner, dicker Mann, der sich weißes Pulver auf den Handrücken streute, es ableckte und in die Zitrone biss. Tequila, dachte er. Tequila, Koks und mach ein bisschen Platz, Böcki. Und ihr wurde die eigene Lust zum Bumerang! So ein Blödsinn! Aber er hatte immerhin Margret Roschs Aussage, Albträume zu einer Zeit, als alles noch frisch war.

Er fragte sich, ob sie wieder bei Bewusstsein war und ob sie den Weg zurück alleine gefunden hatte. Oder ob sie ihn jetzt wieder verfluchte, weil er ihr das angetan, weil er sie trotz seines Versprechens im Keller zurückgelassen hatte.

Werner Hoß kam mit einigen Neuigkeiten herein und riss ihn aus seinen trüben Gedanken. Es gab noch keinen Hinweis auf den Aufenthaltsort von Ottmar Denner, und Hans Böckel war nach wie vor nur ein Name. In den Hamburger Krankenhäusern hatten sie bisher keinen Erfolg gehabt. Aber Ute Frankenberg war aus der Klinik entlassen worden.

Wunderbar! Mit ihr musste er unbedingt reden. Vielleicht hatte Frankie ihr irgendwann einmal erzählt, wo er mit seinen Freunden musiziert hatte. Er steckte die Bänder der Vernehmung ein und machte sich auf den Weg nach Köln.

Fast pünktlich auf die Minute kam er an. Eberhard Braunings Privatadresse war ein vierstöckiges Gebäude älteren Baujahres, sehr gepflegt, die Außenfassade mit frischem Anstrich und allerlei Schnörkeln. Er hatte keinen Blick dafür. Auf sein Klingeln wurde ein elektrischer Türöffner betätigt.

Hinter der Haustür lag eine dämmrige, angenehm kühle Halle. Der Fußboden war mit schwarzweißen Fliesen ausgelegt. Und er hörte sie sagen: «Der Fußboden war weiß mit kleinen grünen Steinen darin.» Diese Bude musste sich doch finden lassen.

Es gab einen Lift. Er entschied sich für die Treppe. Eberhard Braunings Wohnung lag im zweiten Stock. Große, alte Räume mit hohen Decken, hohen Fenstern, auserlesenen Antiquitäten und wenigen üppigen Grünpflanzen dazwischen. Sämtliche Türen zur Diele standen offen. Alles war in das milde Licht des frühen Abends getaucht.

Cora Benders Anwalt empfing ihn bei der Wohnungstür. Einen schüchternen Eindruck machte er nicht, eher einen angespannten. Er führte ihn durch die geräumige Diele in den Wohnraum und sagte dabei: «Sie haben hoffentlich nichts dagegen, wenn meine Mutter bei unserer Unterhaltung zugegen ist.»

Ach du Schande, dachte Rudolf Grovian und sagte: «Nein.» Er sah sie gleich, als er den Raum betrat. Noble ältere Dame, Anfang bis Mitte sechzig, ein wachsames Gesicht, silbergraues Haar, akkurat und streng um den Kopf frisiert.

Wahrscheinlich besuchte sie ihren Friseur zweimal in der Woche. Ob Cora Bender das Shampoo benutzte?

Er grüßte freundlich, erwiderte einen festen Händedruck, betrachtete einen fingernagelgroßen Rubin in schwerer Goldfassung an ihrer rechten Hand. Und sah im Geist nur das strähnige Haar vor sich. Warum sie es bisher nicht gewaschen hatte? Hatte sie sich so total abgeschrieben? Perverse Freier! Sie musste doch wissen, dass sie sich mit solch einer Behauptung den Weg zurück endgültig versperrte. Ihr Mann war nicht der Typ, sich damit auseinander zu setzen.

Dann saß er in einem Sessel mit gestreiften Polstern, neben ihm stand auf einem kniehohen Tischchen mit Schnörkelbeinen und Intarsien in der polierten Platte eine hauchfeine Porzellantasse. Der Kaffee hatte genau die richtige Farbe und enthielt kein Koffein. Und er wusste nicht, womit er beginnen sollte.

Robin Hood, dachte er in einem Anflug von Ironie, Rächer der Enterbten, Beschützer der Witwen und Waisen. Und der Entmündigten! Na, dann los, Robin, mach dem Knaben klar, was seine Mandantin braucht. Einen vernünftigen Gutachter, der ihr nicht diesen Stempel auf die Stirn drückt. Sie braucht eine Frau zum Reden. Einem älteren Herrn kann sie sich nicht anvertrauen. Da sieht sie vielleicht ihren Vater vor sich. Aber eine Frau ... Dann sah er Elsbeth am Küchentisch und schüttelte den Kopf. Alles Quatsch.

Er warf der noblen älteren Dame ein winziges Lächeln zu, heftete den Blick auf Eberhard Brauning und begann: «Ich war heute bei Frau Bender. Sie sagte, dass sie inzwischen auch mit Ihnen gesprochen hat. Sie waren einmal bei ihr?»

Als Eberhard Brauning zögernd nickte, erkundigte er sich: «Halten Sie ein Gespräch für ausreichend?»

«Natürlich nicht. Aber ich habe noch nicht alle Unterlagen beisammen. Ich warte auf das psychologische Gutachten.»

«Ich kann Ihnen sagen, was drin steht. Schuldunfähig!

Georg Frankenberg war ein Zufallsopfer. Es hätte jeden treffen können.»

Eberhard Brauning schaute ihn mit leicht gerunzelter Stirn an. Auf eine Antwort hoffte er vergebens. Also fragte er: «Welchen Eindruck hatten Sie von Frau Bender?»

Die noble ältere Dame ließ ihn nicht aus den Augen. Das bemerkte er sehr wohl. Ihm fiel auch der Blick auf, mit dem sie der Antwort ihres Sohnes entgegenschaute, und ihr Lächeln. Er wusste es nur nicht zu deuten. Es sah fast aus, als amüsiere sie sich. Geantwortet hatte Eberhard Brauning noch nicht.

Rudolf Grovian grinste. «Na, kommen Sie, Herr Brauning. Sie führen solch ein Gespräch doch bestimmt nicht zum ersten Mal. Welchen Eindruck hatten Sie von Frau Bender? Sie hat Ihnen eine Menge Unsinn verzapft, habe ich Recht? Hat sie Ihnen auch was aus der Bibel erzählt, vom Erlöser und der büßenden Magdalena?»

Eberhard Brauning war von Natur aus ein misstrauischer und überaus vorsichtiger Mann. Und er führte solch ein Gespräch wirklich nicht zum ersten Mal. Normalerweise lief es darauf hinaus, dass so ein Polizist einem ins Gewissen zu reden versuchte. Es ginge nur mit einer Freiheitsstrafe. Und die sollte nicht zu knapp bemessen sein. «Überlegen Sie mal, was da alles zusammenkommt.» Das war ein Standardsatz. Und bei Cora Bender kam eine Menge zusammen.

Der «Unsinn», den sie ihm verzapft hatte, war ihm noch in bester Erinnerung. Er hatte ihn in den letzten Tagen auch häufig genug mit Helene durchgesprochen. Nicht nur den Unsinn, auch die klar verständlichen Aussagen über ihre Schwester. «Ich musste sie mir doch irgendwie vom Hals schaffen.»

Helene war derselben Meinung wie er. Sie hatte die Ermittlungsunterlagen durchgelesen und gesagt: «Hardy, ich kann von diesem Sessel aus nicht beurteilen, in welcher geistigen Verfassung sich diese Frau befindet. Ich kann dir auch nicht sagen, ob sie ihr Opfer kannte. Man sollte nicht völlig ausschließen, dass er nur ein ehemaliger Freier war. Gerade junge Männer aus guten Verhältnissen zieht es oft in dieses Milieu. Aber es wird der Polizei schwer fallen, diese Verbindung herzustellen. Und selbst wenn, ist das für dich eher ein Nachteil. Ich will dir nicht in deine Arbeit hineinreden. Ich weiß ja auch, dass du die Psychiatrie für eine unbefriedigende Lösung hältst. Aber vielleicht überdenkst du deine Einstellung noch einmal. In diesem Fall wäre es die beste Lösung. Viel tun für diese Frau kannst du ohnehin nicht. Bring sie dazu, mit Burthe über die Kreuze und die Erscheinung Gottvaters an ihrem Bett zu sprechen. Das wirkt kurioser als die Kurzschlussreaktion einer ehemaligen Nutte.» Helene hatte Recht!

«Herr Grovian», begann er, verzog das Gesicht zu einem wissenden Lächeln und sprach langsam und bedächtig weiter. «Ich bin nicht der Meinung, dass Frau Bender mir eine Menge Unsinn verzapft hat. Ich kann mir denken, dass Sie diese Frau lieber im Strafvollzug sähen. Aber ...» Er wollte noch mehr sagen.

Rudolf Grovian unterbrach ihn mit einem einzigen Wort. Es klang sehr entschieden. «Nein!» Nach einer winzigen Pause erklärte er: «Am liebsten sähe ich sie auf der Terrasse ihres Hauses, am Bett ihres Söhnchens, vor dem Herd in ihrer Küche. Von mir aus auch in dem Kabuff, das sie ihr Büro nannte. Da hat sie sich wohl gefühlt. Da war sie erwachsen, tüchtig und zufrieden. Haben Sie sich die Ecke mal angeschaut? Das sollten Sie tun! Es gibt nicht mal ein Fenster. Sie war im Hause Bender nicht mehr als ein willkommenes Arbeitstier. Und trotzdem war sie da frei. Das war ihr Himmel. Da fragt man sich, wie muss ihre Hölle ausgesehen haben?»

Er konnte kaum glauben, dass er das sagte. Aber es kam flüssig über die Lippen. Und es war die Wahrheit. Zum ersten

Mal gestand er sich ein, dass der Herr Sachverständige nicht mit all seinen Absichten danebengelegen hatte. Die Meinung über ihn war zutreffend. Zum Teufel damit! Neunzehn Jahre bei Elsbeth waren Strafe genug. Bei «lebenslänglich» durfte man nach fünfzehn Jahren auf Begnadigung hoffen. So gesehen, hatte Cora Bender vier Jahre über die Zeit abgesessen. Gnade vor Recht, wenigstens einmal.

«Was wissen Sie über Cora Benders Kindheit und Jugend, Herr Brauning? Ist Ihnen nur bekannt, was in den Akten steht? Oder hat sie mit Ihnen darüber gesprochen?»

Hatte sie nicht. Also tat er es für sie, fasste das Elend in eine Viertelstunde, zog mit den letzten Sätzen eine der Kassetten aus seiner Tasche. «Und dann passierte das!», sagte er. «Ich bin absolut sicher, es ist passiert. Genau so, wie sie es schildert. Aber ich kann es nicht beweisen, Herr Brauning. Ich kann's nicht beweisen!»

Gegen die Beklemmung, die er bei diesen Worten empfand, half nur eine Prise Ironie. Er zeigte auf die Wand links von seinem Sessel. «Sie haben da eine schöne Stereoanlage. Kassettendeck und alles, was man sonst noch braucht. Ich verschaffe Ihnen jetzt die Gelegenheit, die Frau Bender Ihnen verwehrt hat: beim Verhör anwesend zu sein. Sie haben eine Menge verpasst. Man muss es gehört haben. Gelesen wirkt es nicht. Schalten Sie ein. Es steht an der richtigen Stelle.»

Über die großen Lautsprecherboxen klang es, als säße sie neben der noblen älteren Dame auf der Couch. Von dort hörte er ihre Stimme. Das Schluchzen, Betteln, Stammeln – und noch einmal ihr: «Helfen Sie mir!»

Er sah Eberhard Brauning ein paar Mal heftig schlucken. Ihm war auch danach, aber er musste mit Kaffee nachhelfen. Cora Benders Stimme verstummte nach einigen Minuten. «An dem Punkt hatte ich sie heute wieder», sagte er leise. «Sie ging auf mich los. In genau der Weise, wie sie Frankenberg angegriffen hat. Wenn sie ein Messer gehabt hätte, säße ich jetzt nicht hier.»

Eberhard Brauning antwortete nicht, er betrachtete den Kassettenrecorder, als müsse noch etwas nachkommen. Es kam nichts mehr. Und Helene hüllte sich in Schweigen, gab nicht mal Zeichen mit den Augen. Er sah sich genötigt zuzugeben: «Ich verstehe nicht ganz, was Sie von mir wollen, Herr Grovian.»

Rudolf Grovian fühlte die Wut wieder. Er hatte auf der Zunge zu fragen: «Was machen Sie denn normalerweise als Pflichtverteidiger? Treten Sie als Galionsfigur auf?» Er beherrschte sich. «Beschaffen Sie ihr einen weiteren Gutachter», verlangte er und war ein wenig überrascht, als sich die noble ältere Dame plötzlich einmischte. «Herr Burthe genießt einen ausgezeichneten Ruf.»

«Mag sein», sagte er. «Aber wenn Cora Bender zu flunkern beginnt, hilft einem der beste Ruf nichts. Sie hat ihm einen fetten Brocken hingeworfen, und er hat ihn geschluckt. Prostitution und perverse Freier.» Als er weitersprach, fiel ihm auf, wie sich Eberhard Braunings Miene veränderte. Der Knabe hätte beim Pokern keinen Pott gewonnen. «Hat sie auch Ihnen diesen Schwachsinn aufgetischt?» Eine Antwort bekam er nicht, nur diese viel sagende Miene. «Hören Sie!», sagte er und hätte beinahe gelacht. Hören Sie! Er sah sie vor sich, den tanzenden Finger, die Wut in ihren Augen. Lassen Sie meinen Vater in Ruhe!

Er lachte nicht, sprach es noch einmal ganz bewusst aus: «Hören Sie! Ich muss wissen, was sie Ihnen erzählt hat. Jedes Wort, auch wenn Sie es für Schwachsinn halten. Sie gibt eine Menge Hinweise. Man muss das nur richtig interpretieren.»

Eberhard Brauning ging zur Stereoanlage, nahm die Kassette aus dem Tapedeck, überreichte sie ihm und sagte der Form halber: «Ich brauche Kopien von allen Bändern. Auch von der Kassette, die am See abgespielt wurde.»

«Hat sie mit Ihnen über das Lied gesprochen?»

Eberhard Brauning antwortete nicht, nahm wieder umständlich Platz und runzelte missbilligend die Stirn. «Herr Grovian, Sie werden nicht von mir erwarten, dass ich das Gespräch mit Frau Bender vor der Gegenseite ausbreite.»

«Verdammt nochmal! Ich bin nicht die Gegenseite. Muss ich Kniefälle tun, damit Sie den Mund aufmachen? Ich sitze zwar hier in meiner Eigenschaft als Ermittlungsbeamter. Aber ich bin nicht Cora Benders Feind.»

«Da ist Frau Bender anderer Meinung.» Still für sich – Helene half ihm ja nicht, saß nur da und schmunzelte – gelangte Eberhard Brauning zu der Ansicht, dass es nicht schaden konnte, ein paar von Cora Benders Ergüssen auszubreiten.

Er begann bei David und Goliath, kam über die drei Kreuze mit dem ohne Schuld in der Mitte zu Gottvater, der manchmal nachts an ihrem Bett auftauchte, sich über sie beugte und ihr von der Schuldlosigkeit seines Sohnes erzählte.

Rudolf Grovian hörte aufmerksam zu. Aber er erkannte rasch, dass hier jeder Einsatz Zeitverschwendung war. «Ja», sagte er gedehnt, während er sich aus dem gestreiften Sessel erhob und der noblen älteren Dame noch ein flüchtiges Lächeln schenkte. «Jeder von uns gerät mal in Versuchung, den Weg des geringsten Widerstands zu gehen. Und in einem Fall wie diesem, da stehen wir alle gut da. Niemand verurteilt das arme Ding. Wir schließen sie nur weg. Und keiner muss sich mehr fragen, warum sie es getan hat. An dem Punkt war ich auch einmal. Aber dann hat es mich gereizt, der Sache auf den Grund zu gehen. Und jetzt stecke ich bis zum Hals drin. Ich fürchte nur, weiter lassen sie mich nicht rein. Burthe war der Meinung, dass meine Ermittlungsmethoden Frau Bender in die Landesklinik gebracht haben. Für einen guten Anwalt wäre das sicher ein gefundenes Fressen.»

Das war der Moment, in dem Eberhard Brauning sich auf seine Rolle besann, vielmehr mit der Nase darauf gestoßen wurde. Pflichtverteidiger! Er fühlte sich ein wenig unbehaglich. Natürlich musste er das noch in Ruhe mit Helene besprechen und überlegen, welche Möglichkeiten es überhaupt gab. Aber man sollte es vielleicht doch nicht so ausschließlich dem Staatsanwalt überlassen. Wenn sich ein Polizist für diese Frau einsetzte, konnten ihre Chancen so schlecht nicht stehen.

Er räusperte sich verhalten. «Ganz unter uns, Herr Grovian. Habe ich mit einem Gegengutachten Aussichten auf einen Freispruch?»

«Nein», sagte Rudolf Grovian ruhig. «Die haben Sie nicht. Aber ein paar Jahre Gefängnis sind besser als ein Todesurteil. Und ich befürchte, darauf läuft es für Cora Bender hinaus. Sie braucht keine Richter mehr. Sie hat ihr Urteil gesprochen. Zurzeit ist sie dabei, uns die Begründungen zu liefern. Und mit der nächsten Vollstreckung hat sie vielleicht mehr Glück. Ich denke, im Gefängnis wird sie davon absehen. Da sind nämlich die normalen Übeltäter eingesperrt. Und um dahin zu kommen, Herr Brauning, muss sie nur zugeben, dass sie Georg Frankenberg am See erkannte und sich an ihm rächen wollte.»

«Rächen wofür?», fragte Eberhard Brauning. Und Rudolf Grovian erklärte es ihm. Was er vorschlug, war alles andere als legal. Es konnte ihn Kopf und Kragen kosten. Aber das kümmerte ihn in dem Moment nicht.

Es ging auf neun Uhr zu, als er sich verabschiedete. In der letzten Stunde bei den Braunings hatte er sich mehrfach gewundert, wie interessiert sich die ältere Dame zeigte, bis Eberhard Brauning erklärte, welchen Beruf Helene ausgeübt hatte. Keine schlechte Kombination, fand er und fragte sich, ob Cora Bender wohl bereit wäre, Helene Brauning zu akzeptieren.

Für einen weiteren Besuch war es reichlich spät. Doch bisher war Ute Frankenberg sehr rücksichtsvoll behandelt worden. Kein Mensch hatte sie mit Fragen belästigt. Nur zwei oder drei Antworten, mehr wollte er nicht von ihr.

Um zehn Minuten nach neun parkte er seinen Wagen in der Nähe von Frankenbergs Wohnung. Sie lag in einem modernen Apartmenthaus. Die Tür wurde ihm von Winfried Meilhofer geöffnet. Im Wohnraum saß eine junge Frau. Er kannte sie nicht persönlich. Sie hatte – wie Frankenbergs Frau – am vergangenen Samstag als Zeugin nicht zur Verfügung gestanden. Werner Hoß hatte in der Zwischenzeit ihre Aussage aufgenommen.

Ihr Name war jedoch auch ihm geläufig. Alice Winger, die Freundin von Ute Frankenberg, deren Flirt mit Meilhofer Cora Bender so jäh unterbrochen hatte. Anscheinend waren sich die beiden in der Zwischenzeit näher gekommen. Ihr Umgang miteinander deutete auf ein vertrautes Verhältnis.

«Ich muss mich entschuldigen, dass ich so spät noch störe», begann er. «Aber die Sache duldet keinen Aufschub. Ich wollte Frau Frankenberg deshalb nicht eigens nach Hürth kommen lassen. Meine Fragen kann sie auch hier beantworten.»

Vorerst bekam er sie nicht zu Gesicht. «Ute hat sich hingelegt», teilte Alice Winger mit. «Welche Fragen denn?»

Nichts von Bedeutung. Als Einstimmung vielleicht wann und wo sie ihren Mann kennen gelernt hatte. Das konnte Alice Winger ihm beantworten. «Das war im vergangenen Dezember. Im Museum Ludwig. Ich war dabei.»

Als Nächstes, ob ihr Mann jemals den Namen Cora erwähnt hatte. Alice Wingers Gesicht verschloss sich. «Das kann ich mir kaum vorstellen.»

Nun, da waren noch ein paar andere Namen, auf die er im Laufe der Ermittlungen gestoßen war. Und: «Es wäre mir lieber, wenn ich mit Frau Frankenberg persönlich sprechen könnte. Es ist eine reine Formsache.»

«Ich hole sie.» Alice Winger erhob sich und verließ den Raum. Sie blieb ein paar Minuten weg. Die Zeit nutzte Winfried Meilhofer, um sich zu erkundigen: «Kommen Sie voran mit Ihren Ermittlungen?»

Er nickte. Irgendwie tat es gut, dass ausgerechnet der Mann, der direkt daneben gesessen hatte, davon ausging, dass es noch Ermittlungen gab.

«Ich werde den Anblick nicht los», sagte Winfried Meilhofer leise. «Wie sie neben Frankie sitzt und ihn anschaut. Sie war glücklich. Ich sollte das vielleicht nicht sagen, aber sie hat mir Leid getan. Merkwürdig, wie man reagiert. Ich hätte entsetzt sein müssen. Ich war auch entsetzt. Aber mehr über Frankies Reaktion, über ihren Mann und über mich. Ich hätte von mir nie gedacht, dass es eine Situation gibt, in der ich mich nicht rühren kann. Ich hätte es verhindern können. Den ersten Stich nicht. Aber den zweiten. Und ...»

Er wurde durch Alice Winger unterbrochen. Sie kam zurück und erklärte: «Sie kommt sofort. Bitte, gehen Sie behutsam mit ihr um. Es ist alles noch frisch. Sie waren so glücklich.»

«Ja, natürlich.» Beinahe schämte er sich. Das war die andere Seite. Die Seite, für die er einzustehen hatte. Anständige Bürger, deren Leben in Sekundenbruchteilen durch irgendeinen Wahnsinn zerstört wurde.

Es vergingen noch ein paar Minuten, ehe Ute Frankenberg bei der Tür erschien. Im ersten Augenblick bemerkte er nur den rosafarbenen Morgenrock, bodenlang und aus Plüsch. Sie hatte sich darin eingewickelt, als friere sie. Über dem Kragen ein rundliches graues Gesicht, übernächtigt, verweint, Nase und Augen waren rot geädert. Und um das Gesicht eine Kappe aus weißblondem Haar, eng anliegend, im Nacken mit einer Spange zusammengehalten. Mehr sah er nicht davon.

Er wiederholte die erste Frage, auf die er bereits Antwort von Alice Winger erhalten hatte. Ute Frankenberg bestätigte mit leiser, kaum verständlicher Stimme. Er kam auf frühere Freunde ihres Mannes zu sprechen. Sie wusste nur, was Frankie erzählt hatte. Und gerne hatte er nicht darüber gesprochen. Einmal, als sie ihn auf das Lied ansprach, das er sich jeden Abend anhörte, ohne das er angeblich nicht einschlafen konnte, hatte er ihr ein paar alte Fotos gezeigt und erklärt, es sei die größte Dummheit gewesen, die er hätte machen können.

Den Namen Cora hatte sie nie von ihm gehört. Aber er war auch nie hinter jedem Rock her gewesen, im Gegensatz zu den andern beiden. Was die trieben, habe ihn oft abgestoßen, hatte er gesagt. Mädchen und Koks. Koks und Mädchen. Und einmal hatte er gesagt, dass er immer auf sie gewartet habe. Sie sei sein Traum, genau die Frau, die er brauche, um geheilt zu werden.

Ute Frankenberg sprach wie unter dem Einfluss starker Beruhigungsmittel. Er konnte nichts weiter tun als hin und wieder nicken, obwohl ihn der Hinweis auf Fotografien beinahe elektrisch aufgeladen hatte. Behutsam, dachte er. Gehen Sie behutsam mit ihr um. Natürlich!

«Frau Frankenberg, diese alten Fotos, gibt es die noch?»

«Frankie wollte sie wegwerfen. Ich fand das zu schade. Ich habe sie ...» Sie hatte auf einer Couch Platz genommen, erhob sich schwerfällig, ging zu einem Schrank, bückte sich, zog ein Schubfach auf und nahm ein Album heraus. «Kann sein, dass sie hier drin sind.»

Das waren sie nicht. Sie hätte ins Schlafzimmer gehen müssen, dort lag noch ein Album. Und sie fühlte sich außerstande, es zu holen. Alice Winger erledigte das. Dann saß Ute Frankenberg wieder auf der Couch, das Album im Schoß, die Augen auf ein Foto in Postkartengröße geheftet. Frankie! Sie streichelte das Papier mit den Fingerspitzen, brach in Tränen aus und konnte nicht weiterblättern.

Rudolf Grovian bemühte sich um Geduld. Alice Winger

nahm das Album an sich, suchte und nahm eine Fotografie heraus. «Ist es das, was Sie meinen?»

Ja, das war es! Die Erleichterung machte seine Brust wieder frei. Er musste nicht lügen, nicht manipulieren, nicht tun, was er vor knapp einer Stunde ihrem Anwalt vorgeschlagen hatte: «Wenn alle Stricke reißen, machen wir aus Frankie einen lieben, aber verzogenen Bengel aus gutem Haus, der – meinetwegen unter dem Einfluss von Alkohol und Kokain – zuließ, dass seine Freunde sich im August vor fünf Jahren an seinem Mädchen vergriffen. Es gibt keine Beweise dafür, aber es gibt auch keine dagegen, wenn wir uns an den 16. August halten, da war sein Arm wieder verheilt. Machen wir uns die Flunkereien zunutze. Ich bringe Ihnen eine Zeugin, die unter Eid aussagen wird, dass sie Cora Bender am Abend des 16. August in Georg Frankenbergs Auto einsteigen sah. Ich bin sicher, ihre Nachbarin wird das für sie tun, wenn wir ihr garantieren, dass es keine Folgen hat. Sie hämmern Frau Bender jetzt ein, dass von ihr in der Verhandlung kein Wort über den Erlöser und die büßende Magdalena kommen darf und auch keins über Zuhälter und Prostitution. Was wir brauchen, ist die nette Liebesgeschichte mit dramatischem Ausgang.»

Und genau das war es! Die Aufnahme war schlecht belichtet. Doch mit ein bisschen gutem Willen und ihrer Beschreibung im Hinterkopf konnte man durchaus einiges erkennen. Die Musikinstrumente auf dem Podest in der Ecke. Sogar zwei Männer. Der hinter dem Schlagzeug musste Frankie sein. Er hatte die Arme erhoben. Sein Gesicht war nur ein verschwommener Fleck. Da war der andere schon deutlicher. Er stand hinter dem Keyboard. Ein blonder Pummel mit verträumter Miene. Nicht übermäßig groß und von kräftiger Statur.

«Wer ist das?»

Ute Frankenberg beugte sich zu seiner ausgestreckten Hand hin. «Das müsste Ottmar Denner sein.»

Tiger, dachte er. «Hat Ihr Mann einmal den Spitznamen Ottmar Denners erwähnt? Tiger?»

«Nein, nie.»

«Auch keinen anderen Spitznamen? Böcki oder Johnny Guitar?»

«Nein.»

Schade! Jammerschade! «Auf diesem Foto sind nur zwei Männer, Frau Frankenberg. Wo ist der dritte, Hans Böckel?»

Wo schon? Am Auslöser!

«Bueckler», sagte sie mechanisch. «Nicht Böckel, er hieß Bueckler. Es schreibt sich mit ue.»

Winfried Meilhofer murmelte eine Entschuldigung. «Dann habe ich den Namen falsch verstanden.»

«Es muss aber auch ein Foto von Hans Bueckler da sein», murmelte Ute Frankenberg wie im Selbstgespräch. Sie nahm das Album wieder an sich, schlug eine Seite um, schüttelte den Kopf, noch eine Seite. «Hier», sagte sie, zog das Foto unter der Klarsichtfolie heraus und reichte es ihm. Gleichzeitig fuhr sie mit der freien Hand in den Nacken und machte eine rasche Bewegung mit dem Kopf.

Rudolf Grovian registrierte zwei Dinge zur gleichen Zeit. Den Mann auf dem Foto. Melanie Adigars Beschreibung von Johnny passte wie maßgeschneidert. Ein blonder Adonis. Als hätte er den griechischen Steinmetzen Modell für ihre Götter gestanden. Und das Haar, das Ute Frankenberg den Rücken hinunterfiel. Immer noch von der Spange im Nacken zusammengehalten, aber lang, es reichte ihr bis auf die Hüften.

Er fühlte sein Herz einen Satz der Betroffenheit machen, weil er sich in derselben Sekunde vor dem alten Nachttisch stehen sah, das Foto im Silberrahmen in der Hand. Magdalena, dachte er. Die Frau war der Auslöser.

Verdammt! Dieser Gartenzwerg von psychologischem Sachverständigen hatte Recht! Aber es konnte nicht sein! Was er in der Hand hielt, war ein Beweis. Er konzentrierte sich wieder auf den Schnappschuss in seinen Händen. Hans Bueckler stand an der Kellerbar und hielt ein Glas in der Hand. «Wissen Sie, wo diese Aufnahmen gemacht wurden, Frau Frankenberg?»

Sie nickte. «In ihrem Probekeller.»

«Wo finde ich diesen Keller?»

«Das weiß ich nicht. Ist er wichtig für Sie?»

«Sehr wichtig.»

«Ich weiß es wirklich nicht. Vielleicht im Haus von Denners Eltern oder bei Hans Bueckler. Ja, es wird da gewesen sein. Ich weiß nicht, wo er wohnte. Irgendwo in Norddeutschland. Sein Vater hatte etwas mit Musik zu tun. Er war Agent, glaube ich, ich bin nicht sicher.»

«Ich muss die Fotografien mitnehmen, Frau Frankenberg. Nach Möglichkeit noch mehr, wenn es noch mehr Aufnahmen aus diesem Keller gibt. Vielleicht gibt es sogar eine vom Haus?»

Die gab es nicht, aber aus dem Keller gab es noch zwei. Und die waren auch scharf. Auf einer war die Couch mit dem niedrigen Tisch davor abgelichtet. Frankie saß auf der Couch. Und es gab noch eine Aufnahme, die ihn und Denner neben einem roten Sportflitzer zeigte.

«Wissen Sie, wem der Wagen gehörte?»

Sie nickte nur und betrachtete das Foto in seiner Hand. Antworten konnte sie nicht. Das tat Winfried Meilhofer für sie. «Das war Frankies Wagen. Er fuhr ihn noch, als ich ihn kennen lernte.»

Als er sich verabschiedete, fühlte er sich ein wenig leichter. Nur ein wenig. Viel war es nicht, was er in der Hand hielt. Im Grunde war es nur Hoffnung, dass er ein Foto von Johnny in der Tasche trug. Und da war eine innere Stimme, die ihm sagte, er hätte besser eins von Ute Frankenberg mitgenommen. Und er solle ihr lieber das zeigen. Er solle sie fragen: «Wer ist das, Frau Bender?»

Und im Geist sah er sie lächeln, so intensiv, so besorgt und zärtlich wie auf dem Foto in ihrem Zimmer. Und im Geist hörte er sie mit wehmütigem Unterton sagen: «Das ist Magdalena.»

14. Kapitel

Ihr Haar war noch feucht. Sie hatte es nach dem Frühstück gewaschen. Und Margret hatte vergessen den Föhn einzupacken. Es war Nachmittag, das wusste sie. Viel mehr wusste sie nicht, nur dass ihr Haar noch feucht war. Sie spürte es kühl im Nacken. Wenn ein Windhauch von draußen hereinkam, fühlte sie auch die Kühle am Kopf. Aber sonst fühlte sie nichts.

Einmal hatte es am rechten Bein gejuckt, unterhalb der Kniekehle an der Wade – als ob sich ein Insekt dorthin gesetzt hätte. Es war schon eine Weile her. Sie hatte lange überlegt, ob sie an die Stelle fassen sollte – kratzen oder das Insekt verscheuchen. Es hätte eine Mücke sein können. Sie hatte sich auf die Stelle konzentriert und herauszufinden versucht, ob sie es nur durch Konzentration identifizieren oder zum Verschwinden bringen konnte. Hingeschaut hatte sie nicht, auch nicht hingefasst. Irgendwann hatte das Jucken aufgehört. Vor einer halben Stunde. Da war sie sicher, sie hatte die Sekunden gezählt.

Seit sie vom Professor zurück war, beschäftigte sie sich ausschließlich mit Zählen. Sie war weit über zehntausend gewesen, als das Jucken am Bein sie unterbrach und sie wieder von neuem beginnen musste. Achtzehn! So alt war Magdalena geworden. Neunzehn – so alt war sie damals gewesen. Zwanzig – da hatte sie langsam zu leben begonnen. Einundzwanzig – da hatte sie sich eingebildet, ein Leben führen zu können wie tausend andere, mit einem Mann, der zu dumm war, um gefährlich werden zu können. Aber das war ein Irrtum gewesen. Zweiundzwanzig, dreiundzwanzig, vierundzwanzig … aus.

Der Professor hatte gesagt: «Ich sehe, Sie haben Ihr Haar gewaschen, Frau Bender.»

Zu dem Zeitpunkt war es noch nass gewesen, nicht nur feucht. Dem Professor hatte es gefallen. Er hatte gefragt, wie oft sie es früher gewaschen habe? Doch sicher täglich! Ob es Naturlocken seien oder eine Dauerwelle. Und welches Shampoo sie benutzt habe, es dufte so angenehm frisch.

«Es ist auch ein sehr gutes Shampoo», hatte sie geantwortet. «Der Chef hat es mir mitgebracht. Wo ist er? Habe ich ihn umgebracht?»

Sie wusste, sie hatte auf ihn eingestochen – mit dem kleinen Messer, das auf der Bar lag. Irgendwie hatte sie es zu packen bekommen. Und in dem Augenblick, als sie auf ihn einstach, war er nicht der Chef gewesen. Nur einer, der etwas tat, was er nicht tun sollte. Dann hatte sie noch einmal, nur für einen winzigen Moment, sein Gesicht gesehen, hatte ihn auch erkannt, aber nicht mehr feststellen können, ob er blutete, ob er überhaupt noch am Leben war. Es war gleich dunkel geworden.

Und dann ein weißes Bett und ein schmales, besorgtes Gesicht, das sich über sie beugte. Der sauber gestutzte Bart fehlte. Er hat ihn abgenommen, war ihr erster Gedanke gewesen. Er hat sich rasiert, während ich schlief. Sie wartete darauf, dass er sie Orangensaft trinken ließ oder ihre Arme und Beine bewegte. Dass er sie aufforderte, ein Gedicht aus der Schulzeit aufzusagen, oder etwas in die Kanüle auf ihrem Handrücken injizierte. Oder den Verband am Kopf überprüfte oder in ihre Ferse pikste.

Und die Angst, diese wahnsinnige Angst, dass alles von vorne begonnen hatte, dass sie es noch einmal durchleben musste: Heimkommen. Mutters gleichgültige Stimme an der offenen Haustür. «Cora ist tot. Meine Töchter sind beide tot.»

Und Vater an ihrem Bett. «Was hast du getan, Cora?»

Und Grit mit ihrem ängstlich besorgten Gesicht, nicht wissend, ob sie reden durfte oder schweigen musste. Sich langsam vorantastend. Jeder Satz ein Hammerschlag. «Du brauchst dir keine Sorgen zu machen. Margret hat sich um alles gekümmert. Auf ihrem Totenschein steht Herz-Nieren-Versagen. Margret hat sich die Unterlagen aus Eppendorf geholt und eine Leiche besorgt, ein Junkiemädchen, glaube ich. Ihr Freund hat ihr geholfen, er hat auch den Schein ausgestellt.»

Grit hatte den Kopf geschüttelt, gleichzeitig mit den Achseln gezuckt und weitergesprochen: «Es war eine junge Frau. Margret hat sie im Auto hergebracht. Ein Himmelfahrtskommando, aber wir brauchten ja etwas für die Beerdigung. Wir haben sie verbrennen lassen. Magdalena wollte das ja so. Und Margret sagte, damit ist die Sache ausgestanden. Wenn es irgendwann dumme Fragen gibt, Antworten gibt es nicht mehr.»

Die grausame Angst, das alles noch einmal hören zu müssen, brachte sie fast um. Sie schrie, griff nach der Hand, die den Puls an ihrem Handgelenk überprüfte, und klammerte sich daran fest. «Ich will nicht nach Hause. Schicken Sie mich nicht weg, bitte. Lassen Sie mich hier bleiben. Ich kann im Haushalt helfen. Ich tu alles, was Sie wollen. Nur schicken Sie mich nicht heim. Meine Schwester ist tot. Ich habe Magdalena umgebracht.»

Wie lange sie geschrien, gebettelt und die Hand umklammert hatte, wusste sie nicht. Es hatte ewig gedauert, bis sie ihren Irrtum erkannte. Er hatte sich nicht rasiert. Er hatte gar keinen Bart getragen. Er war der Sachverständige. Und sie hatte es ihm gesagt. Und wenn er am nächsten Morgen hundertmal so tat, als habe er nichts gehört. Wenn er sie noch tausendmal fragte, mit welchem Shampoo sie ihr Haar gewaschen hatte. Er hatte sein Ziel erreicht. Das Letzte aus ihr herausgeholt.

Viertausenddreihundertsiebenundzwanzig.

Viertausenddreihundertachtundzwanzig.

Magdalenas Knochen im Staub zwischen verdorrtem Gras.

Viertausenddreihundertneunundzwanzig.

Viertausenddreihundertdreißig.

Eine unbekannte Tote! Eine skelettierte Leiche in der Nähe eines Truppenübungsplatzes in der Lüneburger Heide.

Viertausenddreihunderteinunddreißig! Nicht denken! Sie durfte nicht denken, wollte auch nicht mehr.

Grit hatte gesagt: «Als dein Vater an dem Sonntagmorgen im Mai vor meiner Tür stand und sagte: ‹Die Mädchen sind weg.› Zuerst konnte ich es nicht glauben. Dann dachte ich, du hättest Magdalena nach Eppendorf bringen müssen. Wir haben herumtelefoniert. Fehlanzeige. Am Nachmittag fanden wir das Auto auf dem Parkplatz beim ‹Aladin›. Wir konnten uns das nicht erklären und wussten nicht, was wir tun sollten. Ich habe deinem Vater vorgeschlagen, er solle zur Polizei gehen. Das wollte er auf keinen Fall. Ich hatte fast das Gefühl, er nahm an, du hättest Magdalena …»

Grit hatte einen langen Seufzer ausgestoßen. «Wie er auf solch einen Gedanken kommen konnte, werde ich nie verstehen. Gerade er musste doch wissen, dass du dich für sie hättest vierteilen lassen. Ja, und dann haben wir in der Nachbarschaft erzählt, es ginge zu Ende mit ihr, und du weichst nicht von ihrer Seite. Ein Glück nur, dass Melanie an dem Wochenende bei Freunden übernachtet hat. Sie hätte vielleicht den Mund nicht halten können.»

Dann hatte Grit vom August gesprochen: «Ich finde es immer noch nicht richtig, was Margret gemacht hat. Und ich mache mir Vorwürfe, dass ich überhaupt etwas gesagt habe, als ich von dem Leichenfund in der Zeitung las. Ich wollte zuerst nicht mit deinem Vater darüber reden. Ich dachte, es regt ihn nur unnötig auf. So war es auch. Er hat auf der Stelle mit Margret telefoniert. Und weißt du, was er zu ihr sagte? ‹Wir haben Magdalena gefunden.› Ich sagte: ‹Wilhelm, das ist doch nicht wahr! Wir haben gar nichts. Man hat eine Tote gefunden, irgendeine Tote, die kein Mensch mehr identifizieren kann. Es kann unmöglich Magdalena sein. Bei der hätte man Kleidungsstücke finden müssen, zumindest das Nachthemd. Sie hat doch immer ein Nachthemd getragen.› Er hat mich so komisch angeschaut und den Kopf geschüttelt. Und dann sagte Margret: ‹Es spielt keine Rolle, wer die Tote ist. Wir müssen etwas unternehmen. Wir haben schon viel zu lange gewartet.› Und im Grunde hatte sie Recht. Wir konnten nicht bis in alle Ewigkeit erzählen, du sitzt an Magdalenas Bett. Dass sie noch lebte, haben wir ja auch nicht geglaubt.»

Viertausenddreihundertzweiunddreißig. Und weiter bis in alle Ewigkeit – mit diesem Bild vor Augen – morsche Knochen im Dreck. Mit Magdalenas Stimme im Ohr: «Ich will die Hölle.» Aber die Leiche da draußen war nicht verbrannt gewesen. Gefault war sie, schwarz geworden, Würmer hatte sie bekommen.

Bei achttausendsiebenhundertdreiundvierzig hörte sie den Schlüssel in der Tür. Sie ließ sich nicht unterbrechen, rechnete fest damit, dass man sie noch einmal abholen wollte, um sie ein zweites Mal zum Professor zu bringen.

Die Sitzung am Vormittag war sehr unerquicklich für ihn gewesen. Er hatte von ihr wissen wollen, worüber sie zuletzt mit dem Chef gesprochen hatte. Der falsche Hund! Er wusste es doch längst. So blöd war sie noch nicht, dass sie nicht aus seinen Fragen heraushörte, wie viel er wusste.

Er fragte, ob sie noch einmal mit ihm über den Keller reden möchte. Und darüber, dass Zuhälter normalerweise keine gläubigen Menschen seien. Dass Zuhälter wohl häufig ein Mädchen schlagen ließen, es auch selbst schlugen, dass sie dabei jedoch nicht Amen! Amen! Amen! brüllten. Aber sie hätte gewiss häufig Amen sagen müssen. Und sie hätte sich doch auch bestimmt oft gewünscht, ein normales Leben führen zu können. Mit einem jungen Mann.

Er sagte, er wisse, wie groß die Belastung durch Magdalena für sie gewesen sei. Und dann wollte er mit ihr über Musik reden. Speziell über die Lieder, die Magdalena gerne gehört hatte. Ob sie sich noch an bestimmte Titel erinnere, wollte er wissen.

Aber wo der Chef war, wollte er ihr nicht sagen. Kein Wort, ob er noch lebte. Da antwortete sie ihm auch nicht mehr. Und dann machte er Musik. Er ließ sie das Schlagzeug hören, die Gitarre und das hohe Pfeifen einer Orgel. «Song of Tiger»!

Und dieser scheinheilige Hund fragte, wie sie sich fühle. Woran sie jetzt denke. Woran schon? Achtzehn! Neunzehn! Zwanzig! Einundzwanzig! Sie hatte die Zähne zusammenbeißen müssen, dass es in den Kiefern knackte. Aber es hatte funktioniert. Zweiundzwanzig! Dreiundzwanzig! Vierundzwanzig!

Er war nervös geworden. Anzusehen war ihm das nicht gewesen, aber sie hatte es gefühlt und weitergezählt, weiter, immer weiter.

Achttausendsiebenhundertvierundvierzig. Die Tür ging auf. Einer der Pfleger kam herein. Es war der, der am vergangenen Abend zweimal nach ihr geschaut hatte. Einmal hatte er ihr das Haar aus der Stirn gestrichen und gefragt: «Wie fühlen Sie sich, kleine Frau? Geht's wieder?»

Er hieß Mario, war ein netter Kerl, immer freundlich, immer gut gelaunt, dunkelhaarig wie Vater früher. Und sehr stark, ungeheuer kräftig. Er konnte sich einen erwachsenen Mann unter den Arm klemmen und ohne Schwierigkeiten forttragen, obwohl der Mann zappelte und strampelte und mit beiden Fäusten in Marios Rücken drosch.

Sie hatte es einmal gesehen, auf dem Rückweg vom Professor zu ihrem Zimmer. Und sie hatte gedacht, dass Vater vielleicht auch einmal so gewesen war. So groß wie Mario, so stark wie Mario. Als junger Mann auch so hübsch wie Mario. Sie hatte sich vorgestellt, wie Mutter sich in ihn verliebte, wie sie sich das erste Mal von ihm küssen ließ. Wie sie das erste Mal mit ihm schlief. Wie sie es genoss. Und wie sie das erste Kind mit ihm zeugte. Wie glücklich Mutter war über die späte Schwangerschaft und über den Mann, der zu ihr gehörte. Und sie hatte sich vorgestellt, sie wäre an Mutters Stelle und Mario wäre Vater.

Gestern Abend hatte sie es sich auch vorgestellt, als sie noch so benommen war von den Medikamenten, dass sie kaum denken konnte, sich nur etwas wünschen: Mario möge sie aus dem Bett nehmen und forttragen, weit, weit fort. Zurück in den Keller. Sie dort auf den Boden legen. Mitten im Raum stehen wie Herkules. Und sich jeden Einzelnen, jeden von denen, die sonst noch da waren, unter den Arm klemmen. Sie alle hinaustragen ins Freie. Und sie dort totschlagen. Alle! Und wenn er sie alle totgeschlagen hätte, käme er zurück, nähme sie wieder vom Boden hoch und sagte: «Jetzt ist es vorbei, kleine Frau. Jetzt ist es überstanden.» Und dann ließe er sie schlafen – bis in alle Ewigkeit.

Es war Sünde, so etwas zu wünschen. Das ganze Leben war Sünde. Der Tod auch. Sie hatte ihre Schwester getötet. Und als sie Magdalena tot vor sich liegen sah, war sie in Panik aus dem Haus gerannt. Sie war zurück zum «Aladin» gefahren, wo Johnny auf sie wartete. Er hatte ihr geholfen, die Leiche in die Heide zu schaffen. Sie hatten Magdalena irgendwo abgelegt, wo sie nicht so schnell gefunden werden konnte. Nahe dem militärischen Sperrgebiet, da ging niemand hin, auch die Soldaten nicht. Da konnte Magdalena zu einem stinkenden, ekligen Stück Dreck werden.

So musste es gewesen sein, genau wusste sie es nicht, aber Grit sah es so. Wobei Grit davon ausging, Magdalena sei bereits tot gewesen, als sie heimkam in der Nacht. Das war Grits Irrtum. Und der Professor wusste es jetzt. Und wenn sie nicht zählte, musste sie sich fragen: Warum habe ich ihr kein Feuer gemacht? Ich hatte es versprochen. Hatten wir kein Benzin dabei? In Vaters Wagen lag immer ein voller Kanister. Aber Vaters Wagen stand beim «Aladin». Er kann für diese Fahrt nicht benutzt worden sein. Also muss mir jemand geholfen haben. Ich kann nicht allein gewesen sein mit ihr. Wenn ich allein gewesen wäre, sie hätte ihr Feuer bekommen. Es muss jemand bei mir gewesen sein, der nicht in Vaters Wagen fahren wollte. Der in seinem Wagen keinen vollen Benzinkanister hatte. Oder dem ein Feuer zu gefährlich war. Der befürchtete, dass jemand die Flammen sah. Johnny!? Es gab keine andere Möglichkeit.

Mario blinzelte sie mit dem rechten Auge an wie ein Verschwörer. Sie sah, dass er ein Tablett in der Hand hielt. Darauf standen eine kleine Kanne aus dickem weißem Porzellan und zwei Tassen mit Untertellern. Er trug das Tablett zum Tisch, stellte es ab und legte einen Finger an seine Lippen. «Das bleibt unter uns», sagte er. «Den habe ich selbst aufgebrüht. Das ist richtig guter Kaffee.»

Sie biss sich auf die Lippen und blinzelte gegen die Feuchtigkeit an.

«Na», sagte Mario. «Das lassen Sie besser. Sie wollen sich doch den Kaffee nicht verwässern. Eine Tasse für Sie und eine für Ihren Besuch.»

«Ist der Chef gekommen? Lebt er noch?»

«Natürlich lebt er noch.» Mario lächelte breit. «Aber er wird sich hier so schnell nicht mehr blicken lassen. Der Professor hat ihm tüchtig den Kopf gewaschen.»

Und sie stellte sich vor, dass nun auch der Chef mit feuchten Haaren herumlief, während Mario anfügte: «Ihr Anwalt ist da. Jetzt kommen Sie an den Tisch und trinken Ihren Kaffee mit ihm.»

Er drehte sich zur Tür und rief: «Kommen Sie nur. Sie ist okay.» Ihr blinzelte er noch einmal zu, hob einen Daumen, als könne er sie damit aufrichten .«Ich bleibe hier, in Ordnung? Ich passe auf, dass nichts passiert.» Mario postierte sich neben die Tür, legte die Hände auf den Rücken und stand da wie ein Wachsoldat.

Sie rutschte vom Bett wie ein Kind mit zu kurzen Beinen, als ihr Anwalt durch die Tür trat. Sie erinnerte sich, dass sie ihn bereits einmal gesehen und auch längere Zeit mit ihm gesprochen hatte. Aber ... «Tut mir Leid, ich habe Ihren Namen vergessen.»

«Das macht doch nichts», sagte er. «Ich muss mir auch alles notieren. Sonst vergesse ich die Hälfte. Brauning.»

Er lächelte sie an, während er seinen Namen nannte. Im Gegensatz zu Marios Lächeln fiel seines verkrampft aus. Er fühlte sich nicht wohl in ihrer Nähe, sie spürte es.

«Haben Sie Angst vor mir?»

«Nein, Frau Bender», sagte er. «Warum sollte ich denn Angst vor Ihnen haben?»

Das wusste sie nicht, aber es war so. «Ich tu Ihnen nichts», versicherte sie. «Ich tu keinem Menschen mehr etwas. Wenn Frankie mir gesagt hätte, dass er ein Mensch ist, hätte ich ihm auch nichts getan – glaube ich. Aber das hat er mir nicht gesagt. Er wollte, dass ich es tue. Ich habe neulich vergessen, Ihnen das zu sagen.»

«Schon gut, Frau Bender», sagte ihr Anwalt. «Darüber können wir später reden.»

«Nein», sagte sie. «Ich rede nicht mehr. Ich zähle jetzt nur noch. Dabei kann überhaupt nichts passieren.»

Eberhard Brauning hatte wie beim ersten Besuch den Aktenkoffer dabei. Er stellte ihn neben dem Tisch ab und setzte sich auf einen der Stühle, sodass er die Tür und den Pfleger daneben im Auge hatte. Ein kräftiger Mensch! Oberarme wie ein Ringer. Der Anblick hatte etwas Beruhigendes.

«Ich habe hier ein paar Dinge, bei denen Sie mir helfen müssen, Frau Bender», sagte er.

Helene hatte ihn gut instruiert. Rudolf Grovians Erklärungen und sein Eintreten für Cora Bender, vor allem seine Bereitschaft, notfalls die eigene Existenz zu riskieren, hatten Eindruck auf Helene gemacht.

«Er versteht es, einem die Sache schmackhaft zu machen. Das heißt natürlich nicht, dass ich seine Vorschläge gutheiße. Um Gottes willen, Hardy, ich kann dir nur dringend raten, davon Abstand zu nehmen. Es wird vielleicht auch gar nicht nötig sein zu manipulieren. Weißt du, Hardy, Burthe hat wirklich einen guten Ruf, man kann nichts Nachteiliges über ihn sagen. Nur verbeißt er sich eben schnell in die Freud'sche Theorie. Und in einem so komplexen Fall reicht das nicht. Dieser Grovian könnte durchaus richtig liegen mit seiner Einschätzung. Man darf die Meinung eines Laien nicht unterbewerten, und er hat ja doch einiges zusammengetragen, was dafür spricht. Tatsache ist auch, er kann mit ihr umgehen. Er bringt sie zum Reden. Und das hast du auch geschafft, Hardy. Es ist nur eine Frage der Autorität. Aber es ist deine Entscheidung. Ich will dir da nicht hineinreden. Du musst nur eines beherzigen, wenn du mit ihr sprichst. Geh natürlich mit ihr um. Appelliere an ihre Hilfsbereitschaft und ihr Verantwortungsbewusstsein.» Helene hatte leicht reden.

«Darf ich Ihnen Kaffee einschenken?» Sie erkundigte sich nicht einmal, wobei sie ihm helfen sollte.

«Ja, das wäre nett», sagte er.

«Stört es Sie, wenn ich stehen bleibe? Ich habe den ganzen Tag gesessen. Eine Stunde bei Professor Burthe und die restliche Zeit auf dem Bett.»

Helene hatte gesagt: «Halte sie beim Thema. Lass sie nicht abschweifen. Wenn sie es versucht, und das wird sie mit Sicherheit tun, bring sie sofort auf den Punkt zurück. Und lass dich nicht provozieren, Hardy. Sie wird es tun, wenn sie einigermaßen klar ist. Stell dir ein Kind vor, das völlig auf sich allein gestellt ist. Wenn da plötzlich jemand auftaucht, der behauptet, ich mag dich und will dir helfen, muss das Kind ihn auf die Probe stellen. Es wird ihn bis zur Weißglut reizen. Zeig ihr, wo die Grenzen sind. Bleib ruhig, aber bestimmt, Hardy. Du wirst doch mit einem Kind fertig werden.»

«Es wäre mir lieber, wenn Sie sich setzen», sagte er. Mit Helenes Instruktionen und Vorhersagen im Kopf war er auf alles gefasst. Auf ein Grinsen, auf Widerspruch, eine gelangweilte oder teilnahmslose Miene. Nichts dergleichen.

Sie zog einen Stuhl unter dem Tisch hervor und nahm Platz. Brav stellte sie die Füße nebeneinander, zupfte den Rocksaum über die Knie und lächelte ihn an. «Ich weiß immer noch nicht, ob es eine Mücke war oder nur ein Nervenreflex. Ich hätte hinschauen müssen. Es war dumm, das nicht zu tun. Wenn es eine Mücke war, ist sie bestimmt noch hier. Und dann kommt sie in der Nacht wieder. Ich hätte draufhauen müssen. Draufhauen! Einfach draufhauen! Es wäre nur eine Scheißmücke gewesen, die mich stechen will. Und alles, was sticht, muss man totschlagen.»

Eberhard Brauning konnte nicht beurteilen, ob sie einigermaßen klar war, ob sie Rudolf Grovians Meinung bestätigte und auf verschlüsselte Weise ihre Todessehnsucht zum Ausdruck brachte oder ihm nur Unsinn erzählte. Er hielt an Helenes Vorschlägen fest. «Ich bin nicht hier, um mit Ihnen über Mücken zu reden, Frau Bender. Ich habe ein paar Fotografien bei mir und möchte, dass Sie sich die Männer ansehen und mir …»

Weiter kam er nicht. «Ich will mir keine Männer ansehen.» Punkt und Schluss! Ihre Miene machte deutlich, dass sie nicht bloß einen Punkt, sondern ein Ausrufezeichen hinter ihren Willen gesetzt hatte.

Nur ein Kind, dachte er, ein ungeliebtes Kind. Er dachte es wie eine Beschwörungsformel. «Es ist sehr wichtig, Frau Bender. Sie werden sich die Fotos anschauen und mir sagen, ob Sie einen der Männer kennen.»

«Nein!» Zur Bekräftigung schüttelte sie energisch den Kopf. «Es ist doch garantiert ein Foto von Frankie dabei. Und das werde ich mir nicht anschauen. Ich muss mein Gedächtnis nicht auffrischen. Ich sehe ihn so deutlich, dass ich ihn zeichnen könnte.»

Unvermittelt brach ihre Stimme. Sie gab einen Laut von sich wie ein trockenes Schluchzen. «Ich sehe ihn mit und ohne Blut. Ich sehe ihn am Schlagzeug, und ich sehe ihn am Kreuz. Und immer hängt er in der Mitte. Er war der Erlöser. Nein! Nein, bitte, schauen Sie mich nicht so an. Ich bin nicht verrückt. Ich habe es doch in seinen Augen gelesen. Aber ich bin auch nicht Pilatus. Ich kann mir nicht die Wasserschüssel reichen lassen.»

Es hat überhaupt keinen Sinn, dachte Eberhard Brauning. Wenn wir es wirklich bis zur Hauptverhandlung schaffen – ein derartiger Ausbruch, und das war es.

Sie legte die Hände vors Gesicht, sprach mit gepresster Stimme weiter: «Er wollte nicht sterben. Er hat seinen Vater angefleht: Lass diesen Kelch an mir vorübergehen. Er hatte so eine schöne Frau. Warum lassen Sie mich nicht sterben? Ich will nicht mehr denken! Ich kann nicht mehr. Jetzt kann ich wieder von vorne anfangen. Achtzehn, neunzehn, zwanzig, einundzwanzig …»

Eberhard Brauning atmete tief und gleichmäßig ein und aus, ein und aus und wünschte Helene und ihre frisch erwachte Liebe zum Beruf zum Teufel. Und Rudolf Grovian, der ihr diesen Floh ins Ohr gesetzt hatte, gleich hinterher.

Der Pfleger stand bei der Tür und rührte sich nicht, tat, als sehe und höre er nichts. Er stand da nicht als Leibwache für ihn, auch nicht als Wachhund für sie. Er stand da auf Anweisung des Staatsanwalts, der es gerne persönlich übernommen hätte. Professor Burthe hatte ihm das ausreden können und es auch strikt abgelehnt, einen Kriminalbeamten in Cora Benders Nähe zu lassen. So war das Los auf ihn als ihren Anwalt gefallen. Aber sie brauchten einen unparteiischen Zeugen. Nach Möglichkeit einen, auf den sie positiv reagierte. Sonst, meinte der Professor, sei jeder Versuch sinnlos. Niemand brächte zurzeit ein Wort aus Frau Bender heraus.

Es waren zwanzig Aufnahmen, die er in seinem Koffer hatte. Er wusste nicht, wen sie darstellten. Rudolf Grovian hatte ihm die Fotos kurz nach Mittag in die Kanzlei gebracht. Das Polizeilabor hatte eine Nachtschicht eingelegt. Zwanzig Männerköpfe, alle etwa im gleichen Alter. Und nichts als die Köpfe abgebildet. Bei jedem war der Hintergrund so verschwommen, dass er nicht den kleinsten Anhaltspunkt bot.

Er nahm einen Schluck Kaffee und stellte die Tasse wieder ab. Sie war bereits bei fünfundvierzig, als er sich endlich überwinden konnte, sie zu unterbrechen. «Hören Sie auf damit, Frau Bender. Sie werden sich jetzt diese Fotos ansehen. Ich weiß nicht, ob ein Foto von Frankie dabei ist. Wenn Sie eines sehen, sagen Sie es mir. Dann nehme ich es weg. Sie müssen ihn nicht anschauen. Nur die anderen. Sagen Sie mir, wenn Sie jemanden erkennen. Und nennen Sie mir den Namen, wenn Sie ihn wissen.»

Sie brach ihre Zählerei tatsächlich ab. Er hatte nicht damit gerechnet und fasste es als einen persönlichen Erfolg auf. Als er sich nach dem Koffer bückte, kam der Pfleger zum Tisch und baute sich daneben auf.

Es beruhigte Eberhard Brauning ein wenig, den Mann näher bei sich zu haben. Nicht dass er Angst gehabt hätte. Aber für den Fall eines Falles. Wo sie sogar auf Grovian losgegangen war. Er zog einen Umschlag heraus und legte ihn auf den Tisch. Es war ein großer brauner Umschlag. Er nickte ihr aufmunternd zu, während er die Aufnahmen herausnahm.

Sie starrte die Fotos an wie ein Gewimmel giftiger Reptilien. «Woher haben Sie die?», wollte sie wissen.

«Herr Grovian brachte sie heute Mittag.»

In ihren Augen flackerte Interesse auf. «Wie geht es ihm?»

«Gut. Ich soll Sie schön grüßen.»

«Ist er böse auf mich?»

«Nein, warum sollte er?»

Sie beugte sich über den Tisch zu ihm hinüber und wisperte: «Ich habe ihn doch gestochen.»

«Nein, Frau Bender.» Er schüttelte energisch den Kopf. «Das haben Sie nicht. Geschlagen haben Sie nach ihm. Aber das versteht er. Er hat Sie gereizt, und Sie waren sehr aufgeregt. Er ist Ihnen wirklich nicht böse. Er möchte, dass Sie sich die Fotos anschauen. Er hat eine Menge Lauferei gehabt, ehe er sie alle beisammen hatte. Es ist sogar eines von seinem Schwiegersohn dabei, hat er mir erzählt.»

Sie lehnte sich wieder zurück, schürzte die Lippen und verschränkte die Arme über der Brust. «Na schön. Ich schaue sie mir ja an.»

Er schob ihr den Packen zu. Sie beugte sich wieder vor und betrachtete die erste Aufnahme, schüttelte den Kopf, nahm sie vom Packen und legte sie zur Seite. Die zweite, die dritte, die vierte, jedes Mal ein Kopfschütteln. «Welcher ist denn der Schwiegersohn?», erkundigte sie sich bei der fünften.

«Das weiß ich nicht, Frau Bender. Ich darf das auch nicht wissen.»

«Schade», murmelte sie. Bei der sechsten Aufnahme stutzte sie, runzelte die Stirn, legte einen Finger an die Lippen und begann am Nagel zu kauen. «Könnte er das sein? Den habe ich einmal gesehen. Aber ich weiß nicht wo. Wie er heißt, weiß ich auch nicht. Was machen wir jetzt mit ihm?»

«Wir legen ihn zur Seite», sagte er.

Sie betrachtete die siebte und achte Aufnahme. Bei der neunten kniff sie die Augen zusammen und verlangte heiser: «Tun Sie es schnell weg! Das ist Frankie.»

Er nahm das Foto an sich und schob es zurück zwischen die, die sie bereits aussortiert hatte. Sie brauchte ein paar Minuten, ehe sie weitermachen konnte. Der Pfleger legte ihr beruhigend eine Hand auf die Schulter. Sie schaute zu ihm auf und nickte mit zusammengepressten Lippen. Dann widmete sie sich der zehnten, elften und zwölften Aufnahme.

Bei der dreizehnten sagte sie: «Das Schwein will ich überhaupt nicht kennen. Und ich will auch nicht wissen, wie er heißt.» Sie schob das Foto mit einem energischen Ruck zu ihm hinüber.

«Ich muss aber wissen, wie er heißt, Frau Bender», erklärte er.

«Tiger», sagte sie knapp und betrachtete ausgiebig die vierzehnte Aufnahme. Bei der fünfzehnten überzog ein Lächeln ihr Gesicht.

«Mein Gott, hat der eine große Nase.»

«Kennen Sie ihn?»

«Nein. Aber schauen Sie sich mal seine Nase an.»

Es lief besser als erwartet. Er war stolz auf sich und rechnete nicht mehr mit einem dramatischen Zwischenfall. Aber beim achtzehnten Foto wurde es kritisch.

Eberhard Brauning bemerkte es nicht sofort. Dem Pfleger fiel auf, dass etwas nicht stimmte. Er legte ihr erneut die Hand auf die Schulter. Und da sah Eberhard, wie sie das Foto anstarrte.

«Kennen Sie den Mann?», fragte er.

Sie reagierte nicht. Und er konnte ihren Gesichtsausdruck nicht einordnen. Wehmut? Sehnsucht? Trauer? Oder Hass?

Unvermittelt schlug sie mit der Faust auf den Tisch. Die beiden Tassen hüpften von den Untertellern. Aus ihrer Tasse schwappte Kaffee über den Tisch. In das Klirren hinein schrie sie mit sich überschlagender Stimme: «Was hast du mit mir gemacht? Ich habe es doch nur für dich getan! Ich wollte nicht, dass sie stirbt. Nur schlafen sollte sie. Du hast gesagt, ich soll sie schlafen lassen und zu dir kommen! Bin ich gekommen? Du musst es doch wissen!»

Eberhard Brauning konnte sich nicht aufraffen, seine Frage zu wiederholen, zog ein Tuch aus der Hosentasche und wischte notdürftig die Kaffeepfütze auf, damit die Fotos nicht verschmierten.

Der Pfleger griff ein, beugte sich zu ihr nieder und meinte besänftigend: «Hey, kleine Frau, nicht aufregen. Das ist nur ein Foto. Der kann Ihnen nichts tun. Ich passe doch auf. Sagen Sie mir, wer er ist, dann gebe ich unten Bescheid. Dann lassen die ihn nicht rein, falls er mal auftaucht.»

Sie schluchzte auf. «Er kommt überall rein. Er ist Satan. Haben Sie schon mal ein Bild von Luzifer gesehen, Mario? Sie zeigen ihn immer mit einem langen Schwanz, einem Klumpfuß und Hörnern. Wie einen Bock mit einer Mistgabel zeigen sie ihn. Aber so kann er gar nicht aussehen, er war doch einer von den Engeln. Und so sieht er auch aus, wenn er einem gegenübertritt. Er macht alle Mädchen verrückt, alle wollen ihn haben. Keine hört mehr zu, wenn sie gewarnt wird. Ich habe auch nicht zugehört. Sein Freund nannte ihn Böcki. Ich hätte wissen müssen, was das bedeutet. Man hat immer die Wahl und die freie Entscheidung zwischen Gut und Böse. Ich habe mich für das Böse entschieden.»

Eberhard Brauning wagte nicht, ihr die Fotografie wegzunehmen. Der Pfleger tat es für ihn. «Böcki», sagte er. «Na, dann legen wir ihn mal zum Tiger. Ich glaube, da gehört er hin.»

Sie nickte.

Der Pfleger führte die Befragung weiter: «Und was ist nun mit dem hier? Gehört der auch dazu?»

Sie schaute sich das erste aussortierte Foto noch einmal an und zuckte mit den Schultern. «Es kommt mir so vor, als hätte ich ihn beim Chef gesehen. Deshalb dachte ich, es wäre sein Schwiegersohn. Aber das kann eigentlich nicht sein. Oder ist sein Schwiegersohn auch Polizist?»

«Fragen wir den Chef, wenn er das nächste Mal kommt»,

sagte der Pfleger. Dann wandte er sich an Eberhard Brauning: «War's das, oder brauchen Sie mich noch?»

Eberhard steckte die Fotos zurück in den Umschlag. Markieren durfte er Böcki und Tiger nicht. Sie sollte Hans Bueckler und Ottmar Denner vor dem Untersuchungsrichter noch einmal identifizieren, sobald man sie dem Richter vorführen konnte. Er schüttelte den Kopf. «Nein. Ich glaube, Sie können uns jetzt allein lassen.» Nach sehr viel Glauben klang es nicht.

Der Pfleger verließ den Raum. Eberhard trank den Rest aus seiner Tasse. Der Kaffee war kalt geworden. Und sie hatte ihre Tasse bisher nicht angerührt.

Sie schaute sehnsüchtig zum Fenster hin. «Sind wir fertig?»

«Noch nicht ganz.» Er wusste nicht, wie er es anstellen sollte.

Rudolf Grovian hatte gesagt: «Wenn sie die Männer identifizieren kann, sind wir einen großen Schritt weiter. Dann brauchen wir als Nächstes den Namen der Klinik, um zu beweisen, dass ihr nicht die eigene Lust zum Bumerang wurde! Wir hatten keinen Erfolg in Hamburg. Natürlich haben wir nicht jeden Arzt gefragt. Aber den Arzt können wir auch vergessen. Dass ihre Tante anderer Meinung ist ...» Ein kleiner Lacher hinterher und ein Verweis auf die Neurologie.

Sie war inzwischen gründlich untersucht worden. Man hatte auch den Schädel geröntgt. Der Bericht des Neurologen lag beim Staatsanwalt. Es war äußerst unwahrscheinlich, dass diese Verletzungen in einer Arztpraxis behandelt worden waren.

Die Röntgenaufnahme zeigte ein wahres Spinnennetz. Und für jede Linie gab es einen speziellen Ausdruck. Stirnbein, Scheitelbein, Schläfenbein, Berstungsbruch, Biegungsbruch, Terrassenbruch. Epiduralblutung konnte als wahrscheinlich angenommen werden und noch einiges mehr.

Natürlich war es unmöglich, nach fünf Jahren eine exakte Diagnose zu stellen. Doch allein die Tatsache, dass sie diese Verletzungen ohne körperliche Beeinträchtigung überlebt hatte, war ein Beweis für fachärztliche Betreuung, und dazu gehörten die entsprechenden Apparaturen. An einer Klinik führte kein Weg vorbei. Eberhard Brauning gab sich geschäftig, hob den Koffer auf seinen Schoß und begann darin zu kramen, ohne etwas herauszunehmen. Helene hatte ihm einen langen Vortrag gehalten über Cora Benders Motivation, die Polizei nach Strich und Faden zu belügen in diesem Punkt und in anderen.

Helene hatte gesagt: «Mach ihr klar, dass sie nichts zu verlieren hat. Die süchtige Hure ist bekannt. Lock sie mit Grovians Ansicht über die Sucht aus der Reserve. Wenn du es schaffst, auch die Hure überzeugend in Frage zu stellen, hast du gewonnen, Hardy. Dann bietest du ihr, wonach sie verzweifelt sucht: ein normales und anständiges Leben.»

Er versuchte es ohne viel Hoffnung. Wenigstens hörte sie ihm zu. Und manchmal wirkte ihre Miene wie eine Bestätigung für Helene. Als er wieder schwieg, hob sie die Achseln und lächelte wie zu einer Entschuldigung.

«Ist nett, wie Sie das sagen. Ich wünsch mir, Sie hätten Recht.» Sie atmete tief durch und schaute an ihm vorbei. «Was passiert eigentlich mit einem Menschen, der meint, es sei ein Verbrechen geschehen, und alles tut, um es zu vertuschen?»

«Ihm passiert nichts, wenn es nicht bekannt wird. Aber wir müssen jetzt über die Klinik reden, Frau Bender.»

«Nein», widersprach sie und begann, einen Fingernagel der linken Hand mit dem Daumen der rechten zu polieren. «Das machen wir später. Ich muss Sie noch etwas fragen. Sie sind doch mein Anwalt. Sie dürfen nicht darüber reden. Nehmen wir einmal an, es ist ein Mensch begraben worden, den man irgendwo gefunden hat. Keiner wusste, wie er hieß.

Man hat die paar Knochen, die übrig waren, in die Erde gesteckt. Nun wollte dieser Mensch aber gerne ein Feuer. Und jetzt nehmen wir an, ich wusste das. Kann ich hingehen und sagen: ‹Ich möchte diesem armen Menschen seinen letzten Wunsch erfüllen. Ich möchte ihn verbrennen lassen.› Kann ich das tun?»

«Wenn Sie den Menschen kannten, können Sie das tun.»

«Da müsste ich aber seinen Namen nennen, oder?» Sie polierte immer noch an dem Fingernagel und vermied es, ihn anzuschauen.

Er wusste nicht, worauf sie hinauswollte, und fasste sich in Geduld. «Ja, das müssten Sie.»

«Und wenn ich das nicht darf?»

«Dann kann man leider nichts machen.»

Endlich hob sie den Blick, ihre Miene drückte wilde Entschlossenheit aus. «Ich muss aber! Sonst werde ich verrückt. Lassen Sie sich etwas einfallen. Es wird doch irgendeinen Trick geben. Wenn Ihnen etwas einfällt, fällt mir vielleicht auch etwas ein.»

Er atmete tief durch. «Frau Bender, können wir das nicht ein andermal besprechen? Das ist eine sehr komplizierte Angelegenheit. Da muss ich erst nachschauen, ob es einen Trick gibt. Ich werde nachschauen, das verspreche ich Ihnen. Aber jetzt muss ich wissen, in welcher Klinik Sie damals behandelt wurden. Wenn Sie es nicht wissen, sagen Sie mir, in welcher Stadt es war. Geben Sie mir irgendeinen Anhaltspunkt, damit ich beweisen kann, dass Sie keine süchtige Hure waren. Süchtig waren Sie nicht. Das hat Herr Grovian schon bewiesen. Und Herr Grovian kann sich nicht vorstellen, dass Sie sich mit perversen Freiern abgegeben haben.»

Er hoffte, mit der erneuten Erwähnung Grovians ihre Bereitschaft noch einmal zu wecken. Vergebens, sie reagierte nicht, schaute ihn nur an, abwartend und ausdruckslos. Er vergaß Helene. Zum Teufel mit den psychologisch fundierten

Instruktionen. Er war Anwalt, und als solcher hatte er andere Argumente.

«Wollen Sie wirklich bis an Ihr Lebensende hier sitzen und zählen, damit Sie nicht denken müssen? Wäre es nicht viel besser, einmal gründlich nachzudenken und sich den Kopf damit frei zu machen? Eines dürfen Sie mir glauben, Frau Bender. Ein paar Jahre Gefängnis, und mehr als ein paar Jahre werden es nicht, das verspreche ich Ihnen, gehen vorbei. Und im Gefängnis wird niemand verrückt. Aber hier», er pochte auf die Tischplatte, «kann man verrückt werden, wenn man es noch nicht ist. Wollen Sie das?»

Sie antwortete nicht, schaute ihn nur an und kaute auf ihrer Unterlippe.

«Ich glaube nicht, dass Sie es wollen», erklärte er bestimmt. Er hatte sich in Form geredet, seine Stimme gewann mehr und mehr Überzeugungskraft. «Sie haben einen Mann getötet, Frau Bender, nur einen Mann, nicht den Erlöser. Diesen Ausdruck will ich von Ihnen nicht mehr hören. Wir werden herausfinden, warum Sie es getan haben. Wir werden beweisen, dass es einen Grund gab, den jeder normale Mensch versteht. Und in ein paar Jahren, Frau Bender, sind Sie wirklich frei. Denken Sie einmal darüber nach. Sie sind gerade vierundzwanzig. Sie können noch einmal …»

An ihrem Blick änderte sich kaum etwas. Nur ein leichter Ausdruck von Verwunderung zog über ihre Miene, mehr war es nicht. «Er wusste, wie alt ich war», sagte sie und unterbrach ihn damit.

«Aha», meinte er, ahnungslos, von wem die Rede war, und unsicher, ob er sie jetzt zurück auf den Punkt bringen durfte. Der Ausdruck auf ihrem Gesicht zeugte von Konzentration.

«Woher wusste er das, wenn ich keine Papiere bei mir hatte? Nackt auf der Straße, hat er gesagt, schwer verletzt, voll gepumpt mit Heroin und ohne Papiere. Und dann sagte er: Sie sind nicht einmal zwanzig. Hat er das geschätzt? An meinem Gesicht konnte er es nicht ablesen. Ich sah furchtbar aus. Schauen Sie mal in meinen Führerschein. Ich musste mir ja damals neue Papiere machen lassen. Ich hatte noch alte Fotos. Aber die wollten sie auf dem Amt nicht nehmen. Sie wollten mir nicht einmal glauben, dass es meine Fotos sind. Weil ich so alt aussah. Er konnte es nicht wissen.»

Ein paar Sekunden lang war sie still, strich mit den Fingern über die Stirn und seufzte. «Seinen Namen weiß ich wirklich nicht», sagte sie dann endlich. «Er hat ihn mir nicht gesagt. Ich habe ihn einmal gefragt, wo ich bin. Das hat er mir auch nicht gesagt. Und ich weiß nicht, wie ich in den Zug gekommen bin. Ein Schaffner hat gesagt, ich müsste jetzt aussteigen. Ich hatte einen Zettel, da stand drauf, wo ich hinmuss. Geld hatte ich auch. Irgendeiner muss dem Taxifahrer den Zettel und das Geld gegeben haben. Grit sagte, ich sei mit einem Taxi gekommen.»

Sie seufzte noch einmal und hob bedauernd die Achseln. «Wenn Sie mir versprechen, dass Sie mir helfen, meine Schwester zu verbrennen, ohne dass Margret und Achim für den Schein und die fremde Frau bestraft werden, werde ich Ihnen den Arzt beschreiben. Mehr kann ich nicht tun. Versprechen Sie es mir?»

Er versprach es, und eine halbe Stunde später sagte er ins Telefon: «Ich weiß nicht, was ich davon halten soll, Herr Grovian. Sie bleibt dabei. Nur ein Arzt und eine Krankenschwester, die jedoch nur selten kam. Ihr Zimmer sei ein kleines Kämmerchen gewesen, sagte sie. Ohne Fenster, gerade Platz genug für ein Bett und ein paar medizinische Geräte. Für mich klang es nach einer Abstellkammer.»

Dann gab er die Beschreibung des Mannes durch. Danach war es sekundenlang still in der Leitung. «Herr Grovian?» erkundigte er sich, zweifelnd, ob noch jemand am Apparat war.

«Ja, ich bin noch da», kam es zurück. «Ich bin nur ...» Wieder folgten ein paar Sekunden Stille. «Mein Gott», sagte Rudolf Grovian dann fassungslos, «das ist doch völlig ausgeschlossen. Das sind doch … wie viele Kilometer sind das denn? Siebenhundert mindestens. Das ist doch unmöglich.»

Sie saß neben ihm im Wagen, seit gut einer halben Stunde schon. Zu Beginn der Fahrt hatte Rudolf Grovian versucht, sie auf die Gegenüberstellung vorzubereiten. Er hatte ihr erklärt, wohin die Fahrt ging und welchem Zweck sie dienen sollte. In Absprache mit dem Staatsanwalt, dem Untersuchungsrichter, Professor Burthe und Eberhard Brauning hatte er ihr jedes Wort in den Mund gelegt – mindestens dreimal.

Unter normalen Voraussetzungen hätte es nicht mehr den geringsten Wert gehabt. Doch die Voraussetzungen waren alles andere als normal. Sogar Professor Burthe war der Ansicht – und hatte den Untersuchungsrichter ebenso davon überzeugt wie den Staatsanwalt, dass man sie nur mit der Peitsche dazu bringen könnte, ihren Finger zu heben. «Das war der Mann, der meine Kopfverletzung behandelt hat.»

Rudolf Grovian brauchte keine Peitsche, er war der Chef. Zugehört hatte sie ihm, auch einmal genickt, als er fragte, ob sie alles verstanden habe und ob sie ihm diesen Gefallen täte, wo er soviel Arbeit und Zeit investiert habe, den Arzt ausfindig zu machen.

Facharzt für Neurologie und Unfallchirurgie. Chef in der eigenen Klinik. Professor Johannes Frankenberg!

Er hätte ihr den Namen verschweigen sollen. Es fiel ihm nicht schwer, sich in ihre Gedankengänge einzufinden. Wenn Frankie der Erlöser gewesen war, musste Johannes Frankenberg zwangsläufig der liebe Gott sein. Und wie ein solcher mochte er damals, als sie noch nicht wieder richtig bei Bewusstsein war, häufig neben ihrem Bett gestanden haben.

Der Allmächtige, der an ihr – im wahrsten Sinne des Wortes – ein Wunder vollbracht und ihren zertrümmerten Schädel wieder zu einem funktionierenden Kopf zusammengeflickt hatte. Wie oft mochte er sich über sie gebeugt, mit einem Lämpchen die reglosen Augenlider angeleuchtet und zu ihr gesprochen haben. «Mein Sohn hatte keine Schuld an diesem Desaster.» Vielleicht hatte er sich verpflichtet gefühlt, ihr das mit auf den Weg in die Ewigkeit zu geben. Dass er sie tatsächlich durchbrachte, damit konnte er nicht gerechnet haben.

Helene Brauning hatte gesagt: «Man weiß bei bewusstlosen und komatösen Patienten nie genau, was sie noch registrieren.»

Und Cora Bender hatte gefragt: «Ich tu Ihnen wirklich gerne einen Gefallen. Aber ich weiß nicht, ob ich das kann. Was soll ich ihm denn sagen? Mein Gott, verstehen Sie nicht? Er war so gut zu mir. Und ich habe seinen einzigen Sohn getötet. Frankie hatte mir doch nichts getan.»

Das war vor zwei Tagen gewesen. Professor Burthe hatte nicht sehr erbaut auf seinen Besuch in der Klinik reagiert. Zuerst hatten sie ein langes Gespräch unter vier Augen geführt, der Sachverständige und der Polizist ohne Abitur.

Die Fakten auf den Tisch, obwohl es genau genommen wieder nur ein paar Worte waren. Aber es war eine exakte Personenbeschreibung. Das konnte er bezeugen. Und sogar Professor Burthe musste einräumen, dass sie nicht allein Cora Benders Phantasie entsprungen sein konnte. Er hatte ihm erlaubt, kurz mit ihr zu sprechen.

Er sah es noch vor sich, wie sie zusammenzuckte, als er hereinkam. Wie sie auf seinen Hals starrte und zu zittern begann. Beruhigt hatte sie sich erst, als er ihr zum zweiten Mal erklärte, warum er gekommen war. «Ich möchte in den nächsten Tagen einen Ausflug mit Ihnen machen, Frau Bender. Nur wir beide. Wir fahren nach Frankfurt.»

Vor zwei Tagen hatte sie verstanden. Und als er sie abgeholt hatte vor gut einer halben Stunde … Sie starrte geradeaus auf die Fahrbahn. Er versuchte es noch einmal. «Also, Frau Bender, wie ich schon sagte. Sie müssen nicht mit Herrn Frankenberg reden. Sie schauen ihn nur kurz an. Dann gehen wir hinaus. Und dann sagen Sie mir, ob …»

Endlich reagierte sie, warf ihm einen gequälten Blick zu. «Können wir nicht über was anderes reden? Ich tue es ja. Ich schaue ihn mir an, wenn wir da sind. Aber bis wir da sind. Es muss doch nicht sein.»

Sie sprach schleppend. Er war ziemlich sicher, dass man ihr in der Klinik Medikamente gegeben hatte, bevor man sie ihm überließ. Er hoffte nur, dass sie nicht einschlief. Und Reden war eine gute Methode, wach zu bleiben. Das Thema musste nicht unbedingt Frankenberg sein. «Worüber möchten Sie denn sprechen?»

«Ich weiß nicht. Ich habe ein Gefühl wie Wasser im Kopf, ein ganzer Eimer voll.»

«Dagegen weiß ich ein gutes Mittel.»

Sie hatten Zeit. Vor dreizehn Uhr brauchten sie nicht am Ziel zu sein. Um dreizehn Uhr konnte Johannes Frankenberg ein paar Minuten erübrigen. Rudolf Grovian hatte den Besuch angekündigt, allerdings nicht erwähnt, dass er in Begleitung kam. Es war nicht einmal zehn. Eine Kaffeepause tat ihr bestimmt gut.

Wenig später steuerte er eine Raststätte an. Dann saß er mit ihr an einem Fenstertisch. Sie kippte Zucker aus einem Spender in ihre Tasse, bis er ihr die Hand festhielt. «Jetzt dürfen Sie aber nicht mehr umrühren. Sonst können Sie den Kaffee nicht trinken. Sie trinken ihn doch ohne Zucker, oder irre ich mich?»

Sie schüttelte den Kopf und schaute zum Fenster hinaus. Im Profil wirkte ihr Gesicht noch blasser. «Ich möchte Sie gerne etwas fragen.»

«Nur zu», forderte er.

Sie atmete tief durch, trank einen Schluck Kaffee. «Das Mädchen», begann sie zögernd. «Sie haben mir doch von dem toten Mädchen erzählt, das man bei einem Truppenübungsplatz gefunden hat. Wissen Sie, was man mit dem Mädchen gemacht hat?»

«Begraben», sagte er.

«Das dachte ich mir. Wissen Sie wo?»

«Nein. Aber das kann ich herausfinden, wenn es Sie interessiert.»

«Es interessiert mich sehr. Wenn Sie es rausfinden und mir sagen könnten, wäre ich Ihnen sehr dankbar.»

Er nickte nur, vermutete in diesem Moment alle möglichen Beweggründe. Nur der Grund, der sie wirklich antrieb, blieb ihm verborgen. Eberhard Brauning hatte zwar nicht begriffen, von welchem Schein und welcher fremden Frau die Rede gewesen war, aber sein Versprechen hatte er selbstverständlich gehalten. Und Rudolf Grovian ging immer noch davon aus, Magdalena Rosch sei am 16. August verstorben – an Herz-Nieren-Versagen.

Sie griff erneut nach ihrer Tasse und wollte sie zum Mund führen. Aber das Händezittern war so stark, dass der Kaffee überschwappte und auf den Tisch tropfte. Sie stellte die Tasse mit einem Klirren zurück auf den Teller. «Ich kann das nicht. Es kann ja auch gar nicht sein. Denken Sie doch mal nach. So weit sind wir nicht gefahren damals. Das war Hamburg, nicht Frankfurt. Ich hab doch die Schilder gesehen auf der Autobahn. Wir müssen umkehren. Er war so ein netter Mensch. Vielleicht hat er mich wirklich auf der Straße gefunden. Es könnte doch sein, dass ich weit gelaufen bin. Es war viel Zeit.»

«Ich glaube nicht, dass Sie noch laufen konnten, Frau Bender», sagte er.

«Ach Sie.» Sie winkte gequält ab. «Sie glauben nur, was gelogen ist. Kein Mensch hat Ihnen die Wahrheit gesagt, glauben Sie mir.» Sie drehte wieder das Gesicht zum Fenster und schaute sekundenlang schweigend hinaus. Dann wollte sie, immer noch mit abgewandtem Gesicht, wissen: «Was passiert mit mir, wenn ich Ihnen noch einen Mord gestehe? Dann sind es zwei. Was kriege ich dafür?»

«Nur fürs Geständnis kriegen Sie gar nichts», erklärte er. «Da müssen Sie mir schon eine zweite Leiche bieten.»

Sie schaute in ihren Kaffee und hob noch einmal die Tasse zum Mund. Das Händezittern war immer noch stark, aber sie schaffte einen Schluck, ohne Kaffee zu verschütten. Nachdem sie die Tasse wieder abgestellt hatte, sagte sie: «Sie haben doch schon eine, das Mädchen aus der Heide.»

Ein kurzes Lächeln zog über ihr Gesicht, als sie verkündete: «Ich habe das Mädchen umgebracht. Ich war das.» Als er nicht reagierte, erklärte sie: «Das ist ein Geständnis. Und ich will, dass Sie es so behandeln.»

Er nickte. «Dann brauche ich nähere Einzelheiten.»

«Das weiß ich. Ich habe Sie angelogen mit Magdalenas Geburtstag. Ich bin doch nochmal zum ‹Aladin› gefahren, als sie schlief. Aber Johnny war nicht mehr da, nur noch das Mädchen, das mit Tiger getanzt hatte. Sie erzählte mir, dass die beiden woanders hingefahren sind. Johnny hätte gesagt, es lohne nicht, auf eine verklemmte Ziege zu warten. Das hat mich so wütend gemacht, da bin ich ausgeflippt. Aber ich bin ganz freundlich geblieben. Ich habe sie gefragt, ob sie Lust hat, mit mir woanders hinzufahren. Und dann bin ich mit ihr in die Heide. Ich habe sie geschlagen und getreten. Ich bin mit beiden Füßen auf ihre Brust gesprungen. Dabei sind ihre Rippen gebrochen. Als sie tot war, habe ich sie ausgezogen, damit es so aussieht, als hätten Männer das gemacht. Ihre Sachen habe ich unterwegs weggeworfen. Wir fahren am besten zurück. Dann können Sie das zu Protokoll nehmen.»

«Wir fahren nicht zurück, Frau Bender», erklärte er bestimmt. «Das Protokoll kann ich auch später noch aufnehmen. Nach fünf Jahren kommt es auf ein oder zwei Stunden nicht an.»

Ihre Lippen zuckten wie in der Nacht des Verhörs, als er noch dachte, sie ziehe eine Show vor ihm ab. «Ich will aber da nicht hin. Ich kann das wirklich nicht. Er wird mich doch fragen, warum ich es getan habe. Und mein Anwalt hat gesagt, ich darf nichts mehr vom Erlöser erzählen. Und dann wird er sagen, dich hätte ich verrecken lassen sollen. Das hätte er besser getan. Aber er hat mir das Leben gerettet.»

Er griff über den Tisch nach ihren Händen, hielt sie fest und zerrte daran, bis sie ihn endlich anschaute. «Hören Sie mir jetzt gut zu, Frau Bender. Herr Frankenberg hat Ihnen das Leben gerettet, das ist ja lobenswert. Aber bevor er es retten konnte, muss es jemand in Gefahr gebracht haben. Und er wollte nicht, dass dieser Jemand dafür ins Gefängnis musste. Das hätte er nicht für einen Fremden getan. Daran denken Sie jetzt. Nur noch daran. Haben Sie mich verstanden?» Als sie nickte, ließ er ihre Hände los.

«Aber für das tote Mädchen muss ich ins Gefängnis?»

«Ja, natürlich», sagte er.

«Und nicht nur ein paar Jahre?»

«Nein, das war ein heimtückischer Mord. Dafür bekommen Sie lebenslänglich.»

Er zahlte den Kaffee, griff nach ihrem Arm und führte sie zum Wagen zurück. Sie schien sich leichter zu fühlen. Auf der Weiterfahrt erzählte sie ihm vom Leben mit Gereon. Drei Jahre in einer Seifenblase. Seifenblasen platzen leicht. Aber der Kleine hatte es gut bei seinen Großeltern, da war sie sicher.

Sie waren fast eine Stunde zu früh am Ziel. Er hielt den Wagen auf dem Parkplatz vor der Klinik. Es war ein schmucker zweistöckiger Bau mit strahlend weißem Verputz. Er hoffte auf ein Zeichen des Erkennens. Es kam nichts. Der Staatsanwalt war der Ansicht: «Wenn es sich tatsächlich so abgespielt hat, wurde sie vermutlich betäubt, ehe man sie zum Bahnhof brachte. Das lässt sich nur leider alles nicht beweisen, selbst wenn sie Professor Frankenberg wiedererkennt. Da bräuchten wir schon ein Geständnis von seiner Seite, und damit rechnen Sie lieber nicht.»

Sie spähte minutenlang durchs Wagenfenster, hielt dabei unbehaglich die Schultern zusammengezogen. Dann verlangte sie, er solle ihr Geständnis über den heimtückischen Mord an dem Mädchen aufnehmen. Nur zur Sicherheit. Man könne ja nicht wissen, was noch käme. Vielleicht ginge es ihr gleich nicht so gut. Und da wolle sie es lieber hinter sich haben.

Er tat ihr den Gefallen, kritzelte ein paar Sätze in sein Notizbuch und ließ sie unterschreiben. Sie lehnte sich in ihrem Sitz zurück.

«Haben wir noch viel Zeit?»

«Noch fast eine Stunde.»

«Können wir uns ein bisschen die Beine vertreten?»

Der Parkplatz war grün umrandet, das zweistöckige Gebäude von altem Baumbestand umgeben. «Das sieht so friedlich aus», sagte sie.

Er ließ sie aussteigen und verschloss den Wagen. Dann schlenderte er neben ihr an den Büschen entlang auf die Klinik zu. Das Privathaus lag dahinter. Es war noch nicht zu sehen. Doch er wusste von seinem ersten Besuch, dass es im selben Stil wie die Klinik errichtet war.

Nach Beinevertreten war ihm nicht. Er führte sie langsam auf die Gebäude zu, nur noch darum bemüht, es hinter sich zu bringen. Sie erzählte wieder irgendetwas. Wie ein Kind, das singend und pfeifend in den dunklen Keller geht, kam sie ihm vor. Und er wusste so gut, wie sie sich fühlte: schuldig von den Haarwurzeln bis zu den Fußsohlen.

Die eigenen Gefühle versuchte er auszuklammern. Er konnte ihr nicht helfen. Er nicht, Brauning nicht, der Staatsanwalt nicht und auch keine Richter. Sie mochten tausend plausible Gründe finden für Georg Frankenbergs Tod. Aber niemand nahm ihr Magdalena von den Schultern. Burthe könnte es versuchen, ihr erklären, es sei ein Unfall gewesen oder der Gnadentod für eine leidende Kreatur.

Er hatte begriffen, dass er sich in diesem Punkt geirrt hatte und was sie ihm hatte erklären wollen. Magdalenas Sterben! Ihm war sogar klar geworden, wessen Skelett man im August vor fünf Jahren in der Heide gefunden hatte. Aber mit beiden Füßen auf ihre Brust gesprungen, so ein Quatsch. Ein bisschen zu fest mit der Hand aufgestützt bei der Liebe und beim Gedanken an Johnny. Mehr konnte es nicht gewesen sein.

Und ihr Vater, der sie über alles liebte, hielt den Mund. Ihre verrückte Mutter begriff es nicht. Die Nachbarin wurde nicht mehr ins Haus gelassen. Die Leiche lag vielleicht ein paar Monate im Zimmer da oben, bis Margret endlich etwas unternahm; das Gerippe in die Heide schaffte und den Totenschein besorgte. So einfach war das.

Der Eingang zum Privathaus lag drei Stufen hoch. Er war ihr um einen Schritt voraus, drückte den Klingelknopf. Sekunden später wurde die Tür geöffnet. Eine junge Frau, nett und adrett im weißen Kittel, schaute ihn fragend an und warf über seine Schulter einen skeptischen Blick auf seine Begleitung.

«Sie wünschen?»

Er zeigte ihr seinen Dienstausweis. «Wir sind für dreizehn Uhr bei Professor Frankenberg angemeldet. Leider sind wir etwas zu früh.»

Das machte nichts. Sie durften im Salon warten. Er trat zuerst ein und durchquerte die Eingangshalle. Sie folgte ihm ängstlich und geduckt, als stünde mitten im Salon ihr Richtblock. Doch da stand nur eine Couch an der Seite. Daneben stand eine riesige Palme, deren Wedel wie ein Regenschirm ausgebreitet waren. Und über der Couch hing ein Stück moderner Kunst in schlichtem Rahmen. Rudolf Grovian war bei seinem ersten Besuch in einen anderen Raum geführt worden und sah die Farbkleckse zum ersten Mal.

Sie steuerte direkt darauf zu und blieb vor der Couch stehen. Ihr Gesicht spiegelte eine Mischung aus Erstaunen und Verwirrung. Ihr Blick senkte sich und betrachtete den Fußboden, hob sich wieder und streifte die Wand neben der Couch.

«Das stimmt nicht», protestierte sie verhalten. «Die haben die Treppe zugemauert.» Sie zeigte mit einer hilflosen Geste quer durch den Raum. «Die haben alles umgebaut.» Mit einem Finger deutete sie auf die gegenüberliegende Wand. «Da haben wir gestanden. Johnny und ich. Mir war schlecht, weil ich Magdalena …» Sie brach mitten im Satz ab, schüttelte sich und würgte unvermittelt. Dann sprach sie stockend weiter.

15. Kapitel

Ich habe sie nie mehr gehasst als in dem Augenblick, als sie sich auf dem Bett ausstreckte. Und ich wusste, diesmal reichten meine Finger und die Kerze nicht. Danach wollte sie meist noch eine Weile reden und schmusen. Wenn ich sie richtig müde machen wollte, musste ich es ihr mit der Zunge ... Mir wurde übel, als ich nur daran dachte.

Das war der Moment, in dem ich begriff, dass alles umgekehrt war. Nicht ich lebte für sie. Sie lebte mein Leben. Früher hatte Vater sie Spatz genannt. Und sie pickte sich wie ein Spatz die Haferkörner aus meinem Scheißleben. Und nur das, was übrig blieb, ließ sie für mich. Ekel!

Vielleicht war es nur der Sekt, der mir alles durcheinander warf. Vielleicht war es Johnny, den ich zurückgelassen hatte. Ich hatte das Gefühl, innerlich zu verbrennen, während ich sie küssen und streicheln musste. Genau das hätte Johnny mit mir gemacht, wenn ich bei ihm geblieben wäre.

Und da begann ich zu erzählen. Die ganze Wahrheit. Keine Männer bisher, nur einen Spargeltarzan. Keinen heißen Sex mit scharfen Typen. Nur ein paar lauwarme Küsse, die nach Bier schmeckten. Und jetzt dieser eine, dieser andere, der mir bis in die Knie gefahren war.

Sie lag still und hörte mir zu. Als ich zu weinen begann, nahm sie mich in die Arme. Ich fühlte ihre Hände im Rücken. Sie zog mir das T-Shirt aus dem Rockbund, schob ihre Hände darunter und strich mir über den Rücken. Ich hörte sie flüstern: «Es ist ja gut. Es ist alles gut, Schätzchen. Es tut mir Leid. Ich bin eine furchtbare Last für dich. Ich weiß das. Aber nicht mehr lange. Nicht mehr lange, Schätzchen, das verspreche ich dir.» Sie schob ihre Hände unter meinen Armen nach vorne und legte sie mir auf die Brust. Ich wollte nicht, dass sie mich so anfasste. Ich wollte Johnnys Hände dort fühlen, Johnnys Flüstern, Johnnys Küsse, Johnnys Körper.

Ob ich ihr das sagte, weiß ich nicht mehr. Ich muss wohl, weil sie plötzlich von mir abrückte und sagte: «Du kriegst ihn, Schatz. Hol ihn dir. Und ich will gar nicht wissen, wie es war.» Und während sie sich aufrichtete, sagte sie: «Weißt du, was wir jetzt tun? Wir fahren zu Johnny.»

Sie sagte immer wir, wenn sie mich meinte. Ich musste an die Lernschwester denken, von der sie mir einmal erzählt hatte. Wie sehr sie sich in der schlimmen Zeit nach Mutters Umarmung gesehnt hatte. Und dass sie nie einen Menschen hatte. Nur mich.

Es tat mir Leid, dass ich ihr so gemeine Sachen gesagt hatte. Sie konnte doch nichts dafür. Aber ich konnte auch nichts dafür, dass ich mich verliebt hatte. Ich war neunzehn! Es war normal, dass man sich mit neunzehn in einen Mann verliebte. Ich konnte doch nicht für den Rest meines Lebens dazu verdammt sein, Männer zu erfinden und meiner Schwester zu zeigen, wie es war, von ihnen geliebt zu werden. Ich wollte jetzt, in diesem Moment wissen, wie es war.

Ich wollte danach heimkommen und zu meinem Vater sagen können: «Ich weiß jetzt, was du all die Jahre vermisst hast. Verzeih mir, Papa! Verzeih mir all die widerlichen Dinge, die ich zu dir gesagt und über dich gedacht habe. Verzeih mir den Ekel. Ich glaube, ich habe mich nur vor mir selbst geekelt. Aber das ist jetzt vorbei. Ich bin jetzt eine Frau, eine richtige Frau. Ich habe mit einem Mann geschlafen. Und es war wunderschön.»

Ich wollte doch nur leben. Ganz normal leben. Mit einem Mann, den ich liebte und der mich liebte. Mit einem Vater, der zufrieden war und glücklich auf seine alten Tage.

Er sollte nie mehr vom schwarzen Buchholz erzählen müssen, um die kleinen Kinder zu vergessen, die er in Polen erschossen hatte. Wenn er damals alleine in Polen gewesen wäre, hätte er das bestimmt nicht getan. Und ich wollte, dass er begriff: Er hatte daran soviel Schuld wie ich an den Löchern in Magdalenas Herz. Ich wollte, dass er es vergaß.

Er sollte nur noch an die Kinder denken, die ich ihm vielleicht eines Tages auf den Schoß setzte, damit er ihnen die alten Geschichten von der Eisenbahn erzählte. Ich wollte, dass er stolz auf mich war. Ich wollte, dass er in seinen Kindern nicht mehr seine Strafe sah, dass er sich nicht mehr wünschen musste, er hätte einmal verzichtet und die Zeit abgewartet, und Magdalena wäre nie geboren.

Sie lächelte mich an. Mir war ein bisschen schwindlig vom Sekt, den Gedanken und den Gefühlen. Mir war so schwer im Innern, so elend. Wir hatte sie gesagt. Und das hieß: Ich sollte noch einmal zum «Aladin» fahren. Ich sollte sie allein lassen mit ihrem Elend, ihren Gedanken und ihren Gefühlen.

«Das geht nicht», sagte ich. «Du hast doch Geburtstag.»

«Und genau deshalb wird es gehen», widersprach sie sanft. «Es muss gehen. Du hilfst mir jetzt beim Aufstehen, und ...»

Da begriff ich erst, was sie wirklich meinte. «Du bist verrückt», sagte ich. Sie war in der Woche kaum aus dem Bett gekommen. Nicht einmal zum Essen war sie unten gewesen. Und im Bad auch nur selten, dreimal auf dem Klo. Gewaschen hatte ich sie im Bett, ihr fürs Zähneputzen eine Schüssel hingehalten. Sie konnte nicht aufstehen, auch nicht, wenn ich ihr dabei half. Es war unmöglich.

Das sah sie anders. Und sie konnte sehr energisch werden, wenn sie etwas erreichen wollte. «Mach kein Theater, Cora. Wenn ich dir sage, es geht, dann geht es. Ich habe die ganze Woche geruht, es geht mir blendend. Weißt du, dass ich schon wieder ein bisschen zugenommen habe? Schau dir meine Beine an. Wenn ich nicht aufpasse, werde ich noch fett. Es geht mir wirklich gut. Ich sage das nicht nur so. Ich mache doch nicht solch einen Vorschlag, wenn ich weiß, dass es unmöglich ist.»

Sie kniff misstrauisch die Augen zusammen. «Oder gönnst du es mir nicht? Das da draußen ist dein Revier, nicht wahr? Ich habe gefälligst im Bett zu bleiben.»

«Das ist nicht wahr.»

«Es sieht aber so aus. Oder hast du Schiss? Den brauchst du nicht haben. Ich weiß, was ich mir zutrauen kann.» Sie lachte leise. «Wir haben Zeit. Wir müssen nicht hetzen. Wenn dein Johnny es ernst gemeint hat, wird er warten. Dann ist er auch um zwölf noch da. Du hilfst mir jetzt beim Anziehen, schmierst mir ein bisschen Farbe ins Gesicht und lackierst mir die Nägel. Das können wir zum Schluss machen. Sie können während der Fahrt trocknen.»

«Das geht nicht», sagte ich noch einmal.

Und Magdalena widersprach erneut. «Und ob es geht. Wenn wir nach Amerika wollen, muss es auch gehen. Das ist die gleiche Situation. Du musst mir nur die Treppe hinunterhelfen. Im Auto kann ich schon wieder sitzen. In der Disco kann ich auch sitzen. Die paar Schritte über den Parkplatz schaffe ich leicht. Ich setze mich in eine Ecke und schaue zu, wie du mit Johnny tanzt.»

Sie merkte, dass ich nicht wollte, und sagte: «Nein! Ich will dir nicht zuschauen. Es ist dein Abend. Ich setze mich einfach zu seinem Freund. Du hast doch gesagt, er hatte einen Freund dabei. Wie ist er denn? Sein Freund, meine ich.»

«Ganz nett», log ich. «Ein lustiger Typ. Er nennt sich Tiger.» Dass er sich ausgerechnet an dem Abend zum ersten Mal ein Mädchen geangelt hatte, hatte ich bis dahin nicht erwähnt. Auch jetzt verschwieg ich das lieber.

«Klingt gut.» Magdalena grinste spöttisch. «Hat er auch Streifen und einen langen Schwanz?»

Wir lachten beide. «Weiß ich nicht», sagte ich. «Ich habe ihn noch nicht ohne Hemd und Hose gesehen.»

Sie lachte immer noch. «Ich kann ja mal nachschauen, wenn du mit Johnny verschwindest.» Sie schaute mich mit schief gelegtem Kopf von unten an. «Du wirst sehen, es ist phantastisch. Es wird dir gefallen, das weiß ich.»

Ich wollte immer noch nicht. Aber was sie über Amerika gesagt hatte, da hatte sie Recht. Und da dachte ich eben, es könnte ein Test sein, bei dem wir in der Nähe blieben.

Sie wollte meine dunkelblaue Satinbluse und den weißen Rock mit dem Zipfelsaum anziehen. Der Rock war fast durchsichtig, ihre Beine schimmerten durch die Spitze. Sie hatte wirklich zugenommen, ihre Beine waren schlank, aber nicht mehr dünn.

Während ich ihr beim Anziehen half, meinte sie: «Ich kriege die Zeit schon rum, bis du zurückkommst. Genieß es, Schatz. Das werde ich auch tun. Ich in der Disco, weißt du, wie lange ich mir das schon wünsche? Ich hätte nie gedacht, dass ich es in diesem Jahr noch schaffe. Himmel, das wird ein Geburtstag!»

Für ihre Nägel wollte sie einen dunkelroten Lack, damit man nicht sah, wie blau sie waren. Im Auto fragte sie mich dann, wie viel Geld wir nun wirklich hätten.

«Nur dreißigtausend», sagte ich. «Nicht neunzig. Es tut mir Leid.»

Sie zuckte mit den Schultern. «Dreißig ist aber auch ein hübsches Sümmchen. Wie hast du die denn zusammenbekommen?»

Diesmal zuckte ich mit den Schultern. «Gespart. Immer nur das Billigste eingekauft.»

Sie warf mir einen komischen Blick von der Seite zu, aber sie sagte nichts. Ich fuhr langsam und vorsichtig. Wegen dem Sekt hatte ich Angst vor einem Unfall. Und ich hatte auch Angst um sie. Riesengroße Angst hatte ich.

«Jetzt vergiss das doch», meinte sie. «Ich fahre nicht zum

ersten Mal in der Gegend herum. Und ich glaube, zur Klinik zu fahren ist anstrengender. Das ist ja auch viel weiter. Aber bis jetzt habe ich es noch immer überlebt.» Sie lachte wieder.

Und dann vergaß ich es wirklich. Schon als wir auf dem Parkplatz ausstiegen. Er war nicht so voll wie sonst. Ich sah den silberfarbenen Golf da stehen und bekam Herzklopfen. Die wenigen Meter bis zum Eingang machten keine Probleme. Ich legte Magdalena den Arm um die Taille, wir gingen ganz langsam. Beim Eingang blieb sie stehen. «Warte mal», sagte sie. «Lass mich das ein paar Sekunden genießen.»

Es war ein bisschen windig, ich konnte nicht hören, wie ihr Atem ging. «Kannst du nicht mehr?», fragte ich.

«Und ob ich kann. Ich will mich nur mal umsehen. Lass mich los. Sonst denken sie da drinnen, du schleppst eine Kleiderpuppe durch die Gegend.»

Ich ließ sie los, hielt aber die Hände in ihrer Nähe, um sie sofort wieder stützen zu können. Sie machte einen Schritt und noch einen, hielt sich dabei nicht mal an der Wand fest. Dann drehte sie sich um und lachte: «Siehst du, ich bin völlig in Ordnung.»

Als ich Johnny lächeln sah, war ich auch völlig in Ordnung. Sie saßen zu zweit am Tisch und unterhielten sich. Von dem fremden Mädchen war nichts mehr zu sehen. Johnny war nicht erstaunt, dass ich zurückkam. Und dass ich Magdalena mitbrachte …

Es war mir unangenehm, wie er sie anstarrte und dabei lächelte, anders als bei mir. Sie gefiel ihm. Sie hätte jedem Mann gefallen. So wie ich sie zurechtgemacht hatte, sah sie toll aus.

Und sie sah genauso wie ich, dass Johnny nachdenklich wurde. «Damit hier keine Irrtümer aufkommen», sagte sie. «Ich bin nur mitgekommen, um mir einen Tiger anzusehen. Man hat mir gesagt, hier läuft einer frei rum. Darf ich mich setzen?»

Tiger grinste von einem Ohr bis zum anderen, nickte eifrig und rückte auf der Bank ein Stück zur Seite. Magdalena hielt sich mit beiden Händen an der Tischplatte fest. «Ich bin etwas wacklig auf den Beinen», sagte sie. «Ich habe den ganzen Tag im Bett gelegen. Sollte man nicht tun. Ist nicht gut für den Kreislauf.»

Sie setzte sich neben ihn, und ich setzte mich neben Johnny. Er hatte begriffen, dass er bei ihr nicht landen konnte, legte mir den Arm um die Schultern und zog mich fest an sich. «Hat nicht geklappt mit dem Schlaflied, was?», fragte er.

Magdalena hatte ihn gehört und lachte ihn an. «Für Schlafliedchen bin ich ein bisschen zu alt!»

Es war mir peinlich. Ich wusste nicht, dass ich ihr das gesagt hatte. Johnny wollte tanzen. Es lief ein alter Song von den Beach Boys. Er nahm mich in die Arme und meinte: «Ihr seht euch überhaupt nicht ähnlich. Ist sie wirklich deine Schwester?»

«Nein», sagte ich. «Meine Schwester liegt daheim und schläft. Sie ist wirklich ziemlich krank. Das ist Magdalena. Ich habe sie draußen auf dem Parkplatz getroffen. Sie meinte, wir sollten euch ein bisschen an der Nase rumführen.»

«Ach so», sagte Johnny nur.

Wie lange wir tanzten, weiß ich nicht mehr. Mir kam es kurz vor. Aber es muss wohl länger als eine halbe Stunde gewesen sein. Als wir zurück an den Tisch kamen, meinte Magdalena, die Musik sei lahm. «Haben die hier nichts von Queen?»

Und da sagte Tiger: «Was heißt hier Queen? Willst du mal eine wirklich gute Band hören? Live?»

«Hast du eine in der Hosentasche?», fragte sie.

«Und im Hemd und in den Schuhen», sagte er, «aber nur einen Teil davon. Ich bin der Keyboarder.» Er zeigte auf Johnny. «Bassgitarre», sagte er. «Das Schlagzeug haben wir im Keller gelassen. Frankie hatte keine Lust. Frankie hat nie Lust. Er hat immer Angst, seine Alten könnten mal überraschend auftauchen.»

Im gleichen Atemzug fragte er: «Leute, was haltet ihr davon, wenn wir ihm eine Überraschung bereiten. Hier ist doch nichts los. Fahren wir zurück und machen unsere eigene Party. Sehen wir zu, dass wir Frankie von den Büchern wegkriegen.»

Magdalena war sofort begeistert. Ich dachte an den Sekt, damit wollte ich lieber nicht zu weit fahren. Johnny meinte, wir könnten mit ihnen fahren. Sie wollten uns auch wieder zurück zu unserem Auto bringen.

Auf dem Weg nach draußen stützte Magdalena sich auf Tiger. Es fiel kaum auf. Sie war größer als er und legte ihm einen Arm auf die Schultern, als kenne sie ihn schon seit Jahren. Ihm gefiel das. Wir stiegen beide hinten ein. Johnny setzte sich nach vorne.

Ich hatte fürchterliches Herzklopfen, wegen Magdalena. Ich fand es nicht richtig, was wir taten, viel zu riskant. Aber ich fand es auch aufregend und schön, wegen Johnny. Während der Fahrt drehte er sich zu mir um. Er sagte nichts, schaute mich nur an, als ob wir allein wären – in einem Zimmer oder sonst wo.

Auf die Strecke habe ich kaum geachtet. Ich weiß auch nicht, wie das Haus aussah. Ich weiß nur noch, als der Golf hielt, stiegen sie beide aus. Jeder klappte den Sitz auf seiner Seite zurück, jeder streckte eine Hand in den Wagen. Johnny zog mich direkt in seine Arme. Tiger half Magdalena.

Er ging sehr nett mit ihr um, richtig liebevoll und fürsorglich. In der Zeit, die sie allein am Tisch gesessen hatten, hatte sie ihm erzählt, sie hätte mit einer Gastritis im Bett gelegen. Und er hatte gesagt, damit sei sie bei ihm gut aufgehoben. Er studiere Medizin, Frankie auch. Und Frankie sei ein Ass. Der brächte es bestimmt eines Tages zum Professor wie sein Alter. Sie hat mir das noch erzählt, bevor sie … Ich glaube, im Auto hat sie es gesagt. Ich weiß es nicht mehr.

Sie waren vor uns an der Haustür. Ob Tiger einen Schlüssel hatte oder ob er klingeln musste, darauf habe ich nicht geachtet. Sie waren längst drinnen, als wir die Tür erreichten. Und dabei hatte ich die Augen geschlossen. Johnny hielt mich, schob mich rückwärts und küsste mich. Einmal murmelte er: «Vorsicht, Stufe.» Hob mich hoch und stellte mich erst wieder auf die Füße, als wir im Flur waren – in dieser riesigen weißen Halle.

Er drückte mich gegen die Wand und küsste mich wieder. Und über seine Schulter sah ich das Bild und daneben die Treppe. Tiger und Magdalena waren bereits auf der Treppe. Sie stieg allein hinunter, hielt sich nur mit einer Hand am Geländer fest. Verdammt, dachte ich, sie schafft das nicht. Ich darf sie nicht allein gehen lassen. Warum lässt sie sich denn nicht helfen von ihm?

Ich glaube, ich weiß es. Sie muss Frankie gesehen haben, gleich als sie ins Haus kam. Vielleicht hat er ihnen die Tür geöffnet. Und er war ein paar Nummern besser als das rosa Ferkelchen.

Sie drehte sich auf der Treppe um und rief: «Kommt ihr? Damit könnt ihr unten weitermachen. Da ist es sicher gemütlicher.» Ich hörte von unten das Schlagzeug. Und Johnny sagte: «Sie hat Recht. Gehen wir runter.»

Magdalena saß bereits auf der Couch, als wir in den Keller kamen. Und sie ließ die Augen nicht von der Ecke, in der die Musikinstrumente standen. Frankie saß hinter dem Schlagzeug. Er spielte nur ein bisschen herum und ließ die Augen nicht von ihr.

Tiger stand an der Bar und schnitt eine Zitrone in Stücke. «Zuerst ein Schluck Feuerwasser», hörte ich ihn sagen. Er schaute zu Magdalena hinüber. «Willst du auch ein Glas?»

Sie schüttelte den Kopf. «Eine Limo, wenn du hast. Aber kein Schnaps. Das nimmt mein Magen mir nur wieder übel.»

Dann spielten sie für uns – mehr für Magdalena als für mich. Sie war der Star. Ich glaube, jeder von den dreien hätte sie gerne gehabt. Aber sie sah nur Frankie. Sie forderte mich auf zu tanzen. Das tat ich.

Johnny lächelte mich die ganze Zeit an. Mir wurde warm. Es war auch sehr warm da unten. Und Magdalena sah toll aus in dem flackernden bunten Licht. Die dunkelblaue Bluse passte gut zu ihren hellen Haaren. Und ihre schlanken Beine unter der fast durchsichtigen Spitze … Dass ihre Haut blau war, sah man nicht. Braun wirkte sie – wie frisch aus der Sonne gekommen.

Dann warf Frankie die Stöcke in die Luft, stand auf und ging zur Couch. Er setzte sich neben sie. Tiger ging wieder zur Bar und trank noch ein paar Gläser. Johnny schaltete die Stereoanlage ein. Die Musik vom Band war auch von ihnen. Er kam zu mir, wir tanzten. Und obwohl die Musik ziemlich wild war, hielt er mich im Arm und zog mich langsam aus.

Ich fühlte seine Hände im Rücken und seine Lippen am Hals. Irgendwann lagen wir auf dem Boden. Es war sehr schön, aber so richtig genießen konnte ich es nicht. Ich konnte mich einfach nicht genug auf ihn konzentrieren, musste immer wieder zur Seite schauen.

Frankie hatte einen Arm über die Rückenlehne der Couch gelegt. Es sah aus, als hielte er Magdalena. Sie unterhielten sich, bei der lauten Musik konnte ich nicht verstehen, worüber sie sprachen. Ich sah nur, wie sie sich anschauten – sie ihn und er sie. Irgendwann küsste er sie auch. Und ich dachte, küssen darf er sie. Das schadet ihr nicht. Er war sehr zärtlich und behutsam, das habe ich gesehen. Und als er ihr die Bluse auszog …

Natürlich wurde er auf die Narben aufmerksam. Er fuhr sie mit einem Finger ab, ganz leicht und sanft. Und er wollte wissen, was es war. Da war eine kleine Pause auf dem Band, ich verstand jedes Wort von ihm. Auch Magdalenas Antwort hörte ich.

«Meine Himmelsleiter», sagte sie.

Danach habe ich eine Weile nicht auf sie geachtet, auch nicht auf Tiger, der vor der Bar stand und sich dort vermutlich die erste Prise Koks reinzog. Dann kam er rübergeschlendert, stand neben uns und schaute auf uns herunter. Angenehm war mir das nicht, ich wäre lieber mit Johnny allein gewesen. Aber das mochte ich nicht vorschlagen. Ich konnte Magdalena doch nicht mit zwei Männern zurücklassen.

Tiger hielt einen kleinen Spiegel und einen Trinkhalm in der Hand. Johnny richtete sich auf und nahm etwas von dem Zeug. Tiger rief zur Couch rüber: «Was ist mit dir, Frankie?»

Frankie wollte nicht, er küsste Magdalena.

Dann kniete Tiger sich neben meinen Kopf. Er strich mir über die Brust. Ich dachte, dass Johnny ihn verscheuchen würde, aber er unternahm nichts. Ich sagte: «Hör auf damit. Lass das. Nimm deine Finger weg. Ich will das nicht», und so was.

Magdalena wurde aufmerksam und rief: «Stell dich nicht so an. Es ist doch nichts dabei.» Und zu Tiger sagte sie: «Gib ihr eine Prise. Das entspannt. Sie ist ein bisschen verkrampft.»

Er hielt mir den Spiegel hin. Aber ich wollte das Zeug nicht. Und Magdalena sagte: «Verdirb uns nicht den Spaß, Schätzchen. Ich habe dir schon hundertmal gesagt, es ist ein irres Gefühl. Jetzt nimm dir etwas, entspann dich und lass dich verwöhnen.»

Ich wollte mir nichts von diesem verdammten Spiegel nehmen. Ich wollte nur Johnny. Er steckte mir einen Finger in den Mund und stippte ihn in das Pulver. Dann rieb er mich unten ein mit dem Zeug.

«Mach es wieder ab», verlangte ich.

«Das hatte ich vor», sagte er und rutschte an mir herunter.

Ich fühlte, wie er mich dort küsste. Es war … Es war Wahnsinn.

Magdalena kümmerte sich nicht um mich. Frankie ließ ihr auch nicht die Möglichkeit, mir zuzuschauen. Er hatte sie halb in seinen Schoß gezogen, hielt sie mit beiden Armen, küsste und streichelte sie. Den Ausdruck auf ihrem Gesicht werde ich nie vergessen. Ich glaube, sie war sehr glücklich.

Das war ich auch. Tiger tat nichts mehr, eine Weile kniete er nur neben meinem Kopf und schaute zu. Dann öffnete er seine Hose. Aber zu dem Zeitpunkt war es mir egal. Eklig war es nicht. Es war nicht viel anders, als ob man am Daumen lutscht. Ich dachte einmal an Mutter. Was sie wohl sagen würde, wenn sie mich so sehen könnte. Auf dem Boden, mit zwei Männern gleichzeitig.

Es war falsch. Es war alles falsch. Aber es war wunderbar. Ich hatte Feuer im Bauch, Sekt im Kopf, Kokain im Blut und Johnny überall.

Irgendwann schaute ich noch einmal zur Couch hinüber. Viel war nicht zu erkennen. Tigers Bein versperrte mir die Sicht. Ich sah nur den Rücken. Einen nackten Rücken, breit und dunkel im flackernden bunten Licht. Im ersten Moment begriff ich nicht, was das bedeutet. Magdalena lag nicht mehr mit dem Oberkörper in seinem Schoß. Sie lag unter ihm. Die Bluse und der weiße Rock hingen an der Seite von der Couch herunter.

Es ging alles so schnell. Aber ich sah es wie in Zeitlupe. Frankie liebte sie, zuerst langsam. Dann wurde er schneller. Er küsste sie wieder. Und dann hörte er plötzlich auf und fuhr in die Höhe.

Er kniete zwischen ihren Beinen und schlug mit der Faust auf ihre Brust. Er schrie: «Amen!»

Dann warf er sich über sie, küsste sie erneut, hielt ihr dabei die Nase zu, schoss wieder hoch und schlug weiter auf sie ein, diesmal mit beiden Fäusten gleichzeitig. Und dabei schrie er: «Amen! Los, mach schon! Amen, Amen, Amen!» Und bei jedem Wort schlug er mit beiden Fäusten auf ihre Brust ein.

Ihr Kopf pendelte auf der Couch hin und her. Ihr rechtes Bein hing herunter. Das linke lag noch über der Rückenlehne. Dann rutschte das auch nach unten.

Da war noch eine kurze Pause zwischen zwei Musikstücken auf dem Band. Eine halbe Sekunde vielleicht, in der er sie erneut schlug. Und ich hörte dieses Knacken oder Knirschen. Ich wusste, das waren ihre Rippen. Aber ich konnte nicht zu ihr. Ich konnte überhaupt nichts tun, nur denken. Und ich dachte an das Messer auf der Bar und wohin ich ihn stechen musste, damit er sie nicht umbrachte.

Johnny war über mir und drückte mich mit seinem Gewicht auf den Boden. Tiger hielt meinen Kopf mit beiden Händen fest. Ich konnte nicht mal schreien mit seinem Glied im Mund. Die Musik setzte wieder ein, und Frankie schrie in den Lärm: «Helft mir doch! Helft mir! Sie muss atmen! Sie atmet nicht mehr.» Er hatte Irrsinn in den Augen.

Johnny begriff endlich, dass etwas nicht stimmte und schrie zurück. «Bist du beknackt? Was treibst du da, du Idiot?» Aber er machte keine Anstalten, mich loszulassen. Er schaute nur zur Couch.

Frankie antwortete ihm nicht mehr, er schlug nur noch wie besessen mit beiden Fäusten auf Magdalena ein.

Und dann schrie Tiger: «Das Aas hat mich gebissen.» Er griff zum Tisch hinüber nach dem Aschenbecher. Ich sah ihn auf mich zukommen. Das Licht brach sich darin. Die Musik lief immer noch. Song of Tiger! Dann wurde es dunkel und still.

Während der Rückfahrt weinte sie leise in sich hinein. Manchmal schüttelte sie den Kopf, dabei schwoll das Weinen für zwei Sekunden an. Rudolf Grovian ließ sie in Ruhe. Vor dem Bild stehend, hatte sie wie in Trance gesprochen; steif und aufrecht, die Augen geschlossen, beide Hände zu Fäusten geballt. Wie erfroren, hatte er denken müssen. Und jetzt taute sie allmählich auf. Hoffentlich begriff sie auch.

Für ihn gab es keine Zweifel. Magdalena hatte es so gewollt. Magdalena hatte gewusst, dass es vorbei war. Keine Chance, ihr Blut durch die Dialyse zu jagen. Ihr Herz hätte das nicht geschafft. Er fragte sich, was geschehen wäre, wenn sie Magdalena den Wunsch abgeschlagen hätte. Kommt nicht in Frage! Wir bleiben daheim! Dann hätte Magdalena vermutlich den Tod in ihren Armen gesucht – und gefunden! An der vermeintlichen Schuld hätte sich nichts geändert.

Doch ihr das klarzumachen war wirklich nicht mehr seine Aufgabe. Und über das, was sie von Johannes Frankenberg gehört hatten, mussten die Richter entscheiden. «Mein Sohn war schuldlos an diesem Desaster.»

Das war er mit Sicherheit gewesen. Ihm fiel dazu nur ein, was Grit Adigar über die Schönheit und die Vorsorge der Natur gesagt hatte. Leider hatte die Natur Magdalenas Willen außer Acht und zugelassen, dass doch noch ein Mann ins Verderben gerissen wurde. Rudolf Grovian konnte es nicht anders sehen. Hätte sich ihm die Möglichkeit noch geboten, er hätte diesem Geschöpf gehörig seine Meinung gesagt und einiges mehr. Für ihn stand Magdalena auf einer Stufe mit den verantwortungslosen Idioten, die sich ein Stück Autobahn suchten, um ihr Leben als Geisterfahrer zu beenden und das von ein paar Unschuldigen gleich mit.

Ein ernsthafter junger Mann war Georg Frankenberg gewesen, der höchstens am Wochenende zusammen mit zwei Freunden seinem Hobby frönte. Und weil die Eltern es nicht gerne sahen, gingen sie ihrer Passion im Haus der Großmutter nach, heimlich, ohne Wissen der Eltern.

Das Haus stand in Hamburg-Wedel. Es war das Geburtshaus der Mutter, stand seit Monaten leer. Man dachte daran, es zu verkaufen. Aber noch hatte sich kein Käufer gefunden, der bereit war, die Preisvorstellung zu akzeptieren. Georg fuhr häufig am Wochenende hin, um nach dem Rechten zu sehen. Behauptete er! Doch seine Mutter vermutete schon seit längerer Zeit, dass es nicht nur Pflichtbewusstsein war.

Da war sein Freund, dieser kleine Dicke aus Bonn, Ottmar Denner. Georgs Mutter mochte ihn nicht. Georg hatte ihn zweimal mitgebracht nach Frankfurt. Ottmar Denner hatte etwas Verschlagenes und Genusssüchtiges im Blick. Und an dem Samstag im Mai damals ...

Frau Frankenberg hatte mehrfach versucht, ihren Sohn in seiner Wohnung in Köln zu erreichen, vergebens. Kurz nach Mittag rief sie in Hamburg an. Und wer kam ans Telefon? Ottmar Denner!

Er sprudelte los: «Na endlich, Böcki! Ich dachte schon, du bist wieder versackt. Seit gut einer Stunde warte ich darauf, dass du dich meldest. Jetzt mach dich aber auf die Socken. Und bring von unterwegs eine Flasche Feuerwasser mit. Frankie hat's mal wieder vergessen. Koks besorgen wir uns heute Abend. Das wird 'ne heiße Nacht, Junge. Eh, Böcki, warum antwortest du nicht?»

Frau Frankenberg legte wortlos den Hörer auf und bestand darauf, augenblicklich nach Hamburg zu fahren. «Ich wusste doch, dass da etwas faul ist. Aber das geht entschieden zu weit. Du wirst ein ernstes Wort mit Georg reden.»

Nach zwei in der Nacht kamen sie an. Da war Georg nicht mehr ansprechbar. Die Haustür stand offen. Georg saß auf dem Kellerboden, hielt den blutigen Kopf eines nackten Mädchens im Schoß und wiederholte nur die Sätze. «Sie muss atmen. Sie atmete plötzlich nicht mehr.»

Johannes Frankenberg verstand nicht, was sein Sohn meinte. Das Mädchen in seinem Schoß war schwer verletzt und ohne Bewusstsein, aber ohne Zweifel lebte es. Noch! Dass noch ein zweites Mädchen da gewesen sein musste, bemerkte seine Frau erst später, als sie auf das Kleiderhäufchen aufmerksam wurde. Und erst nach drei Tagen konnte Georg erklären, dass Hans Bueckler und Ottmar Denner die Leiche des zweiten Mädchens aus dem Haus geschafft hatten, kurz bevor die Eltern eintrafen.

Denner und Bueckler hatten auch Cora mitnehmen wollen. Georg hatte das nicht zugelassen. Und Georg hatte wieder und wieder beteuert: «Ich habe Magdalena nicht umgebracht. Sie hörte plötzlich auf zu atmen.»

Herzversagen, dachte Rudolf Grovian, oder das Aneurysma ist geplatzt unter der Anstrengung. Auf jeden Fall war es ein natürlicher Tod gewesen – und für Magdalena vielleicht sogar ein schöner. Frankie hatte ihr gegeben, was sie wollte, und getan, was er tun konnte.

Was sie beschrieben hatte, klang nach Reanimationsversuchen. Und Rudolf Grovian dachte an die junge Patientin, von der Winfried Meilhofer gesprochen hatte. Der Frankie zwei Rippen brach, weil er sich mit ihrem Tod nicht abfinden konnte. Vielleicht hatte er in ihr noch einmal Magdalena vor sich gesehen. Der Erlöser, dachte er. Das war er gewesen. Magdalena erlöste er von ihrem Leiden, Cora von der Last. Nur von ihrer Schuld hatte er sie nicht erlösen können. Im Gegenteil! An ihm war sie schuldig geworden vor dem Gesetz.

Sie weinte immer noch. Nach mehr als einer Stunde drehte sie ihm endlich das Gesicht zu und wollte wissen: «Wie kann man so etwas vergessen?»

Er hob die Schultern an. «Frau Bender, Sie müssen mit Professor Burthe darüber reden. Fragen Sie ihn. Er kann Ihnen das bestimmt erklären.»

«Ich frage aber Sie. Wie kann man so etwas vergessen?»

«Das passiert vielen Leuten», sagte er nach ein paar Sekunden. «Man hört es oft nach Unfällen. Da erinnern sich manche nur noch, dass sie auf eine Kreuzung zugefahren sind. Was dann geschehen ist, wissen sie nicht.»

«Auf eine Kreuzung», murmelte sie. «Oder kurz vor elf nach Hause.» Sie begann erneut mit ihrem Kopfschütteln. Minutenlang war sie still. Als sie dann wieder sprach, hatte ihre Stimme einen ersten Hauch von Bitterkeit. «Fünf Jahre!»

Mit einem zittrigen Atemzug brach sie ab, dann wiederholte sie: «Fünf Jahre lang habe ich gedacht, ich hätte meine Schwester umgebracht. Alle haben es gedacht. Mein Vater, Margret und Grit. Nein, die nicht. Sie hat immer gesagt: ‹Das traue ich dir nicht zu.› Aber sie hat auch gesagt: ‹Ich glaube nicht, dass du gefixt hast.› Und ich musste mir nur meine Arme ansehen, dann musste ich es glauben, ob ich wollte oder nicht.»

Unvermittelt schlug sie mit dem linken Arm zur Seite. Er fiel mit der Armbeuge nach oben auf das Lenkrad.

«Vorsicht, Frau Bender!», schrie er. Ihm wurden die Hände feucht. Die Tachonadel stand bei hundertsechzig. Links neben ihm war die Leitplanke, rechts eine Kolonne von Lastwagen.

Sie beachtete ihn nicht, ließ den Arm, wo er war. «Warum hat er das getan?»

Er drosselte langsam die Geschwindigkeit. Abrupt wäre es nicht möglich gewesen, ohne den Hintermann auffahren zu lassen. Dann nahm er ihren Arm und legte ihn in ihren Schoß. «Machen Sie das nicht noch einmal. Oder wollen Sie uns beide umbringen?»

«Warum hat er das getan?», wiederholte sie.

«Das wissen Sie doch.»

«Nein!», stieß sie hervor. «Das weiß ich nicht. Um Frankie aus der Sache rauszuhalten, hätte er mir nicht die Arme so versauen müssen. Da hätte es gereicht, mir zu erzählen, ich sei vor sein Auto gelaufen. Ich habe mir so gewünscht, ich wäre nur ganz normal vor sein Auto gelaufen. Und er erzählt mir von Verletzungen im Vaginalbereich. Die kann ich gar nicht gehabt haben. Johnny hat mir nicht wehgetan. Warum hat er mir so etwas erzählt? Mein Gott, das höre ich heute noch. Die Umstände und die Art Ihrer Verletzung lassen nur einen Schluss zu! Warum hat er das gesagt?»

Sie war völlig außer sich. Es wäre ihm entschieden lieber gewesen, sie hätte sich beruhigt. Er konnte nicht rüber auf die Standspur. Es gab keine Lücke zwischen den Lastwagen. «Das wissen Sie doch, Frau Bender.»

«Ja, ich weiß es. Aber ich will hören, ob Sie es auch wissen. Sagen Sie es mir! Na los doch! Jetzt sagen Sie es schon! Ich muss es einmal von einem anderen hören. Wenn ich es nur denke, hilft es nicht.»

Es widerstrebte ihm. Er hatte die Gefühle hinter sich gelassen und war wieder ausschließlich Polizist. Ein zufriedener Polizist, der gute Arbeit geleistet hatte. Und als solcher wollte er ihr nicht noch mehr Worte in den Mund legen und sie nicht mit einer vorgefertigten Meinung zurück zu Burthe schicken.

Aber dann sagte er trotzdem: «Er wollte verhindern, dass Sie zur Polizei gehen. Er konnte sich nicht darauf verlassen, dass Ihre Amnesie anhält. Wenn Ihnen irgendwann eingefallen wäre, was im Keller passiert war, wer hätte Ihnen dann noch geglaubt? Da war immerhin die Zeitspanne von fast sechs Monaten. Dass Sie die gesamte Zeit in seinem Haus gelegen hatten, wussten nur er, seine Frau und sein Sohn. Und nun beruhigen Sie sich, Frau Bender. Wenn wir zurück sind, sprechen Sie mit Professor Burthe über alles. Ich werde auch mit ihm reden. Und mit dem Staatsanwalt und dem Untersuchungsrichter. Ich werde allen erklären, was wir von Herrn Frankenberg gehört haben.»

Sie hatten eine Menge gehört. Angefangen mit der Notversorgung im Keller. Dann die stundenlange Fahrt durch die Nacht. Frankie im Wagenfond. Ihren Kopf im Schoß, die Fingerspitzen an ihrem Hals, alle paar Sekunden wie im Fieber verkündend: «Puls ist noch tastbar.»

Wie groß das Risiko für sie gewesen war, die Fahrt nicht zu überleben, mussten Fachleute beurteilen. Und was mit ihr geschehen wäre, wenn das winzige Flämmchen unterwegs erloschen wäre …

Vielleicht hatten sie darauf gehofft. Frankie nicht, aber seine Eltern. In diesem Fall hätte Johannes Frankenberg es sich ersparen können, seinem Sohn den Arm zu brechen. Noch eine unbekannte Tote irgendwo am Straßenrand, nackt und ohne Papiere. Noch so ein armes Ding wie das aus der Lüneburger Heide. Ob es sich dabei tatsächlich um Magdalenas Leiche gehandelt hatte, mussten Ottmar Denner und Hans Bueckler beantworten. Wenn man sie ausfindig machte.

«Ich hätte sie nicht mitnehmen dürfen», unterbrach sie seine Gedanken. «Ich wusste, dass ich sie nicht mitnehmen durfte. Ich wusste es ganz genau. Vielleicht war es mir doch egal, ob sie stirbt. Ich war nur scharf auf Johnny. Das kommt davon! Meine Mutter hat immer gesagt, dass die Begierden des Fleisches nur Unheil bringen.»

«Frau Bender», mahnte er. «Ihre Mutter ist verrückt. Das war sie immer.»

«Nein», murmelte sie. «Immer nicht. Margret hat mir einmal erzählt …» Sie brach ab und fragte: «Was wird aus Margret?»

Zeit für eine Antwort ließ sie ihm nicht. Ihre Stimme wurde hektisch. «Hören Sie: Können wir es nicht so machen; ich habe doch zu Johnny gesagt, meine Schwester wäre daheim und krank. Ich hätte das Mädchen auf dem Parkplatz getroffen. Dabei können wir doch bleiben. Kein Mensch kann uns das Gegenteil beweisen.»

«Frau Bender, jetzt tun Sie mir einen Gefallen und beherzigen Sie, was Margret Ihnen geraten hat. Denken Sie an sich. Ich bin nicht der Einzige, der gehört hat, was Sie sagten. Davon abgesehen weiß Herr Frankenberg von seinem Sohn, dass das Mädchen Magdalena hieß. Und Sie selbst haben Herrn Frankenberg damals gesagt, dass Sie nach Hause zu Ihrer kranken Schwester müssen.»

«Natürlich, das ist doch ein Beweis, dass sie daheim war», erklärte sie. «Und Frankie konnte es nicht besser wissen. Wenn das Mädchen zu ihm gesagt hat, sie heißt Magdalena und ist meine Schwester. Aber das war nur ein Spiel. Ich hatte das mit dem Mädchen auf dem Parkplatz so vereinbart. Die Ärzte in Eppendorf werden Ihnen bestätigen, dass es nicht meine Schwester gewesen sein kann. Magdalena war viel zu krank, um das Haus zu verlassen. Das funktioniert. Sie müssen es nur wollen.»

Er schüttelte den Kopf. «Es funktioniert nicht, Frau Bender. Sie können Margret nicht aus der Sache raushalten.»

«Aber sie hat es nur für mich getan. Dafür kann man sie doch nicht einsperren. Sie werden Margret nicht verhaften, versprechen Sie mir das!»

Das konnte er ihr ruhigen Gewissens versprechen. Für Margret war er nicht zuständig. Um die mussten sich die Kollegen in Norddeutschland kümmern. Wobei sich die Frage stellte, was man ihr vorwerfen sollte. Es war nicht strafbar, eine Beerdigung zu organisieren. Eine Feuerbestattung. Jetzt fiel ihm das wieder ein.

Davon hatte Grit Adigar gesprochen. Es war alles ordnungsgemäß abgelaufen. Zuerst ein Feuer. Dann das Meer. Eine Beisetzung im engsten Kreis. Und nur Margret wusste, was sich in der Urne befunden hatte. Asche! Grit Adigar hatte sie in die Nordsee rieseln sehen.

Er fragte sich, wen oder was sie ins Krematorium geschickt haben mochten oder ob nicht, wie es üblicherweise sein sollte, ein Forensiker einen letzten Blick in den Sarg geworfen hatte. Dann fiel ihm siedend heiß ein, was sie über Margrets Diebstahl gesagt hatte. Verdammt nochmal! Es war ein Hammer, aber beweisen ließe es sich heute kaum noch, wenn vor fünf Jahren niemandem aufgefallen war, dass irgendwo eine Leiche fehlte.

Gegen seinen Willen musste er lächeln. Mit ein bisschen Geschick und Phantasie ... Von beidem hatte Margret Rosch bestimmt ausreichend. Sie hat Recht, dachte er. Es könnte nicht nur, es musste funktionieren. Mit Magdalenas Krankengeschichte. Mit Grit Adigars Aussage. Mit Hans Bueckler. Und Achim Miek, der den Totenschein ausgestellt hatte, würde sich auch eher auf die Zunge beißen, als zuzugeben, dass er vor einem leeren Bett gestanden und seine Freundin die Tote erst hatte organisieren müssen.

Sie stand am Fenster und starrte hinaus in den trüben Tag. Es war kalt draußen und nass. Am Vormittag hatte es geregnet. Februar war es inzwischen. Und es war der letzte Tag hinter Gittern. Sie wusste es, nur glauben konnte sie es nicht.

Eberhard Brauning hatte bei seinem Besuch gesagt: «Ich hole Sie am frühen Nachmittag ab, Frau Bender. Eine genaue Uhrzeit kann ich Ihnen leider nicht sagen.»

Es kam nicht an auf ein paar Minuten. Sie hatte viel Zeit, viel zu viel Zeit. Die anderen hatten keine. Der Professor hatte nur eine knappe Viertelstunde für sie gehabt – kurz nach Mittag. Es gab Kartoffelbrei, Erbsen in Mehlpampe und ein Hühnerbein mit labbriger Haut und wenig Fleisch am Knochen. Nach dem Essen kam Mario und brachte sie zum Professor. Er wollte ihr noch etwas erklären und ihr seine guten Wünsche für die Zukunft mit auf den Weg geben. Er hatte ihre Entlassung in eine offene Therapie befürwortet. Jetzt war sie nicht mehr wichtig für ihn.

Sie war für niemanden mehr wichtig. Auch für die Richter war sie es nicht gewesen. Ein Hauptverfahren gegen Cora Bender vor der großen Strafkammer am Landgericht Köln hatte es nicht gegeben. Keine Anklage wegen Mord oder wenigstens Totschlag. Kein Urteil: Lebenslänglich! Damit hätte man es vielleicht irgendwie zurechtrücken können. Aber wie sie darüber dachte, interessierte niemanden.

Sie hatte es nur bis ins Büro des Untersuchungsrichters geschafft. Aufgrund des psychologischen Gutachtens stellte der Staatsanwalt den Antrag, kein Verfahren zu eröffnen. «Schuldunfähig!» Da war ohnehin nicht mit einer Verurteilung zu rechnen.

Aber gehört worden waren sie alle. Rudolf Grovian und Johannes Frankenberg. Sogar Hans Bueckler! In Kiel hatten sie ihn aufgetrieben. Sie hatte ihn nicht zu Gesicht bekommen, es war besser so.

Hans Bueckler erklärte unter Eid, er habe in jener Mainacht vor fünf Jahren zusammen mit Ottmar Denner das Haus in Hamburg-Wedel fluchtartig verlassen, nachdem sie feststellen mussten, dass Georg Frankenberg ein Mädchen getötet hatte. Wer das Mädchen gewesen war, wusste Hans Bueckler nicht. Er erinnerte sich nur noch, dass er und Denner in einem Lokal zwei Mädchen kennen gelernt hatten, die sich als Schwestern ausgaben, es jedoch nicht waren. Was mit der Leiche und dem zweiten Mädchen geschehen war, wusste Hans Bueckler auch nicht. Eine Falschaussage war ihm nicht nachzuweisen.

Das psychologische Gutachten befasste sich ausführlich mit der Kellerszene und noch ausführlicher mit der schwarzen Seele Cora Benders. Schuldig geboren. Neunzehn Jahre Haft in einem mittelalterlichen Kerker. Aber am Ende war ein Vater der Verbrecher. Nein, ihrer nicht, von ihrem Vater war gar nicht die Rede. Frankies Vater war der wahre Übeltäter. Das stand allerdings nicht im Gutachten. Das behauptete nur der Pflichtverteidiger.

Eberhard Brauning war großartig gewesen. Er hatte mit Helenes tatkräftiger Unterstützung ein Plädoyer aufgesetzt und es dem Untersuchungsrichter vorgetragen, als stünde er vor der großen Strafkammer. Sein Versprechen hatte er dennoch nicht halten können. Keine zeitlich befristete Haftstrafe, zurück in die Klapsmühle, bis der Professor sie für reif befand, von nun an wieder für sich selbst zu denken.

Es war schneller gegangen als erwartet. Ein Tag im Februar. Und sie stand am Fenster. Und hinter ihr auf dem Bett lag der kleine Koffer, den Margret ihr vor einer Ewigkeit, auf jeden Fall in einem anderen Leben, ins Büro des Chefs gebracht hatte.

Sie dachte an Margrets kleine Wohnung. Ein Platz auf der Couch, mehr konnte Margret ihr nicht bieten, das Duschbad so eng, dass man sich an der Tür die Knie stieß, wenn man sich auf die Toilette setzte. Es war ein neuer Anfang dort, wo sie schon einmal begonnen hatte zu leben. Morgens sollte sie aus der Wohnung gehen, abends sollte sie zurückkommen. Es wäre dann fast so, als sei sie nur zur Arbeit fort gewesen. Nur dass sie diesmal nicht ins Café an der Herzogstraße, sondern in eine Tagesklinik gehen sollte.

Der Professor war überzeugt, dass sie es schaffte, weil Margret ihr Vorbild einer Frau mit revolutionären Ansichten war. Er war auch überzeugt, dass er sie an den Punkt gebracht hatte, den man ihr vor fünf Jahren verweigert hatte. Das war nicht ganz richtig so. Der Chef hatte sie an diesen Punkt gebracht. Aber sie hatte dem Professor nicht widersprochen, um ihn nicht zu kränken und zu verhindern, dass er seine Meinung über ihre Fortschritte noch einmal revidierte.

Und Eberhard Brauning hatte gesagt: «Frau Bender, wir können sehr zufrieden sein.»

Sie war nicht zufrieden. Sie sah immer noch Frankies Gesicht. Wie er sie anschaute und ihre Hand losließ. Und wie er kurz zuvor die Hand seiner Frau losgelassen, wie er gerufen hatte: «Nein, Ute, es reicht jetzt. Das nicht. Tu mir das nicht an!» Ute hatte ihm nichts angetan.

In einem ihrer Gespräche hatte der Professor gesagt, Frankie habe den Tod gesucht. Über diesen Satz hatte sie lange gegrübelt. Zu einem Ergebnis war sie nicht gekommen. Fest stand nur, Frankie hatte den Tod geliebt – einmal. Und dann hatte er eine Frau gesucht, die dem Tod aufs Haar glich.

Eberhard Brauning kam kurz vor vier. Er wollte ihren Koffer nehmen. Sie lehnte das ab, verabschiedete sich von Mario und folgte ihrem Anwalt auf dem Weg nach draußen.

Als er sich neben sie in seinen Wagen setzte, sagte er: «Ich habe gestern noch einmal mit Ihrem Mann gesprochen, Frau Bender. Es tut mir sehr Leid, dass ich nichts erreicht habe.»

Sie zuckte mit den Schultern und richtete den Blick nach vorne. Gereon hatte die Scheidung eingereicht, anders hatte sie es nicht erwartet. Obwohl sie zuletzt gehofft ... Wo sie doch bis zu dem Moment am See eigentlich nichts Schlimmes getan hatte. «Es macht nichts», sagte sie. «Ich dachte auch nur, er hätte sich das noch einmal überlegt. Aber wenn er nicht will, da kann man nichts machen. Es ist vielleicht besser so. Vorbei ist vorbei, nicht wahr?»

Eberhard Brauning nickte und konzentrierte sich auf den Verkehr. Sie fragte: «Muss ich dabei sein? Das können Sie doch sicher ohne mich regeln. Sagen Sie einfach, ich müsste den ganzen Tag in dieser Klinik sein. Ich dürfte nur abends raus. Und sagen Sie Gereon, ich will die Einbauküche und meine persönlichen Sachen. Und wenn ich hin und wieder vielleicht das Kind sehen dürfte. Es muss nicht oft sein und auch nicht lange. Einmal im Monat für ein oder zwei Stunden, das reicht mir. Solange ich noch bei Margret bin, kann Gereon ja abends mal mit ihm vorbeikommen. Ich will nur sehen, ob's dem Kleinen gut geht.»

Eine Antwort erwartete sie nicht. Sie schaute ihn auch nicht an, ob er nickte. Nach ein paar Sekunden Stille wollte sie wissen: «Wie lange kann das dauern mit dieser Therapie? Ein Jahr oder zwei?»

«Das kann man so nicht sagen, Frau Bender. Das hängt von vielen Faktoren ab. In der Hauptsache natürlich von Ihnen.»

«Das dachte ich mir. Es hängt immer alles nur von mir ab in der Hauptsache.» Sie lachte leise. «Dann will ich mir mal Mühe geben. Ich kann nicht ewig bei Margret bleiben. Und mir eine eigene Wohnung suchen, das lohnt sich nicht. Ich muss so schnell wie möglich nach Hause. Haben Sie etwas Neues von meinem Vater gehört?»

Er wusste nicht, was er ihr darauf antworten sollte. Rudolf Grovian hatte es übernommen, ihr zu erklären, dass ihr Vater tot war. «Ich mache das schon. Ich bin ohnehin der Sündenbock für sie.» Kurz nachdem er mit ihr in Frankfurt gewesen war, hatte Rudolf Grovian es ihr gesagt. Das wusste Eberhard Brauning mit Sicherheit.

Sie schaute nach vorne auf die Straße. «Ich habe mir schon gedacht», sagte sie, «dass Gereon die Scheidung nicht zurücknimmt. Und da ist es am besten, ich gehe dahin, wo ich gebraucht werde. Ich werde meinen Vater pflegen. Das habe ich mir vorgenommen. Waschen und kämmen und füttern, was man halt tun muss für einen alten Mann, der ans Bett gefesselt ist. Ich werde auch Mutter zurückholen. Sie müssen sie mir doch zurückgeben, oder? Sie ist nicht gefährlich, sie tut keinem Menschen etwas. Und dann sorge ich dafür, dass Magdalena ihr Feuer bekommt. Ich weiß noch nicht, wie ich das anstellen soll. Aber irgendwie schaffe ich das schon. Und wenn ich sie nachts auf dem Friedhof ausgraben muss. Irgendwie schaffe ich das.»

Ein paar Sekunden lang schwieg sie, dann begann sie zu lächeln, warf ihm einen raschen Blick zu und sagte: «Keine Angst! Ich sage das nur. Der Chef hat gesagt, es ist Leichenschändung oder Störung der Totenruhe oder so. Ich werde niemanden schänden und niemanden stören. Ich habe auch nicht vergessen, wo mein Vater ist. Ich werde nie wieder etwas vergessen, befürchte ich. Es ist rein theoretisch. Ich stelle es mir eben gerne vor, wie ich an seinem Bett sitze und mit ihm rede. Ich hätte ihm das alles gerne noch erklärt.»

Dann strafften sich ihre Schultern, ihre Stimme wurde hart. «Denken Sie daran, die Einbauküche. Die lasse ich gleich nach Buchholz schaffen. Und meine persönlichen Sachen. Geld will ich nicht. Geld habe ich genug. Ein Haus habe ich auch. Und ein Auto. Es ist zwar alles alt. Aber es ist alles noch da. Und es muss sich ja einer darum kümmern, dass es nicht völlig vergammelt. Können Sie sich vorstellen, wie der Vorgarten aussieht? Das war immer Vaters Stolz. Der Vorgarten und die Gardinen. Wie es im Haus aussah, war ihm nie so wichtig. Aber die Gardinen mussten sauber sein. Herr Grovian sagte, bei seinem letzten Besuch wäre alles ordentlich gewesen. Aber das ist ja lange her.»

Sie seufzte. «Haben Sie nochmal was von Herrn Grovian gehört?» Eberhard Brauning schüttelte den Kopf. Und sie zuckte noch einmal mit den Achseln. Vorbei war vorbei. Das ging schnell.

Nur vergessen, das ging nicht mehr. Das ging nur mit der letzten Sünde. Mal sehen. Wenn es unerträglich wurde … Eine Tagesklinik. Und die Nächte in Margrets Wohnung. Margret machte oft Nachtschicht. Und sie hatte immer einen Haufen Arznei-Zeug in dem kleinen Schränkchen neben ihrem Bett.

Petra Hammesfahr

Petra Hammesfahr, 1952 geboren, lebt als Schriftstellerin und Drehbuchautorin in Kerpen bei Köln. Ihr Roman *Der stille Herr Genardy* wurde in mehrere Sprachen übersetzt und erfolgreich verfilmt.

Die Sünderin *Roman*
416 Seiten. Gebunden
Wunderlich und als rororo 22755 ab September 2000
Ein Sommernachmittag am See: Cora Bender, Mitte Zwanzig, macht mit ihrem Mann und dem kleinen Sohn einen Ausflug. Auf den ersten Blick eine ganz normale Familie, die einen sonnigen Tag genießt. Doch dann geschieht etwas Unvorstellbares ...
«Ein Buch, das auch nach der letzten Seite noch in der Seele schmerzt.» *Freundin*

Der Puppengräber *Roman*
(rororo 22528)

Lukkas Erbe *Roman*
(rororo 22742 / Juli 2000)
Der geistig behinderte Ben, der «Puppengräber», wurde im Sommer '95 verdächtigt, vier Mädchen aus seinem Dorf getötet zu haben. Nach einem halben Jahr Klinikaufenthalt kehrt Ben verstört zu seiner Familie zurück. Sofort breitet sich Misstrauen unter den Dorfbewohnern aus. War Ben dem Mörder Heinz Lukka bei seinen Greueltaten vielleicht doch behilflich? Dann taucht plötzlich Lukkas Ziehtochter Miriam auf und zieht in das Haus, wo die Spuren des Verbrechens noch frisch sind ...

Literatur

Die Mutter Roman
400 Seiten. Gebunden
Wunderlich
Vera Zardiss führt ein glückliches Leben: Mit ihrem Mann Jürgen ist sie vor Jahren in eine ländliche Gegend gezogen. Mit den Töchtern Anne und Rena wohnen die beiden auf einem ehemaligen Bauernhof. Die heile Welt gerät ins Wanken, als Rena kurz nach ihrem 16. Geburtstag plötzlich verschwindet ...

Der stille Herr Genardy *Roman*
(Wunderlich Taschenbuch 26223)

«Eine deutsche Autorin, die dem Abgründigen ihrer angloamerikanischen Thriller-Kolleginnen ebenbürtig ist.»
Welt am Sonntag

Weitere Informationen in der **Rowohlt Revue**, kostenlos in Ihrer Buchhandlung, oder im **Internet: www.rowohlt.de**

3723/2

Laurie R. King

«Wenn jemand die Nachfolge von P. D. James antritt, dann **Laurie R. King.**»
Boston Globe

Die Gehilfin des Bienenzüchters
Kriminalroman
(rororo 13885)
Der erste Roman einer Serie, in der Laurie R. King das männliche Detektivpaar Sherlock Holmes und Dr. Watson durch eine neue Konstellation ersetzt: dem berühmten Detektiv wird eine Assistentin – Mary Russell – zur Seite gestellt.
«Laurie King hat eine wundervoll originelle und unterhaltsame Geschichte geschrieben.» *Booklist*

Tödliches Testament
Kriminalroman
(rororo 13889)
Die zweite Russell-Holmes-Geschichte.

Die Apostelin *Kriminalroman*
(rororo 22182)
Mary Russell und Sherlock Holmes, der wohl eingeschworenste Junggeselle der Weltliteratur, haben geheiratet. Aber statt das Familienidyll zu pflegen, ist das Paar auch in dem dritten Band über den berühmten Detektiv und seine Assistentin wieder mit einem Mordfall beschäftigt.
«*Die Apostelin* ist ein wundervolles Buch. Ich habe diesen Roman geliebt.»
Elisabeth George

Tödliches Testament
Kriminalroman
(rororo 13889)

rororo Unterhaltung

Die Farbe des Todes *Thriller*
(rororo 22204)
Drei kleine Mädchen sind ermordet worden. Kein leichter Fall für Kate Martinelli, die gerade erst in die Mordkommission versetzt wurde und noch mit der Skepsis ihres Kollegen Hawkin zu kämpfen hat.

Die Maske des Narren
Kriminalroman
(rororo 22205)
Kate Martinelli und Al Hawkin übernehmen ihren zweiten gemeinsamen Fall.

Geh mit keinem Fremden
Kriminalroman
(rororo 22206)

Die Feuerprobe *Roman*
Deutsch von Eva Malsch und Angela Schumitz
544 Seiten. Gebunden.
Wunderlich (September 2000)

Weitere Informationen in der **Rowohlt Revue,** kostenlos im Buchhandel, und im **Internet: www.rororo.de**

3666/3

Leben ohne Gebrauchsanweisung

Diese Bücher wenden sich an Frauen, die *Machiavella*, *freche Frauen* und *böse Mädchen* satt haben und statt dessen ihr Leben mit Gelassenheit und Mut zur Unvollkommenheit gestalten.

Susanne Stiefel
Lebenskünstlerinnen unter sich
Eine Liebeserklärung an die Gelassenheit
(rororo 22585)
Hier ist das Buch für Frauen, die keine vollmundigen Lebensrezepte brauchen, weil sie einen eigenen Stil gefunden haben. «Wie sehr einem das Leben erst gehört, wenn man es erfunden hat» – dieser Satz von Djuna Barnes ist ein Leitmotiv für dieses Buch, das eine Kombination von Text und Bild, von Geschichten aus dem vollkommenen Leben, bissigen Sottisen, von schönen Photos und typographisch hervorgehobenen Zitaten ist.

Amelie Fried (Hg.)
Wann bitte findet das Leben statt?
(rororo 22560)
Wann bitte findet das Leben statt? fragt sich wahrscheinlich so manche Frau, wenn sie gestreßt vom Alltag feststellt, daß ihre Träume irgendwo zwischen Beruf- und Privatleben verlorenzugehen drohen. Die Geschichten namhafter Autorinnen erzählen von Frauen und ihren Träumen, Enttäuschungen und hoffnungsvollen Perspektiven. Ein Buch über Frauen, die ein Leben ohne Gebrauchsanweisung führen.

rororo

Julie Burchill
Verdammt – ich hatte recht!
Eine Autobiographie
(rororo 22556)
Das großartige Manifest einer begnadeten Journalistin und bekennenden Egozentrikerin. Drogen, Männer und Frauen: Julie Burchill hat nichts ausgelassen.
«Mädchenkitsch-Fanatikerinnen jeden Alters, hier ist Eure Bibel!» *Spex*

Ildikó von Kürthy
Mondscheintarif *Roman*
(rororo 22637)
Cora ist 33. Alt genug, um zu wissen, daß man einen Mann NIEMALS nach dem ersten Sex anrufen darf. Also tut sie das, was eine Frau in so einem Fall tun muß: Sie epiliert sich die Beine, hadert mit ihrer Konfektionsgröße und ihrem Schicksal – und wartet. Auf seinen Anruf. Stundenlang.

Weitere Informationen in der **Rowohlt Revue**, kostenlos im Buchhandel, oder im **Internet: www.rowohlt.de**

3709/3

Starke Frauen

Starke Frauen, freche Bücher, scharfsinnige Geschichten mit viel Witz aus einer exotischen Welt: dem Frauenalltag.

Janice Deaner
Als der Blues begann Roman
(rororo 13707)
«Janice Deaner ist mit ihrem ersten Roman etwas ganz besonderes gelungen: eine spannende, zärtliche Geschichte aus der Sicht eines zehnjährigen Mädchens zu erzählen.»
Münchner Merkur

Pia Frankenberg
Die Kellner & ich *Roman*
(rororo 13778)

Christine Hohwieler
Ja, ich will! *Heiraten – die letzte Herausforderung für starke Frauen*
192 Seiten. Gebunden
Wunderlich Verlag und als rororo sachbuch 60775

Alexa Hennig von Lange
Relax *Roman*
(rororo 22494)
«Alexa Hennig von Lange – die Antwort der Literatur auf die Spice Girls.»
Die Zeit

Kathy Lette
Mein Bett gehört mir *Roman*
(rororo 22270)
Eine australische Lebenskünstlerin, hoffnungslos verliebt, folgt ihrem Auserwählten nach London. Aus Lust und Liebe wird eine gar nicht nette Katastrophe ...
Kinderwahn *Roman*
Deutsch von Thomas Bodmer
320 Seiten. Gebunden und als rororo 22594

rororo Unterhaltung

Jane Mendelsohn
Himmelstochter *Roman*
(rororo 22483)
Der abenteuerliche Roman ist auch «ein Traum vom Glück. Vom Glück zwischen Mann und Frau.»
Süddeutsche Zeitung

Clare Nonhebel
Tea for One *Roman*
(rororo 22340)
«Witz, Charme und ganz viel Herz: Claire Nonhegel landete mit ihrem Debüt einen Volltreffer.» *Freundin*

Adele Crockett Robertson
Der Apfelgarten *Erinnerungen einer Glücklichen*
(rororo 22620)
«*Der Apfelgarten* ist ein mutiges, poetisches Lebenszeugnis.» *John Updike*

Anne Wilson
Das letzte Zeugnis *Roman*
(rororo 22450)

Weitere Informationen in der **Rowohlt Revue**, kostenlos im Buchhandel, oder im **Internet: www.rowohlt.de**

3601/5